KB086844

2nd Edition

Child·Adolescence Health Nursing

아동청소년 간호학 I

UNIT 1 아동간호학의 개념 UNIT 2 성장발달과 건강증진

강경아 · 김신정 · 김현옥 · 이명남 외 공저

군자출판사

아동청소년간호학 [제 2 판]

Child · Adolescence Health Nursing

첫째판 1쇄 발행 2013년 3월 4일
첫째판 2쇄 발행 2013년 8월 26일
첫째판 3쇄 발행 2014년 1월 10일
둘째판 1쇄 발행 2019년 2월 8일
둘째판 2쇄 발행 2020년 2월 10일
둘째판 3쇄 발행 2020년 9월 14일
둘째판 4쇄 발행 2023년 8월 30일

지 은 이 강경아 · 김신정 · 김현옥 · 이명남 · 구정아 · 김경남 · 김선영 · 김성희 · 김여진 · 김은주 · 김재현 · 박선정 · 박성주 박지영 · 석정원 · 이상미 · 이용화 · 임소연 · 임수진 · 정용선 · 조숙희 · 조해련 · 주가을 · 채명옥

발 행 장주연
편 집 박문성
표지디자인 최윤경
내지디자인 최윤경
발 행 처 군자출판사(주)
등록 제4-139호(1991.6.24.)
(10881) 파주출판단지 경기도 파주시 회동길 338(서패동 474-1)
Tel. (031) 943-1888 Fax. (031) 955-9545
www.koonja.co.kr

ISBN 979-11-5955-403-2 (93510)
정 가 80,000원

Child·Adolescence Health Nursing

아동청소년 간호학 I

UNIT 1 아동간호학의 개념

UNIT 2 성장발달과 건강증진

대표저자

강 경 아	삼육대학교
김 신 정	한림대학교
김 현 옥	전북대학교
이 명 남	강원대학교

집 필 진

구 정 아	백석문화대학교
김 경 남	부산여자대학교
김 선 영	부천대학교
김 성 희	중앙대학교
김 여 진	원광보건대학교
김 은 주	전북과학대학교
김 재 현	전주비전대학교
박 선 정	여주대학교
박 성 주	남부대학교
박 지 영	인제대학교
석 정 원	삼육보건대학교
이 상 미	동양대학교
이 용 화	군산간호대학교
임 소 연	백석대학교
임 수 진	인천가톨릭대학교
정 용 선	동신대학교
조 숙 희	국립목포대학교
조 해 련	원광대학교
주 가 을	수원대학교
채 명 옥	청주대학교

머리말

최근 출산율의 급격한 감소와 더불어 아동양육과 건강에 대한 문제가 빠르게 변하고 있어, 아동간호의 대상인 아동과 청소년, 가족을 위한 간호의 개념은 대상자의 요구 중심적 접근이 되어야 한다고 봅니다. 이에 따라 아동간호학 영역에서도 인간의 성장발달에 대한 이해를 바탕으로 신생아에서부터 청소년까지의 아동과 그 가족의 건강유지, 증진 및 건강회복을 위하여 아동과 그 가족에게 보다 실제적인 간호를 제공하는 것이 중요하다고 생각됩니다.

본 교재는 2017년 개정된 3차 아동간호학 학습목표에 근거하여, 이론적 지식뿐 아니라 임상에 적용되고 있는 최신 실무 내용을 반영하여 아동간호 임상현장에서 유용하게 활용할 수 있도록 하는 것을 목표로 출간하게 되었습니다. 이 책의 구성은 I권은 UNIT 1. 아동간호학의 개념, UNIT 2. 성장발달과 건강증진으로 구성되어 있으며 II권은 UNIT 3. 아동의 건강회복으로 구성되어 있습니다. 이 책은 총 25장으로 구성되었고 각 장에는 그 장에서 포함되는 주요 용어를 제시하였습니다. 각 장마다 확인문제를 통해 자가 학습에 도움을 주도록 하였으며, 매 장 마지막에 확인문제에 대한 정답과 요점을 제시하여 학습효과를 높이도록 하였습니다. 또한 간호과정도 대한간호협회 진단목록에 따라 통일하였습니다.

대학에서 효과적으로 학습성과를 달성하기 위해 교육과 연구에 분주한 상황에서도 학생들에게 도움이 되는 교재 저술을 위해 열심히 협조하여 주신 저자 교수님들과 자축의 기쁨을 함께 나누고 싶습니다. 앞으로 미비하거나 계속적으로 변화되는 임상상황과 내용에 대해서는 계속적인 관심을 가지고 수정해 나가도록 하겠습니다. 본 교재가 아동간호학을 공부하는 학생은 물론, 임상과 연구부분뿐만 아니라 아동과 관련된 전문영역에서 활동하는 전문인들에게 유용한 도서로 사용되기를 바랍니다.

끝으로 이 책이 출간되기까지 여러모로 후원해주신 군자출판사 장주연 사장님과 직원 여러분께 진심으로 감사드립니다.

2020년 1월

저자 일동

UNIT 01 아동간호학의 개념

Chapter_01_아동간호학의 개념

Ⅰ 아동간호의 철학 ··· 4
Ⅱ 아동의 주요 건강지표 ··· 5
Ⅲ 아동의 건강에 영향을 미치는 요인 ··· 19
Ⅳ 아동간호사의 역할 ··· 21

Chapter_02_아동과 가족

Ⅰ 부모역할 ··· 28
Ⅱ 가족이 아동의 성장발달에 미치는 영향 ··· 28
Ⅲ 다양한 가족이 아동에게 미치는 영향 ··· 36
Ⅳ 아동 학대 ··· 38

Chapter_03_아동간호의 기본 원리

Ⅰ 건강력 ··· 54
Ⅱ 생리적 상태 ··· 61
Ⅲ 신체검진 ··· 64
Ⅳ 입원과 질병이 갖는 의미 ··· 89
Ⅴ 아동과의 의사소통 ··· 93
Ⅵ 입원아동에 대한 기본간호 ··· 96
Ⅶ 치료 및 검사와 관련된 일반적 개념 ··· 122
Ⅷ 안전 관리 ··· 130
Ⅸ 심폐소생술 ··· 134
Ⅹ 퇴원간호 ··· 135

UNIT 02 성장발달과 건강증진

Chapter_04_아동의 성장발달 특성과 사정

Ⅰ 성장과 발달 ··· 144
Ⅱ 성장 발달에 영향을 미치는 요인 ··· 147
Ⅲ 기질 ··· 148
Ⅳ 발달 검사 ··· 150
Ⅴ 예방접종 ··· 153

Chapter_05_신생아

Ⅰ 생리적 기능과 특성 ··· 164
Ⅱ 신생아의 사정 ··· 173
Ⅲ 출생 후 신생아 간호 ··· 185
Ⅳ 신생아 퇴원교육 ··· 193

Chapter_06_영아

Ⅰ 성장 특성 ··· 198
Ⅱ 발달 특성 ··· 199
Ⅲ 활동과 휴식 ··· 207
Ⅳ 영양과 식습관 ··· 208
Ⅴ 안전사고 예방과 대처교육 ··· 212
Ⅵ 영아기의 흔한 건강문제 ··· 215

Chapter_07_유아

Ⅰ 성장 특성 ··· 224
Ⅱ 발달 특성 ··· 225
Ⅲ 활동과 휴식 ··· 231
Ⅳ 영양과 식습관 ··· 233
Ⅴ 성교육 ··· 234
Ⅵ 안전사고 예방과 대처교육 ··· 235
Ⅶ 유아기의 흔한 건강문제 ··· 237

Chapter_08_학령전기 아동

Ⅰ 성장 특성 ··· 246
Ⅱ 발달 특성 ··· 247
Ⅲ 활동과 휴식 ··· 256
Ⅳ 영양과 식습관 ··· 258
Ⅴ 성교육 ··· 258
Ⅵ 안전사고 예방과 대처교육 ··· 259
Ⅶ 학령전기의 흔한 건강문제 ··· 260

Chapter_09_학령기 아동

Ⅰ 성장 특성 ··· 268
Ⅱ 발달 특성 ··· 270
Ⅲ 활동과 휴식 ··· 276
Ⅳ 영양과 식습관 ··· 276
Ⅴ 성교육 ··· 277
Ⅵ 안전사고 예방과 대처교육 ··· 278
Ⅶ 학령기의 흔한 건강문제 ··· 278

Chapter_10_청소년

Ⅰ 성장 특성 ········· 292
Ⅱ 발달 특성 ········· 294
Ⅲ 활동과 휴식 ········· 299
Ⅳ 영양과 식습관 ········· 300
Ⅴ 성교육 ········· 301
Ⅵ 안전사고 예방과 대처교육 ········· 301
Ⅶ 청소년기의 흔한 건강문제 ········· 302

UNIT 03 아동의 건강회복

Chapter_11_고위험 신생아와 가족의 간호

Ⅰ 생리적 기능과 특성 ········· 312
Ⅱ 신체사정 ········· 317
Ⅲ 체온 유지 간호 ········· 317
Ⅳ 호흡 유지 간호 ········· 321
Ⅴ 영양 유지 간호 ········· 324
Ⅵ 피부간호 ········· 327
Ⅶ 특수간호 ········· 327
Ⅷ 신생아 집중치료실의 환경관리 ········· 332
Ⅸ 부모의 역할 증진 ········· 334
Ⅹ 출생 시 손상 ········· 336
Ⅺ 용혈성질환 ········· 339
Ⅻ 저혈당증 ········· 340
XIII 패혈증 ········· 341
XIV 호흡기계 관련 장애 ········· 342
XV 선천성 대사장애 ········· 348
XVI 신경계 장애 ········· 353
XVII 근골격계 장애 ········· 362
XVIII 소화기계 장애 ········· 366
XIX 고위험 산모의 신생아 ········· 381
XX 유전질환 상담 ········· 383
XXI 염색체 이상 ········· 387

Chapter_12_호흡기능 장애 아동의 간호

Ⅰ 호흡기계의 특성 ········· 394
Ⅱ 호흡기계 기능 사정 ········· 395
Ⅲ 비인두염 ········· 415
Ⅳ 인두염 ········· 417
Ⅴ 편도염 ········· 419
Ⅵ 중이염 ········· 423
Ⅶ 크룹 ········· 427
Ⅷ 기관지염 ········· 431
Ⅸ 세기관지염 ········· 432
Ⅹ 폐렴 ········· 434
Ⅺ 결핵 ········· 437
Ⅻ 기타 호흡기 질환 ········· 440

Chapter_13_소화기능 장애 아동의 간호

Ⅰ 소화기계의 특성 ········· 452
Ⅱ 소화기계 기능 사정 ········· 453
Ⅲ 수분 전해질 불균형 ········· 456
Ⅳ 위장관염 ········· 472
Ⅴ 변비와 유분증 ········· 477
Ⅵ 장중첩증(창자겹침증) ········· 480

Chapter_14_영양 및 대사 장애 아동의 간호

Ⅰ 영양 및 대사 기능의 특성 ········· 486
Ⅱ 영양 및 대사 기능 사정 ········· 486
Ⅲ 영양 및 대사 장애와 간호 ········· 486
Ⅳ 식품 알레르기 ········· 491
Ⅴ 비만 ········· 493

Chapter_15_순환기능 장애 아동의 간호

Ⅰ 순환기계의 특성 ········· 498
Ⅱ 순환기계 기능 사정 ········· 501
Ⅲ 심장장애 아동의 간호 ········· 506
Ⅳ 선천심장병 ········· 515
Ⅴ 후천심장병 ········· 527

Chapter_16_혈액기능 장애 아동의 간호

Ⅰ 혈액계의 특성 ········· 536
Ⅱ 혈액계 기능 사정 ········· 539
Ⅲ 적혈구 이상 ········· 541
Ⅳ 재생불량성 빈혈 ········· 545
Ⅴ 혈우병 ········· 547
Ⅵ 특발혈소판감소자색반병 ········· 548

Chapter_17_면역기능 장애 아동의 간호

Ⅰ 면역계의 특성 ····· 552
Ⅱ 면역계 기능 사정 ····· 560
Ⅲ 아토피피부염(영아습진) ····· 566
Ⅳ 알레르기비염 ····· 570
Ⅴ 천식 ····· 573
Ⅵ 류마티스열 ····· 578
Ⅶ 가와사키병 ····· 581
Ⅷ 헤노흐-쇤라인자색반 ····· 583

Chapter_18_피부기능 장애 아동의 간호

Ⅰ 피부계의 특성 ····· 588
Ⅱ 피부계 기능 사정 ····· 588
Ⅲ 접촉 피부염 ····· 589
Ⅳ 기저귀 피부염 ····· 590
Ⅴ 농가진 ····· 590
Ⅵ 옴 ····· 591
Ⅶ 이 기생증 ····· 592
Ⅷ 화상 ····· 593
Ⅸ 칸다디증 ····· 598
Ⅹ 혈관종 ····· 600
Ⅺ 여드름(심상성 좌창) ····· 600

Chapter_19_뇌기능 장애 아동의 간호

Ⅰ 뇌의 특성 ····· 606
Ⅱ 뇌기능 사정 ····· 607
Ⅲ 수막염 ····· 613
Ⅳ 열발작 ····· 619
Ⅴ 뇌전증 ····· 621

Chapter_20_운동기능 장애 아동의 간호

Ⅰ 근골격계의 특성 ····· 630
Ⅱ 근골격계 기능 사정 ····· 630
Ⅲ 근골격 질환의 치료적 관리 ····· 632
Ⅳ 골절 ····· 638
Ⅴ 척추만곡 ····· 640
Ⅵ 근(육)디스트로피 ····· 644
Ⅶ 뇌성마비 ····· 645
Ⅷ 소아 류마티스 관절염 ····· 649

Chapter_21_비뇨생식기능 장애 아동의 간호

Ⅰ 비뇨생식기계의 특성 ····· 654
Ⅱ 비뇨생식기계 기능 사정 ····· 656
Ⅲ 요도기형 ····· 662
Ⅳ 배뇨장애 ····· 665
Ⅴ 요로감염 ····· 666
Ⅵ 방광요관역류 ····· 668
Ⅶ 사구체신염 ····· 670
Ⅷ 신증후군 ····· 673

Chapter_22_내분비기능 장애 아동의 간호

Ⅰ 내분비계의 특성 ····· 680
Ⅱ 내분비계 기능 사정 ····· 680
Ⅲ 성장장애 ····· 684
Ⅳ 성조숙증 ····· 686
Ⅴ 갑상선저하증 ····· 689
Ⅵ 당뇨 ····· 691

Chapter_23_감염병 아동의 간호

Ⅰ 감염의 특성 및 확산 예방 ····· 708
Ⅱ 감염성 질환의 사정 ····· 708
Ⅲ 바이러스성 감염 ····· 709
Ⅳ 세균성 감염 ····· 717

Chapter_24_종양 아동과 호스피스 완화 간호

Ⅰ 아동기 종양 ····· 724
Ⅱ 방사선 치료 ····· 727
Ⅲ 항암화학요법 ····· 729
Ⅳ 조혈모세포이식/골수이식 ····· 735
Ⅴ 골수생검 ····· 736
Ⅵ 백혈병 ····· 736
Ⅶ 뇌종양 ····· 741
Ⅷ 신경모세포종 ····· 744
Ⅸ 빌름스 종양 ····· 745
Ⅹ 골육종 ····· 746
Ⅺ 악성림프종 ····· 748
Ⅻ 호스피스 완화 간호 ····· 750

Chapter_25_만성질환 및 장애 아동의 간호

Ⅰ 만성질환 및 장애아동과 가족의 특성 ·········· 760

Ⅱ 발달 단계별 만성질환 ······················ 760

Ⅲ 시각장애 ································ 763

Ⅳ 청각장애 ································ 768

Ⅴ 지적장애 및 지체장애 ······················ 774

Ⅵ 발달장애 ································ 777

Ⅶ 만성질환 및 장애 아동의 가족 ················ 785

참고문헌 ·· 791

찾아보기 ·· 797

UNIT 01
아동간호학의 개념

01 아동간호학의 개념
02 아동과 가족
03 아동간호의 기본 원리

CHAPTER 01

아동간호학의 개념

주요용어

법정감염병(infectious disease)
신생아 사망률(neonatal mortality rate)
아동 전문 간호사(child health nurse practitioner)
어린이 사망률(child mortality rate)
영아 사망률(infant mortality rate)
이환율(morbidity)
조출생률(crude birth rate)
합계출산율(total fertility rate)

학습목표

01 아동간호의 철학을 설명한다.
02 아동의 주요 건강 지표를 설명한다.
03 아동의 건강에 영향을 미치는 요인을 설명한다.
04 아동간호사의 역할을 설명한다.

아동간호의 철학

아동간호의 일차적인 목표는 가족으로 하여금 아동에 대한 양육기능을 최대로 발휘하도록 하는 것이다. 아동간호에 관한 주요 철학적 가정은 [표 1-1]과 같다. 아동간호의 업무 범위가 광범위하기 때문에 목표 또한 광범위하다.

표 1-1 아동간호의 철학

- 아동간호는 가족 중심적이다. 간호사정을 위한 자료 수집 시 아동에 대한 것뿐만 아니라 가족에 대한 것도 포함시켜야 한다.
- 아동간호는 지역사회 중심적이다. 가족의 건강은 지역사회의 건강 수준에 따라 달라지고 또한 지역사회 건강 수준에 영향을 미친다.
- 아동간호는 연구 지향적이다. 연구는 중요한 지식을 증진시키는 수단이기 때문이다.
- 아동간호는 간호이론에 기초하여 제공한다.
- 아동간호는 모든 가족 구성원의 권리를 보호하는 대변자의 기능을 수행한다.
- 아동간호는 교육이나 상담과 같은 높은 수준의 간호 기능을 사용한다.
- 간호사의 중요한 역할은 건강을 증진하는 것이다. 이는 다음 세대의 건강을 보호하는 것이 되기 때문이다.
- 아동의 질병은 가족의 삶을 미묘하게 그리고 광범위하게 변화시킬 수 있다.
- 개인적, 문화적, 종교적 태도와 신념은 질병에 대한 의미 부여에 영향을 미치며, 또한 가족에게 영향을 미친다. 질병이나 임신과 같은 상황은 전체적인 삶(total life)의 맥락 내에서 바라보아야 한다.
- 아동간호는 간호사에게 도전적인 역할이며, 높은 수준의 가족 안녕을 증진하는데 중요한 요소이다.

아동간호의 범위는 다음과 같다.

- 산전기간 동안의 아동간호
  (수정 6주 전부터 출산 6주 후 까지)
- 영아에서 청소년까지의 아동간호
- 외래, 신생아 중환자실, 소아 중환자실, 가정과 같이 다양한 실무 상황에서의 간호

아동간호의 본질적인 목적은 어떠한 형태의 간호 상황에서든지 그 중심에는 가족이 있도록 하는 것이다. 아동건강 간호는 항상 가족 중심적이다. 이 말은 가족은 간호의 첫 번째 요소로 간주해야 한다는 것을 의미하는 것으로 가족의 기능 수준은 가족 구성원 개개인의 건강상태에 영향을 미치기 때문이다. 만일 가족의 기능수준이 낮다면, 가족 내에 있는 개개인의 정서적, 신체적, 사회적 건강과 잠재능력에 부정적으로 영향을 미칠 수 있다. 반대로 건강한 가족은 가족 구성원들이 위기에 처해 있을 동안 더욱 성장하고 건강을 증진하는 행위를 이끌어 낼 수 있는 환경을 만들어내게 된다. 이와 유사하게 개인의 건강과 기능은 가족 구성원의 건강과 전체적인 가족기능에 큰 영향을 미친다. 이와 같이 가족중심 접근법은 간호사가 개인을 더 잘 이해할 수 있게 하고, 전인간호를 제공할 수 있게 한다. 가족중심 아동간호를 위한 표준은 [표 1-2]와 같다.

표 1-2 가족중심 아동 간호를 위한 표준

원칙	중재
1. 가족은 사회의 기본 단위이다.	• 가족에게 지역사회에서 제공되는 서비스를 이용하도록 격려하여, 가족 구성원들의 간호 요구를 충족시킨다. • 아동을 입원 치료하는 병원에서는 가능한 모자 동실을 실시한다. • 가능한 빨리 가족에게 돌아갈 수 있도록 조기 퇴원 프로그램을 실시한다. 가족과 계속 접촉할 수 있도록 가족과 형제들의 병원 방문을 격려한다.
2. 가족은 인종적, 윤리적, 문화적, 사회경제적으로 차이가 있다.	• 가족의 장점과 특이한 요구를 사정한다. • 가족의 다양한 차이를 존중한다.
3. 아동은 개인적으로 그리고 가족의 일부로서 성장한다.	• 간호 시 발달적 자극을 제공한다. • 가족으로 하여금 질병 중에 있는 아동에 대한 간호를 제공할 수 있도록 격려한다. • 간호계획 시 가족 구성원들을 참여시켜 가족중심 간호가 되도록 한다.

확인문제

1. 아동간호의 일차적인 목표는 무엇인가?

Ⅱ 아동의 주요 건강지표

아동의 건강을 측정하는 것은 대상자를 안녕 상태 또는 아픈 상태로 규정하는 것처럼 그리 단순한 일은 아니다. 개개의 대상자들과 간호실무자들은 질병과 안녕에 대해 모두 다른 인식을 가지고 있다. 예를 들면, 천식과 같이 만성적이고 조절될 수 있는 질환에 대해 어떤 아동은 자신을 안녕 상태에 있는 것으로 생각할 것이고 다른 아동은 아픈 상태에 있는 것으로 생각할 수 있다. 건강에 관한 좀 더 객관적인 지표는 출생률, 사망률, 이환율과 같은 통계를 통해 알 수 있다.

01 / 출생률

1) 출생아 수

우리나라에서 한 해 동안 태어난 출생아는 2017년 기준 357,771명으로 2000년 출생아 수 640,089명에 비해 44% 감소한 수준이다[그림 1-1].

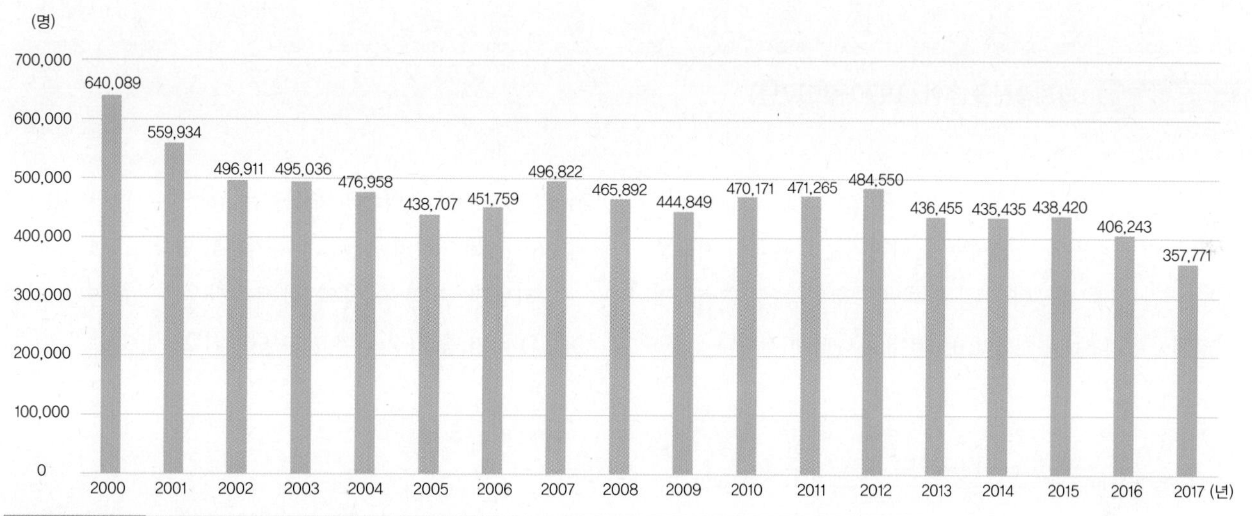

그림 1-1 출생아 수 추이 (2000~2017년)

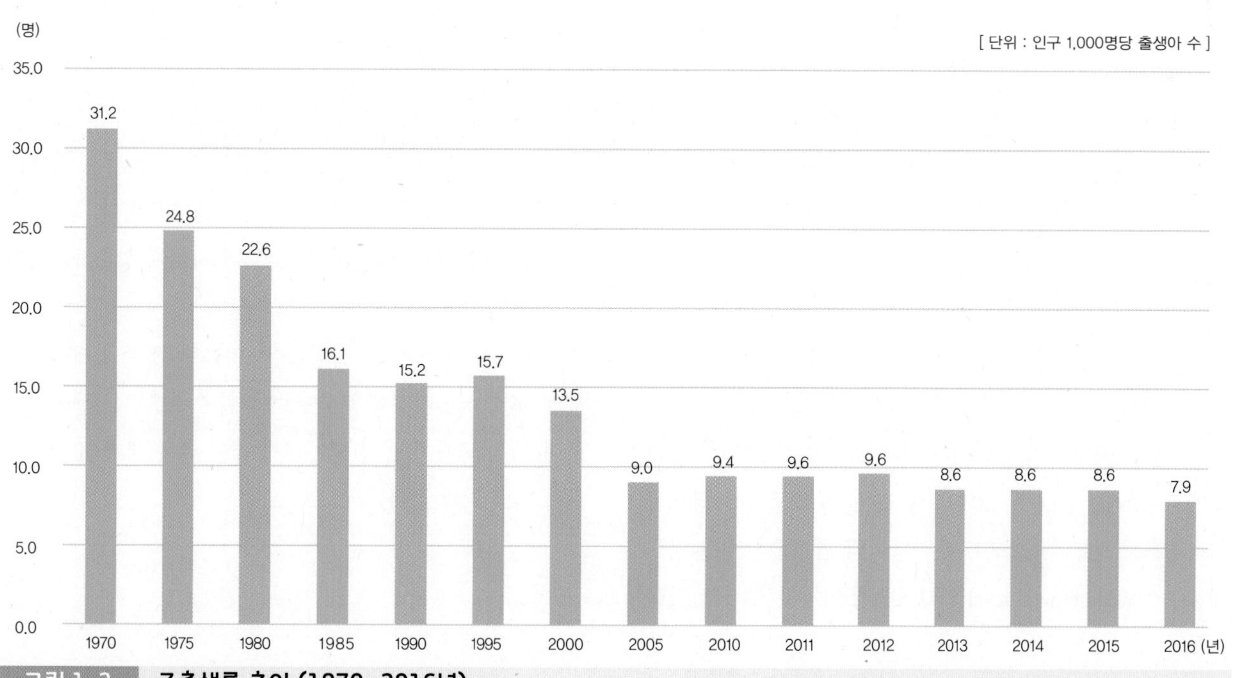

그림 1-2 조출생률 추이 (1970~2016년)

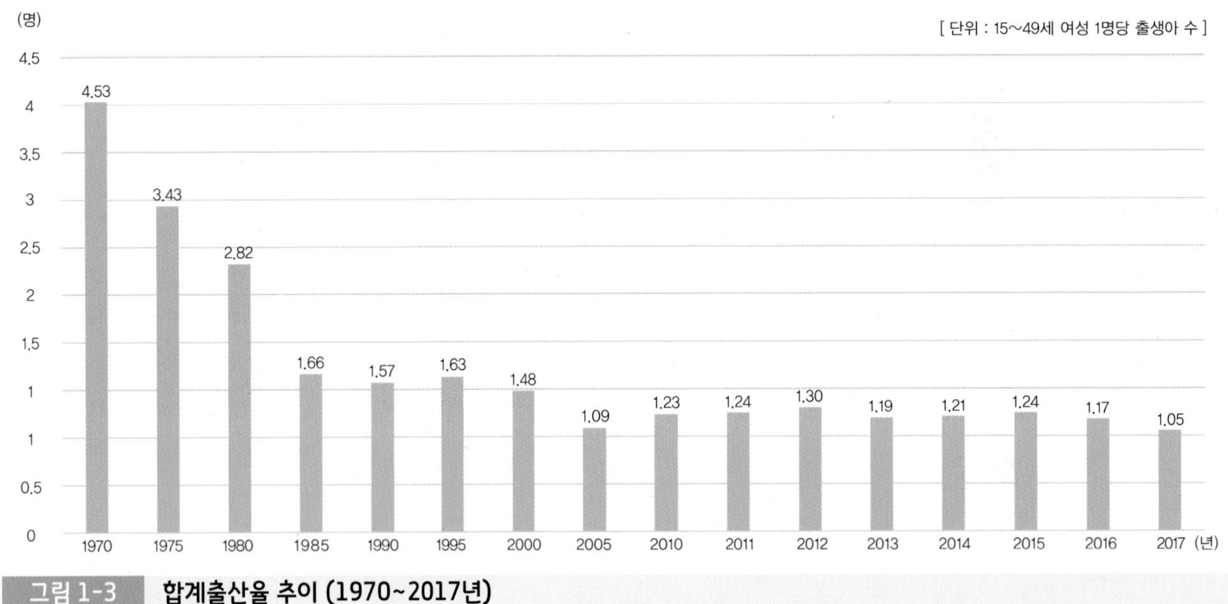

그림 1-3 **합계출산율 추이 (1970~2017년)**

2) 조출생률(Crude Birth Rate : CBR)

특정인구 집단의 출산 수준을 나타내는 기본적인 지표로서, 1년간의 총 출생아 수를 당해연도의 연앙인구(7월 1일 연앙인구)로 나눈 수치를 1,000분비로 나타낸 것이다.

$$\text{조출생률}(\%) = \frac{\text{특정 1년간의 총 출생아 수}}{\text{당해연도의 연앙인구}} \times 1{,}000$$

인구 1,000명당 출생아 수를 뜻하는 조출생률은 1970년 이후 급격히 감소하는 양상을 보이고 있다. 통계청 자료에 의하면, 우리나라 조출생률은 1970년 31.2명에서 2000년 13.5명, 2010년 9.4명, 2016년 7.9명으로 지속적인 감소추세를 보이고 있다[그림 1-2].

3) 합계출산율(Total Fertility Rate : TFR)

한 여자가 평생 동안 평균 몇 명의 자녀를 낳는가를 나타내는 지표로, 출산력 수준비교를 위해 대표적으로 활용되며, 연령별 출산율의 총합이다. 합계출산율은 1970년 4.53명에서 1985년 1.66명, 2010년 1.23명, 2017년 1.05명으로 지속적으로 감소해왔으며, 우리나라의 합계출산율은 인구대체수준(replacement level)인 2.1명에 미치지 못하고 있다[그림 1-3].

어머니의 연령별 출산율 추이를 보면, 2000년 이후 20~24세, 25~29세 연령층의 출산율은 감소하는 반면, 30~34세, 35~39세 연령의 출산율은 증가하고 있다[그림 1-4].

우리나라 가임 여성의 합계출산율은 2015년 기준 OECD 국가 중 가장 낮은 1.23명이다[그림 1-5].

02 / 사망률

1) 신생아 사망률(Neonatal Mortality Rate)

생후 첫 28일간은 신생아기이며, 이 기간의 아동을 신생아라고 한다. 신생아 사망률은 출생아 1,000명당 생후 28일 이내 사망 신생아 수를 말한다. 신생아 사망률은 임신과 출산기 동안에 이용할 수 있는 간호의 질뿐만 아니라 생후 첫 28일 동안 영아가 이용할 수 있는 간호의 질을 반영한다. 우리나라 신생아 사망률은 2000년부터 2003년 사이에 상승하다가 이후 계속 감소하는 양상이다[그림 1-6].

우리나라의 신생아 사망률은 2015년 기준 1.60명으로 세계 96개국과 비교했을 때 세계 7위 수준으로 신생아 사망률이 낮은 국가이다. 신생아 사망률이 낮은 세계 20위 국가는 [그림 1-7]과 같다.

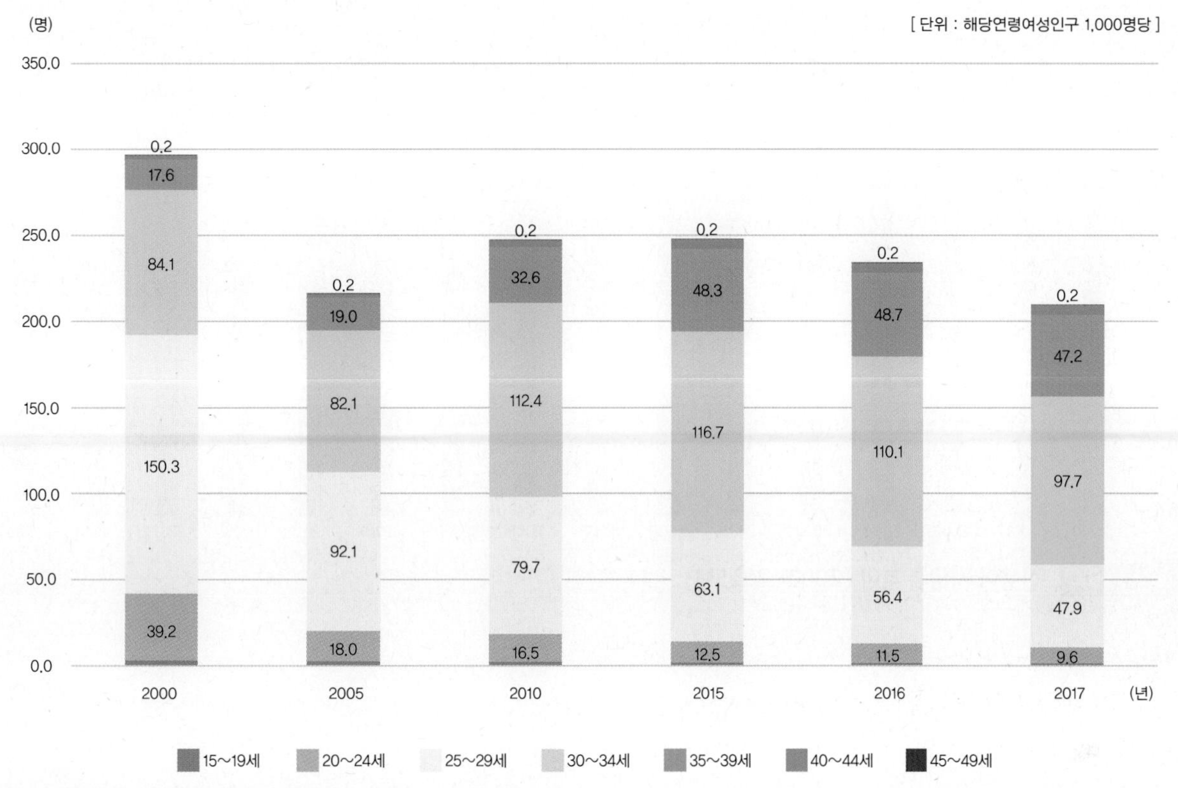

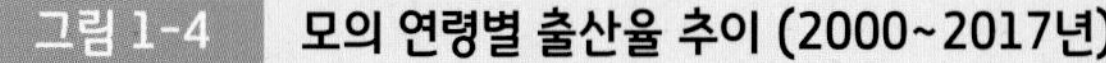

그림 1-4 모의 연령별 출산율 추이 (2000~2017년)

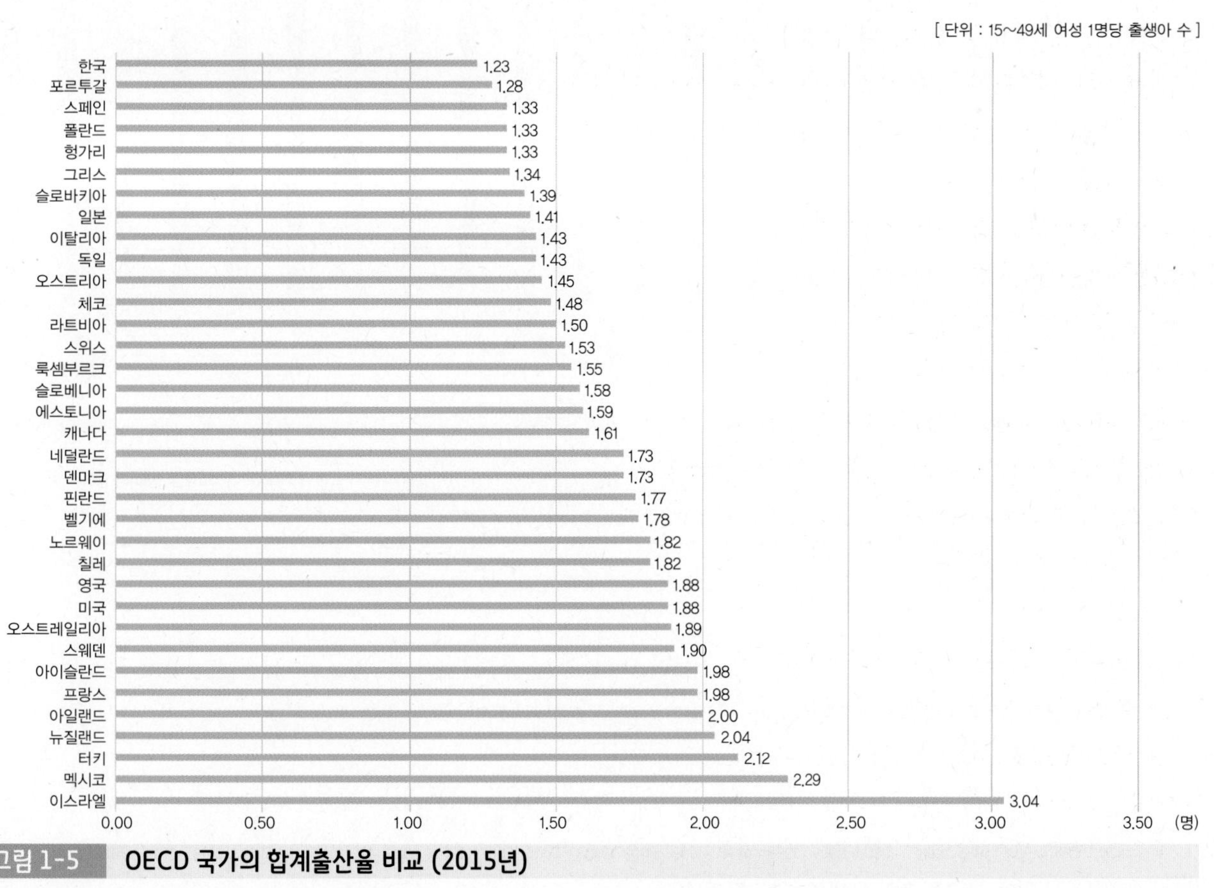

그림 1-5 OECD 국가의 합계출산율 비교 (2015년)

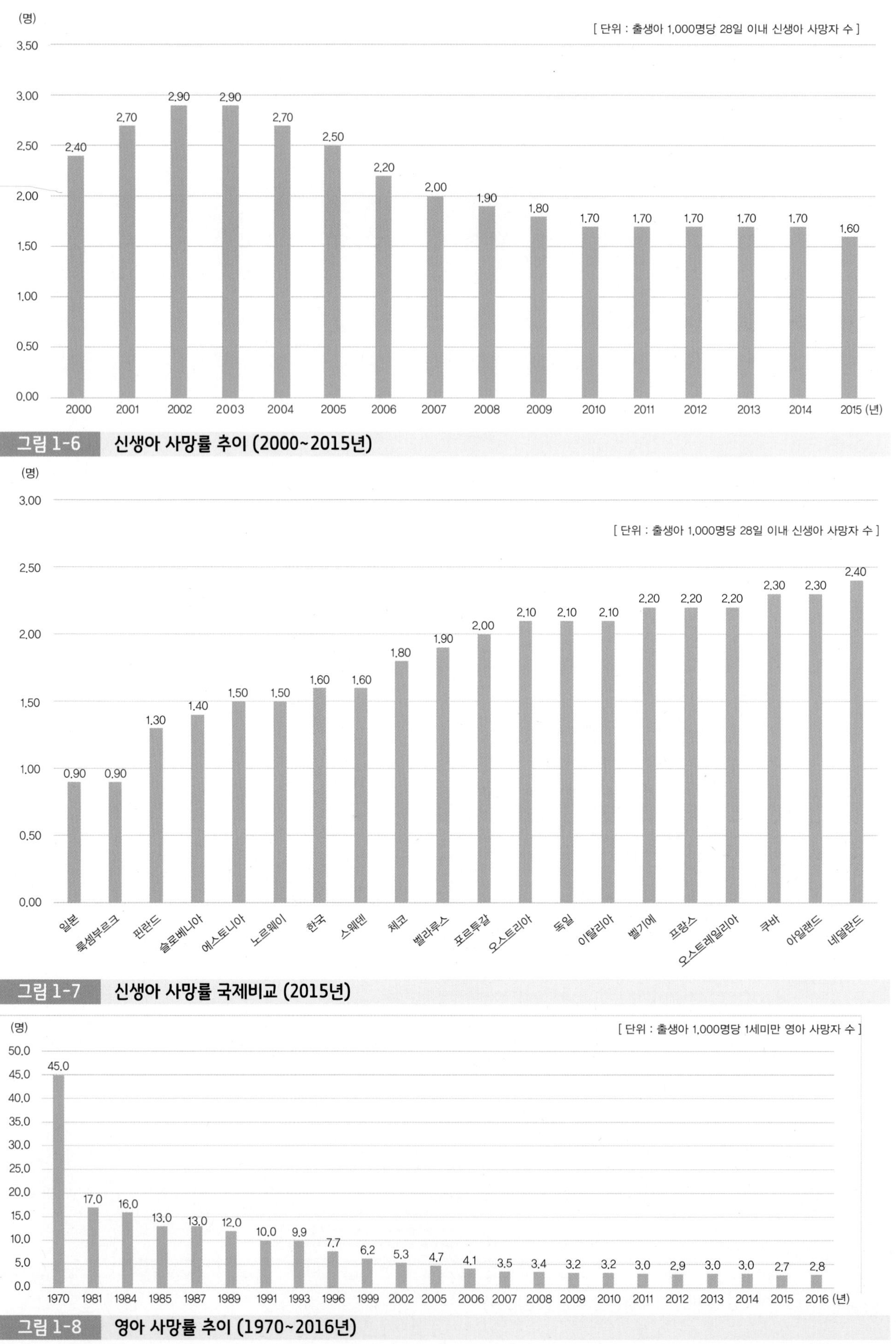

그림 1-6 신생아 사망률 추이 (2000~2015년)

그림 1-7 신생아 사망률 국제비교 (2015년)

그림 1-8 영아 사망률 추이 (1970~2016년)

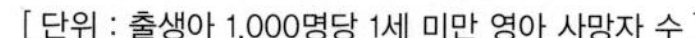

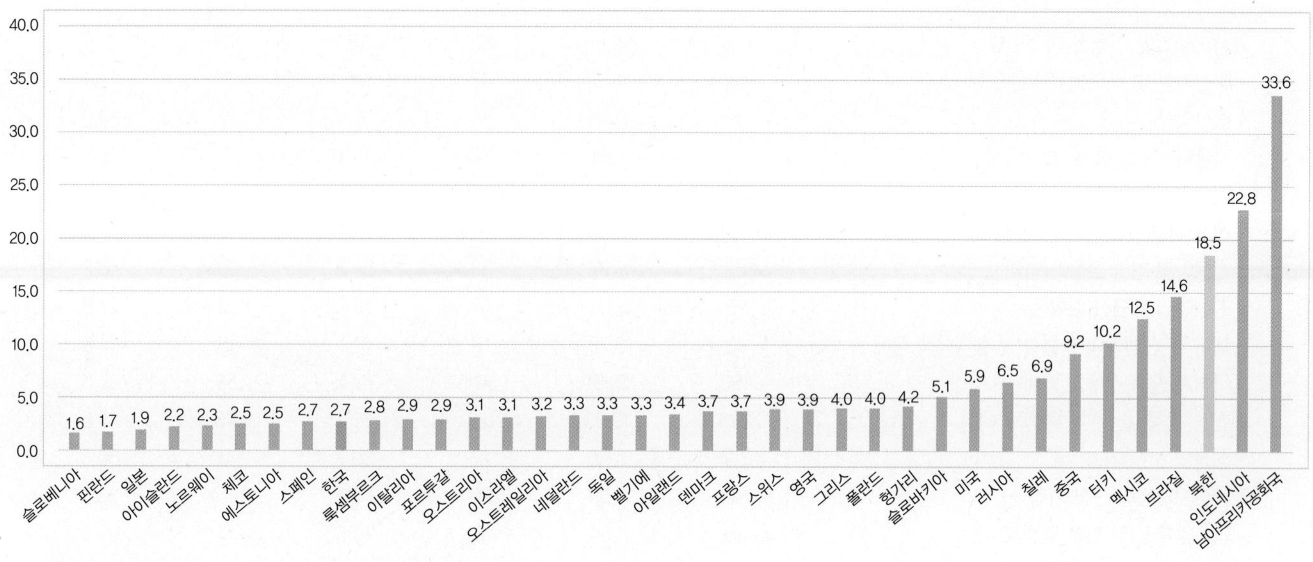

그림 1-9 영아 사망률 국제비교 (2015년)

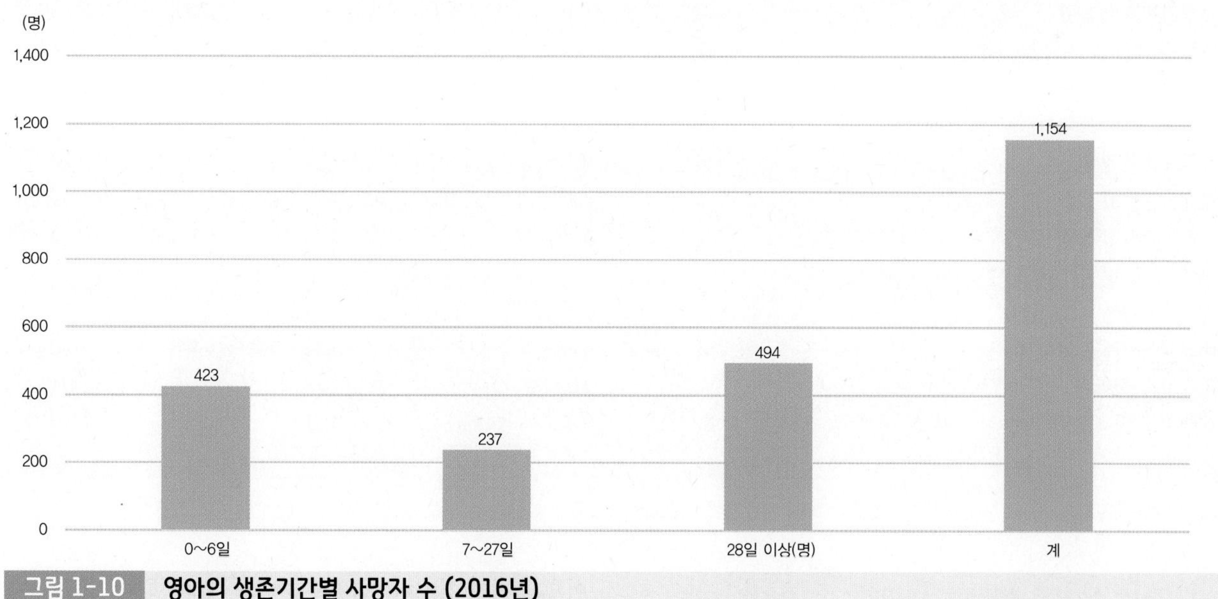

그림 1-10 영아의 생존기간별 사망자 수 (2016년)

표 1-3 사망원인별 영아사망자 및 구성비(2016년)

[단위 : 명, %]

사망원인	전체		신생아기 (출생~28일미만)		후기신생아기 (28~365일미만)	
	사망자수(명)	구성비(%)	사망자수(명)	구성비(%)	사망자수(명)	구성비(%)
출생전후기에 기원한 특정병태	610	52.86	477	78.2	133	21.8
• 임신기간 및 태아발육에 관련된 장애	54	4.67	47	87.0	7	13.0
• 출산외상	5	0.43	4	80.0	1	20.0
• 자궁내 저산소증 및 출산질식	33	2.85	32	97.0	1	3.0
• 신생아 호흡곤란	177	15.33	169	95.5	8	4.5
• 선천 폐렴	1	0.09	1	100.0	0	0.0
• 신생아의 기타 호흡기 병태	62	5.37	33	53.2	29	46.8
• 신생아의 세균성 패혈증	79	6.84	57	72.2	22	27.8
• 태아 및 신생아의 출혈성 및 혈액학적 장애	43	3.72	18	41.7	15	34.9
• 나머지 출생 전후기 병태	156	13.51	101	64.7	55	35.3
선천성 기형, 변형 및 염색체 이상	230	19.93	120	52.2	110	47.8
• 심장의 선천 기형	68	5.89	27	39.7	41	60.3
• 순환기계통의 선천 기형	30	2.59	20	66.7	10	33.3
• 다운증후군 및 기타 염색체 이상	19	1.64	2	10.5	17	89.5
• 신경계통의 기타 선천 기형	13	1.12	3	23.1	10	76.9
• 기타 선천 기형	100	8.66	68	68.0	32	32.0
달리 분류되지 않는 증상, 징후와 임상 및 검사의 이상소견	147	12.74	32	21.8	115	78.2
• 영아급사증후군	85	7.36	10	11.8	75	88.2
• 기타 분류되지 않은 증상, 징후와 임상 및 검사의 이상소견	62	5.37	22	35.5	40	64.5
순환기계통의 질환	22	1.91	2	9.1	20	90.9
특정 감염성 및 기생충 질환	17	1.47	3	17.6	14	82.4
신생물	14	1.21	5	35.7	9	64.3
내분비, 영양 및 대사질환	14	1.21	8	57.1	6	42.9
신경계통의 질환	14	1.21	3	21.4	11	78.6
호흡기계통의 질환	14	1.21	0	0.0	14	100.0
소화기계통의 질환	4	0.35	1	25.0	3	75.0
혈액 및 조혈기관질환과 면역기전을 침범하는 특정 장애	3	0.26	1	33.3	2	66.7
비뇨생식기계통의 질환	2	0.17	1	50.0	1	50.0
모든 기타질환	1	0.09	0	0.0	1	100.0
질병이환 및 사망의 외인	62	5.37	7	11.3	55	88.7
전체	1,154	100.0	660	57.2	494	42.8

2) 영아 사망률(Infant Mortality Rate)

1세 미만에 사망한 영아 수를 그해 1년 동안 태어난 총 출생아 수로 나눈 영아 사망률은 아동의 건강수준을 비교하는 국제지표로 가장 흔히 활용되고 있다. 우리나라 영아 사망률은 1970년 생존 출생아 1,000명당 45명 수준이었으며, 이후 급격히 감소하여 1985년 13명, 2005년 4.7명으로 감소하였고, 2016년 2.8명으로 감소하였다[그림 1-8].

영아 사망률은 그 나라의 보건의료 수준을 나타내는 중요한 지표로, 2015년 한국의 영아 사망률은 출생아 1,000명당 2.7명으로 OECD 평균(2016년, 3.9명)보다 낮은 수준

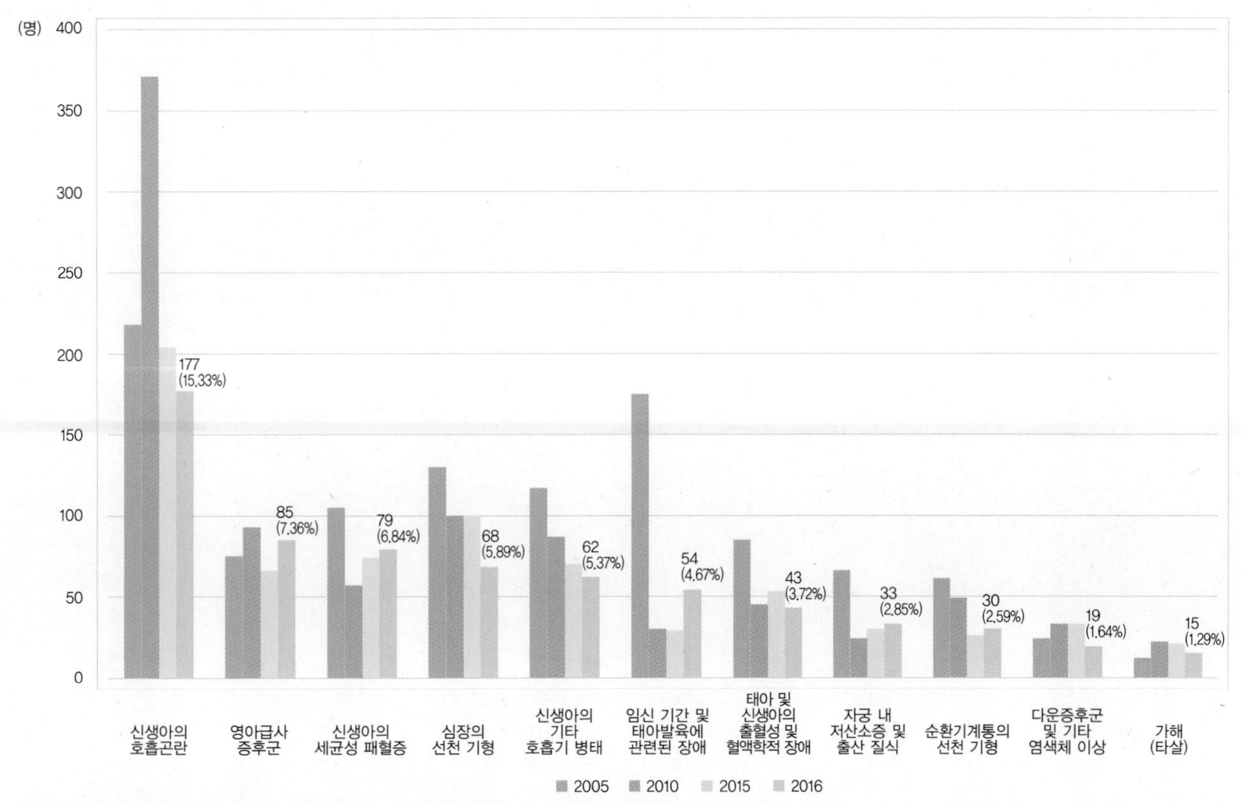

그림 1-11 주요 사망원인별 영아 사망자 추이(2005~2016년)

이다. 국가별로는 슬로베니아가 1.6명으로 가장 적고, 남아프리카 공화국이 33.6명으로 제일 높았다[그림 1-9]. 2015년 북한의 영아 사망률은 18.5명이었다.

영아사망자 수는 2016년 기준 1,154명으로, 생존기간별 사망자 수는 [그림 1-10]과 같다. 생후 1년 이내 사망 영아의 36.7%가 생후 6일 이내에 사망하고, 57.2%가 생후 28일 미만에 해당한다. 따라서 영아 사망은 출생에서부터 28일 미만의 신생아기에 57.2%가 발생하고 있다.

영아 사망을 야기하는 주요 요인은 출생전후기에 기원한 특정병태가 52.86%로 가장 많으며, 다음이 선천성 기형, 변형 및 염색체 이상(19.93%)으로, 이들 요인이 영아사망의 72.8%를 차지하고 있다[표 1-3].

주요 사망 원인별 영아 사망자 수 추이에 의하면[그림 1-11], 영아 사망은 신생아 호흡곤란이 가장 많으며(전체 영아사망의 15.33%), 영아 급사 증후군(7.36%), 신생아의 세균성 패혈증(6.84%), 심장의 선천 기형(5.89%), 신생아의 호흡기 기타 병태(5.37%), 임신기간 및 태아 발육에 관련된 장애(4.67%), 태아 및 신생아의 출혈성 및 혈액학적 장애(3.72%), 자궁 내 저산소증 및 출산 질식(2.85%), 순환기계통의 선천 기형(2.59%) 등에 의해 발생하고 있다.

생후 28일 미만 생존 영아의 사망을 야기하는 주요요인은 2,500g 미만의 저출생체중아, 제태기간 37주 미만의 미숙아, 선천성 기형 등과 관련이 있다.

2,500gm미만의 저출생체중아율은 2010년 5.01%, 2015년

표 1-4 저출생체중아의 발생추이 (2007-2017년)

년도	2007	2008	2009	2010	2011	2012	2013	2014	2015	2016	2017
출생아 수(명)	496,822	465,892	444,849	470,171	471,265	484,550	436,455	435,435	438,420	406,243	357,771
저체중출생아 수(명)	23,198	22,725	21,954	23,535	24,647	25,870	24,189	24,842	25,183	23,829	22,022
저출생체중아율(%)*	4.67	4.88	4.94	5.01	5.23	5.34	5.54	5.71	5.74	5.87	6.16

* 정상출생아중에서 제태기간에 상관없이 출생시 체중이 2,500g 미만의 저출생체중아가 차지하는 분율

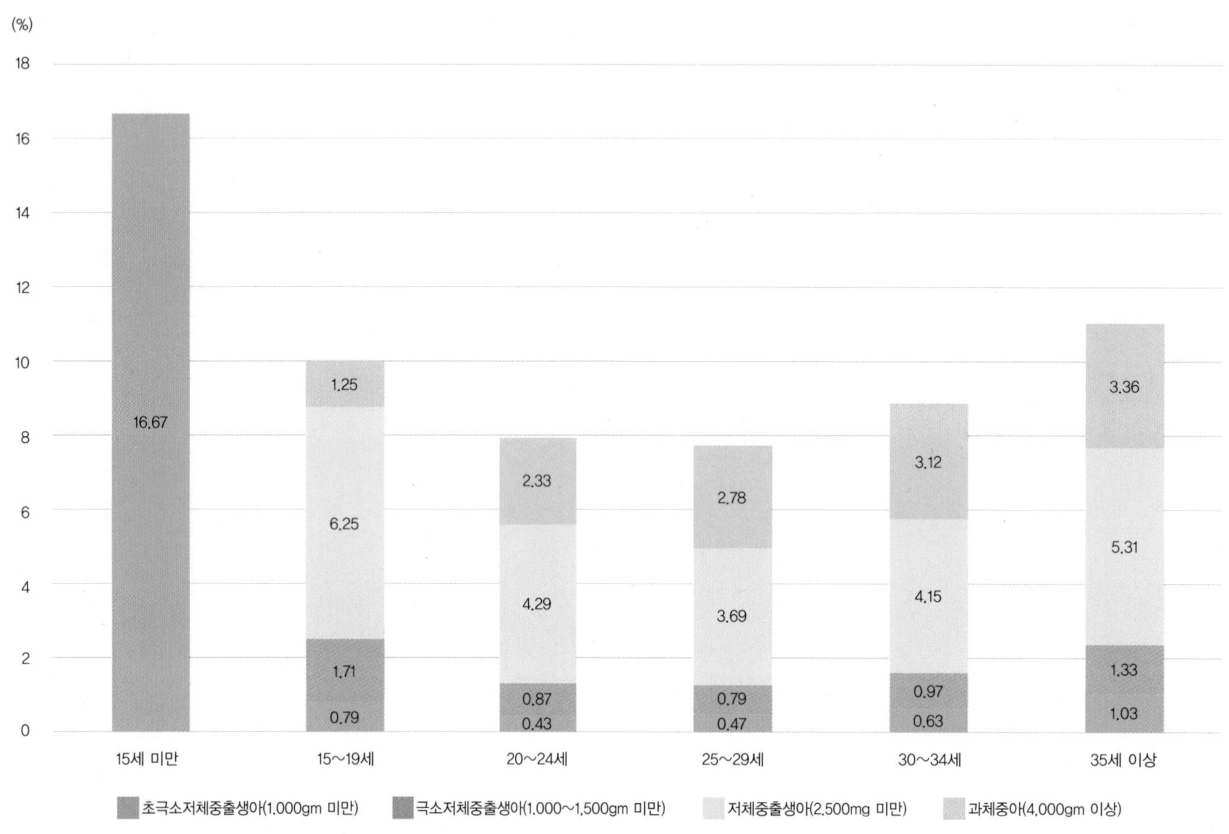

그림 1-12 모의 출산연령에 따른 저체중출생아 출생 비율 (2017년)

5.74%, 2017년 6.16%로 매년 약간씩 증가하고 있으며, 2010년 이후 전체 출생아의 약 5.0~6.0%가 저출생체중아이다. 이는 산전간호의 질이 향상되어 자궁 내에서 사망할 영아가 출생하고 생존하게 된 결과이다[표 1-4].

모의 출산연령에 따른 초극소저출생체중아율은 15세 미만인 경우가 16.67%로 가장 높았으며, 15~19세 미만인 경우 극소저출생체중아와 저출생체중아율이 다른 연령에 비해 높았다. 어머니의 연령이 35세 이상인 경우에는 20~34세 연령에 비해 초극소저출생체중아, 극소저출생체중아, 저출생체중아율이 모두 높았으며, 과체중아율도 제일 높았다[그림 1-12].

제태기간 37주미만의 미숙아는 2000년 3.79%에서 2005년 4.73%, 2010년 5.92%, 2015년 6.95%, 2016년 7.24%, 2017년 7.58%로 매년 증가하고 있으며, 2015년 이후 6~7%를 차지하고 있다[표 1-5].

선천기형, 변형 및 염색체 이상에 의한 영아 사망자는

표 1-5 37주미만 미숙아 발생추이

년도	2000	2005	2010	2015	2016	2017
출생아 수(명)	640,089	438,707	470,171	438,420	406,243	357,771
37주미만 출생아 수(명)	24,239	20,738	27,828	30,455	29,414	27,120
미숙아 발생률(%)	3.79	4.73	5.92	6.95	7.24	7.58

표 1-6 선천기형 등에 의한 영아 사망자 발생추이

년도	2005	2006	2007	2008	2009	2010	2011	2012	2013	2014	2015
사망자 수(명)	1,820	1,707	1,703	1,580	1,415	1,508	1,435	1,405	1,305	1,305	1,190
선천기형, 변형 및 염색체 이상 영아 사망자 수(명)	356	338	371	306	273	283	282	274	271	286	260
선천기형 등에 의한 영아 사망 발생률(%)	19.56	19.8	21.79	19.37	19.29	18.77	19.65	19.5	20.77	21.92	21.85

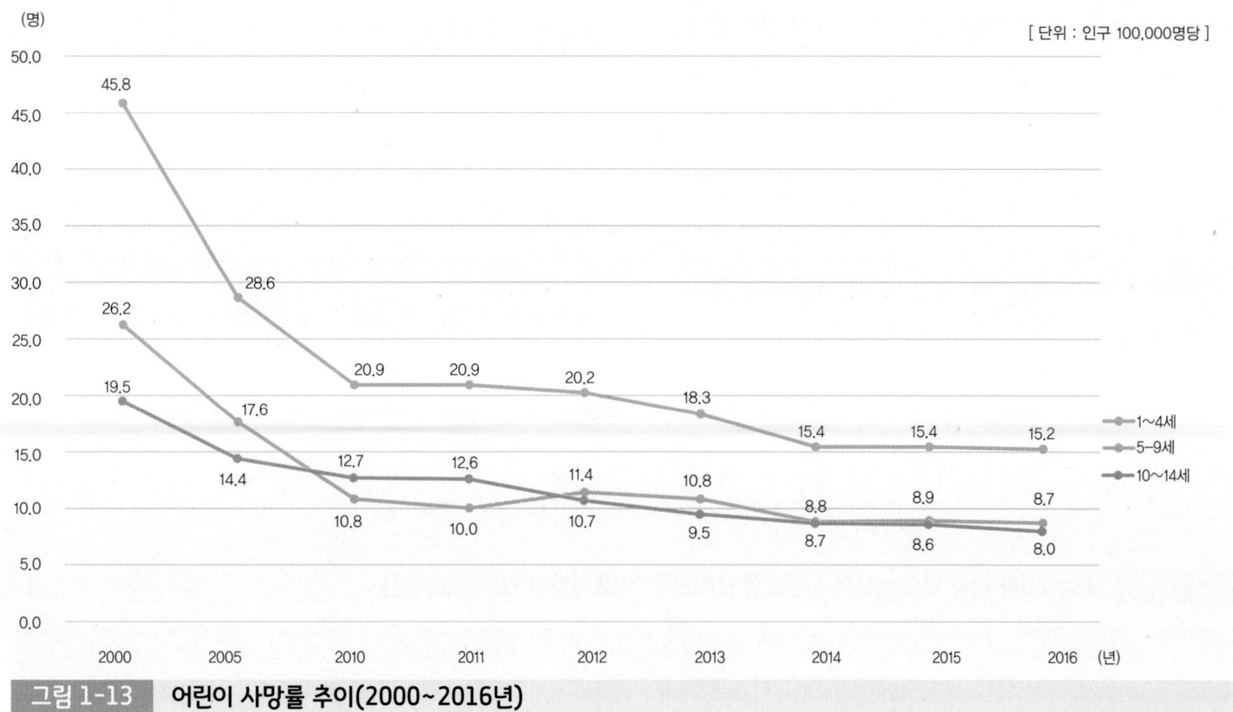

그림 1-13 어린이 사망률 추이(2000~2016년)

2005년 19.56%에서 2010년 18.77%, 2015년 21.85%로 2013년이후 20% 이상을 차지하고 있다[표 1-6].

3) 어린이 사망률(Child Mortality Rate)

어린이 사망률은 감소되고 있는 양상이다. 2016년 인구 10만 명당 1~4세 어린이 사망률은 15.2명, 5~9세 8.7명, 10~14세 8.0명이다[그림 1-13].

연령별 사망원인 순위를 분석한 자료는 [표 1-7]과 같다. 악성신생물이 1~9세 아동 사망의 가장 큰 원인이었다. 두 번째 요인은 운수사고로 운수사고의 상당 부분은 안전벨트나 어린이용 좌석의 가치, 약물남용이나 음주상태에서 운전하는 것의 위험성, 안전보행의 중요성에 대한 교육을 통해 충분히 예방될 수 있는 부분이다. 게다가 10대, 20대와 아동청소년 연령에서 자살이 사망원인의 1위를 차지하고 있다. 학령기아동이나 청소년이 학교 보건실에 왔을 때, 우울이나 분노와 같은 감정들을 표현하지 않더라도, 그와 같은 감정들에 대해 일

표 1-7 연령별 3대 사망원인 구성비 및 사망률 (2016년)

[단위: %, 인구 10만명당 명]

연령(세)	1위			2위			3위		
	사망원인	구성비	사망률	사망원인	구성비	사망률	사망원인	구성비	사망률
0	출생전후기에 기원한 특정 병태	52.9	149.1	선천 기형, 변형 및 염색체 이상	19.9	56.2	영아 돌연사 증후군	7.4	20.8
1~9	악성신생물	19.3	2.2	운수 사고	12.6	1.5	선천 기형, 변형 및 염색체 이상	9.5	1.1
10~19	고의적 자해(자살)	30.0	4.9	운수 사고	18.1	3.0	악성신생물	16.0	2.6
20~29	고의적 자해(자살)	43.8	16.4	운수 사고	15.1	5.7	악성신생물	11.3	4.2
30~39	고의적 자해(자살)	35.8	24.6	악성신생물	20.3	14.0	운수 사고	6.9	4.8
40~49	악성신생물	29.8	45.7	고의적 자해(자살)	19.3	29.6	간 질환	7.9	12.2
50~59	악성신생물	38.3	133.0	고의적 자해(자살)	9.4	32.5	심장 질환	8.3	28.9
60~69	악성신생물	43.1	319.7	심장 질환	8.8	65.3	뇌혈관 질환	6.9	51.4
70~79	악성신생물	34.5	771.7	심장 질환	10.6	236.5	뇌혈관 질환	9.1	204.4
80세 이상	악성신생물	17.3	1455.2	심장 질환	12.5	1051.2	뇌혈관 질환	9.6	808.8

차적으로 관심을 두어야 한다. 우울이나 분노와 같은 감정을 빨리 알아채는 것은 간호사에게 매우 중요한 일인데, 이러한 감정이 실제로 청소년들을 자살로 이끌 수 있기 때문이다.

확인문제

2. 아동의 건강수준을 비교하는 국제지표로 가장 흔히 활용되는 것과 최근 우리나라의 수준은?

03 / 이환율(Morbidity)

국민건강보험공단에서 제공한 연령별 건강보험 급여현황 자료(진료실인원 기준, 2016년)에 의하면, 19세 이하 아동 및 청소년의 이환질환은 급성 기관지염 및 급성 세기관지 염, 급성 상기도감염, 급성 인두염 및 급성 편도선염 등의 호흡기 질환 이환율이 가장 높았다. 2016년 한 해 동안 진료실인원 1,000명 이상인 질환을 제시한 결과는 [표 1-8]과 같다.

표 1-8 19세 이하 아동 및 청소년의 건강보험 급여현황 (진료실인원 기준, 2016년)

질병분류별	진료실인원(2016년, 명)			
	0세	1-9세	10-19세	총계
진료 총 인원	407,071	4,066,806	4,944,470	9,418,347
급성 기관지염 및 급성 세기관지염	197,158	3,360,080	2,156,539	5,713,777
기타 급성 상기도감염	211,002	2,592,770	1,470,921	4,274,693
급성 인두염 및 급성 편도염	91,245	2,262,809	1,365,683	3,719,737
치아 및 지지구조의 기타 장애	1,862	1,605,610	1,437,777	3,045,249
기타 코 및 비동의 질환	62,427	1,755,685	1,074,566	2,892,678
기타 피부 및 피하조직의 질환	142,488	1,492,045	1,163,489	2,798,022
감염성 기원이라고 추정되는 설사와 위장염	96,304	1,276,664	652,813	2,025,781
치아우식증	581	1,236,440	764,845	2,001,866
명시된 다발성 신체부위의 탈구, 염좌 및 긴장	3,091	466,200	1,161,088	1,630,379
중이염과 중이 및 유양돌기 장애	76,889	1,182,178	228,033	1,487,100
결막염 및 기타 결막의 장애	54,655	865,018	512,324	1,431,997
인플루엔자	9,484	858,319	482,287	1,350,090
기타 달리 분류되지 않은 증상, 징후와 임상 및 검사상 이상소견	68,535	603,033	629,115	1,300,683
굴절 및 조절장애	920	533,281	744,300	1,278,501
명시된 상세불명 및 다발성 신체부위의 기타 손상	15,789	655,550	600,332	1,271,671
기타 바이러스질환	29,206	898,305	201,254	1,128,765
기타 장 및 복막의 질환	42,522	559,322	490,605	1,092,449
피부 및 피하조직의 감염	27,968	546,081	437,097	1,011,146
급성 후두염 및 기관염	12,277	470,030	408,564	890,871
폐렴	30,976	674,495	108,478	813,949
만성 부비동염	6,701	449,845	277,597	734,143
기타 전염성 질환과 관련되어 건강위험의 가능성이 있는 사람	2,201	355,830	310,724	668,755
위염 십이지장염	3,636	174,390	469,696	647,722
천식	17,224	482,863	119,505	619,592
안검의 염증	4,565	263,568	346,748	614,881
연부조직장애	2,038	131,951	394,522	528,511
기타 귀 및 유양돌기 질환	15,740	224,025	255,304	495,069

질병분류별	진료실인원(2016년, 명)			
	0세	1-9세	10-19세	총계
기관지염, 폐기종 및 기타 만성 폐쇄성 폐질환	7,248	234,758	252,659	494,665
기타 상기도의 질환	6,758	255,782	224,155	486,695
원인미상열	43,574	363,305	73,577	480,456
기타 장관 감염성질환	19,568	271,712	175,163	466,443
출산 장소에 따른 출생영아	354,189	–	–	354,189
복부 및 골반동통	8,069	173,375	163,362	344,806
기타 구강, 타액선 및 턱의 질환	3,391	190,302	120,058	313,751
기타 사지뼈의 골절	806	90,482	208,614	299,902
각막염 및 각막과 공막의 기타 장애	3,692	112,862	181,498	298,052
기타 눈 및 눈부속기의 질환	13,368	115,041	168,592	297,001
기타 호흡기계질환	7,250	170,680	106,211	284,141
기타 식도, 위 및 십이지장 질환	9,078	86,296	188,175	283,549
기타 배병증	5,251	26,785	237,583	269,619
진균증	17,844	100,594	133,915	252,353
헤르페스 바이러스감염	3,473	182,286	47,624	233,383
관절의 기타 장애	1,701	45,443	120,620	167,764
기타 내분비, 영양 및 대사질환	2,741	84,816	79,715	167,272
편도 및 아데노이드의 만성 질환	485	81,474	67,373	149,332
기타 비뇨기계의 질환	11,766	87,042	37,891	136,699
화상 및 부식	3,388	81,203	49,744	134,335
자연개구를 통해 들어온 이물의 효과	2,366	79,434	48,466	130,266
기타 주산기에 기원한 병태	120,649	6,178	–	126,827
사시	2,192	79,239	42,383	123,814
검사 및 조사를 위해 보건서비스와 접하고 있는 사람	15,664	68,013	31,719	115,396
기타 정신 및 행동장애	567	50,033	59,568	110,168
수두	648	64,175	35,386	100,209
남성생식기관의 기타 질환	1,236	75,577	22,426	99,239
두개골 및 안면골의 골절	513	37,332	44,047	81,892
편두통 및 기타 두통 증후군	23	7,003	72,929	79,955
방광염	2,069	38,767	39,065	79,901
기타 빈혈	2,735	38,342	26,419	67,496
두개 내 손상	3,324	37,139	22,539	63,002
기타 비뇨생식기로의 장애	313	2,069	59,962	62,344
기타 여성골반 내 장기의 염증성 질환	211	19,500	38,233	57,944
위 및 십이지장 궤양	37	4,382	52,329	56,748
기타 상피 내, 양성신생물 및 행동양식불명 및 미상의 신생물	3,075	15,885	29,442	48,402
급성 및 급속 진행성 신염 증후군	1,039	10,899	35,828	47,766
기타 이유로 보건서비스와 접하고 있는 사람	8,178	17,967	20,632	46,777
기타 세균성 질환	1,375	36,245	8,872	46,492
기타 선천성 기형	5,556	27,173	11,601	44,330
피부의 양성신생물	1,294	16,354	25,940	43,588
눈 및 안와의 손상	427	22,177	19,870	42,474
기타 및 상세불명외인의 영향	1,175	24,134	16,418	41,727
순환기계의 선천성 기형	10,298	23,119	7,658	41,075
기타 간질환	657	4,451	35,636	40,744

질병분류별	진료실인원(2016년, 명)			
	0세	1-9세	10-19세	총계
청력상실	3,524	12,183	24,472	40,179
월경장애	–	22	39,921	39,943
특수처치 및 건강보호를 위하여 보건서비스와 접하고 있는 사람	300	19,342	20,236	39,878
기타 소화기계의 선천성 기형	20,068	15,369	2,946	38,383
신경증적, 스트레스와 관련된 신체형장애	39	5,780	31,745	37,564
기타 순환기계질환	281	13,614	20,961	34,856
사지의 후천성 변형	478	15,792	17,672	33,942
주산기에 특이한 기타 감염	31,632	1,914	–	33,546
신세뇨관-간질성질환	7,766	17,146	7,964	32,876
관절증	207	4,830	27,776	32,813
용적체액상실	1,099	21,493	8,094	30,686
기타 근골격계의 선천성 기형 및 변형	6,590	16,196	7,522	30,308
충수의 질환	10	6,616	23,469	30,095
간질	411	10,092	18,940	29,443
기타 감염성 및 기생충성 질환	546	18,804	9,361	28,711
요추 및 기타 추간판장애	2	238	28,395	28,635
기타 갑상선장애	2,187	8,028	17,772	27,987
헤르니아가 없는 마비성 장폐색증 및 장관폐쇄	1,157	19,726	6,856	27,739
기분(정동성)장애	4	1,044	26,490	27,538
기타	226	22,170	3,122	25,518
달리 분류되지 않은 외상의 특정 조기합병증과 외과적 및 내과적 처치의 합병증	1,024	13,942	10,011	24,977
류마토이드관절염 및 기타 염증성 다발성 관절병증	39	4,091	20,472	24,602
철결핍성빈혈	902	9,712	11,979	22,593
명시된 다발성 신체부위의 압궤손상 및 외상성절단	111	12,238	10,148	22,497
중추신경계의 염증성 질환	995	14,225	5,626	20,846
기타신경계의질환	822	6,269	13,102	20,193
태아발육지연, 태아영양실조와 단기임신 및 저체중 출산과 관련된 장애	14,699	4,639	–	19,338
주산기에 기원한 기타 호흡기 장애	15,615	3,604	–	19,219
기타 비뇨생식기계의 기형	3,343	12,393	2,804	18,540
녹내장	65	2,591	14,167	16,823
주로 비의약용물질의 중독 작용	213	10,541	5,583	16,337
기타 소화기계의 질환	1,211	8,567	6,111	15,889
출혈성 병태와 혈액 및 조혈기관의 기타 질환	628	8,925	5,945	15,498
전신성 결합조직의 장애	619	12,538	2,132	15,289
볼거리	7	8,517	6,285	14,809
유방의 장애	87	3,409	10,197	13,693
기타 사구체질환	40	3,604	9,123	12,767
자궁경부의 염증성 질환	4	519	12,227	12,750
정신발육지체	2	3,802	8,083	11,887
서혜헤르니아	1,995	8,210	1,378	11,583
폐혈증	5,808	4,809	748	11,365
뇌성마비 및 기타 마비성 증후군	181	5,554	5,158	10,893
신경, 신경근 및 신경총장애	263	1,030	9,308	10,601
목, 흉곽 또는 골반의 골절	7	1,012	8,663	9,682
발의 선천성 변형	733	5,059	3,697	9,489

질병분류별	진료실인원(2016년, 명)			
	0세	1-9세	10-19세	총계
전도장애 및 심장성 부정맥	588	2,370	6,368	9,326
기타 바이러스간염	302	2,255	6,319	8,876
당뇨병	6	766	8,082	8,854
정류고환	900	6,157	691	7,748
음낭수류 및 정액류	1,653	5,272	691	7,616
고관절의 선천성 변형	2,334	4,497	596	7,427
기타 주로 성행위로 전파되는 감염	7	404	6,693	7,104
갑상선중독증	25	343	6,561	6,929
과장포피, 포경 및 감돈포경	140	3,199	3,144	6,483
기타 비타민 결핍증	326	2,027	2,701	5,054
요로결석증	29	521	4,404	4,954
전립선의 기타 장애	–	27	2,332	4,664
토순 및 구개열	524	3,181	795	4,500
뼈 밀도 및 구조장애	52	738	3,578	4,368
기타 심장질환	431	1,963	1,924	4,318
모성요인과 임신, 출산 및 분만의 합병증에 의해 영향을 받은 태아 및 신생아	4,060	245	–	4,305
본태성(원발성)고혈압	5	211	4,013	4,229
달리 분류되지 않은 염색체 이상	290	2,230	1,501	4,021
난소, 난관 및 광인대의 비염증성 장애	106	249	3,447	3,802
기타 헤르니아	2,028	1,515	189	3,732
기타 신경계의 선천성 기형	734	2,010	771	3,515
크론병 및 궤양성 대장염	18	253	3,209	3,480
출산외상	3,047	345	–	3,392
출산 전 선별검사 및 기타 임신의 관리	17	5	3,365	3,387
정신분열증, 분열형 및 망상성장애	1	42	3,255	3,298
백혈병	12	1,173	2,110	3,295
선천성 감염 및 기생충성질환	2,854	293	–	3,147
난소의 양성신생물	28	136	2,909	3,073
기타 윤충증	22	2,735	262	3,019
대퇴골의 골절	43	1,027	1,633	2,703
손상, 중독 및 외인의 기타 결과의 후유증	7	979	1,508	2,494
기타 말초혈관질환	21	130	2,114	2,265
망막박리와 망막의 결함	5	113	2,115	2,233
기타 뇌혈관질환	7	478	1,724	2,209
약물 및 생물학적 물질에 의한 중독	89	1,276	694	2,059
유방의 양성신생물	2	84	1,922	2,008
백내장 및 수정체의 기타 장애	28	637	1,265	1,930
기타 동맥, 소동맥 및 모세혈관의 질환	86	793	983	1,862
이분척추증	368	907	474	1,749
비타민A 결핍증	109	372	1,201	1,682
비만	3	616	1,043	1,662
호흡기결핵	19	194	1,439	1,652
알콜 사용에 의한 정신 및 행동장애	1	16	1,500	1,517
기타, 부위불명, 속발성, 상세불명 및 다발성 부위의 악성신생물	25	489	966	1,480
실명 및 저시력	8	729	552	1,289

질병분류별	진료실인원(2016년, 명)			
	0세	1-9세	10-19세	총계
뇌의 악성 신생물	9	369	902	1,280
기타 근골격계 및 결합조직의 기타 장애	10	512	734	1,256
급성 췌장염 및 기타 췌장의 질환	1	197	980	1,178
기타 내부장기의 손상	7	388	775	1,170
담석 등 및 담낭염	19	154	967	1,140
신부전증	57	270	796	1,123
성행위로 전파되는 클라미디아질환	2	9	1,066	1,077
피임관리	7	2	1,056	1,065
하지의 정맥류	2	47	1,013	1,062
기타 허혈성 심장질환	6	169	860	1,035
뇌내출혈	205	390	410	1,005

표 1-9 19세 이하 아동과 청소년의 일부 법정감염병 발생 추이 (2001-2016년)

법정감염병	2001년	2005년	2010년	2015년	2016년
수두	0	1,887	23,452	43,950	51,144
유행성이하선염	1,613	1,791	5,493	20,082	14,597
성홍열	48	87	106	6,974	11,768
결핵	3,091	2,460	2,430	1,181	882
쯔쯔가무시증	70	150	137	141	185
A형간염	0	0	0	121	156
매독(1기)	0	0	0	50	70
백일해	9	11	25	159	69
폐렴구균	0	0	0	30	56
후천성면역결핍증	6	16	29	42	34
매독(2기)	0	0	0	24	33
매독(선천성)	0	0	0	33	21
말라리아	121	58	90	40	20
B형간염(급성)	0	0	0	8	9
풍진	117	8	31	6	7
홍역	22,112	6	111	4	5
일본뇌염	0	0	1	0	1
파상풍	0	0	0	0	1
수막구균성수막염	8	5	8	3	1
B형간염(산모)	0	0	0	14	0
b형헤모필루스인플루엔자	0	0	0	0	0
디프테리아	0	0	0	0	0
B형간염(주산기)	0	0	0	43	0
폴리오	0	0	0	0	0

19세 이하 아동과 청소년의 법정감염병 발생자료에 의하면[표 1-9], 2016년 기준 19세 이하 아동과 청소년에게 많이 발생하고 있는 법정감염병은 수두, 유행성이하선염, 성홍열, 결핵, 쯔쯔가무시, A형 간염 등이며, B형 간염, b형헤모필루스인플루엔자, 디프테리아, 폴리오 등의 전염병은 발생하지 않았다.

1960년대 이전 국내에서 흔히 발생하던 폴리오(소아마비)는 예방접종을 통해 1983년 이후 발생하지 않고 있다. 세계적으로도 소아마비의 발생은 감소하고 있으며, 멀지 않은 장래에 박멸될 것으로 기대된다. 2001년 중반까지 기승을 부리던 홍역 환자 발생이 2001년 이후에 급격히 감소하였으며, 2014년 우리나라는 홍역 퇴치 인증을 받았다. 홍역 감염 후 합병증의 한 형태인 뇌막염은 소아마비만큼이나 파괴적이고 치명적이므로, 홍역 예방접종의 중요성에 대한 지속적인 교육이 이루어져야 한다. 임신 시 여성이 풍진에 노출된다면, 신생아는 심한 선천 기형을 가지고 태어날 수 있기 때문에 풍진 예방접종의 장점에 대한 계속적인 교육이 필요하다. 비록 예방 가능한 아동 질병 발생이 전체적으로 감소된 것은 고무적인 일이기는 하지만, 예방접종이 국가 보건사업의 우선순위에서 중시되지 않는다면, 유아기 감염성 질환은 또 다시 증가하게 될 것이다.

최근 수두, 유행성 이하선염, 성홍열, 결핵 등 다른 감염성 질환의 발생률이 증가하고 있으므로, 이에 대한 예방접종과 아동간호 분야에서 환자를 간호할 때 의료인과 다른 환자를 보호하기 위한 표준화된 예방조치를 철저히 수행해야 한다.

 아동의 건강에 영향을 미치는 요인

01 / 문화적 생활양식

개개의 인간이 모여서 형성한 집단은 그들 자신의 문화를 창조하고, 각각의 인간은 그가 속한 문화에 의해 영향을 받는다.

아동에 대한 문화의 영향은 출생 전부터 시작된다. 가족 구성원은 문화적으로 형성된 관념에 따라 임산부에 대한 돌봄을 제공하고, 임신 중 해야 될 행동과 하지 말아야 할 행동, 먹어도 되는 음식과 먹지 말아야 할 음식, 분만과정에 아버지 참여할 것인지 하지 않을 것인지 등을 결정하게 된다.

출생 후에도 아동은 문화적으로 형성된 방식에 따라 양육을 받으며, 그가 속한 문화에서 허용된 음식을 먹고 행동을 습득하며 언어와 사상, 가치 등을 습득하게 된다. 가족, 이웃, 친구, 그리고 선생님 등은 문화적 가치를 아동에게 전달하는 중요한 역할을 한다. 정직, 예절, 근면 등과 같이 아동이 배우게 되는 가치는 옳은 것으로 생각하고, 살아가는데 있어 그들의 행동 지침이 된다. 아동이 그 사회의 문화적 관념이나 가치와 다른 행동을 하게 되면 비난을 받게 된다.

아동은 그가 속한 많은 부분을 문화적 규범과 생활양식에 적응하여야 하며, 또한 새로운 문화를 창출하고 전수하는 주역으로서 후세대에 영향을 미치게 된다.

02 / 가정환경

대부분의 아동은 가정에서 자라게 되고, 가족은 아동에게 많은 영향을 미친다. 특히 가정 내의 정서적 분위기, 아동에 대한 통제, 양육유형, 의사소통방식, 풍부한 인지적 환경 등은 아동의 건강과 발달에 중요한 영향을 미친다.

태어나면서부터 아동은 부모와 많은 접촉을 한다. 젖먹이기, 기저귀 갈아주기, 옷 입히기, 예방접종하기, 아동 보호하기 등 실로 많은 돌봄을 제공한다. 인간의 성격과 지능, 창의성, 도덕성 및 사회성 등의 모든 발달의 기초가 아동의 가정환경에 의해 결정된 다는 점은 아동의 여러 환경 요소 중에서도 가정환경이 중요하다는 것을 의미한다.

온화한 부모는 아동을 걱정하고 애정을 표현하며, 자주 규칙적으로 아동의 욕구에 우선적으로 반응하고 아동의 활동에 적극적으로 관심을 보이며, 아동에게 감정이입적으로 반응한다. 자신의 아이를 거부하는 부모는 아이를 사랑하지 않거나 원하지 않는다는 행동을 보이며 말로 표현한다. 따뜻하고 사랑이 넘치는 가정의 아동은 더 안정적인 애착을 보이며, 더 높은 자아 존중감을 가지며, 더 감정이입적이고, 이타적이며 다른 사람의 상처나 고통에 더 잘 반응하고, 유치원이나 초등학교에서 더 높은 IQ 점수를 보인다. 이와는 반대로 자신이 부모로부터 수용되지 못하고 있다고 느끼는 아동은 자기 존재에 대한 안정감을 갖지 못하고, 불안 수준이 높고, 항상 긴장하며, 자아 존중감이 낮은 아동으로 성장하게 된다.

03 / 보육시설 또는 학교 환경

직장을 가진 엄마들이 증가하고 핵가족화가 진전되면서 자녀가 부모 아닌 다른 사람에 의해 양육되는 경우가 많아졌다. 어린이 집이나 유치원과 같은 보육시설 중에서 교사 대 아동의 비율이 낮고, 집단의 크기가 작으며, 교사의 교육정도가 높고, 교사가 한 기관에 오래 근무하였으며, 사용 가능한 공간의 크기가 넓고, 물리적 환경이 적절하고, 교사-아동의 상호작용의 질이 긍정적일 때 아동발달이 촉진되는 것으로 알려져 있다.

학교는 아동에게 그 사회의 가치를 다음 세대로 전달하는 매개자의 역할을 하고, 동년배와 많은 관계를 맺도록 해주는 환경을 제공한다. 가족 다음으로 아동을 사회화시키는 매개자가 되는 학교는 아동의 사회성 발달에 깊은 영향을 미친다. 아동들은 과거 경험에 근거하여 교사에게 반응하기 때문에, 그들은 따뜻하고 사랑하는 부모에게서 발견한 특성을 가진 교사들에게 가장 잘 반응한다. 교사와 개개의 아동 간의 상호작용은 그 아동이 다른 아동에게 인정받는 것에 영향을 주며, 또 그 아동의 자아개념에 영향을 준다. 교사가 칭찬한 행위는 대개 긍정적 가치를 얻게 되는 반면, 교사가 부정적 견해를 보인 것은 평가 절하된다. 아동에게 교사의 인정과 자신의 자아수용과는 밀접한 관계가 있다.

또래와의 상호작용은 아동의 건강과 발달에 큰 영향을 미친다. 인간관계 기술을 비롯한 사회성 발달, 성격, 정서 및 인지적 발달에 미치는 영향 또한 간과할 수 없다. 아동기 또래의 영향은 긍정적이면서 동시에 부정적일 수 있다. 또래는 서로에게 중요한 역할 모델로서의 기능을 갖게 된다. 아동은 또래의 행동을 관찰하고 모방하고 이를 내면화함으로써 자신의 것으로 삼게 된다. 또래는 서로에게 중요한 강화자(reinforcer)가 된다. 또래 집단 내에서 주도적인 역할을 하는 아동의 칭찬이나 비난이 아동의 사회적 발달에 강력한 영향을 미친다. 또한 또래는 아동에게 스스로를 평가할 수 있는 기준을 제공하는 비교의 기능을 갖는다. 아동들은 자신이 속한 또래 집단에 비추어 자신의 성격, 가치, 능력들을 비교 평가하며, 이런 평가 결과는 자아상과 자아존중감을 형성하는 중요한 근거가 된다.

04 / 사회경제적 계층

아동이 속한 가정의 사회경제적 수준은 아동의 건강과 발달에 중요한 영향을 미친다. 사회 경제적으로 상류층과 중류층에서 자란 아동은 사회 경제적으로 낮은 위치의 가정에서 자란 아동에 비해 영양상태가 좋고 키도 크다.

낮은 사회경제적 계층의 경우 아동의 최적의 발달에 필요한 안전하면서 관심을 자극할 수 있는 완벽한 환경을 제공하는 데 필요한 지식이나 재력이 부족할 수 있다.

05 / 대중매체

컴퓨터, 핸드폰, TV, 영화, 신문, 잡지, 서적, 포스터, 전단 등의 매체는 조직화 되어 있지 않은 대중을 상대로 대량의 정보 및 시사 내용, 당대의 이슈 등을 전달하는 역할을 담당하는 것으로 아동에게 지대한 영향을 미치고 있다. 아동은 대중매체 속에 나온 인물이나 캐릭터에 동일시하면서 자신의 이상적인 역할 모델을 삼는다.

대중매체가 아동에게 미치는 긍정적, 부정적 영향에 대한 논란이 끊임없이 제기되고 있는 상황에서, 대중매체가 아동발달에 긍정적이 영향을 미칠 수 있도록 대중매체의 안전한 사용에 관심을 가져야 한다.

06 / 물리적 환경

1) 산전환경

자궁 내의 산전환경은 태아 발육과 아동의 건강에 큰 영향을 미친다. 태아기를 거쳐 대부분의 영아는 건강한 상태로 출생하나, 유전적인 결함이나 위험한 환경요인들은 태아에게 결함을 일으키거나 유산 또는 사산을 야기하는 원인이 된다.

태아 기형을 유발하는 대표적인 요인은 감염, 모체측의 질병 혹은 대사불균형, 약물/물질남용, 환경적 화학물질, 방사능 등이다. 임신 첫 3개월 동안의 풍진 감염, 임신 두 번째와 세 번째 3개월 동안의 톡소플라스마증(toxoplasmosis), 매독(syphilis), 헤르페스(herpes) 등은 태아에게 심각한 영향을 미친다. 임신 중 불완전한 태반 착상이나 기능부전은 태아에게 영양 장애나 무산소증을 유발할 수 있으며, 어머니의 당뇨와 같은 내분비 장애는 태아에게 영향을 미칠 수 있다. 임신 중 흡연, 음주 또는 코카인 등의 사용은 태아 기형을 유발하며, 출생 후 아동의 건강에 영향을 미친다.

또한 임신 중 어머니의 영양상태, 연령, 정서상태 등도 태아의 건강과 발달에 큰 영향을 미칠 수 있다.

2) 산후환경

아동의 영양 상태나 운동여부 그리고 아동이 속한 지역의 기후 등의 요인이 아동의 건강에 영향을 미칠 수 있다. 단백질, 지방, 탄수화물, 무기물, 그리고 비타민 같은 음식물의 양적, 질적인 공급은 아동의 생명을 유지하고 에너지 요구를 충족시키며 성장과 발달을 증진하기 위하여 반드시 필요하다.

임신기간과 초기 영아기의 충분한 영양은 태아의 뇌 발달을 급성장시키고 출생 2년까지 성장이 지속되므로 매우 중요하다. 또한 아동기의 심각한 영양 결핍은 키와 체중미달, 사춘기의 지연, 골단 폐쇄지연을 초래할 수 있다.

순환을 증가시키는 운동은 아동의 생리적 활동을 증진하고, 근육의 발달을 자극한다.

기후변화는 아동의 건강에 영향을 미친다. 여름철 기후는 박테리아의 증식을 촉진시켜 설사를 유발하고 이로 인해 탈수증에 걸리기 쉽다. 계절은 아동의 신장과 체중 성장률에 영향을 미친다. 체중증가는 봄과 초여름에 최저이고, 늦여름과 가을에 최고이다. 아동의 신장은 봄에 최대로 증가한다.

확인문제

3. 아동의 건강에 영향 미치는 요인은?

 아동간호사의 역할

아동간호의 경향이 변화되면서 아동 간호사의 역할도 변화되고 있다. 다양한 간호제공기관에서 아동 간호사는 돌봄 제공자, 교육자, 옹호자, 법적 · 윤리적 의사 결정자, 협력 및 조정자, 연구자, 정책제안자 등으로 역할을 수행하고 있다.

01 / 아동간호사의 역할

1) 돌봄 제공자

돌봄 제공자 또는 간호제공자는 간호과정에 근거하여 아동과 가족에게 간호를 제공하는 역할을 말한다. 이러한 역할 수행을 위하여 전문적인 지식과 기술이 요구되며, 대부분 전문가가 간호를 제공하지만, 환자의 가족도 참여하여야 한다.

실무현장에서 돌봄 제공자로서 역할을 수행할 때, 아동과 가족을 한 세트로 간주하여 가족중심 돌봄, 신체적 심리적으로 외상이 없는 돌봄, 아동에게 가장 좋은 것, 아동의 이익을 최우선으로 하여 전문적 돌봄을 제공하여야 한다. 아동의 알 권리 존중을 위해 아동 눈높이에 맞게 설명하고, 선택의 기회를 주고, 아동의 개별 욕구를 존중하여 개별화된 전문적 돌봄서비스를 제공하며, 법적 윤리적으로 정당한 전문적 돌봄을 제공하여야 한다.

2) 교육자

교육자는 간호사의 가르치는 역할을 말한다. 부모와 가족에게 아동의 발달특성과 권리에 대해, 부적절한 양육을 예방하기 위해 육아기술과 양육에 대해, 아동과 가족에게 질병예방 및 건강관리에 대해, 아동의 상해 및 학대 예방에 대해, 현재의 건강문제를 해결하기 위한 간호에 대해 교육하여야 한다.

3) 옹호자

옹호자는 간호 대상자를 두둔하고 편 들어 지켜 주는 것으로, 간호 대상자를 돕거나 감싸서 지키는 역할이다. 취약한 위치에 있는 간호대상자의 편에 서서 간호사가 약자인 대상자의 입장을 대변하며 활동함으로써 대상자에게 건강상의 이득을 가져올 수 있게 하는 간호 행위이다. 옹호개념의 가장 중요한 속성은 '대상자의 취약성', '대상자의 위해 상황', '대상자의 편을 들어 대변함', '대상자의 인권보호', '대상자의 건강상의 이득' 등이다

아동은 위해(harm) 상황에서 스스로를 위해 항변할 수도 없고, 자기결정권을 행사할 능력이 부족하므로 아동은 간호사가 옹호해야 할 대상이다. 이는 아동은 발달 중에 있는 존재로서 신체적, 심리적, 정서적, 사회적으로 충분히 성숙하지 못하고, 상처받기 쉬운 약한 존재로서 보호받아야 한다는 인식과 관련이 있다. 의료현장에서 아동은 위험하고 해로운 상황에 처할 수 있고, 부당한 대우를 받거나 비윤리적인 시술이 이루어질 때도 이를 감시하여 저지하거나 거부할 수 없는 경우가 많기 때문에 아동간호의 모든 영역에서 간호사의 옹호활동이 요구된다. 그중에서도 특히 고위험 신생아, 영유아, 만성 질환 아동, 희귀난치병이나 선천성 질환을 가진 아동, 발달 장애가 있는 아동, 말기암 환아나 임종 환아 등을 간호할 때는 간호사의 옹호활동이 더욱 필요하다. 장기간의 치료로 인한 의료비 부담과 부모의 돌봄 부담으로 인한 스트레스와 소진으로 인해 때로는 부모가 아동의 치료를 포기하거나, 학대하거나, 아동을 유기하는 등 아동에게 해가 되는 상황이 유발될 수 있다. 이로 인해 아동의 생명권이 침해되는 위험이 따를 수 있다. 이러한 경우 아동의 편을 들어 아동의 인권을 보호하고 위해의 부당성을 대변하는 등 간호사의 옹호활동으로 인해 아동의 위험을 예방하고 궁극적으로는 생존과 건강상의 이득을 가져 올 수 있을 것이다.

옹호자의 역할에는 아동과 가족에게 이용 가능한 의료서비스를 알도록 정보를 제공하는 것, 최선의 의료서비스를 받을 수 있도록 하는 것, 스스로 의사 결정할 수 있도록 돕고 이들의 결정에 대해 지지하는 것, 건강관리팀과 개방된 의사소통을 할 수 있게 하는 것, 현재의 의료 활동을 저지하거나 지지하는 것 등이 포함된다.

4) 법적·윤리적 의사 결정자

법적 · 윤리적 의사 결정자는 간호사가 아동과 가족이 최적의 의사결정을 내릴 수 있도록 돕는 역할이다.

아동 간호의 법적 토대는 보건의료 및 건강 관련 법규와 아동 관련법규, 각종 국제규약 및 헌장 등을 들 수 있다. 이러한 법률과 규약, 각종 헌장은 아동을 안전하게 보호하고, 건강한 성장발달을 도모할 수 있도록 돌보는 간호사의 간호활동 수행의 준거가 된다.

아동 환자에 있어서 치료나 시술에 대한 사전 동의의 문제, 장기이식과 기증의 문제, 아동을 연구대상으로 삼는 문제, 의학적 실험에 대한 동의, 의료자원 배분의 문제, 부모에 의한 치료거부 문제, 의료과실 문제 등 수많은 윤리적 난제가 의사결정을 어렵게 할 수 있다. 윤리적 난제에 직면했을 때 가장 기본적인 해결도구는 생명의료윤리의 4대 원칙이다. 생명의료윤리의 4대 원칙은 자율성 존중, 악행금지, 선행, 정의의 원칙을 말한다. 인간은 자신의 일을 결정할 자율권을 가지며, 이는 타인에게 피해를 주지 않는 한 침해받아서는 안 된다는 것이 자율성 존중의 원칙이다. 의료현장에서 환자의 알 권리, 충분한 정보에 의한 동의, 신뢰성, 사생활보호 등이 여기에 해당된다. 악행금지의 원리는 피해를 주는 일에는 의술을 활용하지 말라는 원칙이며, 선행의 원칙은 악행금지보다 더 적극적인 개념으로서 선을 행해야 한다는 원리이다. 정의의 원칙은 의료자원의 분배를 정의롭게 해야 하는 원칙이다. 이러한 생명의료윤리의 4대 원칙은 큰 틀에서 아동에게도 유용하게 적용할 수 있다. 자율성의 원칙은 발달수준에 맞게 제한적으로 준용될 수 있겠으나, 아동에게 해가 되는 행위는 하지 않아야 하며, 아동의 건강상 유익이 되는 간호행위를 수행하고, 아동이 처한 상황에 따라 차별을 받지 않아야 한다는 점에서 그러하다. 또한 유네스코의 생명윤리와 인권에 대한 보편선언을 아동의 특성과 관련 지어서 살펴보면, 아동의 인권, 아동의 이익과 해악, 아동의 취약성, 아동의 인격에 대한 존중, 평등 · 정의 · 형평, 아동의 배경에 따른 차별과 낙인금지, 미래세대인 아동의 보호 등이 아동간호에서 특히 고려해야 할 윤리원칙으로 볼 수 있다.

임상간호현장에서 윤리적 딜레마 상황에 직면했을 때 간호사는 개인적인 윤리관과 전문직인으로서 취해야 할 윤리관을 구별할 줄 알아야 하며, 타인의 가치관에 대해 개방적 태도를 취할 수 있어야 한다. 또한 직장에서 이용 가능한 문제해결자원인 윤리위원회 등을 활용 할 수 있다.

5) 협력 및 조정자

협력은 특정한 목적을 달성하기 위하여 서로 힘을 합하

여 돕는 것이며, 조정은 대립되는 둘 사이의 분쟁을 중간에서 조절하여 타협할 수 있도록 화해시키는 것이다. 아동과 가족을 중심으로 한 간호현장은 대상자의 질병 예방, 건강회복, 건강증진을 목표로 많은 업무부서가 유기적으로 협력하고 있는데 이러한 과정에서 업무부서 간에 분쟁이 발생하는 경우도 많다. 간호사는 발생된 분쟁을 조정할 수 있는 중요한 위치에 있다.

6) 연구자

연구자는 어떤 일이나 사물에 대하여 깊이 분석하거나 조사하여 일정한 이치나 사실 등을 밝혀내는 사람이다. 간호사는 아동건강간호 연구자로서 과학적 연구를 충실히 수행하며, 연구결과에 근거하여 간호를 제공하는 근거중심 간호를 적용하며, 대리인이나 아동의 동의없이 아동을 실험이나 연구에 참여시켜서는 안 된다.

7) 정책제안자

정책제안자는 아동 간호와 관련된 정책을 제안하는 역할로서, 아동 간호와 관련된 정책은 아동을 직접 돌보는 간호사가 가장 잘 할 수 있는 역할이다. 미래 사회의 주요 인적자원인 아동의 건강과 성장발달에 필요한 제반 정책을 개발, 건의하며 정부와 국제사회의 아동의 건강한 성장과 관련한 정책 입안 및 입법 활동에 참여한다. 아동의 건강한 성장발달을 저해하는 유해한 환경, 정책, 사회현상, 대중매체 등에 대해 입장을 표명하고 개선을 위해 활동할 수 있다.

확인문제

4. 간호사가 취약한 위치에 있는 간호대상자의 편에서서 약자인 아동과 가족의 입장을 대변하여 활동함으로써 건강상의 이득을 가져올 수 있도록 하기 위해 가족에게 최상의 의료서비스에 대한 정보를 제공하고, 이들의 의사결정을 존중하고, 현재의 치료나 간호를 저지하거나 지지했다면, 이는 간호사의 어떤 역할과 관련이 있는가?

02 / 아동간호사의 업무 분야

우리나라에서 아동간호에 참여하고 있는 의료인은 간호사, 아동 전문 간호사, 보건교사, 보건간호사 등이다.

1) 간호사

간호사는 의료법 제2조에 의거 해당학문을 전공하는 대학을 졸업하고 국가시험에 합격한 후 보건복지부장관의 면허를 받은 자로서, 상병자나 해산부의 요양을 위한 간호 또는 진료 보조 등을 그 임무로 하고 있다.

우리나라의 면허간호사 수는 2016년 기준 355,772명이며, 병원, 의원, 조산원, 보건소 등에서 활동하고 있는 간호사는 179,989명이고, 활동하는 간호사의 88.2%가 병원에 근무하고 있다[표 1-10], [표 1-11].

병의원에 근무하는 간호사의 아동간호 관련 업무 분야는 신생아실, 신생아중환자실, 소아 청소년과 병동, 소아 청소년 중환자실, 소아 청소년과 외래 등이다.

표 1-10 우리나라 면허 조산사·간호사 수 (2005~2016년)

연도	조산사(midwife)	간호사(nurse)
2005	8,657	213,644
2006	8,572	223,781
2007	8,587	235,687
2008	8,565	246,840
2009	8,603	258,568
2010	8,578	270,274
2011	8,562	282,656
2012	8,528	295,254
2013	8,422	307,797
2014	8,382	323,041
2015	8,387	338,629
2016	8,328	355,772

2) 아동 전문 간호사

전문 간호사는 의료법 제78조에 의하여 보건복지부장관이 간호사의 면허 이외에 업무 분야별로 인정한 자격증 취득자이다. 2000년부터 시행된 전문 간호사(Advanced Practice Nurse, APN)는 보건복지부장관이 인증하는 전문간호사 자격을 갖고 해당 분야에 대한 높은 수준의 지식과

표 1-11 우리나라 의료기관 종사 의료인 수

구분	2010년				2016년			
	종사자수	구성비			종사자수	구성비		
		병원	의원 · 조산원	보건소		병원	의원 · 조산원	보건소[1]
합 계	438,179	49.0	47.0	3.4	621,189	56.3	41.3	2.4
의 사	82,137	56.4	41.0	2.6	97,713	58.2	39.7	2.2
치과의사	20,936	14.3	82.6	3.1	24,150	14.6	83.8	1.6
한 의 사	16,156	12.6	81.7	5.7	19,737	17.1	78.0	4.9
약 사	3,740	96.9	1.3	1.8	4,949	98.2	1.0	0.8
간 호 사	116,071	82.0	13.5	4.5	179,989	88.2	8.8	3.0
기 타[2]	199,139	33.7	63.4	2.9	294,651	41.6	56.4	2.0

※ 주 : 1) 보건소는 보건소 및 보건지소, 보건진료소 포함 2) 기타는 의료기사, 간호조무사, 의무기록사임

기술을 가지고 의료기관이나 지역사회 내에서 간호대상자(개인, 가족, 지역사회)에게 상급수준의 전문가적 간호를 자율적으로 제공하는 역할을 한다. 또한 환자, 가족, 일반간호사, 간호학생, 타 보건의료 인력 등을 교육하고 보수교육이나 실무교육프로그램 개발 등에 참여한다. 현재 의료법에서 인정하고 있는 전문 간호사 분야는 마취, 보건, 가정, 정신, 감염관리, 노인, 산업, 응급, 중환자, 호스피스, 종양, 아동, 임상으로 총 13개이다.

전문 간호사 교육과정은 보건복지부장관이 지정하는 전문간호사 교육기관(대학원)에서 2년 이상 실시하며, 10년 이내에 해당 분야에서 3년 이상 간호사로 근무한 경험이 있어야 교육과정에 입학을 신청할 수 있다. 보건복지부장관이 지정하는 교육기관에서 해당 전문간호사 교육과정을 이수하거나 외국전문간호사의 경우 심사를 통과하면 자격시험에 응시할 수 있다. 1차시험(필기)과 2차시험(실기)에서 각각 총점의 60퍼센트 이상을 득점해야 한다. 우리나라에서는 현재 연세대학교 간호대학원에서 아동 전문 간호사 교육과정을 운영하고 있다. 자격 등록 아동 전문 간호사 수는 2016년 기준 83명이다[표 1-12].

아동 전문 간호사(Child Health Nurse Practitioner)는 신체검진, 면담, 건강한 아동상담과 간호를 제공하는 간호사이다. 아동 전문 간호사들은 건강력 조사 및 아동에 대한 신

표 1-12 등록 전문간호사 수 (2005~2016년)

연도	계	마취	보건	가정	정신	감염관리	노인	산업	응급	중환자	호스피스	종양	아동	임상
2005	8,507	574	2,034	5,713	186	–	–	–	–	–	–	–	–	–
2006	9,617	572	2,033	6,105	232	40	259	73	57	111	54	81	–	–
2007	10,205	574	2,033	6,115	260	89	515	88	87	191	93	160	–	–
2008	11,137	578	2,032	6,155	324	138	970	103	129	287	176	245	–	–
2009	11,582	588	2,033	6,206	346	162	1,132	106	157	345	210	285	12	–
2010	11,883	587	2,027	6,258	346	162	1,291	106	157	386	195	316	22	30
2011	12,449	598	2,026	6,302	395	195	1,416	113	187	432	286	398	34	67
2012	12,854	596	2,024	6,338	395	195	1,576	113	187	477	332	476	34	111
2013	13,397	601	2,017	6,358	445	240	1,742	121	229	519	377	548	53	147
2014	13,794	606	2,014	6,379	463	262	1,877	125	248	559	416	611	61	173
2015	14,176	613	2,015	6,390	492	283	1,994	128	265	589	448	687	72	200
2016	14,659	617	2,011	6,408	528	309	2,100	135	277	625	475	752	83	229

자료 : 보건복지부 의료자원정책과, 「면허관리정보시스템」
주 : 기타는 의료기사, 간호조무사, 의무기록사임

체검진의 한 부분으로 부모를 면담한다. 만일 아동을 건강한 것으로 진단하면, 면담과정에서 언급되었던 양육 문제에 대해 부모와 논의하고, 필요한 예방접종을 계획하고, 간호계획에 근거해서 필요한 지침을 제공하고, 다음 추후관리를 위한 일정을 조정한다. 아동 전문 간호사는 일차건강관리 제공자로서 또는 부모와 어린이에게 총체적인 건강간호 제공자로서 기능한다.

아동 전문 간호사는 철 결핍성 빈혈과 같이 아동에게 흔한 질병에 대해 필요한 검사와 치료를 위해 약물을 처방한다. 만일 아동 전문 간호사가 아동의 상태가 선천성 고관절 탈구, 신장질환, 심장질환과 같은 아주 심한 질병 상태라고 진단을 하면 관련 소아과 의사에게 보이고, 의사와 함께 앞으로 어떤 간호가 필요한지를 결정한다. 아동 전문 간호사들은 입원 환자나 특수 세팅에 입원한 어린이에 대한 간호를 제공한다.

3) 보건교사

보건교사는 초 · 중 · 고등학교 보건실에서 근무하며 보건교육, 학생 및 교직원 건강관리, 학교 보건사업계획 수립 등의 업무를 담당한다. 간호대학에서 소정의 교직학점을 이수한 후 간호사 면허를 취득한 사람에게 보건교사 자격증이 주어진다. 국공립학교에 임용되려면 교원 임용고시를 통과해야 한다.

보건 교사는 학교에서 모든 아동에 대한 간호를 제공한다. 학생의 신체발달 및 체력증진, 질병의 치료와 예방, 음주 · 흡연과 약물 오용 · 남용의 예방, 성교육, 정신건강 증진 등을 위하여 보건교육을 실시하고 필요한 조치를 취하는 등 학생의 보건관리 업무를 수행하고 있다.

4) 보건간호사

보건간호사는 전국 보건소와 보건지소, 보건진료소, 지방자치단체 등에 근무하는 간호직 또는 보건직 공무원이다. 지역주민의 질병예방과 건강증진을 위한 사업, 정신보건, 모자보건, 노인보건 등의 업무를 수행한다.

아동건강관련 업무로 신생아 난청 조기진단, 선천성 대사이상 검사 미숙아 및 선천성 이상아 의료비 지원, 저소득층 기저귀 · 조제분유지원, 영유아 건강검진, 예방접종, 영양취약계층인 영유아에게 영양평가, 영양교육 및 상담, 필수보충식품 패키지를 지원하는 업무 등을 수행하고 있다.

확인문제

5. 우리나라 의료법에 명시되어 있는 아동분야 전문 간호사의 명칭은?

요 점

※ 아동청소년간호의 일차적인 목표는 가족으로 하여금 아동에 대한 양육기능을 최대한 발휘하도록 하는 것이다.

※ 우리나라의 조출생률은 매년 감소추세이며, 합계출산율은 인구대체수준인 2.1명에 미치지못하고 있고, 2015년 기준 영아 사망률은 2.7명으로 OECD 국가 평균보다 낮은 수준이다.

※ 출생아중 저체중(6.16%)과 미숙아(7.58%) 출생비율이 매년 증가하고 있으며, 영아사망자 중 선천 기형, 변형, 염색체 이상에 의한 영아 사망(20% 이상)도 매년 증가하고 있다.

※ 최근 아동청소년의 이환질환은 급성 기관지염 및 급성세기관지염, 급성 인두염 및 급성 편도선염 등의 호흡기 질환이 가장 많다.

※ 법정감염병 중에 아동에게서 많이 발생하고 있는 질환은 수두, 유행성이하선염, 성홍열, 결핵, 쯔쯔가무시증, A형 간염 등이다.

※ 아동의 문화적 생활양식, 가정환경, 보육시설 또는 학교환경, 사회경제적 계층, 대중매체, 물리적 환경 등 다양한 요인이 아동의 건강에 영향을 미치고 있다.

※ 아동간호사는 돌봄 제공자, 교육자, 옹호자, 법적 · 윤리적 의사 결정자, 협력 및 조정자, 연구자, 정책제안자 등의 역할을 수행하고 있다.

확인문제 정답

1. 아동에 대한 양육 기능을 최대한 발휘하도록 가족의 건강을 최적의 상태로 유지·증진하는 것
2. 영아 사망률, 2015년 기준 2.7명으로 OECD국가 평균에 비해 낮다.
3. 문화적 생활양식, 가정환경, 보육시설 또는 학교환경, 사회경제적 계층, 대중매체, 물리적 환경 등
4. 옹호자
5. 아동 전문 간호사

CHAPTER 02

아동과 가족

주요용어

가족의 구조(family structure)
가족의 기능(family function)
가족의 생활주기(family life cycles)
가족의 정의(definition of family)
다양한 가족(family types)
부모됨(become a parents)
부모의 역할과 책임(parents roles & responsibility)
아동학대(child abuse)
자녀 양육 유형(types of bring up a child)

학습목표

01 부모역할을 설명한다.
02 가족이 아동의 성장발달에 미치는 영향을 설명한다.
03 다양한 가족의 특성이 아동에게 미치는 영향을 설명한다.
04 아동학대를 설명한다.

I 부모역할

01 / 부모됨의 의미

부모가 된다는 것은 자녀를 낳는다는 의미뿐만 아니라 자녀를 올바르게 양육하여 훌륭한 사회의 구성원으로 키우는 역할을 이행하고 그러한 역할과 관련되어 책임을 진다는 의미를 포함한다.

바람직한 부모가 되기 위해서는 신체적 · 사회적 · 정서적 · 경제적 성숙 등 다양한 준비가 필요하다[표 2-1].

02 / 부모의 역할과 책임

부모는 자녀에게 유전적으로 영향을 끼칠뿐만 아니라 자녀가 성장하여 독립할 때까지 필요한 모든 경제적, 물질적, 정서적 지원을 한다. 바람직한 부모가 되려면 부모로서의 다양한 지식, 기능, 태도 등을 습득하여 바르고 현명하게 부모의 역할과 책임을 다하는 것이 중요하다.

부모의 역할과 책임은 자녀가 성장하면서 이루어야 할 발달과업과 욕구 수준 등이 바뀌면서 함께 변화한다. 그러므로 부모는 자녀의 성장에 따라 보육자, 보호자, 양육 · 격려자, 상담자 등의 여러 가지 역할 중에서 강조되어야 할 것을 잘 파악하여 이를 원만히 수행해야 한다[표 2-2].

03 / 자녀의 양육 유형

부모의 자녀 양육 유형은 기본적으로 과잉 보호적 부모, 민주적 부모, 권위적 부모, 방임적 부모로 나눌 수 있다[표 2-3].

그러나 실제로는 4가지 자녀 양육 유형이 서로 복합되어 나타나는 경우가 많다. 왜냐하면 부모-자녀 관계는 일방적인 관계이기보다는 상호작용적 관계로 자녀의 성격, 사회성 및 지적 특성에 영향을 주고받기 때문이다. 따라서 자녀 양육 유형 중에서 어떠한 유형을 적용하는 것이 바람직한가는 가족 상황 및 자녀의 인성, 나이, 책임감 등에 따라서 달라진다.

가족이 아동의 성장발달에 미치는 영향

01 / 가족의 정의

가족은 혈연, 결혼, 입양 등에 의해 함께 살고 있는 사람들의 집단이다. 이러한 정의는 상대적인 통계자료를 모으는 데는 유용할 수 있으나, 가족이 결혼하지 않은 커플들 사이에서도 발생할 수 있기 때문에 가족의 건강에 대한 관심이

표 2-1 부모가 되기 위한 준비

신체적 성숙	사회적 성숙	정서적 성숙	경제적 성숙
자녀를 낳고 양육할 수 있도록 신체적으로 건강해야 한다.	사회구성원으로서의 역할을 잘 할 수 있을 만큼 충분히 성장하고 변화되는 사회생활을 받아들일 수 있어야 한다.	애정적인 교류로 정서적으로 안정되고, 자녀 양육으로 충족감을 느끼면서 자녀를 부양해야 한다.	자녀를 양육하고 교육하기 위해서는 경제적인 부양자가 되어야 한다.

표 2-2 자녀의 성장에 따라 강조되는 부모의 역할

보육자(영아기)	보호자(유아기)	양육·격려자(아동기)	상담자(청소년기)
영아의 요구에 대하여 일관성 있고 빠르게 반응해주면 영아는 신뢰감을 형성한다. 따라서 부모는 영아의 요구를 들어주는 보육자로서의 역할을 한다.	유아가 걷기 시작하면 안전한 환경에서 자율성과 학습 능력을 증진시킬 수 있도록 도와주는 보호자로서의 역할을 한다.	아동이 자율성과 주도성을 가질 수 있도록 격려하고 지원해 주며, 자신의 행동에 책임을 지는 방법을 알게 해 주는 양육자로서의 역할을 한다.	정서적으로 안정된 분위기를 만들어 애정과 친밀감을 갖고 친구와 같은 의논 상대가 되어 주며, 독립심을 키워주는 역할을 한다.

표 2-3 **부모의 자녀 양육 유형**

유형	부모	자녀
과잉 보호적 부모(수용)	자녀에게 따뜻하고 애정을 많이 주지만, 가정 내의 규칙이나 규율이 없어 통제를 거의 하지 않고 자녀가 요구하는 것은 대부분 수용한다.	대체로 미성숙한 행동을 보이며, 책임감과 성취 동기가 낮아진다.
민주적 부모(자율)	자녀에게 따뜻하고 애정을 쏟으며 자녀와의 대화를 통해 자녀의 의견을 존중한다. 일정한 범위에서는 자녀의 자율성을 허용하나, 필요한 때에는 엄격히 통제한다.	다른 아이들보다 더 책임있는 행동을 하고 자율성과 독립성을 가지게 된다.
권위적 부모(통제)	자녀의 모든 행동을 통제하고 자녀를 복종시키려고 한다. 자녀의 의견을 수용하지 않으며, 부모가 정한 규칙이나 규율을 따르지 않을 때에는 신체적 체벌을 가하기도 한다.	순종적이기는 하지만 적극적이거나 독창적이지 않고 수동적이게 된다.
방임적 부모(거부)	자녀를 수용하지 않으며 무시하거나 무관심한 태도를 보인다. 부모로서의 역할을 수행하지 않고 자녀와 시간을 많이 보내지 않는다.	정서적으로 불안정하며, 경계심이 많고 공격적이고 침착성이 부족해진다.

나 사용할 수 있는 지지자를 사정하기에는 제한적이다.

Spradly와 Allender는 좀 더 광범위한 맥락에서 가족을 둘 또는 그 이상의 사람들이 같은 집에서 살며, 공동의 정서적 유대감을 가지고, 상호관련 있는 사회적 업무를 수행하는 것이라고 정의하였다. 건강간호 제공자들은 아주 광범위한 다양한 형태의 가족을 만나기 때문에 이러한 정의가 더 적절하다. 개인처럼 가족 역시 건강행위와 질병 행위를 보인다. [표 2-4]는 건강한 가족의 일반적인 특성을 제시한 것이다. 가족의 이러한 특성을 사정하는 것은 건강 행위나 질병행위의 정도를 확인하고, 가족이 현실성 있는 행위로 옮겨가도록 강화하는데 유용하다.

02 / 가족의 기능

가족은 하나의 작은 공동체이고, 가족 내에 있는 각 사람은 어떤 일을 해야 할 과업이 있다. 각각의 새로운 세대는 이전 세대의 가치를 받아들이고, 한 세대에서 다음 세대로 전통과 문화를 전수한다. 가족을 사정하는데 있어서 중요한 부분은 각 가족 구성원의 역할을 규명하는 것이다. 즉 가족 구성원 중 누가 재정관리자, 문제해결자, 의사결정자, 양육자, 건강관리자, 가족 내로 정보의 출입을 조절하는 문지기인지를 규명해야 한다. 한 가족 내에서 이러한 역할을 하는 사람을 아는 것은 가족과 더불어 효과적으로 일하는데 도움을 준다. 만일 입원한 아이가 퇴원해서도 계속 돌봄이 요구

표 2-4 **건강한 가족의 12가지 지표**

1. 가족 구성원의 신체적, 정서적, 영적 요구를 충족시킬 수 있다.
2. 가족 구성원의 요구에 민감하게 반응할 수 있다.
3. 사고와 감정을 효과적으로 의사소통 할 수 있다.
4. 지지, 안심, 용기를 북돋워 줄 수 있다.
5. 성장 지향적이고 생산적인 관계를 시작하고 유지할 수 있다.
6. 지역사회와 건설적이고 책임있는 관계를 유지하고 창조할 수 있다.
7. 자녀와 함께 성장하고, 자녀를 통해 성장할 수 있다.
8. 가족의 역할을 융통성 있게 수행할 수 있다.
9. 필요시 자신을 도울 수 있고 도움을 받아들일 수 있다.
10. 가족 구성원의 개성을 상호 존중할 수 있다.
11. 위기를 성장의 수단으로 활용할 수 있다.
12. 가족의 단합, 성실, 상호 협력에 관심이 있다.

가족지지/ 가족 간에 접촉 유지를 위한 제안

전통적으로 가족은 저녁식사 때 함께 모여서 식사를 하면서 상호 작용하고 해결되지 못한 문제에 대한 해결을 위한 시간으로 이용한다. 만일 이것이 불가능하다면, 좀 더 나은 의사소통을 위한 다음과 같은 제안을 따르는 것이 좋을 것이다.

- 서로에서 메시지를 전달하기 위한 노트나 칠판을 이용할 수 있다.
- 메세지를 남기기 위해 전화기의 음성메세지나 비디오 카메라 등을 이용할 수 있다.
- 모든 가족 구성원이 함께 아침식사를 하는 계획을 세울 수 있다.
- 일주일에 한 번은 "가족을 위한 밤" 시간을 마련해 온 가족이 함께하는 특별한 활동을 계획할 수 있다.
- 가족 구성원 간 서로의 활동에 관심을 갖고 온 가족이 함께 참여할 수 있다.

된다고 한다면, 간호사가 가족 중에 양육자를 규명하고 그와 접촉하는 것이 중요한데, 이는 그 사람이 가정에서 필요한 간호를 제공하고 감독할 사람이기 때문이다. 전통적으로 양육자는 여성의 역할이지만, 많은 남성들이 양육자 역할을 하고 있으며, 다른 가족이 이 역할을 하기도 한다.

퇴원 계획을 세우기 위해 가족과 접촉하기 전에 가족의 안전과 건강을 관리하는 사람이 누구인지 아는 것은 중요하다. 가족의 문지기는 가족 내에 정보의 입 · 출입을 조절하는 사람이다. 예를 들면 새로운 식사 패턴을 가족에게 도입하려고 시도하기 전에 이러한 가족 구성원을 규명하는 것은 중요하다. 가족의 정서적 지지자를 규명하는 것은 스트레스에 대처할 수 있는 가족의 능력을 평가하는데 도움을 준다.

Duvall과 Miller는 가족이 사회의 한 단위로서 생존하기 위해 수행해야할 핵심적인 8가지 발달과업을 규명하였다. 가족마다 이러한 과업의 정도와 발달단계에 차이는 있겠으나, 모든 가족에게 보편적으로 존재한다.

- 건강한 가족은 구성원들에게 음식, 은신처, 의복, 건강간호를 제공한다. 가족이 새로운 가족 구성원에게 제공할 자원을 풍족히 가지고 있는 것은 아동간호에서 중요하다.
- 가족 구성원을 사회화시키는 임무는 아동이 사회에서 살아갈 수 있고, 가족 이외의 사람들과 상호 작용하도록 준비시키는 것을 의미한다. 가족이 자신들이 속해있는 사회의 가치나 문화와는 다른 가치를 가지고 있다면, 이는 매우 어려운 일일 것이다.
- 자원의 분배는 가족의 어떤 요구를 충족시키고, 그 우선순위를 결정하는 것을 말한다. 건강한 가족의 분배원칙은 정의, 일관성, 공평성이다. 자원이란 재정적 풍부뿐만 아니라 물질, 애정, 공간 등을 포함한다. 자원이 아주 제한적인 어떤 가족의 경우, 새로운 신발을 신고 있는 사람이 아무도 없는데 어떤 아이는 10만원 상당의 운동화를 신고 있고, 다른 아이들은 맨발로 다니게 하는 가족이라면 이는 위험한 증후이다.
- 명령에 순종하는 것은 가족 구성원간의 대화, 가족의 가치 확립, 모든 가족 구성원을 조절하는 힘으로서 효과적인 방법이다. 새로 태어난 아이의 방을 결정하고 준수해야할 규칙을 결정하는 것은 가족 발달을 위한 중요한 과업이다.
- 건강한 가족의 경우, 구성원들은 가족의 규칙과 중요하게 생각하는 것이 무엇인지를 알고 있다.
- 업무의 분담이란 어떤 사람은 가족의 부양자로, 어떤 사람은 아이의 양육자로, 그리고 어떤 사람은 가정 관리자로 역할을 하는 것을 의미한다. 임신이나 아동 질병은 이러한 가족의 업무들을 변경시키고 업무의 재분배를 야기한다.
- 가족은 자녀를 출산하고, 학교에 보내고, 출가시키는 일을 한다.
- 가족의 구성원을 큰 사회의 구성원이 되도록 하는 것은 가족의 가치와 신념과 일치하는 학교, 종교단체, 정치집단과 같은 사회적 활동을 선택하는 것들을 의미한다. 건강관리를 위한 시설이나 병원을 선택하는 일을 이러한 업무에 속한다.
- 가족 구성원으로서의 긍지는 위기의 기간동안 가족 구성원들이 서로가 지지하도록 하는 힘으로 작용한다.

03 / 가족의 구조

많은 형태의 가족이 존재하고, 가족의 형태는 출생, 일, 사망, 결혼, 이혼, 가족 구성원의 성장 등에 의해 변한다.

1) 핵가족

전통적인 핵가족의 구조는 남편, 아내, 자녀로 구성되어 있다. 결혼이나 분가 등으로 젊은이들이 부모로부터 멀리 떨어져 나가면서, 오늘날 더 많은 가족들이 핵가족의 형태를 이루고 있다. 더 이상 할머니나 할아버지, 삼촌, 숙모들이 같은 집에 살지 않는다. 결혼한 젊은 부부들이 부모로부터 멀리 이사를 가기 시작하면서 핵가족이 가장 흔한 형태의 가족이 되었다. 오늘날 핵가족의 수는 이혼, 편부모, 재혼 등에 의해 점차 감소하고 있다. 핵가족의 장점은 사람들이 서로에 대해 참된 애정을 가지기 때문에 가족 구성원에게 지지를 제공할 능력이 있다는 점이다. 비록 핵가족은 가족에게 강한 지지를 제공할 수 있으나, 질병이나 다른 위기 상황에 있을 때 짐을 나눠지고 지지를 제공할 가족 구성원의 수가 적기 때문에 아주 제한적인 지지만을 제공한다.

2) 확대가족

확대가족은 핵가족뿐만 아니라 할머니, 할아버지, 숙모, 삼촌, 사촌, 손주 등으로 구성되어 있다. 이러한 가족의 장점은 위기동안에 자원으로서 그리고 중요한 가치를 배우고 바른 행동을 위한 더 많은 역할 모델로서 기능할 수 있는 더 많은 사람을 확보할 수 있다는 것이다. 확대가족이 가질 수 있는 단점은 모든 가족 구성원들의 요구를 충족시키기 위해 가족이 가지고 있는 자원들이 분산된다는 것이다. 확대가족에서 아동을 돌보는 일차 간호 제공자는 어머니나 아버지가 아니고, 어머니가 있어도 할머니나 숙모 등이 아동 간호의 많은 부분을 담당한다.

3) 한부모 가족

한부모 가족의 증가는 높은 이혼율과 혼외관계에서 출산한 자녀를 양육하는 여성의 증가와 관련이 있다. 한부모 가족의 건강문제는 거의 대부분 복잡한데, 그 이유는 만일 부모가 아프게 되면 아이를 돌보아줄 다른 사람이 없기 때문이다. 만일 자녀가 아프게 되면, 자녀의 건강이 좋아지고 있는지에 대한 확신이나 견해를 제공해 줄만한 가까운 지지원이 없다는 것이 문제이다.

한부모 가족의 또 다른 문제는 한부모 가족의 부모가 대부분 여성으로 소득이 적다는 것이다. 보편적으로 우리 사회에서 여성의 수입은 남성보다 적다. 한부모 가족은 가족 내에서 자신의 역할을 규명하거나 역할모델이 되어주는데 많은 어려움을 가지고 있다. 몇 가지 중요한 역할을 하기에도 많은 시간이 요구될뿐만 아니라, 정신적으로 신체적으로 지치게 되고, 많은 상황에서 불만을 느끼게 된다. 한부모 가족에서 아버지가 부모인 경우 가정을 관리하거나 아동을 돌보는데 경험이 별로 없다면, 이런 일을 하는데 어려움을 겪게 된다. 이러한 제한점들은 의사결정을 방해하고 효과적으로 자기의 일을 하는데 저해가 된다.

한부모 가족은 아동에게 특별한 부모-자녀 관계를 제공하고 독립심을 키울 수 있는 기회가 많다는 장점이 있다. 이혼을 했다면, 한쪽 부모 또는 양쪽 부모는 협력해서 아동을 보호할 법적 책임을 가지고 있다. 때로는 양쪽 부모가 종종 의사 결정에 함께 참여한다. 아동이 질병을 앓게 되면, 양쪽 부모는 입원한 아이를 자주 방문하고 질병의 경과에 대한 보고를 받게될 것이다. 양육에 책임이 있는 부모가 누구인지를 규명하는 것은, 아픈 아동을 간호하는 과정에서 동의서를 받아야 할 때 중요한 일이다.

4) 혼합가족

혼합가족 또는 재혼가족은 자녀가 있는 이혼한 또는 미망인이 자신의 아이가 있는 다른 사람과 결혼한 경우이다. 혼합가족의 장점은 마음이 든든하다는 것과 자원이 증가된다는 것이다. 또 다른 장점은 혼합가족의 아이들은 삶에 다른 방식으로 노출되고 새로운 상황에 더 잘 적응할 수 있게 된다는 것이다.

이러한 형태의 가족이 겪을 수 있는 자녀 양육의 문제는 부모의 관심을 얻기 위해 아이들 사이에 경쟁하거나 자기 부모로부터 사랑을 얻기 위해 의붓 어머니나 아버지와 경쟁하는 경우에 발생한다. 게다가 각 배우자는 상대방의 아이를 양육하는데 어려움을 겪게 된다. 의붓 부모들은 아동을 양육하는 권위적 역할이 제한되어 있고 도전을 받는다고 생각한다. 아이들은 친부모와 헤어진 것에 관한 해결되지 않은 감정을 가지고 있기 때문에 의붓 부모를 좋아하는 마음으로 받아들이지 않는다. 의붓 부모는 자기의 부모와는 다른데, 특히 훈육과 돌봄의 측면에서 다를 것이고, 의붓 부모가 자기의 부모와의 관계를 위협한다고 믿는다. 아이들은 자기 친부모가 다른 사람의 집으로 옮기고 다른 아이의 의붓 부모가 되는 것을 보고 괴로워한다.

게다가 재정적 어려움이 심각할 수 있다. 부모 중 하나는 현재 결혼 상태에 있는 아동을 양육하면서 동시에 이전 결혼에서 출생한 아이를 돌볼 비용을 지출해야 한다. 친부모들 사이에 경제적 불균형은 충돌을 야기하고 왜곡된 기대를 야기할 수 있다. 간호사는 재혼한 가족 구성원들이 서로의 삶에 적응할 때까지 이들을 정서적으로 지지하는데 도움을 줄 수 있다.

5) 공동체 가족

공동체 가족은 혈족관계보다는 사회적 가치나 관심이 동기가 되어 함께 모여 사는 사람들로 구성된 확대 가족과 같은 형태이다. 공동체 구성원의 가치는 종종 종교적 또는 영적인 것에 기반을 두고 있으며, 전통적인 보다 훨씬 자유롭고 선택의 자유를 존중한다. 어떤 공동체 가족은 강력한 지도자를 추종하는 사람의 집단으로 구성된다.

이러한 철학을 가지고 있는 사람들은 건강간호를 실천하는데 어려움을 겪게 될 것이다. 다시 말해서, 전통적 가치를 부인하는 사람은 한 공동체에서 가장 창의적인 사람일 것이고 자신을 돌보는 일에 가장 많은 관심을 쏟게 될 것이다.

6) 동거가족

동거가족은 결혼하지 않은 채로 함께 살고 있는 커플로 구성된다. 이들은 이성애자나 동성애자이다. 그러한 사람들은 결혼해서 살고 있는 사람들이 하는 것처럼 서로에게 필요한 심리적인 안정을 제공할 수 있다. 비록 이러한 관계가 일시적일 수도, 오래 지속될 수도 있으며, 전통적인 인척관계에서 보다도 더 의미있는 것일 수 있다. 지속적으로 동거가족의 수가 증가하고 있는데, 이는 후천성면역결핍증이나 성병에 노출되는 것을 피하기 위해서 일부일처의 관계를 유지하는 것이 가장 바람직하다는 압력, 이혼과 이에 따르는 영향에 대한 두려움, 동거에 대해 보다 폭넓게 받아들이는 사회적 분위기 등 때문이다.

7) 독신자 결연 가족

많은 독신의 젊은 성인들이 학교를 졸업하거나 직장 생활을 시작하는 동안에 교우관계나 재정적 안정을 위해 아파트, 기숙사, 집 등을 공유하면서 함께 사는 형태이다. 이러한 관계는 비록 일시적이기는 하지만, 그들은 동거가족으로서 같은 특성을 가지고 있다.

8) 양부모 가족

자신의 아이를 키울 수 없는 부모들은 아이를 입양 보내게 된다. 양부모는 아이를 돌보는데 필요한 입양 수당을 받게 된다. 양부모는 자신의 아이들 또는 입양한 다른 아이들을 양육할 수 있다. 입양은 이론적으로는 아동의 친부모에게 돌아갈 수 있을 때까지 양육하는 일시적인 것이다. 만일 돌아가는 것이 불가능하거나, 곧 일어나지 않는다면 아동은 양부모의 돌봄 하에 성인으로 자라나게 된다. 이러한 아동들은 그러한 상황에서 불안정감을 느끼게 될 것이고, 그들이 곧 다시 옮겨야하는 지에 대해 관심을 가지고 있다. 이들은 원래 자신의 가정에서 입양 가정에 옮겨와야 했던 이유와 관련해서 정서적인 어려움을 겪는다. 입양된 아동을 간호하게 될 때, 아동간호와 관련된 서류에 서명해야 할 법적 책임이 누구에게 있는지를 아는 것은 중요하다. 대부분의 양부모들은 친부모만큼이나 아이의 건강을 돌보는 일에 관심을 가지고 있으며, 건강 간호를 위한 지시사항들을 성실하게 따른다.

확인문제

1. 핵가족의 수가 감소되는 이유는 무엇인가?
2. 한부모 가족의 장점은 무엇인가?

04 / 가족의 생활주기

개인과 마찬가지로 가족들은 예측할 수 있는 발달단계를 통과한다. 가족이 어떤 발달단계에 있는지를 사정하는 것은 간호에 도움이 된다. 자녀들 중에 가장 큰아이의 연령에 따라 가족의 발달단계를 구분한다.

1) 1단계-결혼기 가족

Duvall은 이 단계를 결혼이라는 단어를 사용하기는 했지만, 형식적인 결혼을 하지는 않았으나 동거 또는 독신 결연자 커플들에게도 적용된다.

가족발달의 첫 단계동안 가족 구성원들은 3가지의 과업을 성취해야 한다.

- 상호 안정된 관계를 확립
- 그들의 가족들과 친척관계를 잘 맺는 방법을 학습
- 해당되는 경우, 자녀출산 계획

상호 안정된 관계를 확립한다는 것은 자신의 가족으로부터 형성한 가치를 커플관계로 융화하는 것을 의미한다. 이는 잠자고 먹고 청소하는 것 같은 일상적인 생활의 측면에서 서로에게 적응하는 것뿐만 아니라 성적, 경제적으로 적응하는 것을 의미한다. 가족 발달의 첫 단계동안 이혼이나 별거가 많이 발생되고 있는 점을 볼 때, 이 시기는 긴장이 높은 시기이다. 이 단계에서 가족 구성원의 질병 발생은 파트너가 이전 가족 구성원으로 부터 지지를 받아들이지 않거나, 건강간호 제공자의 경고를 받아들이지 않을 경우 유대관계가 강하지 못한 파트너들의 관계를 깨뜨릴 수 있다.

2) 2단계-초기 자녀양육 가족

첫째 아이의 출생이나 입양은 매우 흥분되는 일이기는 하지만, 경제적 사회적 역할 변화가 요구되는 스트레스가 많은 사건이다. 이 시기동안 간호사의 중요한 역할은 건강한 아이를 잘 돌보는 방법에 대한 교육과 새로운 가족 구성원을 가족 내로 통합시키는 방법을 교육하는 것이다. 좀 더 나아가 건강한 아이를 돌보는 것뿐만 아니라 질병 중에 있는 아이를 돌보는 것에 대한 것도 포함해야 한다. 아이를 돌보는 일에 대해서 어려움을 겪고 있는 부모들에게는 건강간호 전문가가 아픈 아이를 가정에서 또는 병원에서 잘 돌볼 수 있도록 필요한 많은 지지와 상담을 제공해야 한다.

3) 3단계-학령전기 아동 가족

학령전기 아동을 양육하는 가족은 아동의 성장과 발달을 도모하고, 안전사고를 예방하는 데 많은 시간을 투자해야 하기 때문에 매우 바쁘다. 만일 아동이 사고로 인해서 입원하게 되면, 부모는 사고예방을 위해 더 노력해야 했다고 느끼기 때문에 아이의 손상에 직면하는데 어려움을 경험하게 된다. 또한 가정에 있는 다른 어린 자녀를 돌봐야 하기 때문에 부모가 병원에 방문하는 것은 어려운 일이다. 만일 가정에서의 지속적인 간호를 받을 필요가 있는 문제를 갖고 퇴원하게 되면, 이 단계의 가족은 아픈 자녀에게 돌봄을 제공할 지역사회 간호사의 지속적인 지지가 필요하다.

4) 4단계-학령기 아동 가족

학령기 아동의 부모는 자신들의 결혼 관계를 안정상태로 유지함과 동시에 자녀가 복잡한 세상에서 적절히 기능할 수 있도록 준비시켜야 하는 책임이 있다. 많은 가족에게 이 시기는 노력하는 시기이다. 이 시기에 질병은 부가적인 짐을 더하게 되는 것이고 결혼관계를 해체시키기에 충분하다. 가족이 눈앞에 있는데 정서적 지지를 적게 또는 전혀 제공하지 않는 가족의 경우 오해를 살 수 있다. 이 시기동안 많은 가족들은 적절한 지지를 제공해줄 수 있는 친구나 교회, 상담 등과 같은 제3의 지지원을 찾을 필요가 있다.

이 단계의 가족을 간호할 때 예방접종, 구강보건, 아동 건강검진, 전기나 자동차 사고와 같은 아동 안전사고를 모니터하고, 삶에 대한 학습기회를 제공해 줄 학교에 출석하는데 관심을 두어야 한다.

5) 5단계-청소년기 가족

청소년기 가족의 일차적인 목표는 이전 단계의 가족의 목표와는 상당한 차이가 있다. 이전 단계에서 가족의 유대는 강하고 단결되어 있었으나, 이 단계의 가족은 청소년기에 도달한 자녀에게 더 많은 자유를 허용하고 자신의 삶을 준비할 수 있도록 허용해야 하기 때문에 가족 간의 유대는 좀 느슨해질 수 있다. 빠른 기술의 발달과 더불어 세대 간의 차이는 더 벌어지게 되고, 부모가 젊었을 때의 삶과 현재 십대 자녀의 삶과는 차이가 있다. 그러므로 이 시기에 부모와 청소년 모두는 노력해야 한다.

자살, 운수사고 등은 청소년 사망의 주요 원인이다. 후천성 면역결핍증에 의한 사망률이 증가되고 있다. 그러므로 이 시기의 가족을 중재하고 있는 간호사는 안전생활, 약물 남용의 위험, 안전한 성생활 등에 대해 상담 시간을 마련하는 것이 필요하다.

부모와 청소년 사이에 세대 간 격차가 존재할 경우, 청소년은 이러한 문제, 특히 성적 책임과 같은 논쟁 시 부모와 이야기하기 힘들다. 지역사회 간호사는 이 단계의 가족들이 의사소통에 어려움을 겪을 때 가족을 지지할 수 있는 중립적 위치에 있는 사람이다.

6) 6단계-진수기 가족

많은 가족의 경우, 자녀가 출가할 때 가족이 깨어지는 것으로 느끼기 때문에 심리적으로 가장 어려운 시기이다. 부모의 역할은 어머니나 아버지의 역할에서 한걸음 물러난 지지자 또는 지도하는 사람으로 변한다. 이 시기에 부모는 자존감을 상실하게 되고, 처음으로 자신이 늙었고 책임에 잘 대처할 수 없다고 느낀다. 이 시기에 가족 내에서 발생하는 질병은 가족 구조를 손상 시키고, 이미 결속력이 약해져 있는 가족을 깨뜨릴 수 있다.

간호사는 이러한 가족에게 상담가로서의 역할을 할 수 있다. 자녀들이 하고 있는 것들은 부모가 오랜 세월 동안 자녀들이 그렇게 하도록 준비해온 그 일을 하는 것이라는 인식을 갖도록 돕는다. 자녀가 집을 떠나는 것은 부정적인 것이 아니라 긍정적인 발걸음이라는 것을 인식하도록 한다.

7) 7단계-중년기 가족

자녀를 낳기 이전에 그랬던 것처럼 가족이 2명의 파트너로 이루어진 핵가족이 될 때, 부모들은 여행이나 경제적 여유, 취미생활 등을 할 수 있는 아주 좋은 기회라고 생각하기도 하고 또는 집에 아이들이 없어서 지루하게 생각하여 빈 둥지 증후군을 경험하는 점차 쇠퇴해 가는 시기로 간주한다. 가족이 2명의 파트너로 이루어지기 때문에 이전에 했던 것처럼 지지해 줄 수 있는 사람이 많지 않다. 이 시기에 자녀를 가지는 것은 개인적인 형편에 따라 흥분되거나 걱정되는 것 일 수 있다.

8) 8단계-은퇴기 가족

은퇴기에 해당되는 가족들은 전체 인구의 약 15~20%에 해당한다. 은퇴기의 가족들은 젊은이들 보다 더 많은 만성적이고 불가능한 제한으로 인해 쉽게 고통 받는다. 이 시기의 가족들은 자녀가 없기는 하지만, 이제 막 가족을 이루기 시작하고 있는 자녀들을 지지하기 때문에 모아건강간호를 위한 지지원으로서 중요한 가족 형태이다. 많은 조부모들은 자녀들이 직장에 가고 없는 동안 하루 종일 손자손녀를 돌보고 있다.

05 / 가족 생활 형태의 변화

아동은 가족과 함께 거주하고 상호작용하면서 지속적인 성장발달의 과정을 거치게 되는데 이 과정에서 가족은 아동의 성장발달에 매우 중요한 영향을 미치게 된다. 가족은 아동이 자라는 과정에서 경험하는 신체적, 심리 · 사회적 요인 등과 상호작용하여 출생에서 사망에 이르기까지 전 생애에 걸쳐 지속적인 영향을 주며 특히 아동 초기의 경험은 삶의 전반에 영향을 주므로 가족은 아동이 긍정적인 성장발달의 변화를 할 수 있도록 역할을 해야 할 책임이 있다.

최근에는 이주의 증가, 맞벌이 가족의 증가, 이혼 및 편부모 가족의 증가, 폭력 및 학대의 증가 등과 같은 복잡하고 상호 관련된 요인들로 가족생활의 형태가 크게 변화되었다. 이러한 변화가 가족의 구조와 삶에 어떤 영향을 미치는가에 대한 이해는 오늘날 가족의 요구를 좀 더 현실적으로 충족시킬 수 있는 간호를 계획하는 데 중요하며, 가족의 변화는 아동의 성장발달에도 영향을 주고 있다.

1) 이주 양상

인구의 이동은 가족의 삶의 질에 중요한 영향을 미친다. 시골에 거주하던 가족들이 도시로 이주했고, 도시거주 가족이 교외로, 같은 도시 내에서도 경제적, 직업적인 이유 등으로 잦은 이주를 하고 있다. 이는 많은 수의 아동과 가족이 있는 지역에서는 이들의 간호 요구를 충족시킬 수 있는 시설이 적을 수 있음을, 반대로 아동 간호를 제공하는 기관이 많은 지역에서 이런 시설을 이용할 아동이나 가족이 적을 수 있음을 의미한다. 아픈 아동을 돌보는 시설을 이용하기 위해 부모는 먼 거리를 이동해 가지만 부모 자신의 건강 유지나 증진을 위해서는 그렇게 하기가 쉽지 않을 수 있다. 부모의 건강은 아동의 돌봄과 부모-자녀 간의 상호작용에도 영향을 줄 수 있다. 또한 경우에 따라서는 정규 예방접종이 무시될 수 도 있으며, 이는 아동의 건강에도 영향을 주게 된다.

2) 빈곤

비록 국가적으로 많은 경제발전과 부를 축적해온 것은 사실이지만 아직도 극도로 빈곤한 사람들이 있으며 개인 간 경제 양극화가 심화되고 있다. 빈곤은 아동과 가족을 다양한 건강문제의 위험에 놓이게 한다. 예를 들어, 가난하게 살고 있는 가정의 아동은 정규적인 건강관리를 받지 못하거나 적절한 성장과 발달에 필요한 영양을 충분히 공급받지 못할 가능성이 있다. 수입을 위해 일하러 나가야할지 아니면 자녀의 예방접종을 하러 가야할지를 선택해야 하는 가족의 부모는 아마도 일을 하러 가게 될 것이다. 그리고 아동의 예방접종은 부모의 시간이 날 때까지 기다리며 미루어 질

것이다. 만일 다음에 또 이와 유사한 상황에 처하게 된다면 아동은 잠재적으로 치명적인 많은 질병으로부터 보호받지 못하게 된다. 빈곤으로 인하여 아동의 급성 질환은 만성으로 진행될 수 있으며, 부모는 높은 스트레스 상태에 놓여 있기 때문에 가정 내 불화와 폭력이 증가될 수 있다. 이는 아동의 성장발달에 부정적인 영향을 주게 된다.

3) 집 없는 가족

집 없는 가족의 상당수는 여성 가장이고, 미혼모와 청소년이 가장인 경우도 점차 증가하고 있다. 이런 경우 다른 가족들처럼 건강간호 제공자를 효율적으로 이용하지 못한다. 집 없는 가족의 많은 부모는 어린 시절 신체적, 정신적으로 학대를 받은 경력을 가지고 있고 약물, 알코올 남용, 심각한 정신적 문제가 있을 수 있으며 취약한 가족 구조를 갖고 있다. 이러한 가족에 속한 아동의 약 반수 이상은 5세 미만이다. 이러한 아동에게 DDST와 같은 표준화된 발달검사를 해보면, 다른 가족의 아동보다 검사 항목들을 잘 수행하지 못하는 경향이 있다. 이는 환경적 자극의 감소와 정상적인 놀이 활동에 노출될 기회가 적기 때문일 것이다. 이러한 아동은 빈혈, 결핵과 같은 신체적 질환과 치아 문제를 더 많이 갖고 있으며 부적절하게 성장할 가능성이 있다. 집 없는 가족을 돌보게 될 때 이들을 효율적으로 지지해 줄 수 있는 사람이 적다는 사실을 인지하는 것은 중요하다. 이는 스트레스나 질병이 있는 시기에 이들을 지지해줄 수 있는 건강간호 제공자가 필요함을 의미한다.

4) 편부모 가족의 증가

이혼율의 급격한 증가와 혼외 관계에서 출산한 아동의 증가로 인하여 편부모 가족은 증가하고 있다. 아이를 남성 혼자서 양육하고 있는 편부모 가족의 수도 급격히 증가하고 있다. 이러한 가정의 아동은 경제적 어려움, 부재한 가족(부 또는 모)의 역할과 관계에 어려움을 겪을 수 있다. 간호사는 편부모 가족이 새로운 직업을 얻고 양육 기술을 습득하며 양육의 부감담으로 인해 탈진되는 것을 예방하는데 도움을 줄 수 있다.

5) 이혼의 증가

부모가 이혼하는 과정에서 아동은 부부 간의 불화와 갈등, 무관심 등으로 심한 스트레스를 경험하고 적절한 지지를 제공받을 수 없게 된다. 이는 아동에게 심각한 부정적 영향을 준다. 아동에게 이혼으로 인해 한쪽 부모를 잃는 것은 죽음으로 한쪽 부모를 잃는 것과는 다르며 조부모와 형성했던 강한 유대관계를 지속하는 것이 어려워 질 수 있다. 아동은 이혼에 대한 반응으로 오심, 피로와 같은 신체적 증상을 동반한 슬픔을 보인다. 또한 학교생활에도 어려움을 겪게 된다. 이혼 후 성별이 다른 한쪽 부모와 함께 사는 아동(예, 어머니와 함께 사는 아들)은 성 역할모델의 상실로 더 많은 정서적 손상을 경험할 수 있다. 부모는 자녀에게 왜 이혼하게 되었는지 설명해주고 이혼이 자녀의 잘못 때문이 아니라는 것을 알려주어야 한다. 비록 어느 한편이 결혼 생활의 좋은 상대가 아니었다 할지라도 아동을 양육하게 되는 부모는 상대방은 부정직하고 자신은 상처를 받은 사람이라는 입장을 취하지 않는 것이 좋다. 자녀에게는 좋은 부모였고 자녀가 사랑한 사람이기 때문에 부모 중에 한 사람이 나쁘고 그들이 이혼에 책임이 있다고 믿게 된다면 아동은 자신을 좋은 사람으로 생각하기가 어렵게 될 것이다. 이혼가족의 아동에게는 부모에 관한 자신의 느낌에 관해서 이야기 할 시간을 주고, 한쪽 부모는 좋고 사랑스러운 사람으로, 반대로 다른 쪽 부모는 이기적이고 믿지 못할 사람으로 생각하지 않도록 하는 것이 필요하다.

6) 가족의 크기 감소

출생률은 점차 감소하고 있다. 우리나라의 출산 수준은 1960년대에는 매우 높았으나 정부의 적극적인 인구억제정책의 추진으로 1980년대 중반에는 인구대체출산수준에 이른 후 현재까지 대체출산수준보다 낮은 상태가 유지되고 있다. 이에 따라 인구성장률은 1960년대 초의 3% 수준에서 1980년대 중반에는 1% 수준으로 저하되어 지속되어 왔다. 우리나라의 출생아 수는 1970년 100만 명에서 2000년 56만 명, 2017년 35만 8천명으로 급속히 감소하고 있으며, 합계 출산율도 1970년 4.53명에서 2000년 1.31명, 2017년 1.05명으로 지속적으로 감소하고 있다. 또한 우리나라의 혼인건수는 1970년 30만 건, 1980년 40만 건에서 지속적으로 감소하여 2017년 26만 건으로 감소하였으며, 조혼인율은 인구 1천 명당 1970년 9.2건, 1980년 10.6건에서 2017년 5.2건으로 1970년 이후 최저를 보이고 있다. 향후에도 이러한 저출산의 경향이 지속되어 인구성장률은 점차 더 감소할 전망이다. 한 자녀 가족의 아동은 부모의 사랑과 관심을 많이 받을 수 있으나 자기중심적인 성향이 강할 수 있고 형제, 자매 간의 관계에서 상호작용하며 사회성을 배울 수 있는 기회가 적다. 부모의 입장에서 작은 가족 수는 양육에 대한 부담감이 감소될 수 있으나 자녀 양육에 따르는 많은 경험을 제한받게 된다.

7) 맞벌이 가족의 증가

오늘날 자녀를 양육하고 있는 여성들 중 많은 수가 전업 직장인으로 활동하고 있다. 그리고 상당수의 여성들은 파트타임으로 일하고 있다. 건강간호 제공자들은 이러한 사실들을 고려하여 부모가 아동을 데리고 의료기관을 방문하는데 제약을 받지 않도록 시간표를 짜는 것이 필요하다. 약을 먹이는 방법에 대한 지시를 할 때에도 하루에 세 번이라고 하는 것보다는 자녀가 약 먹는 것을 감독할 수 있는 시간에 먹이라고 하는 것이 적절하다. 즉 가능하다면 아침 식사 전, 퇴근 후, 잠자기 전에 먹이도록 지시할 수 있다. 맞벌이 가족의 증가로 보육시설이나 방과 후 프로그램을 활용하는 아동이 많아졌다. 이는 급성 설사와 같은 감염성 질환의 발생율을 증가시킨다. 간호사는 부모로 하여금 감염에 대한 대책을 세우고 이를 예방하는데 많은 관심을 기울이는 질 높은 시설을 선택하도록 도울 수 있다. 학령기 아동은 부모가 퇴근하기 전에 집에 돌아오게 되는데 아동이 혼자 집에 있지 않도록 하려는 부모를 돕고 아이들이 시간을 잘 이용할 수 있도록 해야 한다.

8) 학대 가족의 증가

아동학대가 지속적으로 증가하고 있으며 가정 내 폭력도 함께 증가하고 있다. 학대의 주범은 부모로 이러한 부모는 어린 시절에 학대의 경험이 있는 경우가 많으며 가정 내 폭력은 스트레스 증가와 관련이 있다. 학대 가족의 아동은 신체적, 정신적, 정서적, 성적 학대와 방임 등 다양한 형태의 학대를 경험할 수 있고 대부분 반복적인 중복 학대를 당하게 된다. 부모로부터 학대를 받은 아동은 정상적인 성장발달에 어려움이 있으며 이는 성인에 이르러서도 영향을 주게 된다. 학대를 감지하는 것은 학대가 발생되고 있다는 것을 깨닫는 것에서부터 시작한다. 접촉하고 있는 가족의 학대 가능성을 주의 깊게 선별하는 것은 중요한 일이다.

 다양한 가족이 아동에게 미치는 영향

01 / 입양가족

입양은 입양하는 부모나 입양되어지는 아동 그리고 가족 내에 있는 다른 자녀들에게 여러 가지 도전을 야기한다. 입양한 부모는 입양된 아동을 데리고 의료기관에 방문해서 아동의 건강에 관한 기본적인 정보를 확인하고, 잠재적인 문제에 대해 논의하고 가능한 해결책을 모색하는 것이 필요하다. 만일 입양한 아이를 출산한 어머니가 부적절한 영양섭취와 산전관리를 했을 경우, 입양한 아동은 다른 아이들에 비해 비정상적인 신경 발달의 위험이 높을 것이다.

아동을 입양한 가족의 부모가 어떤 양육단계에 도달해 있는가를 사정하는 것은 중요하다. 아이를 출산한 부모들은 평균 9개월 정도 신체적, 정서적으로 준비한다. 물론 입양을 하는 부모들도 9개월 이상의 더 긴 시간동안 아이를 위한 계획을 세워왔겠지만, 자녀가 실제로 입양되는 것은 갑작스럽게 이루어진다. 입양기간이 짧았던 부모들은 아이를 직접 낳은 부모들이 9개월에 걸쳐 이루었던 부모기로 정신적인 발걸음을 내디뎌야 한다. 이들은 자신의 삶에서 이러한 변화와 부모가 된 것에 대한 느낌이 어떤 것인지를 건강간호 제공자와 이야기할 시간을 갖는 것이 필요하다. 임신할 수 없는 상황에서 입양을 한 경우 자존감이 낮다. 이런 경우 이들에게 부모로서 역할을 잘 수행하고 있다는 확신을 자주 심어주는 것이 필요하다.

또한 입양한 아동에 대한 다른 형제의 반응을 사정하는 것이 필요하다. 입양 전후에 출생한 아이들은 입양된 형제에 대해 열등감을 느끼기도 한다. 다른 입양 아동이나 나이

든 친자식들은 부모가 자신들에게 만족하지 못하고 있다는 두려움을 갖기도 한다. 이들은 형제로 입양된 아동에 대해 갖는 느낌에 대해 이야기할 시간을 갖는 것이 필요하다.

일반적으로 입양된 아동에게 가능한 빨리 자신이 입양되었다는 사실을 말하는 것이 좋다. 입양된 사실을 가능한 한 유년기 때 알게 한다면, 학령기나 청소년기에 도달했을 때 우연히 이 사실을 알게 되어 느낄 스트레스를 거의 겪지 않게 된다. 세 살 정도 되면, 자신의 입양 사실을 충분히 이해할 수 있다. 그들이 다른 여성의 몸 속에서 자랐고, 출산 후에 그 여성들이 아이를 돌볼 수 없었기 때문에, 양육해주고 사랑해줄 부모를 만나게 해주었다고 말할 수 있다. 부모가 이 사실을 설명하면서 친어머니를 비난하지 않는 것이 중요하다. 입양된 아동의 자존감 발달을 위해 친어머니는 좋은 사람이었고, 자신을 무척 사랑했다는 이야기를 해주어야 한다.

아동이 6세가 되면, 입양에 대해 분명하게 이야기할 준비가 되어있다. 아동이 처음으로 자신의 입양에 관해 듣게 되면, 또 다시 버림받게 될 수 있다는 두려움을 갖게 되어 절대적으로 완벽하게 행동하려고 노력한다. 이러한 행동 후에 부모가 자신들을 어떻게 생각하고 있는지, 부모가 그들을 버리지 않을 것인지를 시험하면서 계획적으로 부모를 괴롭힌다. 아동들은 "나는 아무 것도 알지 못했어요, 엄마는 내 친엄마가 아니야!"와 같은 말을 한다. 부모들은 입양한 아동이 이런 말을 언제든지 할 수 있으며, 입양하지 않은 아이들도 이런 종류의 말을 한다는 것을 알고 있는 것이 도움이 된다.

입양한 자녀가 초등학교에 들어가고 자신의 아이를 갖는 것에 대해 생각하기 시작할 때, 입양된 사실에 관한 자신의 느낌을 표현할 시간이 필요하다. 이 연령에 해당하는 입양아동은 자신의 친부모가 누구인지를 알지 못하는 것 때문에 정체성을 형성하는데 어려움을 겪게 된다. 기록을 찾아보고 자신을 출산한 부모가 어디에 살고 있는지 알려고 하는 것은 흔한 일이다. 입양한 부모에게 입양한 자녀가 이렇게 행동하는 것이 자신을 거절하는 것이 아니라 정상적인 행동임을 설명하는 것이 중요하다. 아동이 자신의 친부모를 찾는 것은 입양한 부모를 사랑하지 않아서가 아니다.

입양 아동에 대한 지속적인 관심은 자신이 버림받지 않았다는 느낌을 갖게 한다. 입원했을 때, 학령전기의 아동들은 병원에 버림받고 혼자 남겨지는 것에 대해 걱정한다. 자신이 입양아라고 말할 수 있을 무렵의 학령전기 아동들은 병원 신생아실에 있는 많은 아기들 중에 양부모가 자신을 선택했고, 이제 돌려주기 위해 병원에 왔다는 무시무시한 두려움을 갖게 된다. 병원 입원 경험에 대해 아이를 준비시키고, 두려움을 가능한 줄이기 위해 양부모가 병원에 아동과 함께 머물도록 격려할 필요가 있다.

확인문제

3. 가족 수가 적은 것은 양육에 어떤 영향을 미치는가?
4. 의료수준이 낮은 외국에서 입양한 아이들의 공통적인 건강문제는 무엇인가?
5. 병원 재원일수가 단축됨으로써 가족 건강간호의 측면에서 어떤 책임이 증가되었나?

02 / 다문화 가족

다문화 가족이란 문화가 다른 또는 다양한 문화를 가진 가족들로 구성된 가족을 뜻한다. 외국에서 다문화 가족이란 그 나라사람들이 아닌 다른 나라 사람들로 이루어진 가족을 뜻하는데, 한국에서는 한국인과 외국인이 결혼해서 이루어진 가족을 지칭하고 있으며 특별히 한국인 남성과 외국인 여성의 결혼으로 이루어진 가족을 염두에 두고 있다.

현행 국제결혼 증가추세에 의하면, 2020년경에는 국내 결혼 5쌍 중의 한 쌍이 국제결혼이고 태어나는 자녀들을 추산하면 약 167만 명에 달할 것으로 예측하고 있다. 즉 2020년엔 20세 이하 인구 5명 중 1명(21%)이, 신생아 3명 중 1명(32%)이 다문화 가족의 자녀가 될 전망이다. 이들은 혼혈인이라 하여 차별을 당하고 있으며, 대부분의 가정이 빈곤하기 때문에 성장에 필요한 지지를 충분히 받고 있지 못하다.

다문화 가족이 겪는 어려움은 무엇보다 언어 습득의 문제와 문화적 차이, 그리고 외국인에 대한 우리 사회의 편견

표 2-5 다문화 가족 아동의 SWOT 분석

강점(S)	약점(W)	기회(O)	위험요소(T)
이색적 외모 + 외국어 구사력 = 부러움의 대상(극소수)	한국어가 서툴고 이해력이 떨어짐 듣기와 독해력이 취약하여 전 과목의 학업에 지장을 초래함	2개 언어를 구사할 수 있는 여건 국제화 시대에 부합되는 인물로 성장 가능 이색적 외모 + 능력구비 = 매력의 포인트화 가능	동료들로부터 따돌림을 당할 우려 한국사회의 부적응으로 탈선 가능 미숙으로 인한 범죄의 대상에 쉽게 노출

등에서 비롯된다. 이러한 다문화 가족과 그 자녀가 가지는 문제점과 어려움을 구체적으로 살펴보면 다음과 같다.

1) 문화의 차이

의식주 전반에 걸친 다른 문화는 서로 상대방을 존중하는 것이 아니라 다른 것에 대한 내려다보기로 인해 부부와 가족 간에 갈등을 유발하고 특히 우리나라의 민족주의는 가부장제와 맥을 같이 하면서 여성에 대한 배제와 차별성을 내포하고 있다.

2) 언어 소통

언어의 소통이 자유롭지 못하여 다문화 가족에서는 상대방을 이해하거나 이해시키는 데 어려움을 겪고 있다.

3) 가정폭력과 불화

종교적 이유, 경제적 목적 혹은 호기심으로 만난 경우가 많아 쉽게 상대방이 싫어지고 돈을 매개로 상업화된 결혼, 시댁과 친지의 비우호적인 환경, 남편의 정서적 불안정 때문에 가정폭력과 불화로 이어져 결혼생활을 지속할 수 없게 된다.

4) 자녀 교육

다문화 가족의 자녀들은 부모의 서로 다른 가치관과 생활풍습으로 혼돈을 겪으며, 어머니가 한국말이 서투르고 한국의 풍습에 익숙하지 못한 경우 자녀 교육을 하는 데 여러 가지 어려움을 겪게 된다. 이러한 다문화 가족의 아동들이 겪는 어려움은 다음과 같다.

- 미숙한 한국어, 한국어 수업 따라가기 힘듦, 낮은 성적, 따돌림, 놀림, 구타, 친구사귀기가 어려움, 소비수준의 차이에서 오는 소외감 등의 심리적 위축감이 비교적 심하다.
- 학교에서 보내는 교육통신에 대한 이해 부족으로 부모로부터 학습지도가 미흡하고 과제해결에 어려움을 겪는다.
- 한국어가 미숙한 어머니와의 생활로 인한 다문화 가정 자녀는 언어발달의 지체를 보인다.
- 배타적인 한국 사회의 특성으로 인한 융화가 어렵다.
- 일반인의 다문화에 대한 이해력이 부족하다.
- 전문적인 지원체제가 부족하다.
- 외국인 근로자 자녀에 대한 각종 인권 침해 문제 가능성이 높다.
- 저소득가구가 다수이다.
- 여성결혼이민자의 의료서비스 접근성이 낮다.

다문화 가족의 아동이 가지고 있는 강점, 약점, 기회, 위험요소는 다음과 같다[표 2-5].

Ⅳ 아동학대

아직까지도 우리 사회에는 제대로 보호받지 못하고 부모 또는 타인으로부터 학대를 받고 고통 속에서 살고있는 아이들이 있다.

2016년에 신고된 아동학대는 무려 29,674건에 달하고 있다[표 2-6]. 심하게 학대받은 아동의 상태를 기술하기 위하여 사용되고 있는 용어인 '아동학대 증후군(battered child syndrome)'은 아동기 사망과 불구의 주요 요인 중 하나이다.

아동학대는 아주 어린 아동에게만 제한된 것은 아니다. 청소년 가출의 주된 이유 중의 하나도 이들이 가정에서 학

표 2-6 연도별 아동학대사례 유형 I (중복학대 별도 분류)

[단위 : 건, %]

학대유형 / 연도	신체학대		정서학대		성학대		방임		유기*		중복학대		계	
2001년	476	(22.6)	114	(5.4)	86	(4.1)	672	(31.9)	134	(6.4)	623	(29.6)	2,105	(100.0)
2002년	254	(10.3)	184	(7.4)	65	(2.6)	814	(32.8)	214	(8.6)	949	(38.3)	2,478	(100.0)
2003년	347	(11.9)	207	(7.1)	134	(4.6)	965	(33.0)	113	(3.9)	1,155	(39.5)	2,921	(100.0)
2004년	364	(9.4)	350	(9.0)	177	(4.5)	1,367	(35.1)	125	(3.2)	1,508	(38.8)	3,891	(100.0)
2005년	423	(9.1)	512	(11.1)	206	(4.4)	1,635	(35.3)	147	(3.2)	1,710	(36.9)	4,633	(100.0)
2006년	439	(8.4)	604	(11.6)	249	(4.8)	2,035	(39.1)	76	(1.5)	1,799	(34.6)	5,202	(100.0)
2007년	473	(8.5)	589	(10.6)	266	(4.8)	2,107	(37.7)	58	(1.0)	2,087	(37.4)	5,581	(100.0)
2008년	422	(7.6)	683	(12.2)	284	(5.1)	2,237	(40.1)	57	(1.0)	1,895	(34.0)	5,578	(100.0)
2009년	338	(5.9)	778	(13.7)	274	(4.8)	2,025	(35.6)	32	(0.6)	2,238	(39.4)	5,685	(100.0)
2010년	348	(6.1)	773	(13.7)	258	(4.6)	1,870	(33.1)	14	(0.2)	2,394	(42.3)	5,657	(100.0)
2011년	466	(7.7)	909	(15.0)	226	(3.7)	1,783	(29.4)	53	(0.9)	2,621	(43.3)	6,058	(100.0)
2012년	461	(7.2)	936	(14.6)	278	(4.3)	1,713	(26.8)	–		3,015	(47.1)	6,403	(100.0)
2013년	753	(11.1)	1,101	(16.2)	242	(3.6)	1,778	(26.2)	–		2,922	(43.0)	6,706	(100.0)
2014년	1,453	(14.5)	1,582	(15.8)	308	(3.1)	1,870	(18.6)	–		4,814	(48.0)	10,027	(100.0)
2015년	1,884	(16.1)	2,046	(17.5)	428	(3.7)	2,010	(17.2)	–		5,347	(45.6)	11,715	(100.0)
2016년	2,715	(14.5)	3,588	(19.2)	493	(2.6)	2,924	(15.6)			8,980	(48.0)	18,700	(100.0)

*2012년부터 방임학대의 세부유형으로 유기를 포함하여 집계함

대를 받았기 때문이라고 한다. 양육은 쉬운 일이 아니며 좋은 양육 방식은 자연 발생적으로 생겨나는 것이 아니기 때문에 모든 사회에서 아동은 학대로 인하여 상처받게 된다. 학대는 신체적(구타나 화상 등)인 것일 수도 있으나, 태만(아동을 먹이지도 입히지도 않고, 병이 났을 때 치료해주지도 않으며 교육시키지도 않음) 등의 형태로 나타날 수도 있다. 또한 학대는 심리적, 정서적으로 나타날 수도 있다. 학대는 아동에게 즉각적인 위험을 줄뿐만 아니라 장기적인 영향을 미칠 수도 있다. 신체적으로 학대받은 아동은 그렇지 않은 아동보다 더 화를 잘 내고 말을 안 들으며 과다행동을 보일 수 있으며, 자존감과 자기통제감이 결여되어 있다. 정서적으로 학대받은 아동은 그렇지 않은 아동보다 사회적으로 소외되어 있으며 정서적 불안정을 더 많이 보인다. 성적 학대를 받은 아동은 우울, 죄책감과 함께 성인이 된 후에도 성적 관계를 즐기지 못하는 장기적 문제를 갖게 된다. 학대 아동은 또한 빈혈, 중이염, 납중독, 성병과 같은 질환을 갖고 있을 수도 있다. 더욱이 그들이 성인이 되어 부모가 되었을 때 그들은 자신의 아동에게 자신이 당했던 것과 똑같은 방식으로 대할 수 있다. 부모로부터 사랑을 받지 못하고 학대받으며 자란 아동은 기본적인 신뢰감 형성이 되어있지 않기 때문에 이에 대한 적절한 중재가 없다면 애정이 결여된 학대 부모로 성장하게 된다.

01 / 아동학대와 관련된 이론

아동학대와 관련된 가장 보편적인 이론은 부모가 아동학대의 잠재성을 가지고 있거나, 학대를 유발할 수 있는 아동의 특성이 있거나 또는 특별한 환경과 관련이 있다고 보는 것이다.

1) 학대 부모

학대 부모는 표면적으로는 다른 부모와 별로 다르지 않다. 이들 중 단지 일부(10% 이하)만이 정신 병력을 가지고 있을 뿐이다.

그러나 아동을 학대하는 부모 중 대부분은 아동기 때 학대받고 자랐으며, 다른 부모보다 자기 통제력이 더 낮을 수 있다. 이들은 아동의 정상적인 성장 및 발달을 잘 모를 수 있으며 따라서 아동에게 비현실적인 기대를 하게 될 수 있

다. 이들은 사회적으로 소외되어 있으며 어떤 지지도 받지 못하였을 수도 있다. 이러한 고립은 지리적인 것(이웃과 단절된 농장에서의 생활)일 수도 있으며 이웃과 거의 교류가 없는 아파트에서의 거주 때문일 수 도 있다. 학대는 또한 통제력과 억제력을 잃게 하는 부모의 알코올이나 약물 남용과 강하게 연관되어 있을 수 있다.

2) 학대당하는 아동

학대당하는 아동은 부모에게는 뭔가 "다르게" 비쳐질 수 있다. 이들은 가정에서 다른 아동보다 더 똑똑하거나 또는 덜 똑똑할 수 있으며 무계획적으로 비쳐질 수 있다. 이들은 선천적 결함이 있을 수 있으며 주의가 산만할 수도 있다. 아동이 이렇게 뭔지 다르게 보이기 때문에 좋은 부모-자녀 관계는 이루어질 수가 없다. 미숙아이거나 출생 시 질병을 갖고 태어난 경우에는 더 그렇게 비쳐질 수 있는데 왜냐하면 정상 애착관계가 형성되는 생후 몇 주간을 특수 간호를 받기 위해 부모와 떨어져 있게 되기 때문이다.

3) 특별한 환경-스트레스

아동학대의 세 번째 요인은 보통 부모가 겪고 있는 스트레스이다. 부모가 겪는 어려움은 화장실이 막혔거나 가족 중에 환자가 생겼거나 실직을 하는 것과 같이 흔한 일일 수도 있다. 아동학대는 모든 사회경제적 수준에서 생길 수 있는데, 이는 스트레스는 모든 수준에서 모두 생길 수 있기 때문이다. 주변으로부터 지지받고 있지 못할 때 스트레스는 더 큰 충격을 줄 수 있다. 외적 지지체제를 형성하지 못한 사람은 아동학대의 위험이 더 높은 가정이 될 수 있다.

02 / 아동학대의 보고

우리나라의 아동복지법에는 아동학대자의 신고와 절차에 관한 내용을 규정하고 있다. 누구든지 아동학대를 알게 된 경우에 는 아동보호전문기관 또는 수사기관에 신고할 수 있으며, 「의료법」에 따른 의료인과 의료기관 장은 아동학대 신고의무자로서 그 직무상 아동학대를 알게 된 경우에는 즉시 아동보호전문기관 또는 수사기관에 신고해야 한다. 아동학대를 신고하지 아니한 자에게는 과태료를 부과하고 있다. 신고인의 인적 사항 또는 신고인임을 미루어 알 수 있는 사실을 다른 사람에게 알려주거나 공개 또는 보도되지 않도록 보호하고 있다.

간호사는 아동학대 신고의 의무 보고자로 정하고 있는데, 이는 아동학대가 의심될 때는 언제든지 보고하여야 함을 의미한다. 아동학대와 관련된 정보가 비밀이 유지되어야 하는 면담 상황에서 알게 된 것이더라도 반드시 아동학대는 보고하여야 한다. 모든 의료기관이나 병원은 이를 보고하는 방식에 대한 업무지침을 가지고 있어야 하며, 의료인은 자신이 일하는 기관에서 요구하는 업무지침을 알고 있는 것은 중요한 일이다.

아동학대에 대한 기록을 할 때는 특수하며 사실적인 단서(추측이 아니라 관찰에 근거한)에 근거하여야 한다. 가능하다면 부모와의 면담내용도 부모의 말 그대로 기록하여야 한다. 신체적 학대가 의심되는 부위는 학대의 강력한 증거가 될 수 있기 때문에 항상 사진을 촬영한다.

아동학대가 공식적으로 보고되었을 때 부모에게는 이 사실이 알려지는데, 이는 부모와의 공개적 의사소통이 아동을 보호하고 상담을 주선하는데 있어서 중요하기 때문이다.

03 / 신체적 학대

신체적 학대는 부모나 양육자가 아동에게 손상을 야기시킨 경우이다. 이는 대부분 화상이나 두부 및 손의 상해로 나타난다[그림 2-1].

1) 사정

(1) 면담

항상 부모에게 아이의 몸에 있는 상처에 대하여 설명해 보도록 한다. 그러나 대부분의 상처는 위험한 상황과 안전한 상황을 아동이 잘 구분하지 못하여 생긴 사고에서 비롯된 것임을 기억하여야 한다. 대부분의 걸음마기의 아동은 책상이나 의자와 부딪혀 무릎에 멍이 있게 마련이다. 백혈병이나 자반증과 같은 아동기 때 발병하는 질병은 피하 모세혈관 출혈로 쉽게 멍이 든다. 골형성부전증이 있는 아동은 질병의 자연적인 경과로 쉽게 골절이 일어난다. 이런 경우에는 부적절한 평가로 인하여 사실과 다른 아동학대 보고를 할 수도 있다. 이는 가족에게 심한 스트레스를 줄 수 있으며, 아동의 부모와 아동을 간호하여야 하는 의료인간의 관계에 문제가 생길 수 있다.

아동이 신체적 학대를 받았을 때 그 상처는 부모가 설명하는 상처의 원인과는 그 규모나 분포가 다르다. 예를 들어 부모는 아이가 탁자 아래에서 놀다가 갑자기 일어나는 바람에 머리에 커다란 혈종이 생기고, 순간적으로 의식상실이 있었고 양팔에 골절을 당하였다고 말할 수 있다. 또 다른 경우에는 부모는 앞뒤가 맞지 않는 이야기를 늘어 놓거나 상처의 원인을 모른다고 할 수도 있다. 손상에 대하여 물었을 때 학대 아동은 종종 부모와 똑같은 답변을 할 수 있다. 이와 같은 부모에 대한 아동의 잘못된 비호는 부모의 보복이 두려울 수도 있고, 학대하는 부모라도 없는 것 보다는 낫다고 생각해서 그랬을 수도 있다.

아동학대 부모와 대화를 할때 화를 내지 않거나 감정적으로 되지 않도록 하는 것은 매우 어려운 일이다. 그리고 이와 같은 감정 표시는 결코 바람직하지 못하다. 이는 부모에게 어떤 변화도 유도할 수 없으며 오히려 차후 아동에게 어떤 문제가 있을 때 의료인을 찾지도 않게 될 수 있다. 그들이 일단 아동을 데리고 병원을 찾아왔다는 사실이 그들이 도움을 구하고 있다는 것임을 명심하여야 한다. 이는 "나를 좀 도와주세요. 나는 이런 일이 다시 생기는 것을 원치 않아요"라는 무언의 표현일 수 있다. 아동학대는 독립된 현상인 경우는 드물다. 종종 학대 아동의 어머니도 피해자일 수 있으며, 그들 또한 학대 아동만큼 도움과 보호가 필요할 수 있다.

(2) 신체 검진

건강한 아동이든 아픈 아동이든 신체 검진을 할 때는 옷을 완전히 벗기고 몸 전체를 관찰하도록 한다. 아동의 신장과 체중을 측정하도록 하는데, 이는 부모가 무관심한 아동에게는 성장 발달의 지연이 있을 수 있기 때문이다. 몸에 난 여러 상처는 명백히 아동학대의 신호가 될 수 있다.

전기 코드, 벨트 또는 빨래 줄로 맞은 아동은 특별한 원형이나 선상의 상처를 가지고 있을 수 있다. 벨트의 버클로 맞은 아동은 버클의 장식으로 인하여 둥근 열상이 있을 수

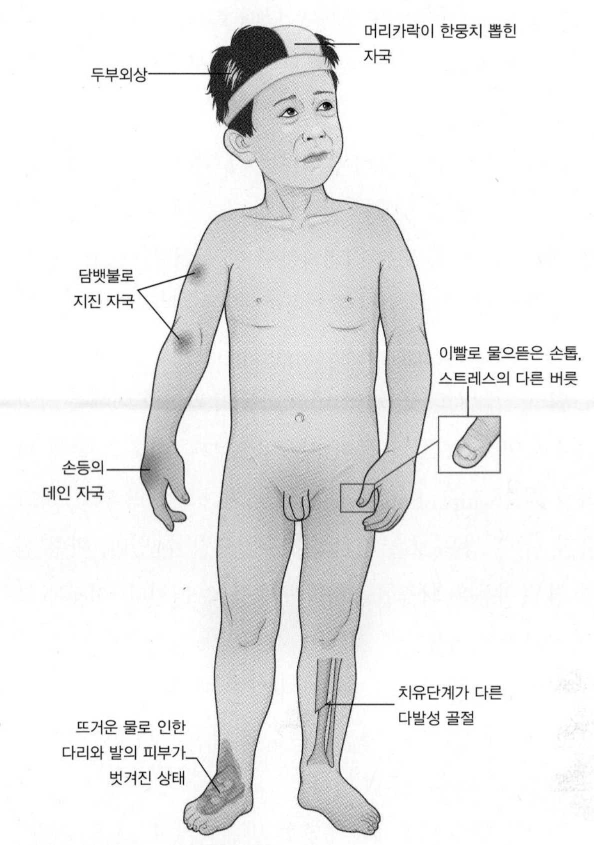

그림 2-1 학대 아동 사정

있으며 또 다른 물건들은 타박상을 입힐 수도 있다. 손목이나 발목 부위의 찰과상이나 출혈반은 벽이나 침대에 아동을 묶어놓은 경우에 생길 수 있다.

화상 또한 학대 아동에게서 흔히 볼 수 있는 문제이다. 아동이 실수로 화상을 입을 수 있는 연령은 2살이 가장 많으나, 아동학대로 인한 화상은 3살이 가장 많다. 아동이 사고로 손에 화상을 입었을 때는 손바닥에 화상을 입는 경우가 가장 많으나, 학대로 인한 화상은 손등에 가장 많이 일어난다. 뜨거운 물에 데는 경우도 흔히 볼 수 있다. 아이를 뜨거운 물속에 집어 넣을 때는 엉덩이를 먼저 물속에 넣으나 이 경우 대부분 욕조 바닥에 아이의 엉덩이를 닿게 하기 때문에 엉덩이 중심보다 엉덩이 둘레가 마치 도넛 모양으로 화상을 입게 된다. 그러나 실수로 자신이 뜨거운 욕조에 빠져 화상을 입게 되는 경우에는 손과 얼굴 그리고 가슴을 데게 된다. 벌을 주기 위하여 아이를 뜨거운 물에 담궜을 때는 발과 무릎 부위의 피부를 데이게 된다.

담배로 지진 화상 또한 학대 아동에게서 쉽게 발견할 수

있는 상처이다. 얼마 되지 않은 담배 화상은 농가진이나 이로 인한 딱지와 유사한 수포를 보이며, 이 상태에서의 감별은 매우 어렵다.

그러나 농가진은 흉터 없이 치유가 되나 담배로 지진 자국이나 이로 인한 상처는 원형의 흉터를 남기게 된다. 두피를 깨문 자국이나 또는 머리카락이 한 뭉치 뽑힌 자국도 볼 수 있다. 또한 두부 손상도 흔하며, 이들 아동 중에는 '흔들린 아이 증후군(shakenbaby syndrome)'으로 고통받는 경우도 있다. 이 증후군은 아주 어린 아동의 팔이나 어깨를 잡고 심하게 반복적으로 흔들어대는 것으로써, 아동의 목에 편타성 손상(whiplash injury)을 일으키거나 뇌간의 부종, 망막 출혈, 심한 경우 호흡 정지까지도 일으킬 수 있다. 아주 심한 경우 아동은 뇌출혈로 사망하게 될 수도 있다. 이것은 특히 장기적인 아동학대 시 나타나는 결과인데, 왜냐하면 학대로 인한 손상이 금방 나타나지 않기 때문이다. 그러나 컴퓨터 단층촬영과 자기영상 진단술의 발전은 이러한 문제를 밝혀내는데 도움을 주고 있다.

골절은 학대 아동에게서 흔히 발견되는 또 다른 문제이다. 학령전기 아동이나 그 보다 어린 아동은 사고로 뼈가 부러질 정도로 심하게 떨어지는 경우는 별로 없다. 따라서 이 연령에서의 골절상은 아동을 심하게 팽개치거나 쳐서 골절을 일으켰을 수 있음을 시사하여 준다. 흔히 발견할 수 있는 특징은 발생 시기가 각기 다른 다양한 골절, 여러 군데 멍을 동반한 골절상, 그리고 늑골이나 후두골의 골절 등을 들 수 있다. 아이를 거칠게 흔들어 댄 경우 항상 골절이 일어나는 것은 아니며, 대신 골막이 파열되어 방사선 검사상 골단면을 따라 뿌연 양상(haziness)을 보일 수 있다. 경골의 뒤틀림 또한 흔히 볼 수 있는 문제이다. 고의로 독극물을 먹이는 것 또한 또 다른 아동학대의 양상으로 이는 항상 2살 반 보다 어린 아동에게서 일어난다.

신체 검진을 하는 동안 아동의 말에 귀를 기울이도록 한다. 아동은 일어난 일에 대하여 부모와는 다른 설명을 할 수도 있다. 아동은 주사와 같은 통증이 따르는 치료 중에도 거의 울지 않는데, 이는 그들이 통증에 대한 위로를 한 번도 받아보지 못하였기 때문이다. 다른 아동들 보다 신체 검진을 하는 의료인에게 다가서려고 하지 않는데, 이는 아동들이 일반적으로 성인을 두려워하기 때문이다. 그러나 이것들은 매우 주관적인 관찰일 뿐이다. 왜냐하면 학대 아동은 최근의 상해와 관련된 두려움에 매우 다른 반응을 보일 수 있기 때문이다.

2) 더 이상의 학대에 대한 예방

아동학대가 발견되었을 때 학대자의 행동이 수정되고 가족기능은 완전하게 유지되는 것이 가장 바람직할 것이다. 그러나 현실적으로 아동학대가 발견되면 더 이상의 학대를 방지하기 위하여 아동은 집을 떠나 다른 곳으로 옮겨지게 된다. 심지어 아동의 신뢰감과 자존감에 대한 손상은 회복하기 어려울 수도 있다. 따라서 아동학대에 대한 의료인의 목표는 아동학대를 예방하는 것이다[표 2-7]. 많은 아동학대자가 자신이 아동학대의 피해자였기 때문에 한 세대에서 학대를 멈추는 것은 다음 세대의 학대를 예방하는데 도움이 된다.

아동학대의 가능성이 있는 부모를 확인하는 것도 아동학대를 예방하는데 필요한 단계이다. 일부 부모는 임신 중에 아동학대자가 될 가능성이 있는 것으로 확인되었다. 임신한 여성이나 그 배우자가 자신들이 기대하는 아이에 대한 설명을 주의 깊게 들어 보도록 한다. 아이의 외모나 성별에 대하여 지나치게 걱정하는 부모는 자신의 기대와 다른 아이를 낳게 되었을 때 아이를 수용하는데 문제가 있을 수 있다. 어떤 부모는 산욕기에 아동학대 가능성이 있는 부모로 비쳐질 수 있다. 모든 부모가 즉각적으로 자신의 아기와 출생 직후 애착 관계를 갖게 되는 것은 아니다. 그들은 시험적으로 아기를 만지거나 안아 볼 수 있다. 출생 후 24시간 안에 아기를 만져보지 않거나, 아기의 외모에 대하여 불평하는 부모는 주의 깊게 보아야 한다. 임신 중, 산욕기에 아동학대 가능성이 높은 여성은 [표 2-8]에 기술되어 있다.

어떤 부모는 아동의 정기검진 시에 아동학대 가능성이 있는 부모로 비쳐질 수 있다. 아기의 건강 검진을 위해 아기를 처음 병원에 데려왔을 때 좋은 부모-자녀 관계가 시작되어야 한다. "아기가 귀찮은 존재 이상의 아무것도 아니다", "항상 울기만한다", "별로 맘에 안든다"라고 표현하는 부모의 말에 귀를 기울이도록 한다. 새로 부모가 된 사람에게는 처음 아기를 키우는 기분이 어떠냐고 물어보도록 한다. "매우 즐겁다"는 답변과 "기대하였던 것 이하이다", "하나도 즐겁지 않다"는 답변은 구분되어야 한다. 산욕기와 소아과 정기검진 시 해야 할 주요 관찰 내용이 [표 2-9]에 기술되어 있다.

적절한 지지원으로부터 도움을 받고자 하는 부모를 도와주는 것은 학대 예방을 위해 필요한 또 다른 방법이다. 가정 방문, '아동학대 부모모임(Parents Anonymous)'과 같은 학대 부모 자조집단 등의 단체는 이들 부모가 위기 시에 도움을 구할 수 있는 매우 효과적인 위기 중재원이 될 것이다. 그 외의 효과적인 위기 중재로는 가정 방문, 가족 상담 및 기타 정신과적 치료요법 등이 포함될 수 있다.

아동학대를 예방하는데 필요한 또 다른 간호사의 책임은 젊은 부모들에게 아동의 정상 성장 및 발달을 가르치고, 보다 바람직한 부모가 될 수 있는 방법을 교육하는 것이다. 고등학교 교과과정에 건전한 양육법, 아기의 정상 성장 및 발달, 양육에 대한 책임감 등을 포함시키는 것은 아동학대를 예방하기 위한 중요한 방법이 될 수 있다.

3) 학대 아동에 대한 일관성 있는 간호와 지지

학대 아동을 위한 간호에서 간호사의 중요한 역할은 일관성있는 애정 어린 성인의 모습을 보여주는 것이며, 아동이 이전에는 결코 즐겨보지 못하였던 관계를 경험하도록 해주는 것이다. 일대일의 관계에서의 안정감과 일관성을 아동에게 주기 위하여 학대 아동의 간호에는 담당간호사 제도를 활용하도록 한다. 많은 학대 아동들은 그들이 좋아하는 놀이를 하지 못하였으며 그들은 단지 부모가 원하는 놀이만 하였을 뿐이다. 학대 아동들은 간호사가 자신의 행동을 인정하여 주는 것을 주의 깊게 주시할 것이다.

4) 가족 건강에 대한 평가와 증진

간호사는 아동이 앞으로 안전한 부모의 돌봄을 받을 수 있을 지를 주의 깊게 평가해야 한다. 아동학대가 의심되는 부모가 병원을 방문하였을 때는 다른 부모와 마찬가지로 그들을 환영하고 동일한 방식으로 대하여야 한다. 아동을 간호할 때는 아동의 긍정적인 측면, 아동이 보여준 성장 및 발달의 징표, 아동의 연령에 맞는 적절한 기대치 등에 대하여 설명하여 주는 것이 필요하다. 왜냐하면 정상 성장 및 발달에 대한 지식의 부족은 학대를 불러일으킬 수 있기 때문이다.

많은 부모에게 아동학대로 받게 되는 비난에 대한 반응은 분노이다. 또 다른 부모에게는 해방감을 주게 될 수도 있다. 이제 자신이 원치 않았던 아이는 집에서 나가게 될 것이기 때문이다. 일부 아동학대 가정에서 부모의 한 사람은 학대자이며, 다른 한 사람 또한 피해자일 수 있다. 아동학대라는 진단은 수동적인 배우자에게 학대자인 배우자와의 결혼 관계를 지속할지 말지에 대한 중요한 결정을 하도록 촉구하게 된다. 이것은 결코 쉬운 결정이 아니다. 만약 이런 결정이 쉬웠다면, 아동학대라는 상황까지 벌어지지는 않았을 것이다.

잘한 일에는 학대 부모라도 칭찬을 해주어야 한다. 아동을 떠나서 학대 부모와도 충분한 대화를 나누어야 하며, 필요시 그들이 상담을 받도록 도와주어야 한다.

때때로 아동은 학대 후 일시적으로 집을 떠나있게 되는데, 학대와 관련된 가정의 스트레스가 완전히 해결된 이후에 아동은 가정으로 복귀시켜야 한다. 이들 아동은 주의 깊은 추후 간호가 필요한데, 이는 스트레스가 다시 일어났을 때 부모가 다시 아동학대를 할 수 있기 때문이다.

만약 아동이 영원히 자신의 가정을 떠나게 될 때는 나중에 아동이 놀라지 않도록 병원을 퇴원하기 전에 양부모가 아동을 방문하도록 한다. 이와 같은 방식으로 자신의 부모를 잃게 되는 아동은 급격한 상실감을 느낄 수 있으며 자신을 학대하지 않았던 부모나 형제자매를 만나지 못하게 되는 것을 슬퍼할 수 있다. 학대 아동은 또한 학대의 책임이 자신에게 있으며 학대 부모에게는 책임이 없다고 믿을 때, 자신을 학대한 부모를 만나지 못하게 되는 것조차도 슬프게 생각할 수 있다. 학대 아동을 위한 간호 목표는 이들이 신체적으로 안전한지뿐만 아니라 자존감을 회복하는 것까지 포함해야 하는데, 이는 학대 아동이 성인이 되었을 때 학대 부모가 되는 것을 막는데 필요하기 때문이다. 여기에는 또한 학대 부모에 대한 상담과 그들의 행동 변화까지도 포함해야 한다.

04 / 방임

방임은 신체적 학대 보다 경미한 형태이나 아동의 안녕에 손상을 주는 것은 마찬가지이다. 방임을 당하고 있는 아

표 2-7 아동학대를 예방하기 위한 방법

- 고등학교의 교과과정에 아동의 정상 성장 · 발달과 양육에 대한 내용을 포함시키도록 한다.
- 아동에게 문제해결 방법을 교육시킴으로서 그들이 성인이 된 후 문제에 직면하였을 때 당황하거나 부정적 방식으로 대처하지 않도록 한다.
- 아동에게 높은 자존감을 갖게 함으로써 그들이 타인에게 의존하지 않고 자기주장적이 될 수 있도록 한다.
- 부모에게 출산에 대한 책임을 갖도록 함으로써 아동을 소중하게 생각하도록 한다.
- 지체아의 부모모임(Parents of Retarded Citizens), 교회, 사회적 접촉 등을 통한 지역사회내의 사람들로부터 부모가 지지를 받도록 돕는다.
- 자신의 문제를 말로 표현하고, 해결할 수 없는 문제에 대해서는 도움을 구하도록 아동을 교육한다.
- 부모에게 아동을 돌보는 방식에 대한 역할 모델이 되어 준다.
- 부모에게 특별하게 비춰질 수 있는 아동(출생 후 즉시 격리치료를 받은 아이, 미숙아, 선천적 장애아 등)을 조사한다.
- 어렸을 때 학대받은 적이 있는 부모를 확인하고 학대의 악순환을 끊기 위하여 이들에게 특별한 도움을 주도록 한다.
- 아동학대 가능성이 있는 부모는 이들을 위한 효과적인 지지단체인 "아동학대 부모모임(Parents Anonymous)"에 가입하도록 한다.

표 2-8 임신 중 또는 산욕기에 아동학대 가능성이 높은 여성

- 출산하기 일년 전 여러 번 주소를 변경한 여성(지난 12개월 간 적어도 2회 이상의 주소 변경)
- 정신과적 치료력이나 또는 현재 정신과적 치료를 받고 있는 여성
- 명백한 정서적 문제로 부모의 역할이 어려워 보이는 여성
- 명백한 지적 문제로 부모의 역할이 어려워 보이는 여성
- 아기에 대하여 비현실적 기대를 갖고 있는 여성
- 출산 전 교실을 거부하거나 중도에 출석하지 않은 여성
- 입양에 대한 결정을 바꾼 여성
- 과거에 아동학대의 경험이 있거나 아동에게 태만하였던 여성
- 자신이 어렸을 때 부모의 폭력이나 학대를 받은 적이 있는 여성

표 2-9 아동학대를 알아내기 위해 산욕기나 소아과 검진 시의 관찰내용

- 어머니가 아기와 함께 즐거워 하는가?
- 어머니가 아기와 시선 접촉을 하는가?
- 어머니는 아기와 얼마나 자주 말을 하는가? 그녀는 단지 아기에게 요구만 하고 있는가?
- 아기에 대하여 어머니가 하는 말은 모두 부정적인 내용들인가?
- 아기의 성별에 대하여 어머니는 실망하고 있는가?
- 아기의 이름은 무엇인가? 아기의 이름은 어디에서 유래되었는가?
- 아기의 이름은 언제 지었는가?
- 아기의 발달에 대한 어머니의 기대가 아기의 발달수준을 크게 앞질러 있는가?
- 어머니는 아기의 울음에 대하여 매우 귀찮아하는가? 어머니는 아기의 울음에 대하여 어떻게 느끼는가?
- 어머니는 수유 중 아기가 너무 수유 요구가 많다고 생각하는가? 어머니는 아기의 수유 요구를 무시하는가?
- 아기의 기저귀를 가는 일에 대한 어머니의 반응은 어떠한가?
- 아기가 울 때 어머니는 아기를 편안하게 해주거나 또는 편안하게 해줄 수 있는가?
- 아기에 대한 남편과 가족의 반응은 어떠한가?
- 어머니가 받고 있는 지지의 종류는 어떤 것들인가?
- 형제 자매간 질투나 경쟁 문제가 있는가?
- 아내의 애정과 시간을 아기가 차지하는데 대하여 남편이 질투심을 갖고 있는가?
- 병원에 아기를 데리고 왔을 때 어머니는 아기의 요구나 또는 일어날 일(검사, 진찰 등)에 직접 관여하고 아기를 돌보려고 하는가? 아니면 모든 일을 의사와 간호사에게 맡겨버리는가?
- 어머니는 아기에게 관심을 보이는가? 어머니는 아기를 긍정적인 존재로 보는가?
- 어머니는 아기에 대하여 사실과는 다른 불평을 늘어놓는가? 어머니는 간호사에게 전혀 다르게 아기의 모습을 말하는가? 어머니는 간호사에게 "아기가 숨이 멈췄다"든지 "아기가 색깔이 변했다" 또는 "아기가 부모를 화나게 하기 위하여 의도적으로 무언가를 꾸미고 있다"는 것과 같이 이상한 이야기를 하는가?
- 어머니는 매우 작은 일에도 응급실에 전화를 하는가?

동은 씻지도 않고 매우 여위었으며 영양 결핍상태에다 추운 날씨에도 외투나 장갑, 신발도 신지 않은 상태로 있을 수 있다. 어떤 가정에서는 너무 궁핍하여 아무도 따뜻한 코트를 입거나 충분한 음식을 먹지 못하고 있는데, 이것은 부모는 이런 것들을 모두 누리고 있으면서 특정 아동만 입히지도 먹이지도 않는 가정과는 명백히 다른 것이다. 이런 유형의 학대는 교사도 알아차리지 못할 수 있는데, 이는 그들이 아동만 볼 뿐 다른 가족들은 볼 수 없기 때문에 교사는 아동의 가족들은 모두 가난하여 헐벗고 있다고 생각할 수 있기 때문이다. 병원에서 한 아동과 다른 가족원간의 차이는 두드러진다. 아동이 예방 접종도 받지 않았으며 감염 초기에 병원 치료도 받지 않는 것은 신체적 방임의 또 다른 예라 할 수 있다. 아동에게 학교에 가라는 말을 하지도 않고 의도적으로 아동을 학교에 보내지 않거나 방과 후에는 제멋대로 아무 제지도 없이 내버려 두는 것 또한 아동에 대한 방임으로 해석될 수 있다. 신체적 방임은 의도적이거나 부모가 아동의 정상 요구를 이해하지 못함으로써 생길 수도 있다. 이런 경우에는 의료인으로부터의 지도와 교육이 필요하다.

05 / 정서적 학대

정서적 학대란 아동에 대한 위협, 비난, 거부, 소외 또는 착취 등의 행동을 말한다. 정서적 방임이란 긍정적인 부모상을 보여주지 못함을 뜻한다. 정서적으로 학대받은 아동은 정서적으로 자신감 있는 성인으로 성장하는데 어려움을 보이게 된다. 정서적 학대는 파악하기 가장 어려운 학대 유형인데, 이는 그것이 단지 가정 안에서만 일어나며 아주 심각하다 할지라도 겉으로 드러난 문제가 애매할 수 있기 때문이다. 그러나 이것 또한 신체적 학대만큼 아동에게 손상을 주게 된다.

아동에 대하여 부정적인 말만 하는 부모도 아동을 심리적으로 학대하는 것이라 할 수 있다. 간호사는 건강사정 동안에 아동의 성장 및 발달과 관련된 충분한 질문을 부모에게 해야 하며 이러한 상호작용이 긍정적이며 건전한 것인지 또는 부정적이며 불건전한 것인지를 알아내기 위하여 부모–자녀 간 상호작용을 관찰해야 한다.

대리인에 의한 '뮌하우젠 증후군'은 사실 아동이 건강할 때도 질병 증상이 있다고 말하면서 아동을 반복적으로 병원에 데리고 오는 부모를 말한다. 부모는 아동이 간질, 과다수면, 복통과 같은 증상이 있다고 말할 수 있다. 아동은 쓸데없이 잡다한 진단 검사와 치료를 받아야 한다. 이 증후군의 전형적인 특징은 ① 신체검진에 의해서는 증상이 쉽게 파악이 안되며, 단지 병력에 의하여 파악된다는 것이며 ② 이러한 증상이 항상 학대 부모가 돌볼 때만 나타나며 다른 사람이 돌볼 때는 나타나지 않는다는 것이다. 부모는 또한 아동에게 의도적으로 상처를 입힐 수 있다(ex 설사를 일으키기 위해 완화제를 먹인다거나 처방된 약을 과량으로 복용시켜 서서히 약물 중독을 일으키는 등). 부모는 어느 정도 의학상식이 있는 사람이며, 계속 아동 옆에서 아동의 간호를 거의 혼자 하려고 한다. 아동 옆을 계속 지키며 간호를 하고자 하는 행동은 아동을 매우 걱정하는 부모로 비쳐진다는 점에서 매우 기만적이라 할 수 있다.

06 / 성적 학대

성적 학대는 광범위하게는 아동과 성인간의 성적 접촉으로 정의될 수 있다. 청소년과 보다 나이가 많은 아동은 또한 가해자가 될 수도 있다. 성적 학대는 의존적이며, 미성숙한 청소년을 그들이 충분히 이해하지도 못하며 동의하지도 않은 성행위에 강제적으로 개입시킴을 의미한다. 비록 피해자가 대부분 여아이기는 하지만, 남아의 성적 학대도 꾸준히 증가하는 추세이다.

성적 학대는 신체적, 정서적 파괴를 일으키며 아동은 타인을 신뢰할 수 없게 되고 친밀감에 대한 양가감정과 무가치감을 느끼게 된다. 아동에게는 가능하면 조기에 자신의 몸은 자신의 것이며 자신이 원하지 않는 방식으로 누군가 자신을 만지려고 한다면 즉시 알리도록 교육시켜야 한다. 우리나라에서는 아동 · 청소년의 성보호에 관한 법률, 성폭력범죄의 처벌 등에 관한 특례법에 아동, 청소년을 대상으로 한 성범죄로 법원에서 유죄 확정판결과 함께 공개명령이 선고된 자의 신상정보를 제공하고 있다. 만약 성적 학대의 경력이 있는 사람이 그들 가까이 살고 있다면, 이들은 자녀의 안전을 위하여 적절한 조치를 취해야 한다.

성학대의 징후는 아래에 제시된 '가족지지'에 기술되어 있다. 성학대는 건강력을 통하여 알 수 있으며(ex 임신을 걱정하는 여아), 또한 퇴원하여 집으로 돌아가거나 또는 가족 중 특정인과 함께 있는 것에 대한 아동의 비정상적 불안 등에서 알 수가 있다. 성학대를 받고 있는 아동은 극도의 자기비하감 또는 자신이 잘못하여 그런 일을 당하고 있다는 생각을 할 수 있다.

아동에게 해부학적으로 교정된 장난감을 갖고 놀도록 함으로써 성학대에 대한 정보를 얻을 수 있다. 이러한 장난감의 이용은 논쟁이 되고 있는데, 장난감의 이용에 대한 지침없이 결과에 대한 지나친 해석은 문제가 될 수 있기 때문이다. 성적 학대를 받은 적이 없는 학령전기 아동이나 학령기 아동의 평균적인 반응은 인형의 옷을 벗기고 잠시 웃고 놀다가 다시 옷을 입힌다. 근친상간을 당한 아동은 남자인형의 성기를 여자인형의 입에 갖다 대는 것 등과 같은 성적 행동을 인형을 통해 보여줄 수 있다. 자신에게 일어난 일을 그림으로 그려보도록 하는 것도 성학대를 표현하도록 하는 효과적인 방법이 될 수 있다.

신체적 학대와 마찬가지로 성적 학대 또한 신고해야 한다. 성학대는 범죄이기 때문에 가해자는 경찰의 심문을 받게 될 것이다. 성적 학대에 연루된 성인과 아동은 모두 정신과적 면담이 필요하다. 정신과적 면담을 통하여 아동은 자존감을 회복할 수 있으며, 성인은 성적 표현을 정상적으로 하도록 교정될 수 있다. 만약 부모가 스스로 성적 학대를 인정한다면 문제해결은 가장 쉬울 것이다. 아동의 자존감 증진을 위해서는 가해자인 성인이 자기가 잘못했음을 인정하는 것이 중요하다. 맨 처음 아동을 간호한 사람에 의한 추후 간호가 필요하며 그럼으로써 피해 아동은 낯선 간호사에게 매번 자신의 성학대력을 반복하여 이야기할 필요가 없게 된다. 필요하다면 성병에 대한 치료나 임신 예방이 고려되어야 한다.

부모 또한 많은 상담이 필요하다. 대부분의 경우에 가해자는 삼촌이나 계부 또는 오빠와 같은 가족원이다. 종종 이러한 관계는 드러나기 전에 일정 기간 동안 지속되어온 것일 수도 있다. 부모는 이러한 가해자로부터 아동을 보호하지 못하였다는 죄책감을 느낄 수 있다. 만약 근친상간이 부모에 의하여 이루어졌다면 효과적으로 아동을 돌보기 위해서는 부부관계를 지속하기가 매우 어려울 수 있다. 모든 아동에게는 성적 학대로부터 자신을 보호하기 위한 간단한 지침을 교육시킬 필요가 있다.

다음은 성적학대의 여러 유형을 진술한 것이다.

1) 성추행

성추행은 구강-성기 접촉, 성기 애무, 성기 보기 또는 자위행위와 같은 외설적 행동을 포함한 넓은 의미의 용어이다. 소아기호증환자는 성적 만족을 아동에게서 구하는 성인을 뜻한다. 매우 폭력적인 강간자와 반대로 이들의 행위는 매우 부드러우며 성추행으로 제한될 수도 있다. 이들은 그들 자신이 유년기 때 성적 학대를 받은 적이 있는 남성일 수 있으며, 자신이 학대 받았을 때와 같은 나이의 아동을 선택하는 경향이 있다. 이러한 행동을 보이는 사람은 동성애자일 수도 있고 이성애자일 수도 있다. 많은 소아기호증환자는 나중에 성적 만족을 느끼는데 사용하기 위하여 아동과의 성행위를 담은 사진이나 비디오를 가지고 있기도 한다. 소아기호증환자의 재활은 어려운데, 왜냐하면 이들은 정서적으로 유년기 수준에 고착되어 있기 때문이다(그들은 자신을 어린 아동 수준으로 보기 때문에 어린 아동과의 성관계가 나쁘다는 것을 인식하지 못한다). 누군가 자신과 사진을 찍으며 함께 지냈다는 아동의 말에 귀를 기울여야 한다.

2) 근친상간

근친상간은 가족간의 성행위를 말한다. 성인 여성과 남자아이, 형제 자매간의 근친상간이 있기는 하나 근친상간은 일반적으로 성인 남성과 여아간의 관계를 뜻한다고 볼 수 있다. 또한 입양아나 의붓자식과 성인 부모간의 관계도 포함될 수 있다. 근친상간은 정상 규범으로 부터 일탈된 행동으로 보고 있으며, 대부분의 문화권에서 금기시하고 있다.

근친상간은 가해자와 피해자 모두에게 죄책감과 함께 자기비하감을 불러 일으킨다. 가해자는 이러한 행동이 문화적으로 용납되지 않는다는 것을 알면서도 이를 중단하지 못하며 피해자 또한 이러한 행동이 옳지 않다는 것을 알면서도 성인 가해자의 권유를 뿌리치지 못한다. 가족 중의 다른 사람들이 이런 일이 집안에서 벌어지고 있는 것을 눈치채게 될 수도 있다. 결국 이들 또한 어린아이를 보호하지 못했다는 점에서 책감과 무가치감을 갖게 된다.

가족지지/ 성학대의 징후

- 아동은 성인과의 성적 경험을 스스로 이야기 한다.
- 아동은 나이에 맞지 않게 성 또는 성과 관련된 어휘를 알고 있다.
- 아동은 인형과의 성적 표현에 열중하곤 한다.
- 15세 이전의 아동이 임신하였다.
- 아동은 회음부나 질 또는 항문 부위의 감염증상을 갖고 있다.
- 아동은 질열상이나 항문의 균열을 보인다.
- 아동은 성병에 이환되어 있다.
- 수면장애, 틱, 손톱 물어뜯기나 말더듬기와 같은 불안 증상을 나타낸다.
- 아동은 학교 성적이 변하였거나 또는 학교 공포증이나 무단결석을 하기도 한다.
- 아동은 원인이 뚜렷하지 않은 복통이나 행동 장애를 나타낸다.

3) 포르노그라피와 매춘

포르노그라피란 아동이 포함된 성행위를 매체로 촬영한 것 또는 이런 사진을 유포하는 행위를 뜻한다. 아동이나 미성년자 매춘이란 아동과의 성행위를 뜻한다. 이러한 현상은 모두 아동을 비하시키는 행위라 할 수 있다. 미성년자 매춘은 성인 매춘과 마찬가지로 미성년자에게 성병이나 폭력의 위험을 갖게 한다.

4) 강간

강간이란 위협이나 또는 실제적인 완력에 의하여 이루어진 강제적인 성행위를 뜻한다. 강간은 실제적인 성관계나 남성의 성기나 기타 물건을 여성의 신체에 삽입하는 행위로 정의하고 있다. 법적 강간(statutory rape)이란 동의 의사를 밝히기 어려운 대상자(대부분의 경우, 18세 이하)와의 성관계로 정의하고 있다.

성폭행(sexual assault)이란 구강-성기 삽입이나 항문-성기 삽입과 같이 또 다른 유형의 강요된 성행위를 뜻한다. 오늘날 점차 증가되고 있는 현상으로는 데이트 강간(date rape)을 들 수 있는데, 이는 거절의 의사를 밝혔음에도 불구하고 데이트 중 강제적으로 성행위를 갖는 것을 뜻한다.

강간과 성폭행은 모두 애정의 표현이 아니라, 일탈 행위이자 폭력 범죄이다. 이들 행위에는 모두 정상 성행위의 구성요소인 개인권 보호와 상호동의를 찾아볼 수 없다. 강간과 성폭행은 모두 인간을 비하시키고 황폐하게 하며, 피해자는 완전히 무력한 상태로 남게 된다. 청소년은 강간을 예방하기 위한 방법을 교육받아야 할 것이다. 많은 강간이 보고되지 않고 있기 때문에 실제 발생을 정확히 알 수는 없으나 강간은 지난 10년간 꾸준히 증가하고 있다. 그러나 많은 여성은 강간 사실을 보고함으로써 발생하는 이차적인 손상을 피하고자 한다. 앞으로는 사회적, 전문적으로 보다 민감한 치료가 이러한 괴리를 줄임으로써 보다 많은 강간 피해자가 즉각적인 치료와 추후관리를 받을 수 있어야 한다.

비록 피해자의 연령이 다양하며 남성 또한 피해자가 될 수도 있으나, 대부분의 강간 피해자는 청소년기의 여성이라 할 수 있다. 강간자가 대부분 자신이 거주하는 이웃사람을 상대로 강간을 하기는 하지만, 보고된 강간 중 절반 이상은 낯선 사람에 의한 강간으로 나타났다. 구금 자료를 근거로 볼 때 대부분의 강간범은 공격적인 성격의 젊은 남성이다. 일반적으로 그들의 강간 동기는 성적 만족이 주동기가 아니라, 분노나 완력의 표출과 관련되어 있다고 한다. 만취상태 또한 강간의 선행요인이 될 수 있다. 강간은 또한 일회적인 사건이라기보다 반복적이며 계획된 행동일 수 있다.

(1) 사정

많은 강간 피해자는 즉각적인 신체적 · 정서적 문제를 보이게 되며, 이는 수 주간 지속될 수 있다. 강간손상 증후군(rape trauma syndrome)이란 이러한 손상을 기술하는 용어로 이는 일반적으로 붕괴와 재구성이라는 2단계를 보이게 된다. 강간 직후의 붕괴단계에서 피해자는 수치, 죄책감, 당혹감, 분노 및 복수심을 갖게 된다. 피해자는 자신의 삶이 이러한 위기에 의해 완전히 붕괴되었으며, 성폭행으로 인해 자신을 보호할 수 없었다고 느끼게 된다. 두려움에 떨 수 있으며 회음부 열상으로 심한 통증을 느낄 수도 있다. 또한 자신에게 접근하는 낯선 사람을 보면 눈에 띄게 놀라게 된다. 부드러우며 동정적이고 지지적인 사람을 원하며 안전한 일만을 하려고 한다. 성폭행과 관련된 악몽을 꿀 수도 있다. 이러한 성폭행 직후의 와해와 붕괴단계는 일반적으로 3일 정도 지속되게 된다.

다음은 재구성단계로 이 단계는 수개월 또는 수년간 지속될 수 있다. 이 기간 동안 많은 강간피해자는 계속되는 악몽과 성기능 부전 또는 남성이나 낯선 사람과 관계를 맺지 못하게 된다.

이들은 계속하여 자신의 강간에 대하여 말하는데 어려움을 보일 수 있다. 많은 강간 피해자는 이러한 개인적 불행을 극복하려고 하며 엄청난 경제적 부담을 감수해서라도 거주지를 옮기게 된다. 만약 체계적인 상담을 받지 않는다면 피해자는 강간을 당한 뒤 20~30년 후에도 죄책감과 수치심을 갖게 된다.

피해자가 강간사실을 보고하지 않고 상담도 받지 않았을 때 나타날 수 있는 증상을 침묵강간 증후군(silent rape syndrome)이라고 한다. 일반적으로 침묵강간증후군이 있는 사람은 정서적 붕괴가 증가될 수 있으며, 생의 어떤 시점에서 남성에 대한 행동 변화를 보이거나 또는 외출을 극도로 기피하거나 집에 혼자 남게 되는 것을 싫어하는 등의 변화를 보이게 될 수 있다. 이는 직장 생활이나 독립적 생활 능력을 손상시킬 수 있다. 이들에게도 강간 사실을 보고한 사람과 마찬가지로 상담이 필요하다.

(2) 응급 간호

대부분의 경찰이 강간 사건을 수사하기 위한 특별 경찰요원을 두고 있기는 하나 강간 피해자들은 강간 사건을 상기시키거나 또는 별로 그들에게 도움을 주지 못하는 경찰요원 때문에 혼돈을 느끼거나 마음의 상처를 더 입게 될 수 있다. 이는 피해자의 수치심과 자기 비하감만을 증가시킬 뿐이다. 이는 특히 청소년에게는 보다 해로울 수 있는데, 그들이 존중하여야 한다고 배운 경찰요원 같은 사람들이 그들이 당한 일에 대하여 별로 알고 있는 것이 없는 것처럼 보이기 때문이다.

많은 강간 피해자들이 도움을 받고 있는 대부분의 의료기관은 강간 직후 피해자와 상담을 하고 필요시 장기적인 도움을 줄 수 있는 특별히 준비된 상담요원이 있는 강간상해 치료팀을 가지고 있다. 간호사는 이 팀의 주요 멤버로 강간 직후 피해자에게 일차적인 간호를 제공한다. 간호사는 또한 강간상해 치료팀이 도착할 때까지 강간 후 응급 간호를 제공할 수도 있다.

강간은 범죄에 해당하기 때문에 강간 피해자의 의무 기록은 법원의 요구에 의해 공개될 수 있다. 가해자에 대한 피해자의 고소에 대비하여 가해자의 외모에 대한 정보와 사건에 대한 기술은 상세하게 기록되어야 하며 의무 기록의 진술은 정확하고 오류가 없도록 해야 한다. 강간 사건을 기록할 때 필요하다면 환자의 진술을 그대로 인용할 수도 있다. 타박상, 열상, 깨문 흔적, 찰과상과 같은 신체적 상처를 포함한 피해자의 외모나 피해자의 의복 상태 등에 대하여 상세하게 기록해야 한다. 피해자에게 병원에 오기 전에 목욕을 하였는지도 물어보도록 한다. 왜냐하면 목욕은 정액과 같은 중요한 증거를 잃게할 수 있기 때문이다. 피해 여성이 월경 중인지 탐폰을 사용하고 있는지 등도 물어보도록 한다. 강간 시 남성 성기의 침투력이 탐폰이 후질벽을 뚫고 복강 내로 밀려나가도록 할 수 있으며, 이 경우 엄청난 출혈이 예상될 수 있다. 상해를 입증하기 위하여 상해 부위의 사진을 찍어두는 것이 필요하다. 찢겨졌거나 얼룩이 묻은 옷은 강제적인 성폭력의 증거가 될 수 있으므로 보관해 두어야 한다. 이러한 일차적인 관찰 후 피해자의 신체 상태를 평가하고 강간을 입증하기 위하여 산부인과적 검진이나 항문 검진이 시행되어야 한다. 이는 질벽이나 회음부의 열상 및 질이나 항문으로부터 정액이나 인산(acid phosphate)을 채취하기 위하여 필요하다. 인산은 정상적으로는 질이나 항문의 분비물에는 존재하지 않으나 정액 속에는 존재하는 물질이다. 인산의 존재는 가장 중요한데, 이는 강간이 이루어졌다는 가장 확실한 증거가 될 수 있다. 임균이나 세포도말검사를 위하여 질이나 항문 분비물의 배양 또한 시행되어야 한다. 임신이나 매독 검사를 위하여 혈액검사를 실시하여야 하며, 임질이나 매독에 대한 예방적 조치로 항생제가 투여되어야 한다. 만약 여성이 생리중이 아니라면 임신을 막기 위하여 경구 피임약을 투여할 수 있다. 또한 AIDS 감염 여부를 확인하기 위하여 강간 피해자의 혈액 채취가 필요할 수 있다.

강간 피해자에 대한 응급 처치 중에는 사생활도 포함된다. 경찰이나 검시관, 피해자의 가족, 강간상해 치료팀, 의사나 간호사 등을 포함하여 많은 사람들이 강간 피해자에게 강간과 관련된 질문을 하고자 한다. 사건을 기술하는 것은 필요한 일이나 회음부 검진 시 사생활을 보호하지 못함은 가해자의 강간 시와 마찬가지로 피해자의 자존감에 심한 손상을 주게 된다. 많은 여성 피해자는 강간 후 남성의사의 신체 검진을 원하지 않을 수 있는데, 이는 그들이 일시적으로 남성에 대한 두려움을 갖고 있기 때문이다. 이 경우 남성의사의 신체 검진 중 여성 간호사가 피해자와 함께 있어주는 것은 매우 큰 도움이 될 수 있다. [표 2-10]에서는 강간 피해자를 위한 검사와 목적에 대하여 기술하고 있다.

(3) 법적 문제

응급실에서 근무하는 간호사는 성폭행 직후의 피해자의 외모 및 상태에 대한 법정 증언을 요청받을 수 있다. 많은 피해자는 특히 청소년 피해자는 가해자를 고소하기 어려운데, 이는 그들이 너무 놀라서 가해자의 외모를 기억하지 못하기 때문이다. 따라서 이들은 가해자를 확인할 수 없으며, 혹시 가해자를 지명하면 그가 자신에게 보복을 하거나 죽일지도 모른다는 생각을 하게 된다. 피해자가 소송을 할 수도 있고 소송을 제기하지 않을 수도 있으나, 강간범이 자신의 죄값을 치루지 않을 수 없다는 것을 알 때만이 강간 사건은 줄어들 수 있을 것이다. 법정으로 강간범을 부르는 것은 피해자가 이를 직면할 수 있는 적절한 시기이어야 하며 그럼으로써 피해자로 하여금 강간 사건시와 같은 무력감을 느끼지 않게 할 수 있다.

성폭행 후 일부 피해자의 주요 욕구 중의 하나는 자신에게 일어난 일에 대하여 말하는 것이다. 사건을 말할 수 있는 사람은 타인을 방어하기 위하여 쳤던 벽을 허물기 시작한다고 볼 수 있다. 이러한 과정은 피해자로 하여금 극도의 불안을 갖게 하였던 "엄청나게 두려운 사건"으로부터 "단지 특별한 일"로 강간 사건을 바라볼 수 있게 함으로써 강간 사건을 보다 편하게 검사하고 다룰 수 있게 해 준다. 간호사는 강간 피해자에게 대부분의 피해자가 자신이 당한 일을 이야기하는 것이 도움이 되었다고 말한 내용을 전달하며, 자신이 당한 일을 말해 보도록 한다. [표 2-11]는 강간 피해자와의 상담을 통해서 확인해야 할 내용이다.

실제적으로 강간 사건을 기술하는 것은 대부분의 청소년 피해자에게는 매우 어려울 수 있다. 그러나 이 과정을 통하여 이들에게 강간을 극복할수 있도록 도울 수 있다. 이들이 자신의 강간 사실을 기술할 수 있을 때 까지 이들은 차후 자신이 선택한 사람과 동일한 행위를 하는데 어려움이 있을 것이다.

피해자에게 응급실을 떠나기 전에 전화 상담 서비스를 받을 수 있는 전화번호를 알려주어야 한다. 성기의 타박상은 강간 후 24시간이 지나야 뚜렷해지기 때문에 다음 날 재검진을 위하여 다시 내원하도록 한다. 혈청 매독 검사는 6주 까지는 반응이 나타나지 않을 수 있기 때문에 6주 후 반복 매독 검사를 위하여 다시 병원을 방문하도록 하여야 하며, HIV 검사 또한 6주 후에 다시 시행하여야 한다. 피해자는 가정에서 다른 가족과 함께 있도록 하여야 하며, 만약 피해자가 급격한 스트레스 반응을 보일 때는 재검진과 상담을 위하여 다시 내원하도록 하여야 한다. 또한 강간 피해자에게 추후 상담을 제공할 수 있는 지역사회 지지단체에 대한 정보를 피해자와 피해자 가족에게 알려주어야 한다.

많은 경우에 강간 피해 여성의 배우자는 피해 여성을 지지하기가 어려운데, 이는 그가 피해 여성과 마찬가지로 강간 사실을 극복하기 어렵기 때문이다. 강간 사건 이전의 그들의 관계는 강간 사건 이후에는 깨지게 되는데, 이는 남성이 피해 여성을 불결한 여성으로 보거나, 강간에 책임이 있거나 또는 강간을 즐겼을 수 있다는 잘못된 생각 때문이다. 또 다른 경우에는 남성 배우자가 강간 사건 이후 피해 여성에게 지나치게 과보호적인 태도(혼자 외출도 할 수 없게 한다거나, 지속적으로 일과를 일일이 점검하는 등)를 보여 피해 여성이 자신의 정체성을 유지하기 어렵게 되는 경우이다. 피해 여성의 남성 배우자는 또한 분노와 복수심에 가득차서 피해 여성과 적절한 관계 유지가 어려울 수 있다.

피해 청소년의 부모도 이와같은 경우일 수 있다. 강간 피해자의 배우자나 부모에 대한 상담은 진정으로 지지적일 때만이 그들을 도울 수 있다[표 2-12].

표 2-10 강간 후 필요한 검사 및 목적

검사 절차	목적
구강 세척	피해자에게 5mL의 증류수로 구강을 세척하도록 한 후 세척액을 시험관에 담는다. 이를 통하여 가해자의 정액 또는 혈액항원을 분석하도록 한다.
손톱 긁기	피해자의 손톱 아래의 물질을 긁어 모아 봉투에 담도록 한다. 이것으로 가해자의 피부, 혈액, 옷의 섬유를 분석한다.
VDRL, HIV 및 간염검사	매독, 후천성면역결핍증 및 간염의 감염 여부를 확인하기 위한 혈액 검사를 하도록 한다.
임신 검사	혈액검사나 소변검사를 실시한다. 질검사는 여성이 배뇨하기 전에 실시하여야 한다.
모발 채취	환자의 모발과 치모는 가해자의 것과 구분하기 위하여 수거하여 봉투에 담도록 한다.
질분비물 도말검사	질벽을 건조한 면봉으로 긁어 슬라이드에 도말한 후 정자를 분석하기 위하여 건조시키도록 한다.
임균 도말검사	자궁 경부, 질, 항문분비물을 배양하도록 한다(만약 구강성교가 시도되었다면 인후분비물 또한 채취되어야 한다).
질 세척	5mL의 증류수로 질을 세척하도록 한 후 세척액을 흡입하여 수거하도록 한다. 이것으로 정자나 인산의 유무를 분석하도록 한다.
피부 세척	피부나 의복에 묻은 정액이나 혈액 흔적을 젖은 면봉으로 문지른 후 시험관에 수거하도록 한다. 이것으로 가해자의 정액이나 혈액을 분석하도록 한다.
의복 관리	얼룩이 졌거나 찢어진 의복은 종이가방에 수거하여 보관하도록 한다. 이는 폭력적, 강제적인 성폭행의 증거가 될 수 있다.

표 2-11 강간 피해자와의 상담 시 탐색 영역

탐색영역	고려할 점
강간 사건	강간이 일어난 장소와 일어난 시간을 질문하도록 한다. 이 정보는 피해자와 이를 논의하고 치료하는 과정에서 매우 중요하다. 피해자는 이와 유사한 상황에 있게 되면 다시 걷잡을 수 없는 두려움을 느끼게 될 수 있다. 방과후 귀가길, 공공건물에서 엘리베이터를 기다리는 것 등은 우리가 살아가면서 언제든지 겪게 되는 일상 생활이다. 만약 피해자가 이런 장소에서 강간을 당했다면 피해자는 강간이 자신의 잘못이 아니라는 것을 확신할 수 있을 것이다.
가해자	청소년 피해자에게 가해자의 모습에 대하여 기술해보도록 하는 것은 차후 이와 유사한 특성을 가진 사람을 만났을 때 이들이 저항할 수 있도록 도울 수 있다. 가해자는 피해자의 어깨에 손을 올려놓는 것과 같은 단순한 동작으로 피해자에게 접근하였을 수 있다. 피해자는 앞으로 다른 상황에서 이런 일이 생겼을 때 이에 저항하는 것을 배울 수 있게 된다.
대화 내용	가해자와의 대화내용을 기술하도록 하는 것은 피해자가 강간을 유도하지 않았다는 것에 대하여 스스로 확신을 갖도록 하는 것이다.
강간과 관련된 구체적 측면	실제적으로 강간 사건을 기술하는 것은 대부분의 청소년 피해자에게는 매우 어려울 수 있다. 그러나 이 과정을 통하여 이들에게 강간을 극복할수 있도록 도울 수 있다. 이들이 자신의 강간 사실을 기술할 수 있을 때 까지 이들은 차후 자신이 선택한 사람과 동일한 행위를 하는데 어려움이 있을 것이다.
강간에 대한 저항	대부분의 청소년 피해자들은 강간 동안에 저항을 하지 않는데, 이는 이들이 저항하면 더 위험해진다고 생각하기 때문이다. 만약 청소년 피해자에게 강간에 대하여 어떻게 저항하였냐고 질문한다면, 이들은 자신이 강간을 유도하였거나 또는 심지어 강간에 동의하였다고 느낄 수 있다. 이들에게 아무 저항을 하지 않은 것이 최선책이 될 수 있으며 저항하지 않았기 때문에 아직까지 살아있을 수 있었을 것이라고 말해주도록 한다. 자존감을 증진시키기 위하여 청소년 피해자에게 강간은 폭력적 범죄이며 가해자의 완력은 여성이 저항하기에는 너무 크다는 것을 상기시켜 주도록 한다.

표 2-12 강간 피해자 가족에 대한 상담

- 인생의 위기로써 강간 직후의 느낌을 표현하도록 가족을 돕는다.
- 가족이 피해자에게 지지적이 되도록 돕는다.
- 가족이 실제적인 문제를 처리하고 문제해결 능력을 발휘할 수 있도록 돕는다.
- 강간 사건이 실제 피해자와 가족에게 의미하는 바에 대한 인지적 이해를 할 수 있도록 돕는다.
- 강간상해증후군의 특징인 심리적, 신체적 증상과 이에 대한 가족의 대응 방법에 대하여 설명해 주도록 한다.
- 위기로 인한 충격과 해결과정에서 건강한 가족기능의 특성을 활성화시키도록 한다.
- 가족에게 강간은 폭력범죄이며 피해자가 죄책감이나 책임감을 갖도록 하지 말아야 함을 교육시킨다.
- 강간은 예방하거나 예측하기 어렵다는 점을 말해줌으로써 가족이 피해자를 보호하지 못하였다는 죄책감을 갖지 않도록 한다.
- 무력감과 슬픔, 손상감, 분노를 나눔으로써 가해자에 대한 폭력적, 파괴적 복수심을 극복하도록 한다.
- 배우자와의 성관계에 대하여 논의하도록 한다. 남성배우자는 여성피해자에게 (1)자신의 마음은 변하지 않았으며(사실 그럴 경우에) 그는 아직도 그녀를 원하고 있고, (2)그는 그녀가 자신에게 다가 올때까지 기다릴 것이며, (3)만약 그들이 정상적인 성관계에 지속적으로 어려움이 있다면 성치료가 필요할 것이라는 것을 알려주도록 한다.
- 강간으로 인한 성병과 임신의 가능성과 이에 대한 예방적 치료, 추후 관리에 대하여 피해자와 피해 여성의 배우자에게 알려주도록 한다.
- 조기의 위기중재가 장기적 문제를 예방할 수 있음을 설명하여 주도록 한다.
- 강간에 대한 가족의 반응이 효과적인 대응능력을 방해할 때 가족 또한 상담을 받도록 한다.
- 상담이나 추후관리 기관에 대하여 서면화된 실제적 자료를 제공하도록 한다(왜냐하면 매우 당황한 사람은 언어정보의 내용을 듣지도, 기억하지도 못하기 때문이다).
- 가족에게 의학적 관리와 같은 매우 긴급한 일을 시행하는 동안은 가해자에 대한 고소보다 안전한 곳으로의 이사와 같은 일이 지연될 수 있음을 알리도록 한다(이는 가족에게 문제의 해결을 위한 우선순위를 정하고, 문제에 대한 결정을 준비하며 위기로부터의 혼돈과 긴박감으로부터 정서적 자제력을 가지게 해준다).
- 가족이 과거에 위기를 다루던 방식을 확인하고 가족이 현재의 위기를 보다 적응적 대응 기전으로 극복하도록 돕는다.
- 피해자가 의학적 검진을 받고 있는 동안, 담당 간호사는 피해자의 가족과 이야기를 나누도록 한다.
- 의사결정 과정 동안 충분히 생각하고 느낄 수 있는 시간을 주도록 한다.
- 가족의 걱정과 느낌에 대한 이해를 표현하기 위해 공감적인 청취기법을 활용하도록 한다.
- 가족의 대응 과정과 의사 결정을 다음날 확인하여 보도록 한다.

확인문제

6. 아동을 학대하는 부모는 대부분 정신질환자인가?

7. 아동학대를 일으킬 수 있는 3가지 요인은 무엇인가?

8. 흔들린 아이 증후군이란 무엇인가?

9. 어떤 행동이 정서적 학대인가?

10. 대리인에 의한 뮌하우젠증후군의 2가지 전형적인 특징은 어떤 것인가?

요 점

※ 가족은 정서적 유대를 공유하고 상호 관련된 사회적 과업을 수행하는 사람들의 집단이다.

※ 가족의 일반적인 형태는 핵가족, 확대가족, 편부모가족, 혼합가족, 동거가족, 독신부모가족, 양부모가족 등이다.

※ 가족의 업무는 가족 구성원의 신체적 건강 유지, 가족 구성원의 사회화, 자원의 분배, 질서체계 확립, 업무의 분화, 자녀의 출산, 교육, 출가, 사회 진출 및 동기화와 사회도덕을 준수하도록 하는 것이다.

※ 가족의 생활주기는 결혼기 가족, 초기 양육기 가족, 학령전기 가족, 학령기 및 청소년기 가족, 진수기 가족, 중년기 가족, 은퇴기 가족이다.

※ 가족의 생활주기 패턴의 변화는 이주, 편부모 가족, 맞벌이, 이혼, 학대의 증가, 사회경제수준 및 가족 수의 감소와 관련이 있다.

※ 아동이 화상을 입었거나 두부 손상, 늑골 골절이 있거나 또는 사고 경위가 손상의 정도와 맞지 않을 때는 아동학대를 의심해야 한다.

※ 아동학대는 신체적 학대, 방임, 정서적 학대, 성적 학대가 포함되며 무관심 또한 아동학대에 포함된다.

※ 유아에게 있어서 '흔들린 아이 증후군(shaken baby syndrome)'은 망막 출혈이나 두개 내 출혈을 일으킬 수 있으며, 이런 아동은 응급실에서 불안정해 보이거나 무반응 상태를 보일 수 있다.

※ 아동학대는 법적으로 신고해야 한다. 간호사는 개인적으로 또는 자신이 소속된 기관의 전달체제에 따라 이를 보고하여야 한다.

※ 간호사가 적극적으로 주도할 수 있는 학대 예방 방법은 아동의 정상 성장 및 발달에 대한 교육, 10대 부모를 대상으로 한 부모역할에 대한 교육, 아동과 성인에게 자신의 삶에 대한 통제감과 자신감 심어주기 등이다.

※ 학대는 개인적 문제가 아니라 가족의 문제이다. 따라서 이에 대한 치료 대상은 모든 가족 구성원이 포함되어야 효과적일 수 있다.

※ 강간은 성적 행위가 아니라 폭력 범죄이다. 강간 피해자는 단기적, 장기적 상담이 필요하다.

확인문제 정답

1. 핵가족의 수가 감소하는 것은 이혼의 증가, 독신 부모 가족, 재혼 등과 관련이 있다.
2. 한부모 가족은 자녀에게 특별한 부모-자녀 관계와 독립심을 기를 수 있는 더 많은 기회를 제공한다.
3. 가족 수가 적은 가족은 자녀를 돌보는 부담이 적어진다. 그러나 이러한 가족은 자녀 양육에 따르는 경험이 적다.
4. 의료 수준이 낮은 나라에서 입양되어 온 아동들은 성장장애 뿐만이 아니라 간염, 장관 기생충과 같은 질병의 위험이 크다.
5. 재원 일수가 단축됨으로써 가족은 건강간호를 제공하고 유지할 책임을 맡게 되었다. 특히 가족은 병원에서 제공되었던 간호를 제공해야 한다.
6. 단지 10%만이 정신질환력을 가지고 있다.
7. 특별한 부모, 특별한 아동, 특별한 환경
8. 아주 어린 아이의 팔이나 어깨를 잡고 심하게 반복적으로 흔들어 대는 것으로 아동의 목에 편타성 손상(whiplash injury)을 일으키거나 뇌간의 부종, 망막 출혈 및 심한 경우 호흡 정지까지도 일으킬 수 있으며 아주 심한 경우 아동은 뇌출혈로 사망하게 될 수도 있다.
9. 아동에 대한 위협, 비난, 거부, 소외 또는 착취하는 행동을 말한다.
10. (1) 신체 검진에 의해서는 증상이 쉽게 파악되지 않으며, 단지 병력에 의하여 파악된다는 것이며, (2) 이러한 증상이 항상 학대부모가 돌볼 때만 나타나며 다른 사람이 돌볼 때는 나타나지 않는다.

CHAPTER

03 아동간호의 기본 원리

주요용어

거고근 반사(cremasteric reflex)
검사물(specimen)
검안경(opthalmoscope)
공명음(resonance)
기도유지(airway management)
내사시(esophoria)
동성 부정맥(sinus arrhythmia)
반상출혈(ecchymosis)
병원 감염(hospital acquired infection)
분무요법(nebulization)
산소요법(oxygen therapy)
생리적 분열(physiologic splitting)
심부건 반사(deep tendon reflexes)
심부촉진(deep palpation)
심폐소생술(cardiopulmonary resuscitation, CPR)
안검하수증(ptosis)
안전 관리(safety management)
외사시(exotropia)
요도상열(epispadias)
요도하열(hypospadias)
음낭수종(hydrocele)
의사소통기술(communication skill)
입원(admission)
잡음(bruit)
주호소(chief complaint)
질병(disease)
척추측만증(scoliosis)
체온 조절
(regulation of body temperature)
체위(position)
체위배액(postural drainage)
최대 심박동점
(point of maximum impulse)
통증(pain)
퇴원간호(discharge nursing)
투약(medication)
폐쇄형 질문(closed question)
표재성 반사(superficial reflexes)
횡격막 운동범위
(diaphragmatic excursion)

학습목표

01 건강력을 사정한다.
02 생리적 상태를 사정한다.
03 신체의 각 기관을 사정한다.
04 아동에게 입원과 질병이 갖는 의미를 설명한다.
05 아동과 가족에게 의사소통기술을 수행한다.
06 입원아동에게 기본간호를 수행한다.
07 입원아동에게 치료 및 검사를 수행한다.
08 입원 중 안전 관리를 수행한다.
09 심폐소생술을 수행한다.
10 퇴원간호를 수행한다.

아동의 건강사정(health assessment)은 아동의 건강관련 자료를 수집하기 위한 체계적인 접근방법이다. 이는 간호 과정의 첫 단계일뿐만 아니라 아동과 가족과의 관계형성 및 관계유지를 위한 첫 시작점이기도 하다. 건강사정은 면담을 통해 이루어지는 건강력 조사와 신체검진기법(시진, 촉진, 타진, 청진)을 통한 신체검진을 포함한다[그림 3-1].

I 건강력

건강력은 아동의 인구학적 자료, 주호소, 아동의 현재 병력 및 과거 병력, 가족력 등 아동의 건강상태와 관련된 요인들에 대한 정보를 모두 포함한다. 이는 주로 부모나 아동과의 면담을 통해 수집되며 이 외에도 아동의 의무 기록, 학교 생활기록 및 기타 지역사회 기록 등으로도 수집 될 수 있다. 건강력은 아동의 건강관리자들 모두에게 중요한 정보를 제공하므로 표준화된 용어로 기록해야 한다.

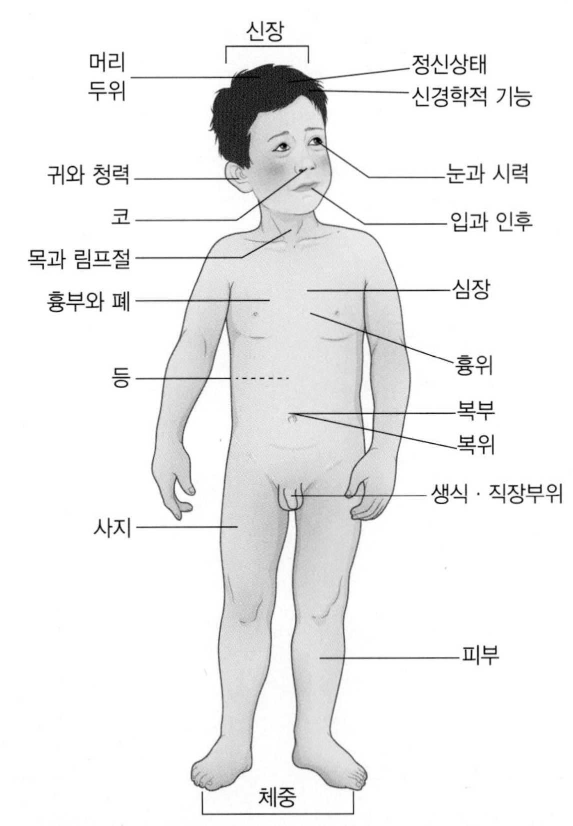

그림 3-1 **아동의 건강사정**

면담은 신체검진이나 정밀검사를 통하여 좀 더 철저한 건강평가가 필요한지 결정하기 위해 필요하다. 또한 부모의 양육태도와 관련된 문제나 발병 가능한 건강 문제와 같은 사실들을 파악할 수도 있다. 이는 아동과 부모에 대한 건강 교육과 건강증진활동의 기초자료로 제공된다. 효과적인 면담을 위하여 면담 환경은 아동과 부모에게 편안하여야 하며 간호사는 적절한 의사소통기술을 이용할 수 있어야 한다.

01 / 면담을 위한 물리적 환경

면담은 모든 사람이 편안하게 앉을 수 있고, 사생활 보호가 가능한 조용한 방에서 진행하는 것이 좋다. 간호사가 일어선 자세로 면담하게 되면 앉아 있는 대상자와 눈을 맞추기 어렵고, 압력을 가하는 것처럼 보인다. 따라서 간호사와 대상자가 같은 눈높이에서 앉아 면담을 시행하도록 한다. 간호사는 면담 중에 "영미 어머니! 영미가 혼자서 앉을 수 있나요?"라는 식으로 자녀의 이름을 불러 주어 부모로 하여금 자녀의 건강정보가 좀 더 개별적이고 가치 있는 정보라는 사실을 알게 하도록 하는 것이 바람직하다. 어린 아동의 경우 부모와의 면담을 통해 건강력 조사가 이루어지며, 청소년기의 나이든 아동 또한 아직은 부모의 도움을 필요로 하기 때문에 면담 시 부모가 함께 있어야 한다. 그러나 면담의 내용이 아동의 사생활 보호가 필요한 부분이거나 아동이 원할 경우에는 부모가 없는 상태에서 면담을 시행하기도 한다.

02 / 의사소통기술

건강력 조사를 위한 효과적 면담을 위해서 간호사는 의사소통기술이 필요하다. 간호사는 먼저 자신을 소개하고 아동의 이름을 질문한다. 이후 간호사는 면담의 이유를 설명하고 대상에게 질문을 하여 자료를 수집한다. 질문의 형태는 원하는 정보의 내용에 따라 달라지는데 폐쇄형 질문과 개방형 질문의 두 가지 형태이다. 이 외에도 복합형과 확장형, 유도형 질문이 있는데 이는 대상자와의 효과적인 의사소통을 방해할 수 있으므로 적절하지 않다.

1) 폐쇄형 질문

가장 단순한 질문 형태로써 어떤 특정한 사실에 대해 "예" 또는 "아니오"로 대답하도록 묻는 것이다. 예를 들어 "미영이는 걸을 수 있나요?", "영수는 오늘 아침에 열이 났나요?"와 같은 질문이 이에 해당한다.

2) 개방형 질문

다양한 반응을 유도해 낼 수 있는 개방형 질문은 주로 면담을 시작할 때나 새로운 주제를 이끌어 낼 때 적합하다. 예를 들어 "영수는 열이 나서 병원에 방문하게 되었나요?" 라는 질문 대신에 "영수는 병원에 어떻게 오게 되었나요?" 라고 질문하는 것으로, 어머니는 영수가 왜 병원에 방문하게 되었는지에 대해 한두 단어 이상으로 얘기하게 된다. 또한 자신의 문제를 스스로 설명할 수 있는 학령기나 청소년기 아동에게 개방형 질문을 함으로써 자유롭고 편안한 대답을 할 수 있도록 유도한다.

3) 복합형 질문

한 번에 두 가지 이상의 이중 질문을 하는 것이다. 이는 대상자와 간호사 모두에게 혼돈을 주고 대상자가 대답한 내용을 분명하게 하기 위한 질문이 더 필요할 수 있으므로 피하는 것이 좋다. 예를 들어 "영민이는 설사나 구토가 있었나요?"라고 질문하는 것으로, 부모는 어떤 질문에 대답해야 할지 모를 수 있다. 부모가 만일 "예"라고 대답하면 영민이가 설사나 구토가 있었다는 것은 알 수 있지만, 정확히 설사인지, 아니면 구토인지는 알 수가 없다.

4) 확장형 질문

확장형 질문은 너무 광범위한 질문으로, 개방형 질문의 잘못된 형태이다. 이는 대상자가 무슨 얘기부터 해야 할 지 혼돈스러워 할 수 있고 면담이 불필요하게 길어질 수 있으므로 피하는 것이 좋다. 예를 들어 "영수에 대해 말씀해 주시겠습니까?"라고 물어보면 부모는 영수의 어떤 부분부터 얘기해야 할지 헤매게 된다. 그러므로 좀 더 제한적인 형태로 "영수의 증상이 지난 번 방문할 때에 비해 어떻게 달라졌나요?"라고 물어보아 부모가 구체적으로 대답할 수 있게 한다.

5) 유도형 질문

유도형 질문은 질문 자체가 어떠한 방향으로의 대답을 내포하여 대상자의 대답을 유도해 내게 됨으로써 잘못된 정보를 수집할 수 있으므로 피해야 한다. 예를 들어 "소영이는 그 동안 나이에 맞추어 예방접종을 다 했죠?"라고 질문하는 것이다. 이는 소영이가 당연히 예방접종을 다 했어야만 한다는 의미로 부모는 받아들이게 되어 그렇게 하지 않았어도 순간적으로 "예" 라고 대답하여 잘못된 대답을 유도할 수 있다.

03 / 면담의 실행

건강력 조사를 위한 면담은 소개단계, 조사단계, 마무리단계를 거쳐 이루어지며 조사단계를 통해 주로 다음 7개 영역의 자료를 수집한다.

1. 인구학적 자료
2. 주호소
3. 현재 병력
4. 과거 병력
5. 가족력
6. 하루 일과
7. 신체부위별 조사

간호사는 면담하는 동안 영역별 질문을 확실히 구분해야 한다. 만일 그렇지 않을 경우, 부모나 아동이 질문의 초점을 잘못 이해하여 잘못된 정보를 줄 수 있기 때문이다. 그러므로 "자, 이번에는 영수의 증상에 대한 좀 더 구체적인 질문을 하겠습니다." 라는 식의 분명한 설명을 해야 한다.

1) 소개단계

건강력 조사 전 간호사를 소개하고 면담의 목적을 설명하는 시간이 필요하다. 간호사는 부모와 아동에게 자신이 누구인지, 그리고 무엇에 대해 면담하려고 하는지에 대해 예의 바르게 설명해야 한다. "영미 어머님, 안녕하세요? 저는 이 병동에서 근무하는 간호사 ○○○입니다. 이제부터 영미가 어떻게 병원에 오게 되었는지에 대해 얘기하고자 합니다." 와 같은 짧은 소개와 설명이 있어야 한다. 또한 간호사는 면담의 과정을 구체적으로 설명하여 대상자가 면담에 소요되는 시간과 면담의 내용을 미리 예측할 수 있도록 한다.

2) 인구학적 자료

인구학적 자료는 아동과 가족의 개인적인 정보이다. 여기에는 대상자의 이름, 성별, 주소와 전화번호, 생년월일, 정보제공자가 포함된다. 또한 아동의 종교, 인종 혹은 국가, 출생지, 주로 사용하는 언어 등을 파악하여 아동과 가족의 문화적 배경을 고려한 간호를 제공할 수 있도록 한다.

아동의 성장환경을 확인하기 위하여 아동을 주로 돌보는 사람이 누구인지를 아는 것도 중요하다. 만일 부모가 이혼을 했거나 사망했을 경우, 누가 양육권을 가지고 있는지를 확인하는 것이 필요하다.

3) 주호소

인구학적 자료수집 후에는 아동이 병원을 방문하게 된 이유에 대해 묻게 되는데, 이를 주호소(chief complaint)라고 한다. 주호소에 관한 정보를 이끌어 낼 수 있는 효과적인 질문방법은 "영미 어머님, 오늘 영미를 병원에 데리고 오게 된 이유는 무엇입니까?"라는 식의 개방형 질문이다. 이러한 질문은 부모가 걱정하는 부분들, 즉 신체적, 정신적, 영양학적, 성장발달 측면에 관한 것에 대해 자유롭게 대답할 수 있게 한다. "오늘 영미가 열이 났나요?"라고 물어본다면, 부모는 단지 신체적인 측면만을 생각하여 실제로 가장 걱정하고 있는 문제인 분노발작이나 주의집중 장애에 대해서는 미처 말하지 못할 수도 있다.

4) 현재 병력

부모가 아동의 어떤 특별한 증상에 대해 말한다면 아래의 6가지 내용에 대한 질문을 통해 증상에 대한 분석이 이루어져야 한다.

- 발생시기 및 기간
- 증상의 특징
- 증상의 강도
- 발생부위
- 악화요인과 완화요인
- 관련증상

증상이 얼마 동안 지속되었는지를 물어보아 증상이 처음으로 발생한 시점을 확인한다. 이때에는 아동이 건강했던 마지막 시점이 언제인지를 물어보는 것도 효과적이다. 예를 들어 토요일 아침부터 보채기 시작했고 일요일 저녁에는 38.0℃ 이상의 고열까지 나타나 월요일 오후에 검사를 받기 위해 병원을 방문한 아동이 있다. 부모는 아동이 일요일 아침에 3번 토했다고 말했다. 만일 부모에게 아동이 건강했던 마지막 시점이 언제인지를 묻지 않는다면, 부모는 구토를 했던 일요일부터 아프기 시작했다고 할 것이다. 그러나 사실 아동은 보채기 시작했던 토요일 아침부터 아팠던 것이다.

증상이 어떤 양상으로 나타나는지를 구체적 용어로 기술한다. 위의 예에서는 구토의 특징과 양을 고려해야 한다. 구토가 흘러내리는 듯이 나타나는지, 내뿜는 듯이 나타났는지를 확인하고 구토의 양과 색깔(혈액, 담즙, 점액의 포함 여부)도 기록한다. 이때 부모가 취했던 행동과 그 이유를 알아보는 것도 중요하다. 먼저, 부모가 증상을 악화시키는 행위를 했었는지를 알아보는 것인데, 예를 들어 아동이 배고플까봐 구토를 더 악화시키는 요인임에도 불구하고 아동에게 과도한 음식물을 먹이는 경우이다. 그리고 아픈 아동을 돌보는 어머니의 반응으로, "나는 아이를 침대에 눕히고, 담요를 잘 덮어주고 마실 물을 조금 주었어요."라고 반응하는 것은 "나는 다른 아이도 돌보아야 하고 집안일로 바빠서 아이와 함께 있어주지 못했어요."라고 대답하는 어머니와는 다른 반응인 것이다. 만일 아동이 집으로 귀가하여 어머니로부터 돌봄을 받아야 한다면, 두 번째 경우의 어머니는 첫 번째 경우의 어머니보다 병원을 떠나기 전에 더 많은 교육과 정보를 제공 받아야 한다.

관련 증상은 아동의 주호소 외에 다른 증상(발열, 복통, 섭취 곤란, 기침 등)이 있는지를 확인하는 것이다. 이를 위해 "아이가 구토, 열, 보채는 것 외에 다른 증상이 있나요?"라고 질문한다.

확인문제

1. 질문 자체에 대답이 내포되어 있는 질문의 형태는 무엇인가?

2. 주요 증상을 분석하기 위한 6가지 조사영역은 무엇인가?

5) 과거 병력

과거 병력을 알아보기 위해 아동이 과거에 어떠한 질병이 있었는지를 질문한다. 대개 부모는 수두나 홍역, 볼거리 등과 같은 어린 시절 흔하게 경험하는 감염성 질환은 심각하다고 생각하지 않아 보고하지 않을 수도 있다. 그러므로 이러한 항목에 대해서는 별도로 질문해야 한다. 아동의 어떤 사고나 수술 경험도 과거병력에 포함해야 하며, 편도선 절제술과 같이 외부에 수술 흔적이 남지 않는 수술은 수술로 생각하지 않을 수 있으므로 별도로 물어보아야 한다. 아동이 추락이나 중독, 질식, 화상 등과 같은 사건을 경험한 적이 있는지도 확인한다. 또한 아동의 입원경험이나 응급실 방문 횟수 등도 기록해 두어야 한다.

과거에 어떤 질병을 경험했던 아동의 경우 질병 자체뿐 아니라 질병의 경과도 중요하다. 만일 아동이 2세에 중이염을 진단받고 항생제를 투여 받았으나 어떠한 합병증도 없이 회복되었다면, 부모는 이번의 질병 역시 치료과정을 통해 회복될 것이라고 확신할 수 있다. 그러나 만약 아동이 항생제에 대한 부작용 등으로 인해 건강문제를 경험했다면 부모는 치료과정을 믿지 못하고 의심하게 될 것이고 그리하여 처방된 지시에 잘 협조하지 않을수 있다. 이는 아동에 대한 간호 계획을 세우는데 있어 중요한 사항이다.

부모와 아동의 과거 질병에 대해 얘기할 때 자세히 묻고 그 반응들을 기록해야 한다. 이는 정확한 정보를 수집함으로써 아동에 대해 효과적이고 적절한 간호를 수행하기 위해 중요한 과정이기 때문이다. 예를 들어, 과거 아동이 어떤 질병으로 인해 설사를 했고 질병치료를 위해 항생제를 투여 받았다고 하자. 그런데 그 부모는 과거 자녀가 설사를 했던 이유가 질병 때문이 아닌 항생제에 대한 부작용으로 인해 발생했다고 믿고 간호사에게 그렇게 보고할 수 있다. 그러므로 아동의 과거 질병명, 증상, 부모가 진술한 부작용 반응에 관한 것을 상세히 조사하고 기록하여 투약 처방을 하는 의사나 약사가 아동이 특정 약물에 대한 과민반응이 실제로 존재하는지를 결정할 수 있게 한다.

(1) 임신과 분만력

임신기간 동안의 산모의 건강상태는 아동의 건강에 영향을 미치게 되므로 아동의 건강사정 시 어머니의 임신과 분만력도 조사해야 한다. 이는 어머니의 연령, 임신횟수, 분만횟수, 미숙아 분만경험, 유산이나 사산경험, 임신과 관련된 합병증을 포함한다. 이에 대한 면담은 "영수를 임신했을 때 어떠하셨습니까?"라는 개방형 질문으로 시작할 수 있다. 이는 어머니에게 신체적인 면과 정서적인 면 등을 포함하는 임신과 관련된 전반적인 대답을 유도하는 것이다. 임신과 분만력에 대한 초기 질문을 한 후 임신으로 인해 발생 가능한 구체적 사건들에 대해 질문한다.

- 임신 중 비정상적 출혈, 체중증가, 고혈압 등이 있었는가?
- 임신 중 복용한 약물이 있는가? 있다면 어떠한 약물을 복용했는가?
- 임신 중 X선 촬영을 한 적이 있는가? 했다면 어느 부위를 촬영 했는가?
- 임신 중 흡연이나 알코올 섭취를 했는가? 했다면 얼마나 했는가?

임신기간 동안의 가족의 질병이나 경제적 어려움과 같은 우발적인 사건들은 모아애착 형성에 있어 좋지 않은 영향을 미칠 수 있으므로 임신 중의 정서적 경험에 대한 조사 역시 중요하다. 또한 계획된 임신이었는지에 대해서도 확인한다. 이는 "처음 임신을 알았을 때는 갑작스러운 임신으로 인해 놀라는 경우가 많습니다. 수지를 임신했을 때 어머니는 어떠했습니까?" 혹은 "어떤 사람은 아이를 원하기도 하고, 어떤 사람들은 그렇지 않기도 하지요. 어머니는 어땠나요?"라는 식으로 질문함으로써 대상자가 어떠한 대답을 하

든지 받아들여질 수 있다고 느낄 수 있도록 수용적인 분위기에서 면담이 이루어지도록 한다

분만력에 대해서도 구체적인 사건들에 대해 질문 한다.

- 출생 시 아동의 상태가 어머니가 기대했던 상태였는가?
- 진통시간은 얼마나 걸렸는가?
- 분만방법은 질식 분만이었는지 아니면 제왕절개로 분만하였는가? 분만 시 어떤 합병증은 없었는가?
- 분만을 위해 마취를 하였는가? 했다면 마취는 어떤 방법으로 하였는가?
- 아이는 두정위로 출생했는가, 아니면 둔위로 출생했는가?

또한 분만 시 아이의 건강상태에 대해 질문한다.

- 아동은 출생 직후 곧바로 잘 울었는가?
- 출생 후 분만실이나 신생아실에서 특별한 기구나 간호가 필요했는가?
- 출생 시 청색증이 있었는가?
- 출생 직후 아동이 어떤 질병으로 인해 입원하였는가?
- 아이는 어머니와 함께 퇴원하였는가?

6) 가족력

유전질환이나 가족 질병의 가족력은 아동의 건강에 영향을 줄 수 있으므로 중요한 정보이다. 또한 가족은 아동이 생활하는 주된 환경이 되므로 흡연, 음식섭취습관 등의 가족의 건강습관도 확인하여야 한다. 가족 중에 어떤 질환이나 알레르기가 있는지 확인한다. 이는 부모가 부정확하게 보고하거나 간호사가 잘못 해석할 수 있으므로 구체적으로 질문하여 가족의 건강문제와 그 경과에 대해 자세히 기록한다.

또한 가족의 구조와 기능도 아동의 신체적, 정서적 건강에 중요한 관련요인이 된다. 그러므로 다음과 같은 정보를 조사하여야 한다.

- 부모의 결혼상태(동거, 이혼, 별거 등)는?
- 가족의 형태는 핵가족인가, 또는 확대가족인가?
- 아동의 형제자매는 몇 명인가?
- 부모의 직업은 무엇인가?(이는 가족의 사회경제적 수준을 알아보는데 도움이 된다.)
- 맞벌이 부모인 경우 자녀양육은 어떻게 하고 있는가? 아동을 주로 돌보는 사람은 누구인가?

가족관계와 관련된 정보를 묻는 것은 개인적인 질문이므로 부모가 준비되었을 때 간호사와 신뢰관계가 형성된 상태에서 대답할 수 있도록 면담이 종결될 때까지 미뤄 두기도 한다.

7) 하루 일과

아동의 놀이, 수면습관, 위생습관, 영양사정 시 조사되는 식습관 등의 하루 일과는 아동의 건강상태를 반영하거나 건강상태에 영향을 주는 중요한 요인이 된다. 이는 어떤 특정한 날의 아동의 생활을 서술하게 함으로써 파악할 수 있다. 대부분의 부모는 그들의 자녀와의 하루 일과를 서술하는 것에 적극적인 관심을 보인다. 이는 단순히 아동이 어떻게 자고, 먹고, 노는가를 물었을 때보다도 아동에 대해 훨씬 더 풍부하고 좋은 정보를 얻을 수 있어 매우 흥미로운 과정이 된다.

(1) 놀이

아동의 주된 하루 일과인 놀이는 성장발달과 전반적인 건강 상태를 나타내는 지표이다. 놀이와 관련된 주요 질문은 다음과 같다.

- 안전한 놀이터 시설이 주변에 있거나 자유롭게 뛰어다닐 수 있는 공간 및 방이 있는가?
- 부모는 아동이 좋아하는 장난감과 아동의 발달연령에 적절한 장난감을 알고 있는가?
- 블럭을 쌓거나, 조용히 있거나, 흉내내기를 하거나 활동적인 놀이를 하는가?
- 책은 아동이 원하면 언제든지 꺼내볼 수 있도록 놓아져 있는가?
- 부모는 아동에게 책을 읽어주는가?
- 부모와 아동이 함께 노는 시간이 있는가? 아니면 아

동이 항상 혼자서 놀게 하는가? (이는 하루 동안의 부모와 아동의 상호관계에 대한 질적 수준을 의미한다.)

(2) 수면

모든 아동은 성장발달과 건강유지를 위하여 적절한 수면을 필요로 한다. 부족한 수면 시간은 정신적, 사회적, 신체적인 건강 문제를 일으킬 수 있다. 수면과 관련된 주요 질문은 다음과 같다.

- 아동은 하루에 보통 얼마나 자는가?
- 잠드는데 어떤 어려움이 있는가?
- 어디에서 자는가? 자다가 갑자기 일어나 비명을 지르는 등의 야경증의 증상이 있는가?
- 수면 중 이상한 행동을 하는가?
- 야뇨증이 있는가?

(3) 위생

위생관리는 아동의 치아와 잇몸 등 구강건강과 건강한 피부 유지에 중요하다. 또한 철저한 손씻기는 감염 예방 효과가 있으며 청결한 위생상태는 자존감 증진에도 도움이 된다. 아동의 위생상태가 불량할 경우 게으름과 우울과 같은 정신건강문제, 약물남용, 낮은 사회경제적 상태를 의심할 수 있다. 위생과 관련된 주요 질문은 다음과 같다.

- 아동이 개인위생관리를 어느 정도 스스로 할 수 있는가?
- 샤워나 목욕은 얼마나 자주 하는가?
- 이는 얼마나 자주 닦는가?
- 식사나 간식 전 혹은 외출 후에 손을 씻는가?
- 최근에 위생관리에 어떤 변화가 있는가?

(4) 영양사정

영양상태는 빠른 성장기의 아동의 건강과 밀접한 관련이 있다. 그러므로 영양 상태에 대한 평가는 건강사정에 있어서 중요한 부분이다. 건강사정에 의해 확인할 수 있는 영양학적 상태가 건강한 아동의 신체적 특성은 [표 3-1]에 요약되어 있다. 또한 영양불균형을 유발할 수 있는 위험요인은 [표 3-2]에 요약되어 있다.

아동의 음식 섭취에 대한 사정은 부족하거나 과도하게 공급된 영양분이 있는지를 확인하는데 도움을 준다. 섭취한 음식의 양뿐만 아니라 질적인 면에서도 우수한지를 사정해야 한다. 이를 위해 부모로 하여금 아동이 24시간 동안에 먹은 음식들을 기억하게 하거나 나이 든 아동의 경우는 아동과 부모가 함께 기억하게 함으로써 서술하도록 한다. 그러나 이는 기억에 의존한 정보이므로 정확하지 않을 수 있다. 이를 보완하기 위해 일정 기간 동안(3일 또는 1주일) 섭취한 음식을 식사일기로 기록하는 방법으로 조사 하기도 한다. 완전한 자료수집을 위해서는 주말에 섭취한 음식에 대해서도 질문할 필요가 있다.

청소년의 경우 가능하면 부모가 없는 상태에서 24시간

표 3-1 영양학적 상태가 건강한 아동의 신체적 특성

신체부위	사정결과
전반적 외모	의식이 명료하며 신체비율이 적절하고 활발한 에너지 수준을 보임
모발	윤기가 있으며 탄력 있고 매끄러움
눈	분홍빛의 촉촉한 결막, 깨끗하고 빛나는 각막, 정상 시력(특히 밤)
입	충치 등 손상이 없는 치아, 촉촉한 분홍빛의 점막과 잇몸, 붉은 분홍빛의 균열이 없는 혀
목	정상적 모양의 갑상선
피부	부드럽고 탄력 있음, 피부손상이나 반상출혈 및 점상출혈이 없음
사지	근육의 분포가 적절하며 대칭적, 정상적 근육의 힘과 움직임, 곧은 다리, 부종이나 관절통이 없음
위장관계	오심이나 구토, 설사가 없음
손톱과 발톱	분홍빛의 부드럽고 깨지거나 갈라지지 않음
신장과 체중	표준성장곡선의 정상범주 내에 속함
혈압	연령 대비 정상범위 내의 혈압

동안 섭취한 음식을 기억하게 하여 조사한다. 부모가 함께 있으면 꾸중을 듣지 않기 위해서 자신들이 실제로 먹은 것에 무언가를 더하기도 하고, 빼 버리기도 한다. 또한 부모에 대한 반항심으로 인해 부모가 먹지 못하게 한 음식을 더하거나, 건강에 좋은 음식을 빼 버릴 수 있다.

음식 섭취에 대한 조사가 끝나면, 아동이 5가지 기초 식품군에 맞는 음식을 섭취하고 있는지 평가한다. 만일 전체 식품군이 빠져 있거나 대체로 부적절하다면, 평상시 자주 먹는 음식에 대해 재평가를 해야 한다. 그러나 매 식사 시마다 모든 식품군을 섭취하는 것은 아님을 기억해야 한다.

식습관에 대해 사정할 때는 가족의 기호식품, 문화, 생활양식과 경제적인 요인을 고려해야 할 필요가 있다. 외식 횟수, 집에서 주로 먹는 음식의 종류, 채식주의자 여부 등도 고려해야 한다. 간호사는 아동의 식습관에 대해 비판적인 태도를 보이지 않도록 주의한다. 이는 부모나 아동(특히 청소년)이 식습관을 조작하여 보고하거나 과장되게 표현할 위험이 있기 때문이다.

8) 신체부위별 조사

면담의 마지막 단계에서는 신체적 증상들을 간략하게 정리하거나 신체부위별로 조사한다. 이상이 없는 신체 부위에 대한 질문은 아동과 부모에게는 불필요한 것으로 생각될 수 있으므로 간호사는 신체부위별 조사를 시행하는 데 앞서 이에 대한 필요성을 설명해야 한다. 아동의 연령에 따라 조사하는 내용이 달라질 수 있지만 공통적인 목록은 [표 3-3]과 같다.

"영미는 오심이나 구토, 관절통이나 부종이 있었나요?" 라는 식의 너무 서두르는 듯한 질문은 피하도록 한다. 이는 부모로 하여금 각각 분리하여 대답할 여유를 주지 않게 되고 면담에 대한 신뢰성을 잃게 한다. 따라서 "영미의 목에 어떤 문제가 있었던 적이 있었나요?" 같은 전반적인 질문으로 조사를 시작한다. 이를 통해 부모나 아동으로부터 조사한 내용 중 어떤 의미 있는 증상이 발견된다면 이는 더 자세히 조사해야 할 필요가 있다.

9) 마무리단계

건강력 조사는 면담을 통해 수집된 자료를 간호사가 대상자와 함께 요약하고 명확히 함으로써 마무리된다. 이를 통해 대상자가 전달하려는 내용을 간호사가 정확히 이해했는지 확인하고 대상자가 더 말하고 싶은 내용이나 궁금한 것이 있는지 확인한다. 이는 개방형 질문을 통해 이루어지게 되는데, "제가 영미에 대해 더 알아야 할 것이 있으면 말씀해 주세요" 혹은 "저에게 질문할 사항이 있으십니까?"라는 질문을 하는 것이 좋다. 이러한 과정은 부모가 면담 초기에 얘기하기를 원치 않았던 사항이나 문제들을 면담의 과정을 통해 신뢰관계가 형성되면서 말할 수도 있기 때문에 이들에게 말할 수 있는 기회를 제공해 주는 것이기도 하다.

표 3-2 영양 불균형의 잠재적 위험요인

- 연령 대비 열량, 단백질, 활동량이 기준치보다 많거나 적은 경우
- 비타민과 무기질의 섭취량이 기준치보다 많거나 적은 경우
- 이식증, 폭식증과 불규칙한 식습관
- 부적절한 영양강화식품이나 보조식품의 섭취
- 부적절한 이유식 혹은 비경구 영양
- 주요 식품군의 권장량 이하의 섭취
- 배설량보다 수분섭취량이 적은 경우
- 섭식장애나 음식알레르기
- 과도한 다이어트
- 치료적 처치를 위해 3일 이상 금식이나 맑은 유동식을 섭취해야 하는 경우

문화적 고려사항

음식섭취는 개인적 기호뿐만 아니라 문화적 배경에 의해 영향을 받으므로 영양사정 시 문화적 배경을 고려해야 한다. 예를 들어, 종교적인 이유로 고기를 먹지 않는 아동은 채식주의자가 될 수 있다. 어떤 가족은 아주 맵거나 싱겁게 먹을 수 있다. 또한 아동이 거주하는 지역의 지리적 · 기후적 특성상 옥수수나 쌀, 감자, 밀 등을 주식으로 생활할 수 있다. 하루 중 식사 시간도 어떤 가족은 아침식사가 주된 식사이기도 하고 어떤 가족은 저녁식사가 주된 식사이기도 하다. 영양상태와 식이에 대한 사정은 가족의 음식에 대한 의미를 이해하는데 도움이 된다.

표 3-3 면담을 통한 신체부위별 조사

신체부위	면담내용
신경정신상태	발작, 두부손상, 주의집중장애, 우울, 공격적 행동, 의식장애, 약물남용 경험
눈	시력저하, 안구감염, 안경이나 콘택트렌즈 사용여부
귀	청력저하, 귀의 감염(분비물, 통증 등), 이관삽관 여부
코	분비물, 기침, 비출혈 여부
입	치아발현 관련 문제, 구강 내 감염, 치과방문, 흡연 여부
인후	인후감염, 연하곤란 여부
목	덩어리나 부종, 뻣뻣함 여부, 머리와 목의 정렬 상태
흉부	유방발달 상태, 정기적 유방자가검진 시행여부
폐	호흡곤란, 감염, 폐렴, 천식여부, 흡입 약물
심장	심장과 관련된 내과적 문제의 진단 여부
위장관계	섭식장애, 오심이나 구토, 설사나 변비 여부, 대소변 훈련과 관련된 문제 여부
비뇨생식기계	배뇨곤란, 혈뇨, 요로감염 여부 월경시작, 월경관련문제, 고환자가검진 여부
사지	통증, 부종, 골절, 염좌 여부
피부	반점, 상처 등 피부병변 여부
면역계	정기적 예방접종 여부

확인문제

3. 하루 일과를 조사하는데 고려해야 하는 중요한 요소는 무엇인가?
4. 가족력에 관한 조사가 필요한 이유는 무엇인가?
5. 건강력 조사의 마무리 단계에서 어떠한 내용의 질문이 포함되어야 하는가?

Ⅱ 생리적 상태

신체검진은 대개 머리에서 발끝 방향으로 진행하지만 어떤 순서로든 체계적으로 철저히 검사하여야 한다. 영아나 어린 아동은 심장과 호흡기계부터 검사를 시작하는 것이 좋은데, 이는 아동이 울 경우 울음소리 때문에 정확한 검진결과를 얻기 어렵기 때문이다. 만일 검사하는 동안 비정상적인 소견이 발견될 경우 이를 보고하여 정밀한 검사를 시행하여야 한다.

01 / 활력징후

활력징후(vital sign)는 아동의 기본적 신체기능을 사정하기 위한 생리적 자료이다. 이는 체온, 맥박, 호흡, 혈압이 포함된다. 활력징후는 아동의 연령에 따라 정상범위가 달라짐을 기억한다. 그리고 아동에게 주어진 환경과 심리상태에 따라서도 달라질 수 있으므로 생리적 자료의 해석 시, 이를 고려해야 한다. 예를 들어 더운 환경에 있었던 신생아가 열이 난다면 이는 질병보다는 고온의 환경에 의할 가능성이 높다. 또한 몹시 흥분한 아동의 혈압이 높게 측정되었다면 이는 고혈압보다는 심리상태로 인한 일시적인 현상일 수 있다.

1) 체온

체온은 구강, 액와, 피부, 고막, 직장 등 여러 신체부위에서 측정 가능하다. 그러나 구강이나 직장부위는 침습적 절차로 인해 아동에게 불쾌감 및 두려움을 유발하거나 점막 손상의 위험이 있어 어린 아동에서는 특별한 경우가 아니라면 사용되지 않는다. 최근 전자체온계, 고막체온계 등 체온계의 종류도 다양해졌으며 정확한 체온측정을 위해 기기 별 체온측정지침을 숙지하고 이에 따라 측정하여야 한다. 과거에는 수은체온계를 많이 사용하였으나 이는 수은의 위험성

때문에 권장되지는 않는다.

2) 맥박

2세 미만의 아동의 경우에는 심첨맥박을 청진하여 측정한다. 그러나 그 연령 이후의 아동의 경우에는 성인의 경우와 같이 말초맥박을 촉진하여 측정한다. 맥박은 리듬이 불규칙할 수 있으므로 1분 동안 측정하는 것이 바람직하며 말초맥박은 심첨맥박과 일치하여야 한다. 심박수(heart rate)를 모니터링 하는 아동의 경우 기기를 통해 모니터링 된 심박수와 간호사가 직접 측정한 맥박 수가 일치하는지를 확인하도록 한다.

3) 호흡

1분 동안의 호흡수를 측정한다. 영아의 경우 복식호흡을 하므로 복부의 움직임을 관찰하여 호흡수를 확인한다. 보통 6~7세 이하의 아동은 복식 혹은 흉식호흡을 하는데 큰 아동의 경우 특히 여아는 주로 흉식호흡을 한다. 이때 호흡수뿐만 아니라 호흡양상, 호흡에 들이는 노력 등도 같이 관찰하여 호흡곤란 여부를 확인한다.

4) 혈압

혈압은 주로 상박에서 측정하며 이것이 불가능한 영아의 경우 하지에서 측정하기도 한다[그림 3-2]. 보통 상지보다 하지의 수축기혈압이 더 높게 측정되며 상지 혈압측정 시에는 팔이 심장높이에 오도록 잘 지지하여 측정하도록 한다. 울거나 젖을 빠는 등의 행동상태는 혈압에 영향을 주므로 혈압측정값과 더불어 아동의 행동상태를 같이 기록하며 가능하면 아동이 안정된 상태에서 혈압을 측정하도록 한다.

커프가 너무 작을 경우 실제 혈압보다 더 높게 측정될 수 있으므로 혈압측정 전 적절한 크기의 커프를 선택하는 것은 정확한 혈압측정을 위해 필수적이다. 적절한 커프의 크기는 상박의 크기에 따라 달라지므로 먼저 아동의 팔 둘레를 측정한다. 이때 팔 둘레는 가장 둘레가 큰 부분 즉, 어깨뼈봉우리(acromion)와 팔꿈치의 주두(olecranon) 사이의 중간지점에서 측정된 값을 의미한다. 커프의 크기는 커프의 커버 내에 공기로 부풀려지는 부분인 공기주머니(bladder) 너비가 팔 둘레의 적어도 40% 정도, 길이가 팔 둘레의 80~100% 정도이어야 한다. 커프가 팔을 감쌌을 때 청진기가 전주와(antecubital fossa)에 놓일 수 있는 여유공간이 남아 있어야 하며 커프의 윗부분에도 여유공간이 있어 액와부위를 누르지 않도록 한다.

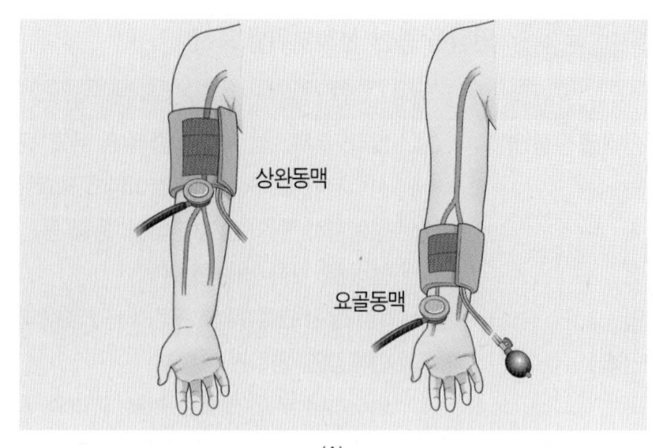

(A)

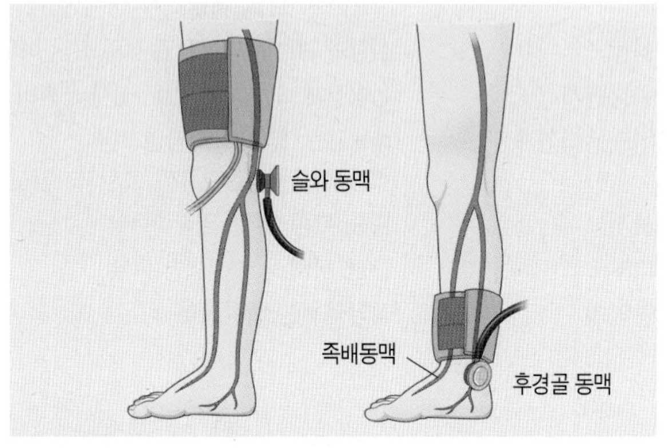

(B)

그림 3-2 혈압측정부위
(A) 상지 (B) 하지

혈압계는 아네로이드 혈압계(aneroid sphygmoman-ometer)가 가장 흔히 사용된다. 이는 동맥으로의 혈액흐름에 의해 유발된 코로트코프음(korotkoff sound)을 청진하여 혈압을 측정하는 방법이다. 이외에도 비침습적 진동혈압계(non-invasive blood pressure, NIBP oscillometry)는 청진에 의한 것이 아닌 커프 내 압력감지기를 통해 동맥벽에 대한 혈액의 진동을 인식하여 혈압을 측정한다. 압력감지기를 통해 인식된 진동은 전자신호로 바뀌고 이는 다시 숫자로 변환되어 수축기혈압, 이완기혈압, 평균동맥압(mean arterial pressure, MAP), 맥박수가 모니터에 표시된다. 평균 동맥압은 평균 혈압과는 다른 수치로 평균 혈압보다 약간 낮게 측정된다. 또한 진동혈압계에 의한 혈압이 청진에 의한 것보다 10mmHg가량 높게 나오며 실제 혈압에 더 가깝다.

02 / 신체계측

아동기는 생의 주기 중 가장 빠른 성장발달을 보이는 시기이므로 이 시기의 신체계측을 통한 성장평가는 아동의 건강사정을 위해 필수적인 과정이다. 아동의 신체성장은 주로 신장, 체중, 두위의 신체계측값을 이용하며 이를 표준성장곡선과 비교하여 평가한다. 우리나라의 질병관리본부에서 제정한 표준성장곡선은 5~95백분율을 정상성장범위로 제시하고 있다. 또한 아동의 신체계측값을 지속적으로 측정하여 아동의 연령과 개월 수에 따라 변화하는 아동의 성장양상도 함께 평가할 필요가 있다. 이외에도 아동에게 관련 병리적 문제가 있을 때 흉위와 복위를 측정하게 된다.

1) 신장

신장은 아동이 똑바로 서있을 때의 길이로 측정된다. 아동은 신장계측기 위에 신발을 벗고 올라가 양 발의 안쪽 복사뼈를 붙이고 선 상태에서 머리를 몸의 중앙선에 두고 시선은 정면을 응시하여 바닥과 평행하게 고정한다[그림 3-3(A)]. 그리고 측면에서 봤을 때 아동의 어깨의 후면, 둔부, 발뒤꿈치가 신장계측기의 자대에 닿아 있는지 확인한 후 측정한다[그림 3-3(B)].

24~36개월 이전의 아동, 특히 안전하게 설 수 없는 영아기 아동의 경우에는 앙와위로 누워있는 상태에서 머리 끝부터 발뒤꿈치까지의 길이를 측정한다. 이는 누워있는 자세에서 신장측정이 가능한 신장측정판을 이용하여 측정한다. 신장측정판이 없을 경우 바닥에 종이를 깔아 종이 위에 아동을 눕히고 머리끝 부분과 발뒤꿈치 부분을 표시하여 그 길이를 재는 방법도 있다. 이때 어린 영아는 정상적으로 다리를 구부린 자세를 취하고 있다. 그러므로 부모나 다른 간호사의 도움을 받아 영아의 머리를 몸의 중앙선에 반듯이 잡고 양 무릎을 함께 잡아 부드럽게 눌러 양 다리가 완전히 펴지도록 한 후 신장을 측정한다[그림 3-3(C)].

2) 체중

체중은 잘 서거나 앉을 수 없는 영유아기 아동의 경우 앉거나 누운 채로 측정한다. 체중계는 어린 영아의 경우 10g 단위, 나이 든 아동의 경우 100g단위까지 정확하게 잴 수 있는 전자식 저울을 이용한다. 일정한 체중측정값을 얻기 위해 매번 동일한 체중계를 사용하도록 한다. 체중의 측정 전 체중계를 영점으로 맞추고 균형대가 중앙에 있는지 확인한다. 영아의 체중은 기저귀의 무게가 전체 몸무게 가운데 많은 비중을 차지할 수 있으므로 옷과 기저귀를 모두 벗긴 상태로 측정한다. 이때 영아의 체온이 낮아질 수 있으므로 영아가 춥지 않도록 방을 따뜻하게 한다. 또한 체중 측정 중에 영아의 움직임으로 인해 낙상할 위험이 있기 때문에 영아의 몸 위쪽에 손을 가까이 하여 위험상황에 대비하도록 한다[그림 3-4(A)]. 감염관리를 위해 체중 측정 시 마다 체중계에 1회용 종이 시트를 깔아주어야 한다.

2세 이상 된 아동의 체중은 선 자세에서 측정한다. 이때 신발은 벗고, 가벼운 옷은 입은 채로 재거나 병원이라면 환자복 차림으로 잰다[그림 3-4(B)]. 만일 아동이 매일 혹은 하루에도 여러 차례 체중을 측정해야 한다면 옷 무게로 인한 오차를 줄이기 위해 체중을 잴 때마다 같은 옷을 입고 체중을 재도록 한다. 정확한 체중값을 얻기 위해 체중은 대부분 아침 식사 전에 측정하며 동일한 시간에, 동일한 장소에서, 동일한 체중계로 측정하도록 한다.

3) 두위

두위는 두뇌 성장발달의 지표가 된다. 따라서 빠른 두뇌발달의 시기인 영유아기에는 특히 정확한 두위의 측정이 중요하며 체중, 신장과 함께 정기적으로 측정하여야 한다. 또한 뇌손상으로 인해 두위성장 지연이 의심되는 아동이나 머리크기의 변화를 유발하는 소뇌증, 뇌수종 등의 뇌질환이 있는 아동에서도 두위 측정이 필요하다. 두위는 ㎜단위의 줄자를 이용하여 눈썹 바로 위를 지나 후두부의 가장 돌출된 부위를 둘러서 잰다[그림 3-5]. 아동이 머리를 움직이면 정확한 측정이 어려우므로 나이든 아동의 경우 아동의 협조가 필요하며 영아의 경우 다른 간호사나 보호자가 머리를 고정시킨 후 측정할 필요가 있다. 머리모양의 굴곡 정도에 따라 측정 시 마다 결과가 달라질 수 있으므로 정확한 측정값을 얻기 위해 두 차례 이상 측정한다.

4) 흉위와 복위

흉위는 두위와 비교하여 아동의 전반적 성장을 평가하기

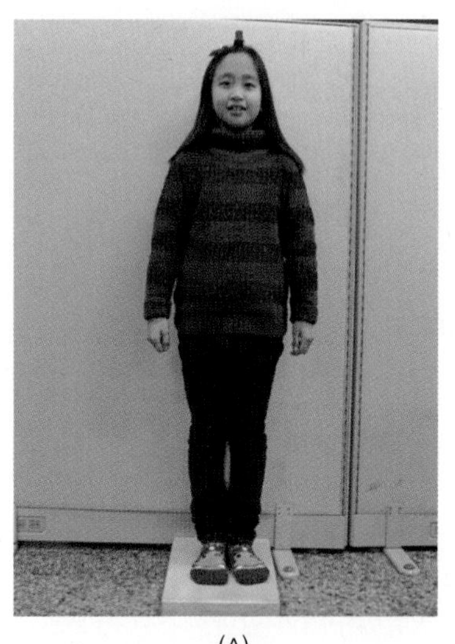

(A)

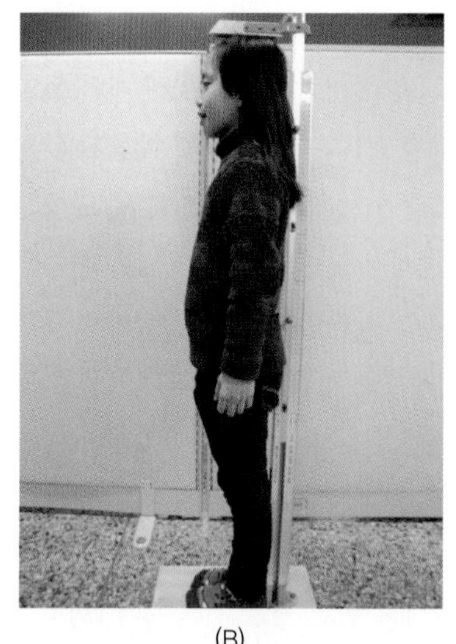

(B)

(C)

그림 3-3 신장측정

(A) 나이 든 아동 정면, (B) 나이 든 아동 측면, (C) 24~36개월 이전 아동의 신장측정 자세

위해 측정된다. 출생 시 흉위는 두위보다 2~3㎝작으며 이는 생후 1년에 비슷해진다. 이에 흉위는 출생 시 측정하고 생후 1년까지 측정하게 된다. 복위는 정기적으로 측정하지는 않으나, 장폐색으로 인한 복부팽만 등 특별한 병리적 문제가 있을 때 시행하게 된다. 흉위는 유두선을 따라 측정하며, 복위는 배꼽위치에서 측정한다.

 신체검진

아동의 건강사정을 위해 신체검진(physical examination)은 필수적인 과정 중 하나이다. 아동의 건강상태를 잘 반영할 수 있는 자료를 얻기 위해 간호사는 신체검진 항목과 과정을 숙지하여 정확한 방법으로 검진을 시행할 수 있어야 한다. 또한 간호사는 아동의 신체검진 과정에서 얻어진 정보를 아동의 건강상태를 설명하는 의미 있는 결과로 해석할 수 있어야 한다.

출생 직후의 신생아 혹은 처음 건강관리실을 방문한 아

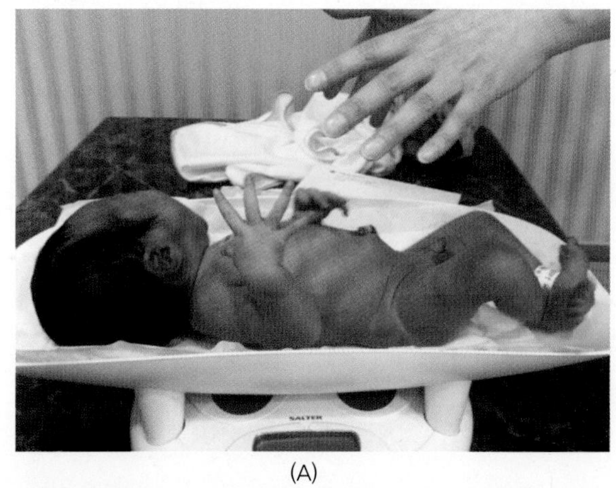

(A)

(B)

그림 3-4 체중측정

(A) 영아의 체중측정과 안전 관리, (B) 나이 든 아동의 체중측정

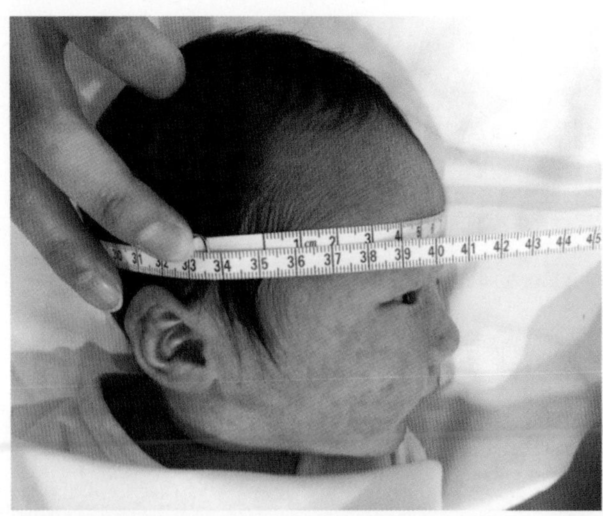

그림 3-5 **두위의 측정**

동의 경우 전반적인 신체검진을 받게 되나 특정한 질환이 있거나 응급상황 아동의 경우에는 문제가 되는 신체부위에 대한 검진만을 시행할 수도 있다.

01 / 신체검진 기술

신체검진은 시진(inspection), 촉진(palpation), 청진(auscultation), 타진(percussion)의 4가지 방법을 이용한다. 이는 주로 시진부터 시작하며 촉진, 청진, 타진의 순서를 따른다. 그런데 복부의 경우 시진, 청진, 촉진, 타진의 순으로 검진하는데, 이는 촉진이 정상 복부음을 변화시킬 수 있기 때문이다.

시진은 대상자의 외모나 신체부위 병변 등을 눈으로 면밀히 관찰하여 검사하는 것을 말하며 이는 냄새를 맡는 것도 포함한다. 촉진은 간호사의 손(손가락 끝, 손바닥, 손등)으로 온도, 질감, 크기, 모양 등을 느끼는 것으로 표면촉진(superficial palpation)과 심부촉진(deep palpation)있다. 표면촉진은 신체부위를 1~2㎝ 깊이로 눌러 맥박을 촉진하거나 덩어리, 압통 여부를 확인하는 것이다. 반면 심부촉진은 4㎝ 깊이로 눌러 표면촉진 시 확인하지 못한 덩어리나 압통을 확인하기 위해 주로 복부에서 시행된다. 청진은 신체부위에서 발생된 소리를 듣는 것으로 이는 직접 귀로 들을 수도 있지만 주로 청진기를 이용해 확인하게 된다[표 3-4]. 타진은 신체 장기의 밀도를 파악하기 위해 시행되며, 이는 손가락이나 손으로 부비동 등의 신체부위를 직접 두드리는 직접타진이 있고 두 손을 사용하는 간접타진[그림 3-6]이 있다.

효과적인 신체검진을 위해서는 많은 연습과 훈련이 필요하다. 예를 들어 간호사는 효과적인 타진을 위해 신체부위의 타진음을 잘 유발해 낼 수 있는 자세와 기술을 연습해야 하며 신체부위마다 다른 정상 타진음과 비정상 타진음을 구별해 낼 수 있어야 한다.

02 / 검사장비와 환경

신체검진 시 검사장비를 사용하면 더 자세한 관찰이 가능하며 신체검진 기술만으로 얻을 수 없는 건강정보도 얻을 수 있게 된다. 그러므로 신체검진을 위해 체온계, 청진기, 설압자, 검안경, 이경, 혈압계, 줄자, 반사해머, 신장계, 체중계 등을 준비한다.

신체검진을 하는 동안 아동은 신체부위를 노출해야 한다. 이때 아동의 사생활 보호를 위해 검진실에는 아동과 간호사만 있는 것이 좋으며 아동이 원할 경우 부모도 함께 있도록 한다. 또한 검진을 위해 필요한 신체부위만 노출하고 검진하지 않는 다른 부위는 가려주어 최소한의 노출을 한다. 이는 신체부위 노출로 인한 오한을 방지하기 위한 목적도 있다. 이에 검진실의 온도도 22℃ 정도로 유지하여 아동이 춥거나 덥게 느끼지 않도록 한다.

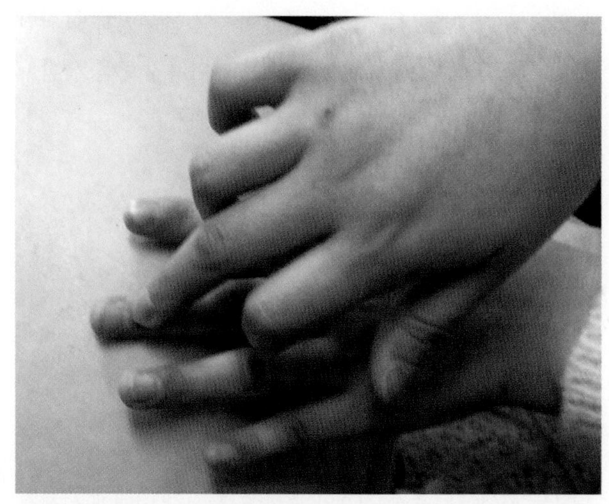

그림 3-6 **간접타진방법**

타진 시 검진부위에 한 손가락을 올려 놓고 다른 손가락으로 두드려 소리를 낸다.

표 3-4 신체검진 기술

항목	방법
시진	눈(시각적 증상 확인)과 코(후각적 증상 확인)를 이용한 신체검진 방법 가장 먼저 시행되는 검진 방법
촉진	손으로 직접 만져 보아 검사하는 방법 가벼운 촉진을 심부촉진 보다 먼저 시행해 근육의 긴장을 막도록 하며, 민감하거나 아픈 신체부위는 가장 마지막에 촉진 • 손가락 끝: 가장 예민한 부분으로 진동(맥박 등), 밀도나 윤곽 감지하는데 이용 • 손등: 피부 온감 확인에 이용
타진	검사부위를 손가락으로 두드려 보아 조직의 밀도차이에 의해 달라지는 소리를 해석하여 검진하는 방법 • 편평음: 뼈와 같이 밀도가 높은 신체부위에서 들리는 음 • 탁음: 간과 같이 조직으로 채워져 있는 신체부위에서 들리는 음 • 공명음: 폐와 같이 공기로 채워져 있는 신체부위에서 들리는 음 • 과공명음: 폐기종과 같이 공기로 과잉팽만된 조직에서 들리는 음 • 고장음: 위나 장과 같은 장기 내에 공기가 찼을 때 들리는 음
청진	귀나 청진기를 통해 신체부위에서 유발된 소리를 들어 검진하는 방법

신체검진의 모든 단계마다 아동에게 무엇이 진행될 것인지를 미리 알려주어 갑작스러운 신체접촉으로 인해 아동이 긴장하거나 놀라지 않도록 한다. 즉, "이번에는 입안을 볼까?" 라는 식의 말로 알려준다. 만일 심부촉진이나 타진처럼 아동에게 불편감을 유발하는 행동을 하게 될 경우 "잠시 동안 누르는 듯한 느낌이 있을 거야. 불편하면 언제든지 불편하다고 얘기하렴." 이라고 미리 알려준다. 이는 검진과정 동안 아동의 심리적 안정에 도움이 될 것 이다.

검사에 협조가 어려운 어린 아동의 경우 검진으로 인한 신체 상해의 위험으로부터 보호하기 위해 아동의 몸을 억제 할 수도 있다. 그 예로 이경을 이용한 귀의 사정 시 외이도 안으로 이경을 넣는 것에 놀라 아동이 몸부림치게 되면 외이도나 고막이 손상될 수 있으므로 어머니의 도움을 받아 아동의 손과 머리를 억제할 필요가 있다.

03 / 연령에 따른 신체검진 기술

아동의 신체검진 기술과 기대되는 결과는 연령과 발달단계에 따라 달라진다.

1) 신생아

모든 신생아는 출생 직후와 출생 후 24시간 이내에 신체검진을 한다. 재태기간에 따른 신장, 체중과 두위가 적절한지를 확인한다. 신생아 검진 시 가장 중요한 부분 중의 하나는 체온유지에 관한 것으로 검진 시에 검진 부위만 노출시키거나, 방사성보온기를 사용한다. 신체검진은 머리에서 발끝 방향으로 시행하는데 신생아가 울면 심장과 호흡기계를 검사하기 어려우므로 이를 먼저 검진한다. 그리고 인후와 귀 사정 시 신생아가 심하게 울 수 있으므로 이는 가장 마지막에 검진한다. 직장체온을 측정하면서 항문의 개방여부를 확인하고 확인 후에는 직장 점막의 손상 위험이 있으므로 액와나 고막체온으로 체온을 측정한다. 말초맥박은 측정이 어려우므로 심첨 부위에서 맥박을 측정한다. 대동맥 축착증(coractation of aorta)을 확인하기 위해 심첨맥박과 대퇴부 맥박을 비교한다. 신경계 사정으로 원시반사를 확인한다.

2) 영아

영아가 안정된 상태에서 검진이 진행될 수 있도록 부모가 영아를 안고 있거나 무릎에 앉혀서 검사를 시작한다. 그리고 "재미 있지 않니?" 혹은 "이건 놀이 같은 거야." 같은 긍정적인 말투와 밝은 목소리는 사무적인 딱딱한 말투보다 더 영아의 협조를 얻어내는데 효과적이다. 신생아와 마찬가지로 심장과 호흡기계의 기능은 영아가 울지 않은 상태에서 마칠 수 있도록 가장 먼저 검진한다. 그리고 귀나 인후의 사정은 강압적인 검진과정으로 인해 영아가 울 수 있으므로 마지막으로 검진한다. 6개월까지는 검진 시 원시반사를 확인하며 심첨맥박으로 맥박을 확인하고 액와나 고막체온을 측정한다. 생후 3년 동안은 체중과 키뿐만 아니라 두위도 측정하여 성장상태를 확인한다.

영아기 후반에는 낯선 사람에 대해 두려움을 느끼기 시작한다. 그러므로 검진시작 전 아이와 친숙해지는 시간을 갖는 것은 이런 문제를 해결하는 데 도움이 된다.

3) 유아와 학령전기 아동

유아와 학령전기 아동은 낯선 검진 도구들에 대해 두려움을 갖는다. 그러므로 검진 시작 전 청진기, 검안기, 혈압계의 커프 등을 만져보게 하거나 병원놀이를 할 수 있도록 하여 아동의 두려움을 감소시킨다[그림 3-7].

머리에서 발끝 방향으로 검진을 진행하며 회음부, 귀, 인후 등과 같이 침습적이고 강압적 절차를 필요로 하는 부위의 사정은 맨 마지막에 하도록 한다. 검진을 위해 아동의 옷을 벗겨야 할 때는 아동이 놀라지 않도록 부모가 하게 하거나 아동이 스스로 옷을 벗도록 한다. 검진 중 아동에게 많은 칭찬을 하는 것은 아동의 협조를 얻어내는데 도움이 된다. 3세 아동의 건강사정 시에는 정기적인 혈압 측정이 시작된다.

4) 학령기 아동과 청소년

이 시기의 아동은 신체검진 내용이 무엇인지 잘 알지 못함으로 인해 불편해 할 수 있다. 그러므로 검진 전 자세한 설명을 해 줌으로써 검진과정에 대해 두려워하지 않도록 해준다. 나이 든 아동은 부모와 함께 검사 받는 것을 좋아할 수도 있지만 이를 부담스러워 할 수도 있기 때문에 검진 시 부모 참여 여부에 대해 아동 스스로 선택하도록 한다. 청소년은 가끔 정상적인 사마귀나 과잉유두 같은 신체적 문제에 대해 걱정한다. 그러므로 검진 결과를 "네 손에 있는 것은 사마귀고, 그건 정상이야."라는 식으로 말을 해 줌으로써 안심시킨다. 또한 "이것은 과잉유두야. 혹시 이것에 대해 걱정한적 있니?"라고 물어보아 신체변화로 인해 염려하고 있는 것에 대해 말할 수 있도록 도와준다.

이 시기의 아동은 특히 수줍어하므로 검진 시 가운이나 포를 이용하여 필요한 부위만 노출이 되도록 하고 불필요한 부위를 가려주어 사생활 보호에 주의를 기울인다. 사춘기 아동은 유방과 고환 자가 검진법을 교육 한다.

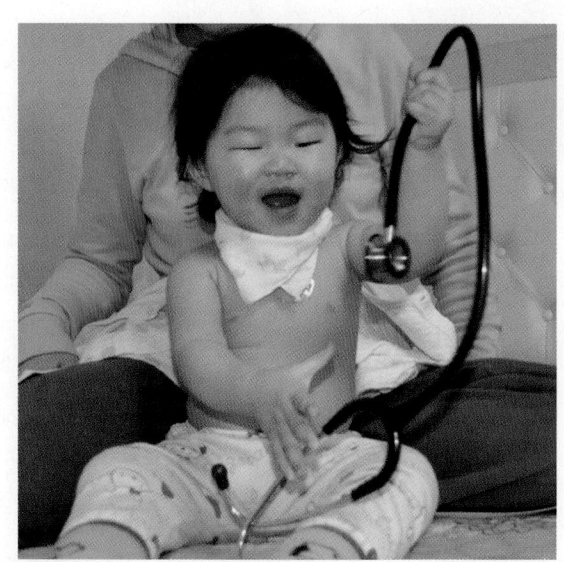

그림 3-7 검진 전 아동의 준비

검진 전에 아동으로 하여금 검진도구를 만져 보도록 한다.

확인문제

6. 신체검진을 위해 사용되는 4가지 방법은 무엇인가?

7. 정기검진 시 혈압측정이 포함되는 연령은 언제인가?

04 / 일반적 외모

일반적 외모(general appearance) 사정은 초기 신체검진 시 아동의 전반적인 건강과 안녕 상태를 확인하는 것이다.

이는 신체검진 방법 중 주로 시진을 통해 사정하게 된다. 아동간호사는 아동을 처음 만나는 시점부터 신체검진 전 면담하는 과정 중에도 아동의 자세나 태도 등을 관찰한다. 이러한 과정을 통해 자세한 검진이 필요한 신체부위를 확인한다. 일반적 외모의 사정은 다음의 내용을 포함한다.

- 아동이 전반적으로 건강해 보이는지, 혹은 아파 보이는지?
- 영양상태가 적절해 보이는지? 신장에 비해 체중이 적절해 보이는지?
- 피부색깔이 어떠한지? 창백한지? 황달이 있는지? 청색증이 있는지?

- 몸의 자세는 어떠한가? 앉아있거나 서있는 자세가 적절한가?
- 걸음걸이는 균형감 있고 자연스러운가?
- 의복착용 상태는 어떠한가?
- 위생상태는 어떠한가? 몸에서 냄새가 나지는 않는가?
- 특이한 냄새가 나는가? [표 3-5]
- 아동의 활동 정도는 어떠한가? 무기력하거나 힘들어 보이는가?
- 호흡은 편안해 보이는가?

05 / 정신상태

정신상태의 사정은 일반적인 외모에 대한 평가를 보완하기 위해 초기에 시행한다. 아동의 외모와 함께 태도, 행동, 정서, 인지능력, 판단능력, 사회성 등이 평가될 수 있다. 인지능력은 MMSE (modified mini-mental status exam)를 이용해 평가하기도 하는데 이는 아동의 지남력, 주의집중 및 계산, 단·장기 기억, 언어 기능 등을 포함한다. 뇌손상이 있는 아동의 경우에는 자극이 있거나 없을 때의 눈 뜨기 반응, 언어 반응, 운동 반응의 사정을 통해 아동의 의식수준을 평가하여야 한다.

06 / 피부

피부는 신체 각 부위별 온도, 색깔, 탄력성[그림 3-8], 병변의 존재 여부를 검진한다. 피부의 검진은 시진과 촉진을 통해 이루어지며 정확한 피부검진을 위해서 밝은 조명이 필요하다. 피부의 온도는 신체의 각 부위를 위에서 아래로, 대칭적으로 손등을 이용해 촉진하여 비교한다. 피부 탄력성은 아동의 수분상태 특히 탈수 정도를 알아보기 위해 평가한다. 이는 엄지와 검지로 피부를 겹쳐 올려 잡았다가 놓아 검진한다. 탄력있는 조직은 들어 올려진 피부가 즉각적으로 원래 상태로 돌아오나 탈수가 심한 피부는 원상태로 돌아오는데 시간이 걸린다. 다양한 피부상태에 대한 해석은 [표 3-6]에 요약되어 있다.

손·발톱의 색, 모양, 질감 등을 관찰한다. 보통 손톱은 분홍색으로 모양이 볼록하고 매끈하며 단단하지만 탄력이 있어 부서지지는 않는다. 짧고 거친 손톱은 손톱을 물어뜯는 습관이 있음을 시사하고, 자르지 않고 더러운 손톱은 불결한 개인위생 상태를 나타내기도 한다.

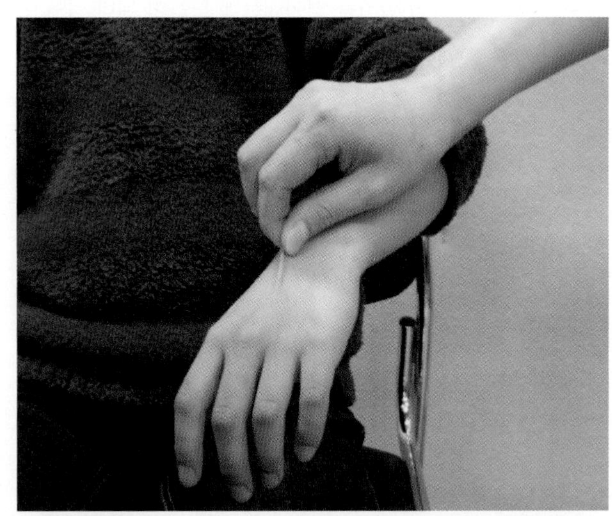

그림 3-8 **피부의 탄력성 사정**

표 3-5 **특이한 냄새**

근원	냄새의 특성	가능한 원인
호흡	구취 단 냄새	불량한 구강 청결, 폐의 감염 산독증
몸	소변 땀 부패한 과일	요실금, 기저귀 교한이 잘 안된 경우, 요독증 피로, 불량한 위생상태 감염된 상처
소변	메이플시럽(단 냄새) 곰팡이 혹은 쥐오줌 냄새 암모니아	단풍당뇨증 페닐케톤뇨증 비뇨기계 감염, 농축된 소변
대변	악취	대변 속 지방

표 3-6 피부검진 결과의 해석

피부검진 결과	해석
청색증	호흡기능의 저하, 심장질환 생후 48시간 이내의 신생아에서 말단 청색증은 정상 소견임
창백	빈혈, 혈액순환기능의 저하
붉은색	체온상승, 국소염증
노란색	빌리루빈 증가에 의한 황달, 케로틴혈증
발진	전염성 질환, 고체온, 알레르기
선형 찰과상	긁음으로 인한 상처나 알레르기 반응
반상출혈	최근의 외상
점상출혈	혈액질환에 의한 출혈성 경향
습함	고체온으로 인한 과다 발한 반응
말단의 체온저하	부분적 혈액순환 감소
미열	염증반응
저하된 탄력성	탈수

출생 초기 신생아의 피부는 피하지방층이 얇고 적혈구 수치가 상대적으로 높아 붉은 빛으로 보인다. 생후 2~3일에는 생리적 황달이 나타나 피부가 노란빛으로 변하는데 이때는 피부를 눌러보아 황달 정도를 사정한다. 생후 며칠 동안 말단청색증(acrocyanosis)이 흔하며 중독성 홍반과 모반(혈관종, 몽고반점, 혹은 선천성 모반)이 나타날 수 있다. 출생 시에는 솜털이 주로 어깨와 등에서 보이며 이는 10~14일이면 빠진다.

아동은 활발한 활동으로 인해 물체에 부딪혀 멍(bruise) 혹은 반상출혈(ecchymosis)이 있는 것을 자주 발견할 수 있다. 이때 멍은 주로 뼈가 돌출된 부분에서 보이고 연조직에서 멍이 드는 경우는 드물다. 멍이 있는 경우 혈액응고장애와 관련된 질환과 아동학대의 가능성을 반드시 고려하여야 한다.

청소년은 피부가 성숙하면서 많은 변화를 보인다. 피지선 활동으로 인해 얼굴이나 등에서 여드름이 흔히 관찰되고 2차 성징으로 체모를 관찰할 수 있다. 많은 청소년들은 이러한 변화에 대해 많은 관심을 가지게 되고 이는 신체상에 영향을 주게 된다.

07 / 머리

머리의 전반적인 모양과 대칭성을 관찰하고 불규칙한 두개골의 형태나 압통 정도를 촉진하여 검진한다. 대부분의 아동들은 후두가 융기되어 있으므로 이러한 정상적인 머리의 굴곡을 비정상인 것으로 간주해서는 안 된다. 신생아의 두개골 촉진 시 천문(fontanelles)이 촉진된다. 이 중 대천문은 두정골과 전두골의 만나는 봉합교차 지점에 있고 소천문은 두정골과 후두골이 나는 봉합교차 지점에 있다. 촉진 시 천문은 부드럽고 약간 함몰되어 있는 것이 느껴진다. 그러나 두개내압이 상승되면 천문은 융기된다. 영아가 울 때는 두개내압이 상승하므로, 울고 있는 상태에서의 천문은 팽팽해진다. 따라서 아동이 안정된 상태로 앉아있는 자세에서 천문을 촉진하는 것이 가장 좋다. 대천문은 대개 12~18개월 사이에 폐쇄되며, 소천문은 2개월 정도에 폐쇄되어 이후에는 만져지지 않는다. 천문이 너무 빨리 혹은 너무 늦게 폐쇄되면 병리적 문제가 있음을 의미할 수 있다.

신생아는 난산의 결과로 아두변형(molding), 산류(caput succedaneum)와 두혈종(cephalhematoma)이 흔하게 관찰된다. 얼굴의 대칭성, 표정, 움직임도 관찰하여 얼굴의 대칭적 움직임과 안면마비 유무를 사정한다.

머리카락은 분포, 색, 결, 탄력성을 사정한다. 머리카락이 골고루 분포되어 있는지 확인하고 머리카락이 전체적으로나 부분적으로 없는지 확인한다. 계속 같은 자세로 누워있는 영아의 경우 눌린 부분에 머리카락이 없어질 수 있다. 항암화학요법 시에는 머리카락이 전체적으로 빠지며 곰팡이 감염(두부백선)이 있거나 학대 받는 아동은 부분적으로 빠진다.

영양이 좋은 아동의 머리결은 윤이 나고 부드러우며 탄력이 있으나 영양이 좋지 않은 아동은 건조하고 푸석푸석하며 윤기가 없다. 머리카락과 두피가 유난히 기름지지 않는지 청결상태도 확인한다. 학교나 유치원에 다니는 아동의 머리를 검진할 경우 머리카락이 자라나는 곳에 붙어있는 작고 희거나 노란 색깔의 모래알 크기 만한 머릿니(pediculi)의 알(nits)에 주의해야 한다. 알은 머리카락에 매달려 있기 때문에 빗으로 빗어 내리는 것만으로는 충분히 제거되지 않는다. 아동은 매우 가려워하며 아동의 두피에는 대개 긁어

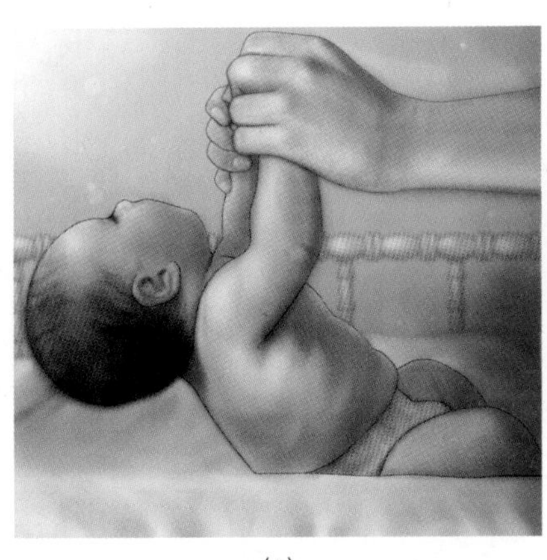
(A)

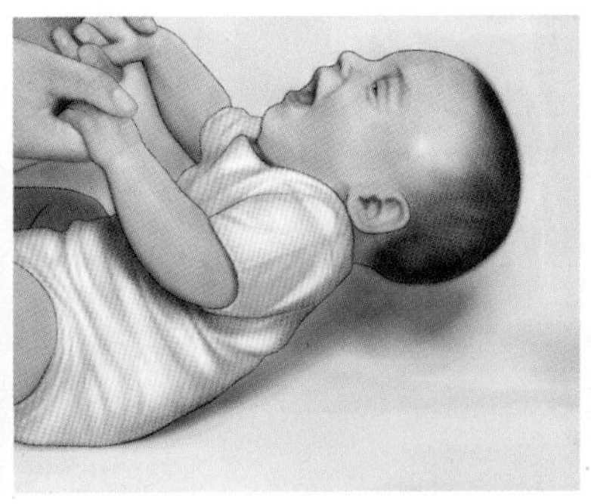
(B)

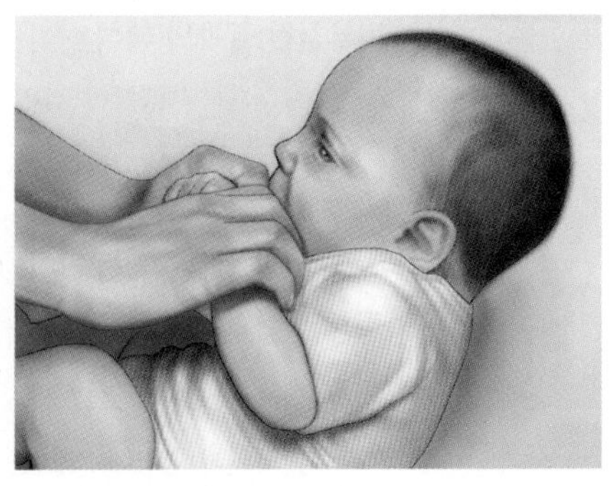
(C)

그림 3-9 앉는 자세로 끌어당길 때의 머리 가누기

(A) 생후 1개월에는 머리가 완전히 처진다.
(B) 생후 2개월에는 머리가 부분적으로 처진다.
(C) 생후 4개월에는 머리 처짐이 거의 없다.

서 난 상처가 있다. 이는 학교나 유치원에서 수건이나 빗을 함께 사용함으로써 쉽게 퍼진다.

영아에게 흔히 발생하는 지루(seborrhea)는 두피에 각질이 벗겨지고 기름져 보이며, 하얗거나 노란 구진이 보인다. 이는 하루에 한번 정도 머리를 감겨 주게 되면 서서히 사라진다.

머리 조절능력을 사정한다. 영아는 만 4개월이 되면 대부분 머리를 똑바로 세울 수 있는데 생후 6개월 이후에도 머리를 가누지 못하면 뇌의 이상을 의미한다. 이는 영아를 반듯이 눕힌 상태에서 앉은 자세가 되도록 아기의 팔을 조심스럽게 잡아당겨 검진할 수 있다. 4개월 이하의 영아는 팔을 잡아당길 때 머리가 처지지만 4개월 이상의 영아는 머리를 들어 올린 상태에서 뒤로 쳐지지 않을 것이다[그림 3-9].

08 / 눈

1) 외안의 시진

눈의 위치, 좌우 대칭성, 눈썹의 분포를 확인한다. 다운증후군 아동은 두 눈 사이의 간격이 넓다. 안구 위의 눈꺼풀 위치를 관찰한다. 눈을 떴을 때 윗눈꺼풀은 홍채 부분을 덮어야 하며 눈을 감았을 때 눈꺼풀은 완전히 닫혀야 한다. 윗눈꺼풀이 동공을 덮어 시야를 가리게 되는 상태를 안검하수증(ptosis)이라 하며, 이는 대개 신경학적 문제를 동반한다. 반면 위눈꺼풀과 홍채사이에 공백이 보이면 갑상선 기능항진증에 의한 안구돌출증을 의심할 수 있다. 눈 주위 부종은 신장문제를 의미하며 움푹 꺼진 눈은 탈수를 의미한다. 누관의 막힘으로 인한 누낭염(dacryocystitis)은 눈꺼풀의 발적, 부종, 분비물을 유발한다.

결막하 출혈이나 황달을 확인하기 위하여 공막을 검사한다. 신생아는 분만 시의 압력으로 인해 특히 난산의 결과로 결막의 작은 혈관이 파열되어 공막에 작고 밝은 붉은 점이 종종 생긴다. 이는 정상적인 것이며 7~10일 사이에 혈액이 흡수됨으로써 사라지게 된다.

아동이 위를 보는 동안 손가락 끝으로 아래 눈꺼풀을 아래로 당기고 뒤집어 아래쪽의 결막을 검사한다. 정상적인 결막은 분홍색으로 반짝거리며 촉촉하다. 빈혈이 있는 아동은 결막이 창백해 보인다 알레르기나 감염이 있는 경우는 결막의 충혈이 나타난다.

각막은 깨끗하고 투명하며 촉촉하다. 각막 쪽으로 측면에서 경사지게 빛을 비추어 각막의 혼탁정도를 사정한다.

동공은 크기, 모양, 움직임의 대칭성을 사정한다. 동공 검진 결과는 PERRLA로 표현될 수 있다. 이는 정상적으로 동공은 크기가 같아야 하고(pupils equal), 둥글며(round), 빛에 반응하고(react to light), 원근조절(accommodation)이 되어야 함을 의미한다. 빛에 대한 반응은 불빛을 아동을 향해 천천히 다가가는 것 보다 이마에서 눈으로 재빨리 비춘 후 제거함으로써 검사한다. 빛에 대한 반응으로 동공은 수축하고 빛이 멀어지면 이완한다. 이때 빛을 비춘 동공에 수축이 일어나는 직접대광반사를 확인하고 빛을 비추지 않은 반대편의 동공 역시 수축하는 간접대광반사를 확인한다. 원근조절은 먼 곳의 물체를 응시할 때는 동공이 이완되고 가까운 곳의 물체를 응시할 때는 동공이 수축하는 능력이다. 이는 불빛을 거리를 두고 바라보게 한 후 갑자기 코 쪽으로 이동시켰을 때의 동공의 반응을 관찰함으로써 검사한다.

2) 내안의 시진

내안의 시진은 검안경(opthalmoscope)을 이용한다. 검안경 검사를 위해서는 방안을 어둡게 하여 동공을 확대시켜야 한다. 이때 아동이 불안해 할 수 있으므로 방의 불을 꺼야 하는 이유를 미리 설명해준다. 검안경의 불빛을 동공에 비추어 망막의 빛 반사로 동공이 적색이나 오렌지색으로 반짝이는 적색반사를 관찰한다. 이는 망막의 손상이 없고, 수정체와 각막이 깨끗하다는 것으로 백내장, 종양 등 수정체의 혼탁이 있으면 적색반사가 부분적으로 나타나거나 적색반사를 관찰하기 어렵다.

적색반사를 유지하고 초점을 맞추면서 검안경을 눈 가까이 접근하면 시신경유두를 볼 수 있다. 시신경 유두는 우유빛 분홍색으로 망막보다 색이 옅고 경계가 일정하고 분명하며 둥글고 위로 약간 긴 타원형이다. 망막혈관의 색과 분포도 확인하는데 동맥과 정맥은 정상적으로 서로 교차되며 동맥은 정맥보다 더 진하고 1/4크기이다. 또한 황반과 황반의 중심인 중심와는 다른 부위보다 색이 약간 어둡게 관찰된다.

3) 시각 사정

아동은 성장하면서 시각발달 과정을 경험하고 어떤 질환은 아동의 시력발달에 직접적으로 영향을 준다. 따라서 아동의 시각사정은 신체검진에 중요한 부분을 차지하며 이는 여러 영역에서 이루어진다.

(1) 시력 검사

정기적인 시력검사는 보통 3세부터 시작한다. 일상생활에서 보여지는 아동의 행동이 시력 이상에 대한 중요한 단서를 제공해 줄 수 있다. 따라서 간호사는 면담과 검진 동안 아동의 행동을 잘 관찰하고 아동이나 부모의 질문이나 표현하는 말에 주의를 기울인다. 영아기 아동은 부모에게 엄마가 방안에서 움직일 때 아기의 눈이 엄마를 따라 움직이는지를 물어보아 확인할 수 있다. 유아와 학령전기 아동은 다음의 질문을 통해 시력 이상 여부를 확인한다.

- 눈을 비비거나 자주 깜박이고, 물체를 자세히 보기 위해 눈살을 찌푸리나요?
- 물체를 볼 때 한쪽 눈을 가리나요?
- 물체를 더 잘 보기 위하여 몸을 앞으로 기울이나요?
- 길에서 종종 물체에 걸려 넘어지나요?
- 책이나 장난감을 보기 위해 눈을 가까이 대거나 멀리 하나요?

학령기 이상의 아동은 다음의 질문을 통해 시력 이상여부를 확인한다

- 두통을 자주 호소하나요?
- 최근 학업을 게을리 하지는 않나요?
- 야구나 축구 같이 멀리 보아야 하는 운동을 하기 싫어하나요?
- 소리 내어 책을 읽을 때에 단어를 건너뛰나요?
- 시야가 흐리거나 이중으로 보인다고 말하나요?
- 결막이 붉어져 있거나 눈에서 분비물이 흐르지 않나요?
- 밝은 빛에서 눈을 깜박거리나요?

어린 영아는 불빛이나 물체에 시선을 고정하고 따라올 수 있는지를 검사함으로써 시력을 평가한다. 신생아는 움직이는 물체에 초점을 맞추며 이를 정중선까지 따라가 볼 수 있다. 또한 30cm 정도의 거리를 두고 있을 때에 가장 분명하게 볼 수 있으며 흑백대비가 명확한 물체를 더 잘 식별할 수 있다.

일반적으로 7세 이상 아동의 시력검사는 Snellen 차트를 이용하여 6m 거리에서 한쪽 눈씩 번갈아 가며 검사한다. 우리나라에서는 한천석 시력표(3m용, 5m용)를 사용한다.

문자를 읽지 못하는 아동은 E차트를 이용하여 검사하기도 한다[그림 3-10]. 어린 아동은 E가 익숙하지 않으므로 이것을 다리 달린 탁자로 설명하여 다리의 방향이 어디를 향하고 있는지를 말하거나 지적하게 하여 검진한다.

한쪽 혹은 양쪽 모두 20/40 이하의 시력을 갖고 있는 유아기 이후의 아동이나 양쪽 눈의 시력차이가 시력표에서 두 줄 이상으로 약시가 의심되는 아동은 전문가에게 의뢰한다.

(2) 색각검사

색각이상은 색상을 정상적으로 구분하지 못하는 증상이다. 아동에서는 주로 망막 원추세포의 선천적 기능이상으로 나타난다. 이는 X염색체 관련 열성 유전질환으로서 여아보다는 남아에서 많이 나타난다. 색각이상은 적색, 녹색, 황색 중 일부 색을 구분하지 못하는 부분색맹이 흔하다. 부분색맹은 적색과 녹색 · 회색을 구별하지 못하는 적록색맹과 청색과 황색 · 회색을 구별하지 못하는 청황색맹이 있는데 이 중 적록색맹이 가장 흔하다. 색맹환자의 대부분은 선천적으로 구별하지 못하는 색을 아동 나름의 방식으로 인지하고 있으므로 일상생활에는 큰 문제를 야기하지는 않는다. 그러나 신호등의 적색과 녹색을 구분하지 못하는 등으로 인한 안전사고의 위험성에 주의해야 한다. 또한 미묘한 색을 분별해야 하는 전공이나 직업선택에 제한이 있다.

색각의 평가는 주로 Ishihara검사와 Hardy–Rand–Rittler(HRR)검사로 선별검사를 한 후 색맹이 의심된다면 정도판정과 진단을 위한 정밀검사를 시행하게 된다. Ishihara 검사는 명도와 채도를 변화시킨 동일한 색의 점들 안에서 숫자를 인식할 수 있는지를 검사하는 방법으로 색각이상이 있는 아동은 바탕색과 혼돈하여 숫자를 구별해낼 수 없다. 숫자를 읽지 못하는 어린 아동은 동그라미, 세모, 가위의 세가지 모양을 찾는 HRR검사를 시행한다.

(3) 눈의 정렬 검사

이는 외안근(external ocular muscle)의 기능을 사정하는 것으로 사시(strabismus)는 외안근의 기능부전으로 두 눈동자가 동일하게 정렬이 되지 않은 것이다. 만일 눈이 항상 내측으로 향해 있으면, 이는 내사시(esotropia)라고 한다. 반대로, 외측으로 향해 있으면, 이를 외사시(exotropia)라고 한다. 영아는 정상적으로 생후 3~4개월까지 양쪽 눈을 동시에 하나의 대상에 고정하여 응시할 수 있는 양안시가 발달한다. 그리고 생후 4~6개월까지는 외안근의 불균형으로 가성사시가 나타날 수 있다. 그러나 사시가 지속되면 양안시가 발달하지 않으며

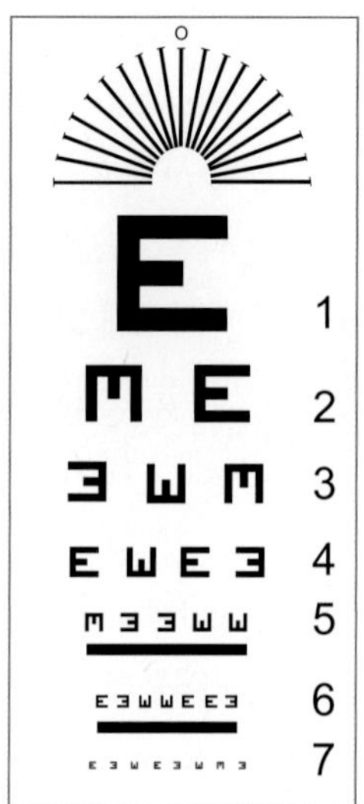

그림 3-10 E-chart

사시인 눈을 사용하지 않아 약시(amblyopia)가 된다.

눈동자의 정렬을 확인하는 2가지 검사 방법은 각막빛반사(혹은 Hirschberg)검사와 차폐검사(cover test)이다. Hirschberg 검사는 아동에게 검안경의 불빛을 똑바로 바라보게 하고 30~38㎝ 떨어진 곳에서 비추어 검사한다. 양쪽 동공의 중앙에 대칭적으로 빛이 반사되는 것이 정상반응이며 눈의 부정렬이 있다면 빛이 한쪽 눈의 중심에서 벗어나 반사되는 것이 관찰될 것이다[그림 3-11].

차폐검사는 아동의 한쪽 눈을 가리개로 가리고 간호사의 코 끝이나 물체를 바라보게 하여 가리지 않은 쪽의 눈의 움직임을 확인한다. 이때 가리지 않은 눈의 움직임이 없어야 하며 편위나 움직임이 있다면 사시가 있음을 의미한다. 다음은 가리개를 제거하여 가렸던 눈의 움직임을 확인한다. 가렸던 눈이 움직이지 않으면 눈의 정렬은 정상을 의미하지만 만약 사시가 존재한다면 가리개를 치울 때 눈동자가 초점을 맞추려고 움직일 것이다[그림 3-12].

(4) 주변 시야 사정

양쪽 눈 각각의 네 방향(상측, 하측, 비측, 측두부측)에서의 시야 검사를 통해 주변 시력 손실 여부를 검사한다. 아동의 협조가 필요하므로 눈 검사에 잘 따라오는 아동에게서 검사가 가능하다. 아동의 한쪽 눈을 가리고 간호사는 시야의 밖에서 안으로 물체를 움직이면서 아동에게 물체가 보이자 마자 "예"라고 응답하게 한다. 물체가 처음으로 보일 때

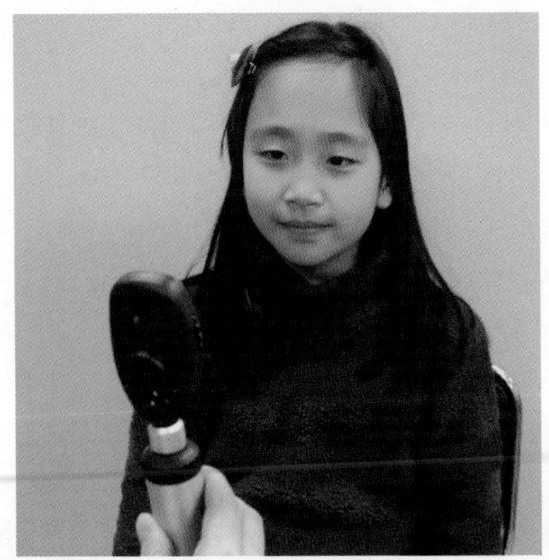

그림 3-11 각막 빛반사 Hirschberg 검사

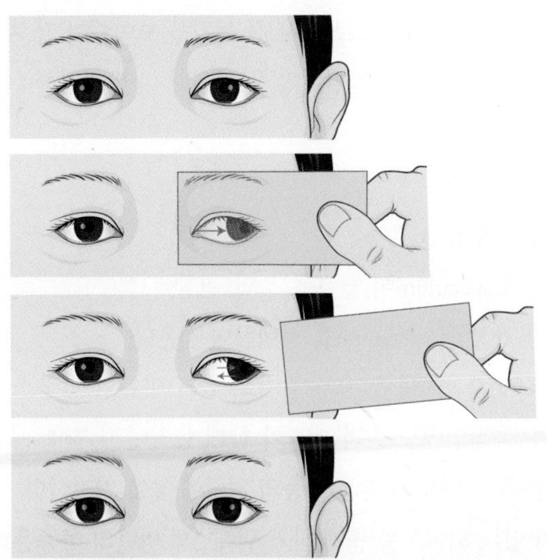

그림 3-12 차폐검사

눈의 전후 방향의 축과 물체가 보이기 시작한 시점 사이의 각도를 평가한다. 아동의 시야 각도는 정상적으로 상측 50°, 하측 70°, 비측 60°, 측두부측 90°이다.

확인문제

8. 표준 성장곡선에서 아동의 정상 체중의 범위는 얼마인가?
9. 피부 검진 시 검진되어야 할 내용은 무엇인가?
10. 적색반사는 어떻게 확인하는가?

09 / 귀

1) 외이의 시진

외부에서 보이는 귓바퀴인 이개의 위치를 관찰한다. 이개는 외안각에서 후두부위 가장 돌출된 방향으로 가상선을 그어 이 가상선이 이개의 위쪽 끝에 닿거나 지나야 한다. 이개의 각도는 이 가상선에 직각이 되는 선과 이개가 이루는 각도가 10° 이내이어야 한다[그림 3-13]. 만약 귀가 정상 위치보다 낮게 있거나 각도가 10° 이상으로 비스듬히 위치할 경우 비뇨생식기의 이상이나 염색체 이상과 관련될 수 있다.

이관 개구부를 잘 관찰하여 분비물이 있는지 확인해야 한다. 노랗고 부드러운 약간의 귀지는 정상적으로도 관찰될 수 있다. 귀지는 냄새가 없으며 냄새나는 화농성의 분비물이 있을 경우 외이도 감염을 의심할 수 있다. 이개를 움직여 보아 외이도염으로 인한 통증이 있는지를 사정한다. 귀의 앞쪽 피부의 누공(sinus)이나 연성 섬유종(skin tag) 등이 있는지 관찰한다. 이는 신장이상과 관련되어 있을 수 있다. 귀걸이를 하기 위해 뚫은 부위의 주변 피부에 감염으로 인한 발적이나 분비물이 있는지 관찰한다.

2) 이도와 고막의 시진

외이도와 고막의 검진을 위해서는 이경을 이용한다. 이경을 이용한 귀의 내부를 검진하기 위한 단계는 다음과 같다.

(1) 아동의 준비

많이 보채고 검사에 협조가 안 되는 어린 아동은 이경 검사를 위한 적절한 자세를 취해주고 아동의 보호를 위해 억제가 필요할 수 있다. 이를 위해서는 부모가 아동을 부모의 다리 사이에 놓고 한 팔로 아동의 복부 위에 양팔과 손목을 단단하게 교차시키고 다른 팔로 아동이 머리를 움직이지 않도록 부모의 가슴에 아동의 머리를 기대게 해서 단단히 붙잡는다[그림 3-14]. 검진받는 쪽의 귀는 간호사를 향하도록 한다. 나이든 아동은 아동기에 흔히 발생하는 중이염과 외이도염으로 인한 통증과 검진과정에 대한 두려움으로 검사에 저항할 수 있다. 그러므로 검사 전 이경을 보여주며 가지고 놀게 하고 검진 시 무슨 일이 있을 것인지 미리 설명해주어 두려움을 감소시킨다.

(2) 검진 방법

- 이경의 speculum이 클수록 고막 관찰이 쉬우므로 가능한 가장 큰 speculum을 선택하여 끼운다.
- 이경의 손잡이를 엄지와 검지로 잡고 아동의 갑작스러운 움직임에도 손과 이경이 함께 움직여 내부에 손상을 주지 않도록 손은 아동의 얼굴에 놓아 지지한다.
- 굽어있는 외이도를 곧게 하기 위해 2세 미만의 아동은 귓바퀴를 후하방으로 부드럽게 잡아당기고, 3세 이상의 아동은 후상방으로 잡아당긴다.
- 이경을 외이도에 살짝 집어 넣는데, 이때 이경을 외이도 안쪽의 연골부분을 넘어 삽입하게 되면 통증을 유발하므로 0.6~1.3cm 이상 삽입하지 않는다.
- 이경을 조금씩 움직이면서 이도와 고막, 빛 반사, 중이의 추골과 침골, 고막 표면의 경계면을 검사한다.

외이도에서 부드러운 우유빛 노란색 혹은 기름지고 암갈색으로 보이는 귀지(cerumen)가 대부분 관찰된다. 귀지로 인해 내부 구조가 잘 안 보일 수 있는데 중이염의 가능성이 있다면 중이 전체를 볼 수 있도록 귀지를 제거하고 관찰한다. 신생아의 귓속에는 아직 양수나 태지가 있기 때문에 이도를 검진하는 것은 비효율적이다.

경계면은 반투명한 막을 통하여 내이의 추골 경계선 밖에 있어야 한다. 고막의 색깔은 분홍빛을 띤 회색이다. 만일 고막의 탄력성이 정상이라면, 빛의 반사는 시계의 5시에서 7시 방향에 맺혀야 한다[그림 3-15].

아동은 상기도 감염이 많고 성인에 비해 짧고 곧은 유스타키오관으로 인해 중이염이 자주 나타난다. 이때 화농성 중이염이 있으면 고막은 붉고 팽창되어 보이고 중이압이 올라가 빛 반사가 보이지 않는다. 장액성 중이염일 경우 암갈색의 액체가 고막 뒤로 보이며 간혹 액체 내의 공기 방울도 볼 수 있다.

고막의 운동성은 이경의 공기주입기를 이용하여 고막을 향하여 귓속으로 공기를 집어넣음으로써 검사할 수 있다[그림 3-16]. 이때 이경이 이도를 완전히 막아 공기가 밖으로 새어 나가지 않도록 해야 하므로 이경은 이도에 맞을 만큼 충분히 커야 한다. 공기를 주입하기 전에는 아동에게 미리 간지러울 수 있음을 설명한다. 고막은 정상적으로 공기의 압력에 의해 움직이며 고막의 후면에 액체가 차 있는 경우는 운동성이 감소한다.

3) 청각사정

청각사정은 관련 건강력 조사부터 시작한다. 부모나 아

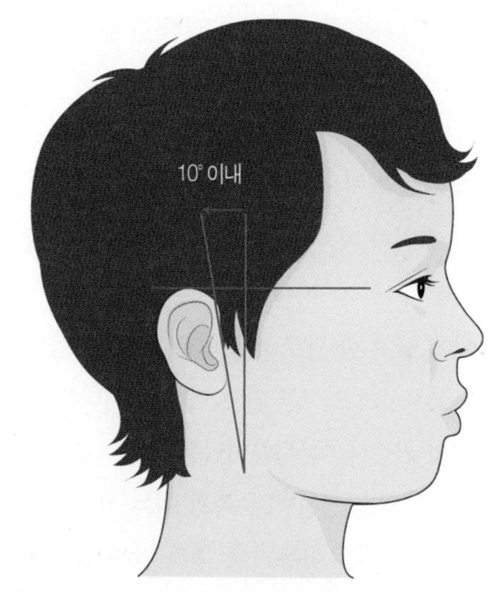

그림 3-13 **정상적인 귀의 위치와 정렬**

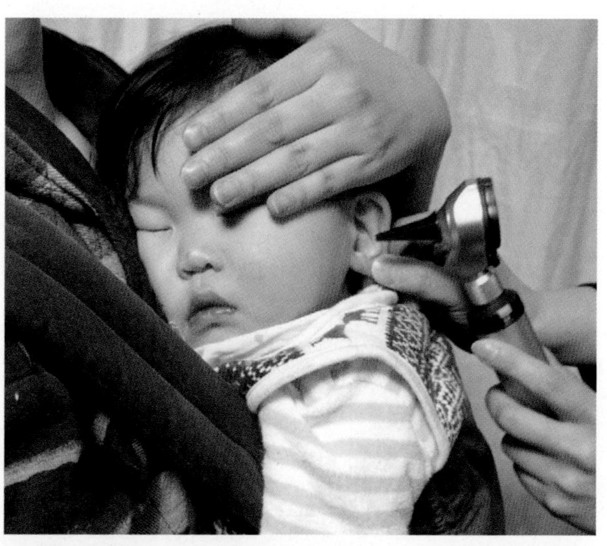

그림 3-14 **어린 아동의 이경검사**

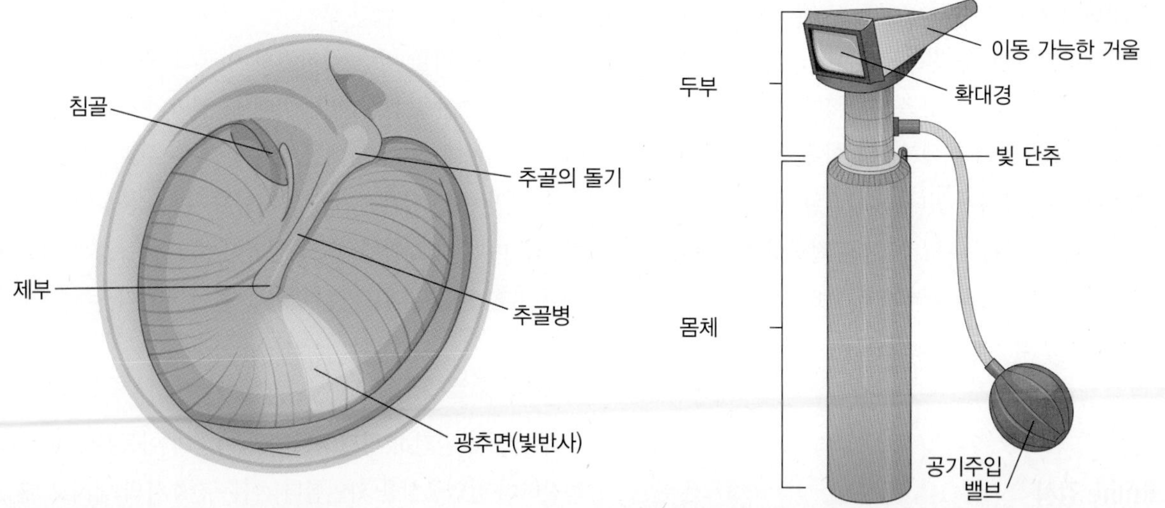

그림 3-15 **이경으로 관찰된 고막**

그림 3-16 **공기주입구가 달려있는 이경**

동에게 주변의 소리나 대화내용을 얼마나 잘 들을 수 있는지에 대해 질문을 한다. 중이염의 빈도, 선천성 기형이나 저체중출생아 등 과거병력과 청력검사를 해 본 경험이 있는지 조사한다. 청력이상이 있으면 언어발달 문제나 주의집중을 못하는 등의 행동문제와 연관될 수 있으므로 청력손상과 관련하여 나타날 수 있는 증상을 확인한다. 이후 속삭임 검사, Weber 검사, Rinne 검사로 청각기능에 대한 검진을 하고 이에 이상을 보이는 아동은 더욱 정밀한 검사가 요구된다. 신생아나 영아에서는 난청의 선별을 위해 특수장비를 이용하는 뇌간반응(auditory brain stem, ABR)검사와 이음향 방사(otoacoustic emission, OAE)검사가 주로 시행된다.

(1) 속삭임 검사

속삭임 검사는 대상자의 한쪽 귀를 막고 30~60cm 정도 떨어져 간호사가 단어를 말하면 대상자가 듣고 정확하게 반복할 수 있는지를 확인하는 검사이다. 이는 협조가 가능한 아동에게 할 수 있다. 검사에 협조가 어려운 영아는 영아의 등 뒤쪽에서 큰소리를 내어 갑작스러운 소리에 놀람반사를 보이거나 소리 나는 방향을 바라보는 등의 반응을 확인하여 사정한다.

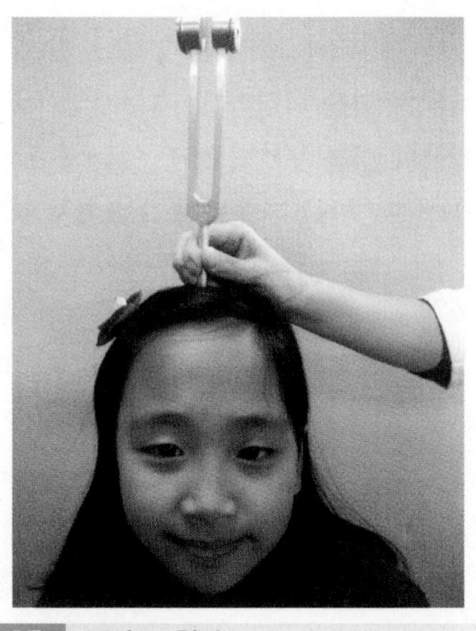

그림 3-17 **Weber 검사**

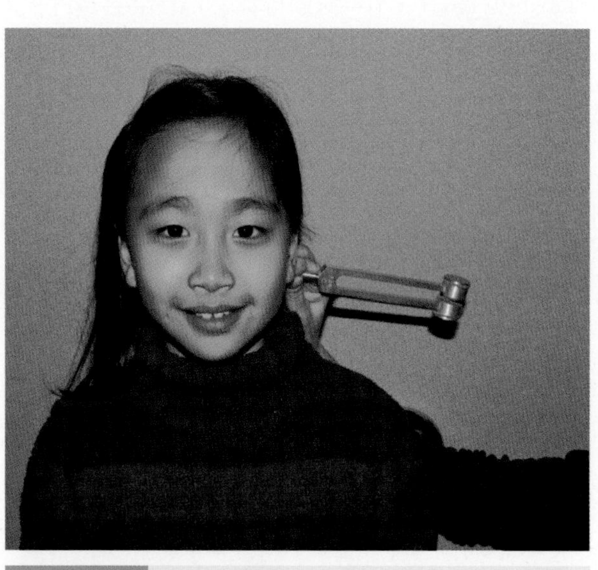

그림 3-18 **Rinne 검사**

(2) Weber 검사

500㎐~1000㎐의 음차를 진동시켜 이를 아동의 머리 위 중앙에서 놓는다[그림 3-17]. 양쪽 귀가 정상적인 청력을 가지고 있다면, 아동은 양쪽 귀에서 똑같이 들을 수 있다. 만일 한쪽 귀의 전도성 장애가 있다면, 상실된 귀는 다른 정상적인 귀보다도 더 잘 들을 수 있다. 이는 전도성 청력손실이 있을 경우 외이쪽으로 소리가 퍼지지 못하므로 골을 통해 소리가 울리면서 오래 머물기 때문에 손실이 있는 쪽의 귀에서 더 크게 들린다.

(3) Rinne 검사

500~1000㎐의 음차를 진동시켜 아동의 유양돌기에 대고(골전도) 아동이 소리를 더 이상 들을 수 없을 때 음차를 이도 앞에 위치한다(공기전도)[그림 3-18]. 정상적으로 공기전도가 골전도보다 2배 정도 길게 들린다. 그러나 전도성 장애가 있다면 공기전도는 감소된다.

10 / 코

1) 코의 모양 및 기능 검진

코의 모양, 대칭성을 시진하고 코의 개방성을 검진한다. 코의 피부는 매끈하고 손상이 없어야 한다. 콧등의 아주 작고 흰 구진인 미립종(milia)은 대부분의 신생아에서 정상적으로 관찰된다. 코의 양측은 대칭적이고 중앙에 위치한다. 아동의 머리를 약간 뒤로 젖혀 비중격이 한쪽으로 굴곡되어 있는 비중격 편위가 있는지 관찰한다. 비중격의 편위는 안면부위 외상에 의해 발생할 수 있는데, 이는 호흡곤란을 일으킬 수 있으며 응급상황에서 비강을 통한 관의 삽입을 어렵게 만들 수 있다. 호흡곤란 징후 중 하나인 비공 확장여부를 관찰한다.

비강의 개방성 사정을 위해 한쪽 코를 가볍게 눌러서 막고 아동에게 숨을 들이쉬게 하여 숨을 쉬는데 불편함이 있는지 확인한다. 다른 쪽 코도 같은 방법으로 반복하여 확인해 본다. 만약 아동이 숨쉬기 힘들어 한다면 후비공(choana) 폐쇄, 코막힘, 비도(nasal meatus)의 외상 등을 의심할 수 있다.

2) 코의 내부 검진

아동의 머리를 약간 젖히면서 이경의 불빛을 이용하여 코 점막의 색깔을 관찰한다. 이때 코 점막의 색깔은 분홍색이어야 하는데, 만약 창백한 분홍빛 혹은 푸르스름한 회색을 보이면 이는 알레르기를 암시한다. 아동은 상기도 감염이 많으며 상기도 감염 시 코 점막이 붉고 화농성 분비물이 관찰된다. 반면 알레르기는 맑은 콧물이 흐른다.

3) 부비동 검진

부비동이 완전히 발달하는 6세 이상의 아동은 부비동을 촉진하여 감염증상을 확인한다. 이는 간호사의 엄지로 대상자의 눈썹 바로 밑의 전두동과 광대뼈 아래의 코 양 옆에 상악동 부위를 누른다. 감염이 있으면 촉진 시 아동은 압통을 호소한다. 후각은 제1뇌신경의 기능을 확인하기 위해 시행되며 이는 아동이 눈을 감은 상태에서 사탕이나 초콜릿 같은 친숙한 냄새를 구별하는지 확인하여 사정한다.

11 / 입과 인후

1) 입의 검진

입술의 색, 습도, 균열, 궤양, 덩어리, 대칭성을 시진한다. 입술은 촉촉하고 부드러우며 짙은 분홍색을 보이고 대칭적이어야 한다. 건조한 입술은 탈수를 의미하며, 입술이 창백하면 빈혈의 가능성이 있다. 혈류의 산소화 부족으로 입술과 입술주위 청색증을 보일 수 있으며 진하게 빨간 입술은 산독증이나 일산화탄소 중독에서 나타날 수 있다.

입안의 구조는 치아, 잇몸, 구강점막, 구개, 혀, 목젖, 편도를 사정한다. 입안의 구조는 입을 벌려 검진해야 하는데, 어린 아동의 경우 입을 잘 벌리려 하지 않으므로 아동이 울 때 검사하거나 검진의 맨 마지막에 시행할 수 있다. 치아의 개수, 상태와 정렬을 시진한다. 치아는 정상적으로 단면이 부드러우나 치아의 부식이나 치아 사이 갈색부분이 있는 것은 충치를 의미한다. 불소 과다사용 아동은 치아가 갈색으로 보일 수 있으며 철분복용으로 인해 일시적으로 치아가 검녹색으로 변색될 수 있다. 치아를 가지고 태어난 신생아의 경우 치아의 안정성을 검진해야 하는데, 만약 치아가 흔들린다면 흡인되는 것을 막기 위해 치아를 제거해야 한다.

잇몸의 색, 경도와 출혈상태를 관찰한다. 잇몸은 정상적으로 표면에 점이 있는 분홍색을 띠며 잇몸과 치아의 경계는 분명하며 밀착되어 있다. Herpes virus 감염이나 치아교정기구의 부적절한 고정은 잇몸에 궤양을 일으킬 수 있다.

구강 점막과 구개의 색깔, 병변 여부를 확인한다. 구강점막은 맑은 산호색이나 핑크색을 띤다. 영아는 칸디다균의 감염에 의해 구강점막에 쌀알 같은 하얀 반점이 보이는 아구창(oral thrush)이 나타날 수 있다. 구강암의 위험요인인 담배를 피우는 학령기 아동이나 청소년은 혀 밑 부분에 구강암으로 인한 궤양이나 병변이 있는지 시진한다. 구개의 앞쪽 경구개는 하얀 불규칙한 횡주름이 있고 뒤쪽의 연구개는 분홍빛이고 부드럽다. 아동에게 '아' 소리를 내도록 하면 연구개와 목젖(uvula)이 올라 가는 것을 관찰할 수 있다.

아동의 혀는 정상적으로 매끄럽고 촉촉하다. 그러나 탈수가 있으면, 거칠고 균열이 나타난다. 지도상혀(geographic tongue)는 반짝거리고 회백색 또는 밝은 적색의 둥근 반점이 지도 모양으로 혀의 표면에 생긴 것으로, 원인은 알려져 있지 않고 통증 등 증상도 없다.

2) 인후의 검진

인후에서는 목젖과 편도를 시진한다. 구토반사가 일어나지 않도록 설압자로 혀의 뒤쪽 측면을 눌러 혀 뒷부분의 구조를 관찰한다[그림 3-19]. 목젖은 정중선에 위치하여야 한다. 편도는 전면 편도기둥(anterior tonsillar pillar) 뒤쪽에 있는 타원형의 약간 울퉁불퉁한 조직이다. 편도의 크기와 색을 시진하는데 아동기에 편도의 크기는 다양하나, 발적이나 하얀반점이 있으면 급성감염을 의심한다. 후두개염이나 성대 감염이 의심되는 영아의 혀를 누르면 부종이 있는 후두개를 자극하여 기도를 막아 호흡곤란이 유발될 수 있으므로 혀를 누르지 않도록 한다.

12 / 목과 림프절

목의 부속근육은 서로 대칭적으로 관찰되어야 하며 기관이 정중선에 있는지 촉진하여 검진한다.

림프절은 2~4번째 손가락 끝을 모아 부드럽게 원을 그리며 촉진한다. 전이개(preauricular)부터 촉진한 후 귀의 앞면의 설하(sublingual), 후이개(posterior auricular), 후두(occipital), 하악(submandibular), 편도(tonsillar)등의 머리의 림프절을 좌우 대칭을 확인하면서 촉진한다[그림 3-20]. 목의 경부표면(superficial cervical), 후경부(posterior cervical)와 심경부(deep cervical chain) 림프절은 흉쇄유돌근이나 승모근이 당겨지지 않도록 머리를 약간 앞으로 기울여서 촉진한다. 쇄골상(supracalvicular) 림프절은 어깨와 팔꿈치를 앞으로 둥글게 구부려 촉진한다. 림프절은 정상적으로 잘 만져지지는 않지만 만져진다면 작고 움직임이 있으며 압통과 열감은 없다. 만약 압통과 열감이 있으며 커져 있다면 림프절의 감염을 의심할 수 있다.

그림 3-19 **인후의 검진**

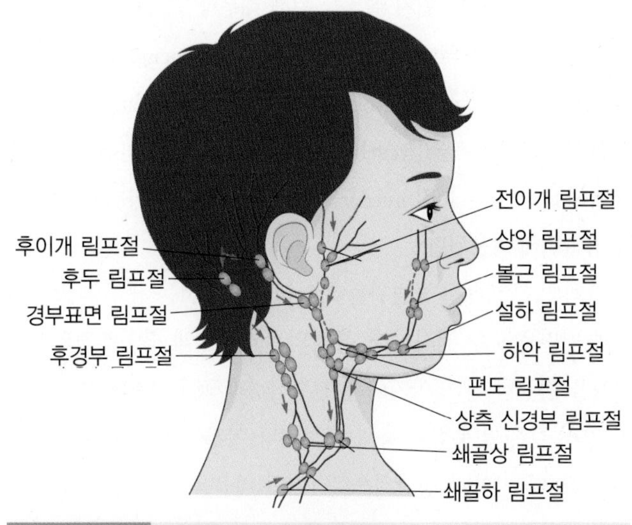

그림 3-20 **머리와 목의 림프절 위치**

청소년은 갑상선의 크기가 커지는 경우가 많으므로 갑상선의 비대와 대칭성을 확인해야 한다. 갑상선의 왼쪽 엽을 촉진할 때에는 아동의 목을 왼쪽으로 기울이고 간호사의 손으로 갑상선을 오른쪽에서 왼쪽으로 밀어 촉진하고 오른쪽으로 촉진할 때에는 방향을 반대로 하여 만져본다. 이때 어떤 불규칙한 부분의 결절 덩어리나 비대가 있는지 만져본다.

목의 운동범위를 사정한다. 아동은 목의 굴곡, 신전, 좌·우회 전의 움직임이 가능해야 하는데 움직임에 제한이 있을 경우 흉쇄유돌근의 손상에 의한 사경(torticollis)을 의미할 수 있다. 수막염(meningitis)이 있으면 머리를 앞으로 굴곡할 때 통증이 있고 뒤로 신전하려는 반궁긴장(opisthotonos)을 보인다.

13 / 흉부와 폐

1) 흉부의 검진

흉곽(thoracic cage)은 12쌍의 늑골과 12개의 흉추(thoracic vertebrae), 흉골(sternum)로 이루어져 있다. 흉곽은 횡격막(diaphragm)에 의해 아랫면의 위장계와 구분된다. 흉곽의 병변은 전면에서는 중앙쇄골선(midclavicular line)과 중앙흉골선(midsternal line)을, 측면에서는 전액와선(anterior axillary line), 중앙액와선(midaxillary line), 후액와선(posterior axillary line)을, 후면에서는 견갑골간 중앙선을 통과하는 척추선(vertebral line)과 견갑선(scapular line)의 가상선들과 연관하여 설명 된다.

신체검진 소견의 위치 설명을 위해 해부학적 지표를 이용하기도 한다. 흉곽의 전면에서는 흉골상절흔(suprasternal), 흉골(sternum), 흉골각(angle of Louis), 늑골각(costal angle)이, 후면 에서는 경추 돌기(vertebra prominens), 극상돌기(spinous processes), 견갑골 하각(inferior angle of scapula)이 병변을 설명하기 위해 이용된다.

흉곽의 모양과 운동범위를 확인하기 위해서는 흉부의 앞면과 뒷면을 모두 검사한다. 흉곽의 전후직경과 좌우직경의 비율을 검진한다. 영아기에는 전후직경과 좌우직경의 비율이 거의 같은 원통형의 흉곽을 보이나 이후 전후직경이 좌우직경보다 작아져 정상적으로 1:2의 비율을 보이게 된다. 그러나 만성폐질환이 있는 아동은 술통형 흉곽을 보인다.

[그림 3-21]은 정상과 비정상적인 흉곽의 모양을 보여준다. 호흡 시 흉곽의 운동은 대칭적이어야 하고 가슴과 복부가 동시에 올라오고 내려와야 한다. 흉곽의 운동범위는 아동의 전면에서는 늑골연, 후면에서는 10번째 늑골부위에 두 손바닥을 놓고 중앙선(검상돌기와 극돌기)에 엄지손가락을 대고 아동에게 심호흡을 하도록 하여 관찰한다. 아동이 심호흡하는 동안 양쪽 손의 엄지손가락은 같은 범위로 벌어져야 한다.

호흡수(분당 호흡 횟수)와 리듬(규칙적, 불규칙적), 깊이(깊음, 얕음)를 사정하며 호흡 시 보조근육을 사용하는지 관찰한다. 성인에 비해 어린 아동은 호흡이 빠르고 불규칙할 수 있으며 호흡곤란이 있으면 늑간이나 검상돌기 부분의 함몰을 관찰할 수 있다. 또한 그르렁거림 등의 비정상적인 호흡음도 확인할 수 있 다. 아동이 울면 정확한 호흡사정이 어려우므로 어린 아동의 경우 검진 초기에 아동이 안정된 상태에서 검진한다.

2) 유방의 검진

유방은 흉부의 앞쪽에서 제2늑골과 제6늑골 사이에 위치하며 유방의 중앙 바로 아래에는 둥글고 주름져 있는 유두가 있다. 유방의 모양, 대칭성, 피부변화, 덩어리 유무와 유두의 모양과 대칭성을 확인한다. 이는 대상자의 자세를 바꾸어 가면서 시진과 촉진으로 검진한다. 유방 촉진 시에는 유방조직 전체를 꼼꼼하게 손가락 끝을 이용하여 촉진한다. 이때 유방의 림프절을 같이 촉진하여 림프절의 변화도 확인한다[그림 3-22].

에스트로겐 호르몬의 변화로 인해 사춘기 이전에 유방의 발달이 시작된다. 그러므로 사춘기가 시작된 모든 아동은 정기적으로 유방 검진을 해야 한다. 이를 위해 간호사는 아동에게 유방 자가검진 방법을 교육할 수 있어야 한다. 유방의 검진은 유방조직에 미치는 호르몬의 영향이 가장 적어 검진 시 유방의 불편감이 가장 적은 시기인 매월 월경을 시작한 후 5~7일 후에 정기적으로 시행한다.

10세 이전의 남아와 여아의 유방은 비슷하나 10~11세가 되면 여아에서 유방의 발달이 시작된다. 그러나 8세 이전에 유방이 발달하기 시작한다면 조기 사춘기를 의심해 보아야 한다. 사춘기 여아는 비대칭적인 유방의 크기로 인해 유방의 성장이 부적절한 것은 아닌지 걱정할 수도 있으므로 유방이 완전히 대칭적이지는 않다는 것을 확신시켜 주어야 한다.

사춘기 남아는 비만과 호르몬의 영향으로 인해 유방 조직이 일시적으로 커지는 여성형 유방이 나타나기도 한다.

3) 폐의 검진

폐는 전흉부에서는 쇄골 안쪽 3~4㎝ 위에 폐첨부가 있고 중앙 쇄골선위에서 6번 늑골, 중앙액와선 위에서 7번 늑골이나 8번 늑골에 폐저부가 있다. 후흉부에서는 7번 경추 높이에 폐첨부가 있고 10번 흉추에 폐저부가 위치해 있다. 흡기 시에는 횡격막이 내려가면서 폐저부는 12번 흉추까지 내려가게 된다. 폐는 흉골의 양쪽에 위치하며 오른쪽 폐는 3엽, 왼쪽은 2엽으로 구성되어 있다. 폐 질환은 폐엽에 국한될 수도 있고, 폐 전체에 침범되기도 하므로 폐엽의 구성에 대한 지식이 필요하다.

(1) 청진

아동이 흡기와 호기를 하는 동안 각 폐엽 위에 청진기의 판막형을 대고 호흡음을 청진한다. 이때 입을 벌리고 깊게 숨을 쉬도록 한다. 왼쪽과 오른쪽을 번갈아 가며 체계적으로 상부에서 하부로, 내면에서 측면으로 청진하여 호흡음을 비교한다. 흉부의 전면과 후면을 모두 청진해 본다. 정상적인 호흡음은 호기보다 흡기 시에 약간 더 길다. 비정상적인 호흡음이 들리는지 조심스럽게 청진한다. [표 3-7]은 기도를 통해 전달되는 정상적인 호흡음과 질병을 예견하는 비정상 호흡음을 설명하고 있다. 정상적인 호흡음과 비정상적인 호흡음을 구분하여 들을 수 있는 능력은 많은 경험과 훈련을 필요로 한다. 간호사는 비정상적인 호흡음을 확인하게 되면 이를 전문의에게 보고 한다. 이때 청진된 호흡음을 명명하기보다는 들린 호흡음의 유형을 확인하는 것이 것이 더 중요하다. 비정상적인 호흡음이 들리는 경우 더 자세한 검진이 필요하다.

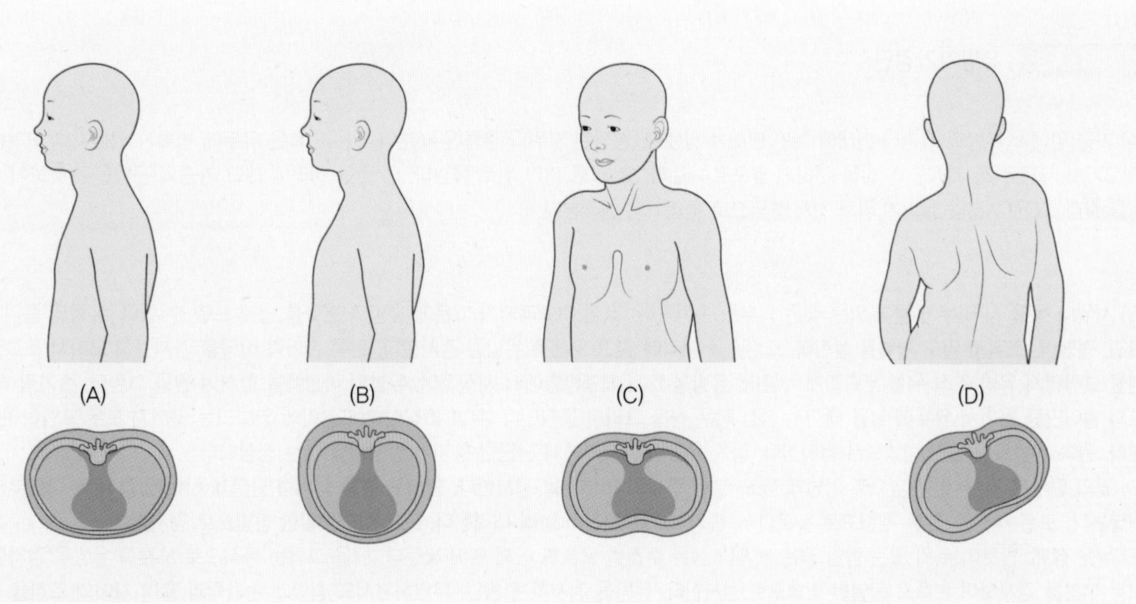

그림 3-21 흉곽의 모양 사정

(A) 정상적 흉곽 (B) 술통형 흉곽(Barrel chest) (C) 누두 흉곽(Pectus exavatum) (D) 척추측만증(Scoliosis)

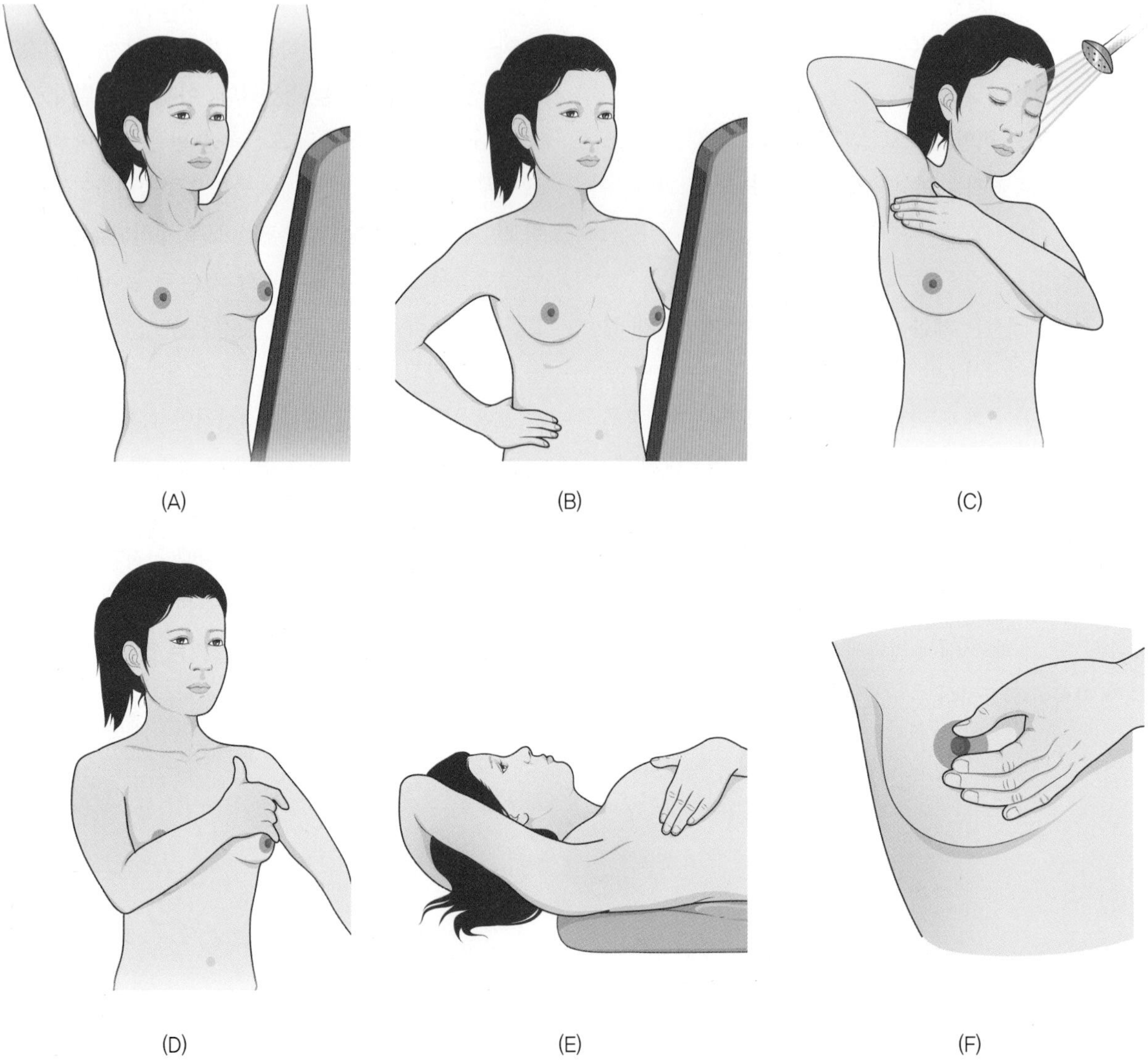

(A) (B) (C)

(D) (E) (F)

그림 3-22 유방자가검진

1단계 – 시진

(A) 거울 앞에서 유방의 크기나 형태에 어떤 변화가 있는지, 함몰된 부위나 주름진 부분이 있는지 혹은 유두에 변화가 있는지를 살펴본다.
(B) 3가지 자세로 조사한다. ① 팔을 편하게 옆으로 내린다. ② 팔을 머리 위로 올린다. ③ 손을 허리에 대고 가슴의 근육을 수축하기 위하여 힘을 준다. 모든 부분을 살피기 위해 자세를 옆으로 돌려가며 살펴본다.

2단계 – 촉진

(C) 샤워나 목욕 시 비누가 묻어 있는 젖은 피부는 손가락이 더 잘 미끄러지기 때문에 유방의 변화를 쉽게 느낄 수 있다. 유방의 종기나 사마귀, 팽팽함, 조직의 밀도 변화를 살핀다. 오른손을 머리에 얹고 오른쪽 유방을 검사한다. 왼쪽 손가락 바닥을 가지런히 모아서 조그맣게 원을 그리면서 유방 조직 위를 부드럽게 누른다. 유방을 12시 시계방향에서 시작하여, 유방의 바깥쪽을 향하여 원을 그린다. 손가락 하나 정도의 길이만큼 옮겨서 유두에 닿을 때까지 점점 작은 원을 그리며 움직인다. 유방 조직이 겨드랑이에 연결되는 곳까지 모두 포함하여 검사한다. 왼쪽 유방도 동일한 방법으로 검사한다. 양쪽 유방의 기저부에서 단단한 융기가 만져지나 이는 정상이다.
(D) 팔의 밑부분 검사: 팔을 옆으로 가볍게 들고서, 왼쪽 팔의 밑부분을 검사한다. 반대쪽 손을 컵처럼 둥글게 하여 팔의 바로 아랫부분에 집어넣는다. 모든 부분을 전부, 원형으로 누르면서, 손가락으로 천천히 눌러 내려온다. 오른쪽도 동일한 방법으로 검사한다.
(E) 누운 상태: 반듯이 누워 있는 동안 작은 베게나 접은 수건을 오른쪽 어깨 밑에 넣는다. 원을 그리는 동작으로 오른쪽 유방을 검사한다. 모든 부분을 검사하며 왼쪽도 동일한 방법으로 검사한다. 유방을 검사하는 동안, 유연하면서도 힘있게 손가락과 흉벽 사이의 조직을 돌려가면서 눌러 보아야 한다.
(F) 유두 검사: 유두를 엄지와 검지로 부드럽게 눌러서 분비물이 나오는지 짜 본다.

(2) 타진

폐첨부에서 시작해 폐저부로 내려가면서 양쪽 늑간을 대칭적으로 타진한다. 나이 든 아동은 정상적으로 공명음이 들리며, 영아나 어린 아동은 흉벽이 얇아 과공명음이 확인된다. 나이 든 아동에서 과공명음은 폐가 지나치게 팽창할 때 들린다. 반면 폐렴, 늑막삼출 등 액체로 가득 찬 폐는 둔한 소리가 들린다. 심장부위 등 조직으로 채워져 있는 부분도 둔한 소리가 들린다. 또한 제4늑간이나 제5늑간 아래의 전면부에서도 간이 위치함으로 인해 오른쪽 폐의 하부 타진 시 정상적으로 둔한 소리가 들릴 수 있음에 유의한다.

횡격막은 흡기 시에 하강하므로 횡격막 운동범위는 폐의 용량을 예측할 수 있게 한다. 이는 타진을 통해 확인할 수 있으며 검진하는 방법은 아래와 같다.

- 간호사는 아동의 뒤에 서서 앉아있는 아동에게 숨을 깊이 들이마신 후에 숨을 참으라고 한다.
- 폐저부 방향으로 타진해 내려간다.
- 펜으로 타진음이 공명음에서 탁음으로 바뀐 지점을 표시 한다.
- 아동에게 숨을 충분히 내쉬도록 하고, 숨을 참으라고 한다.
- 표시한 점에서 폐를 타진하여 올라간다.
- 펜으로 타진음이 탁음에서 공명음으로 바뀐 지점을 표시 한다.

이렇게 표시된 두 지점 사이의 간격이 횡격막의 운동범위(diaphragmatic excursion)이다.

확인문제

11. 정상적인 귀의 위치는?

12. Weber 검사의 정상반응은?

13. 유방조직에 종양이 있음을 암시하는 증상은 무엇인가?

14 / 심장

심장의 윗부분은 넓은 심기저(base)이고 아랫부분은 심첨(apex)이 왼쪽 아래로 치우쳐 있다. 심장은 종격동(mediastinum) 내에 역삼각 형태로 놓여 있다. 심장이 수축할 때 심첨이 박동하면서 심첨박동(apical impulse)을 유발한다. 심첨박동은 7세 미만의 아동은 좌측 중앙쇄골선의 바로 옆과 4번째 늑간에서, 7세 이상의 아동은 좌측 중앙쇄골선과 5번째 늑간이 만나는 부위에서 확인된다. 이는 촉진하여 확인할 수 있으며 마른 아동에서는 시진도 가능하다. 최대 심박동점(point of maximum impulse, PMI)은 가장 강한 심박동이 들리는 지점으로 대개 심첨박동과 일치하나 최대 심박동이 다른 부위에서 들리기도 하므로 심첨박동과 최대 심박동점은 구분하여 사용한다.

1) 심음

심음의 청진은 아동이 조용하고 협조적일 때 시행한다. 특히 어린 아동의 경우 울음과 구별하여 심음을 듣고 평가

표 3-7 호흡음의 종류와 특성

	호흡음의 종류	특성
정상음	기관지음(bronchial)	크고 높은 음, 기관과 후두위에서 들리고 호기가 흡기보다 김
	기관지폐포음(bronchovesicular)	부드럽고 중간 높이의 음, 주기관지에서 들리고 호기와 흡기가 같음.
	폐포음(vesicular)	부드럽고 낮은 음, 폐의 말단부위에서 들리고 흡기가 호기보다 김.
비정상음	건성수포음(ronchi)	저음의 거칠고 큰 소리, 코고는 소리처럼 들리며 기침하면 깨끗해짐, 기관지염 의미
	악설음(crackles)	폐포에 액체가 차 있어 공기가 통과할 때 뽀글거리거나 물방울 터지는 소리가 들림, 폐렴 의미
	천명음(wheezing)	좁아진 기관지 사이로 공기가 들어가면서 생기는 고음의 쌕쌕거리는 소리, 천식 혹은 기관지 폐쇄 의미
	협착음(stridor)	폐색된 후두를 통과하면서 흡기 시 고음의 울부짖는 것 같은 소리가 들림, 상기도 폐쇄 의미

하는 것은 매우 어렵기 때문에 아동이 울기 전에 실시해야 한다. 검사하는 동안 부모가 아기를 안고 있게 함으로써 아동의 공포를 줄일 수 있다[그림 3-23].

아동을 45°로 기울여 앉히거나 앙와위로 누운 상태에서 청진 한다. 심음을 듣기 위해서는 대동맥판막부위, 폐동맥판막부위, 삼첨판막부위, 승모판막부위의 4곳을 주로 청진한다. 이때 청진은 심기저부위에서 심첨부위로 혹은 심첨부위에서 심기저부위로 체계적으로 해야 한다. 이곳은 심장판막의 해부학적 위치는 아니지만, 판막에 의해 유발되는 소리가 가장 잘 들리는 곳이다[그림 3-24].

- 대동맥판막의 소리는 우측 제2늑간에서 가장 잘 들린다.
- 폐동맥판막의 소리는 좌측 제2늑간에서 가장 잘 들린다.
- 삼첨판막의 소리는 흉골의 좌측 하부(좌측 제4늑간 혹은 제5늑간) 경계면에서 가장 잘 들린다.
- 승모판막의 소리는 좌측 중앙쇄골선의 제4늑간 혹은 제5늑간에서 가장 잘 들린다.

모든 부분에서 심박동을 들어본다. 박동의 질, 강도, 박동수, 리듬을 사정하는데 특히 박동수는 아동의 연령에 따라 적절한 박동수를 보이는지 결정한다.

심음은 정상적으로 lub하는 소리인 S1과 dub하는 소리인 S_2로 들린다. 첫 심음(S_1)은 방실판막인 승모판과 삼첨판이 닫힘으로 인해 발생하고 두 번째 음(S_2)은 반월판막인 대동맥판막과 폐 동맥판막의 닫힘으로 인해 발생한다. S_1은 심첨 부위에서 S_2보다 더 크게 들리며 S_2는 심기저 부위에서 S_1보다 더 크게 들린다. 또한 S_1은 경동맥 박동과 일치하므로 심첨 부위 청진 시 경동맥 박동을 같이 촉진하여 S_1과 S_2를 구분할 수 있다.

생리적 분열(physiologic splitting)은 흡기 시 폐의 압력이 증가하여 폐동맥판막이 대동맥판막보다 약간 더 늦게 닫힘으로 인해 나타나는 정상적 소견이다. 이로 인해 흡기 시 S_2가 2개의 음으로 나뉘어 들린다. 그러나 계속적 분열(splitting)있다면 이는 폐동맥판막의 이상을 의심할 수 있다.

세 번째 심음(S_3)은 심실이 빨리 충만되는 것으로 인해 발생하며 이는 아동에게 정상적으로 잘 들린다. 4번째 심음(S_4)은 심실이 채워지는데 대한 저항으로 발생하는 것으로 S_4가 들린다면 심장의 병리적 상태를 의심하여야 하며 더 자세한 검사가 요구 된다.

[표 3-8]은 청진으로 들을 수 있는 정상 심음과 비정상적인 심음에 대한 설명이다. 비정상적인 심음은 처음에는 청진기의 판막형(diaphragm)으로 고음의 심음을 듣고, 벨(bell)형으로 저음의 심음을 청취한다. 심잡음은 선천적 심벽 결손이나 후천성 판막결손으로 인해 들리는 바람 부는 듯한 소리로, 심잡음이 들리면 시기(수축기 혹은 이완기), 크기, 질, 위치 등을 사정하여 기록한다[표 3-9]. 정상적인

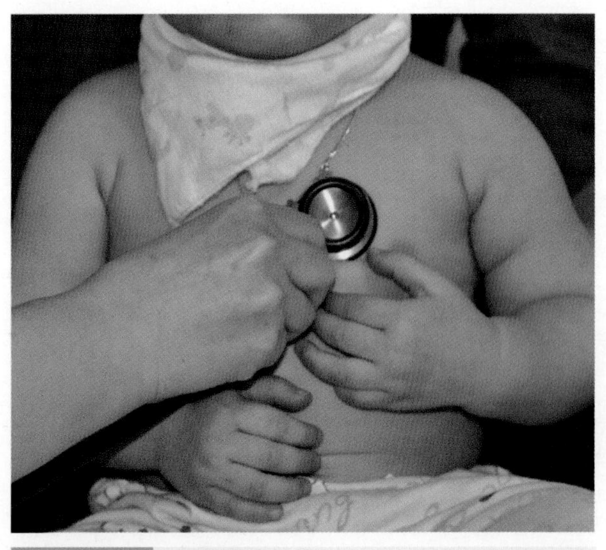

그림 3-23 **심음청진**

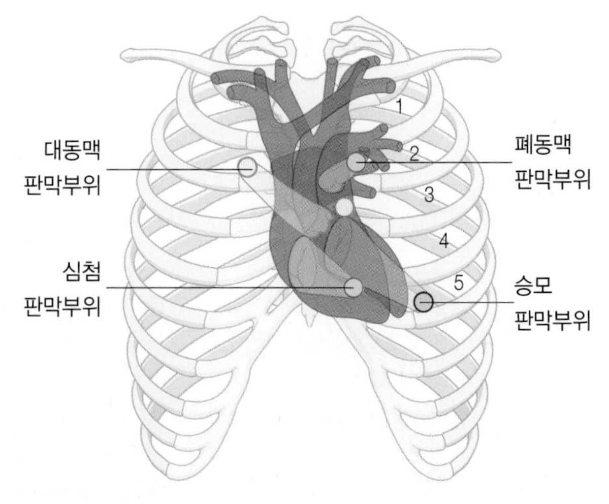

그림 3-24 **심음청진 위치**

표 3-8 심음의 종류와 특성

종류	특성
제1심음(S_1)	방실판막(삼첨판과 승모판)의 폐쇄, 수축기의 시작
제2심음(S_2)	반월판막(폐동맥판과 대동맥판)의 폐쇄, 수축기의 종료
제3심음(S_3)	심실의 혈액 충만에 대한 저항, 이완기 초기(S_2후)
제4심음(S_4)	심실의 혈액 충만에 대한 저항, 이완기 말기(S_3후)

표 3-9 심잡음의 청진과 기록

사정	내용
위치(location)	다섯 개의 해부학적 위치 중 가장 크고 명확하게 들리는 지점이 어디인가?
질(quality)	거친 소리, 바람 부는 듯한 소리, 음악 같은 소리, 삐걱거리는 소리인가?
강도(intensity)	Grade 1: 매우 조용하며, 듣기 어렵다. Grade 2: 조용하나 명확히 들린다. Grade 3: 중간 정도의 크기 이다. Grade 4: 크고 흉벽의 진동(thrill)도 함께 촉진된다. Grade 5: 아주 크고 진동이 쉽게 촉진된다. Grade 6: 청진기를 흉벽에서 약간 떨어뜨려도 들을 수 있을 정도로 크다. 흉벽의 진동을 볼 수 있다.
시기(timing)	수축기와 이완기 중 언제 들리는가?
음높이(pitch)	저음인가 고음인가?
방사(radiation)	심잡음이 목, 등, 액와부위 등 다른 부위에서 들리는가?

심음과 비정상적인 심음을 구분하여 들을 수 있는 능력은 많은 경험과 훈련을 필요로 한다. 간호사는 비정상적인 심음을 확인하게 되면 이를 전문의에게 보고한다.

심음의 리듬은 규칙적이어야 한다. 그러나 호흡에 의해 정상적으로도 부정맥이 나타날 수 있는데 이를 동성 부정맥(sinus arrhythmia)이라고 한다. 이는 흡기 시에는 박동수가 증가하고 호기 시에는 감소하는 것으로 아동에게 숨을 멈춘 채로 있게 하면 심장의 리듬이 규칙적으로 된다.

15 / 복부

복부는 배꼽을 중심으로 세로선과 가로선을 그어 사등분으로 나누어 구분한다. 이는 우상복부(right upper quadrant, RUQ), 우하복부(right lower quadrant, RLQ), 좌상복부(left upper quadrant, LUQ), 좌하복부(left lower quadrant, LLQ)로 나뉘어진다. 이에 속한 장기들은 [그림 3-25]에서 보여주고 있다. 복부의 검진은 시진, 청진, 타진, 촉진 순으로 시행되는데 이는 촉진이나 타진에 의해 장의 연동운동이 변화되어 정상장음을 변화시킬 수 있기 때문이다. 간지럼을 많이 타는 아동은 간지러워 하고 움찔거리며 경계하거나, 긴장될 수 있어 촉진이 어렵다. 그러므로 이러한 아동에게는 관심을 분산시키기 위해 대화를 유도하거나, 간호사의 손 밑에 아이의 손을 놓게 하여 이완을 돕는다[그림 3-26].

1) 시진

먼저 복부의 대칭과 윤곽을 사정하기 위하여 표면을 관찰한다. 영유아는 서있거나 누워있을 때 복부가 약간 볼록하게 융기되어 있고 좀 더 나이든 아동도 둥근 모양을 하며 누웠을 때는 배(scaphoid) 모양을 하고 있다. 피부 병변이나 상처가 관찰되면 특징과 위치를 기록한다.

호흡 시 복부의 움직임은 가슴의 움직임과 동시에 일어나며 호흡곤란이 있으면 복부와 가슴의 움직임이 조화롭지 못한 'see-saw'호흡이 관찰될 수 있다. 장의 연동운동은 마른 아동에서 관찰될 수 있으며 이는 복부를 가로질러 사선으로 물결치듯 관찰된다. 상복부의 피부아래에서 대동맥의 박동이 정상적으로 관찰될 수 있다.

복직근 이개(diastasis recti)는 검상돌기와 치골결합 사이의 복직근이 결합되지 않아 돌출되어 보이는 것으로 이는 학령전기까지는 없어져야 한다.

신생아에서 제대(umbilical cord) 감염으로 인해 배꼽주변 피부의 발적, 분비물, 이상한 냄새가 있을 수 있다. 또한 영아에서 배꼽부위에서 탈장이 발생한 제대탈장이 흔한데 이는 아동이 울 때 복압의 상승으로 인해 더욱 잘 보이고 만져지며 미숙아에서 더 흔하게 나타난다.

2) 청진

장음의 특성과 빈도를 사정한다. 청진기의 판막형을 이용하여 복부의 4등분 면에서 체계적으로 청진한다. 장음은 고음의 '꼬르륵'하는 혹은 폭포수 같은 소리로 분당 5~30회 정도로 불규칙하게 청진된다. 장음으로 청진되는 장의 활동성이 정상인지, 떨어지는지 혹은 지나친지를 사정한다. 만일 장음이 잘 들리지 않는다면 3~5분 정도 충분히 들어보고 장음이 없는 것을 확인한다.

청진기의 종형으로 복부 중앙을 따라 복부 대동맥의 혈관음을 들어본다. 아동에서 혈관의 잡음(bruit)은 선천성 대동맥류가 있을 경우 발생할 수 있다.

3) 촉진

복부 전반을 처음에는 가볍게, 다음에는 깊게 촉진한다 [그림 3-27]. 가벼운 촉진은 검진자의 손가락 끝으로 1~2cm 정도로 부드럽게 눌러 복부근육의 강직, 덩어리, 압통유무 등을 확인하기 위함이다. 심부촉진은 복벽을 4~5cm 정도로 눌러 복부의 내부 기관, 복부동맥과 가벼운 촉진으로 느껴지지 않았던 덩어리의 위치와 모양 등을 확인하기 위함이다. 아동의 복부를 검진할 때 복부의 특정 부위가 긴장되어 있으면, 그 지점에서 가장 먼 곳부터 시작해서 긴장된 부위를 향해 촉진해 나간다. 만일 긴장된 부위가 없다면, 촉진의 순서는 중요하지 않다. 촉진하는 동안 아동의 얼굴을 관찰하여 어느 부위가 긴장되어 있는지를 확인하고, 그 지점을 깊게 누를 때 아동이 복부근육을 긴장시키는지를 살펴본다. 딱딱한 부위나 덩어리가 있는 경우 위치와 모양을 기록한다. 긴장된 부위가 발견되면 '반사통(rebound tenderness)'을 확인한다. 이를 위해 손을 복부표면에 수직으로 깊숙이 눌렀다가 갑자기 손을 뗀다. 이때 검진부위의 통증이 눌렀을 때보다 갑자기 떼는 진동에 의해 더욱 심해진다면 이는 충수돌기염의 진단 지표가 된다.

오른쪽 아래 사분면(RLQ)으로부터 오른쪽 위 사분면(RUQ)으로 올라가면서 촉진하면 오른쪽 늑골 아래의 1~2㎝ 정도에서 간의 하부 가장자리 부분이 만져진다. 같은 방법으로 좌측에서는 비장(spleen)의 끝이 촉진된다. 간은 흡

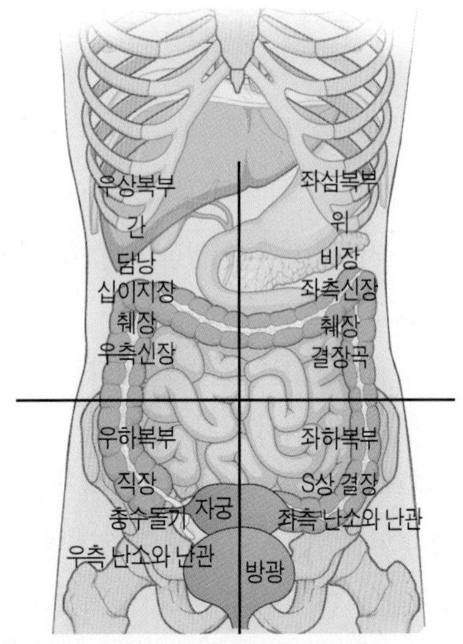

그림 3-25 복부의 사분원과 내부기관

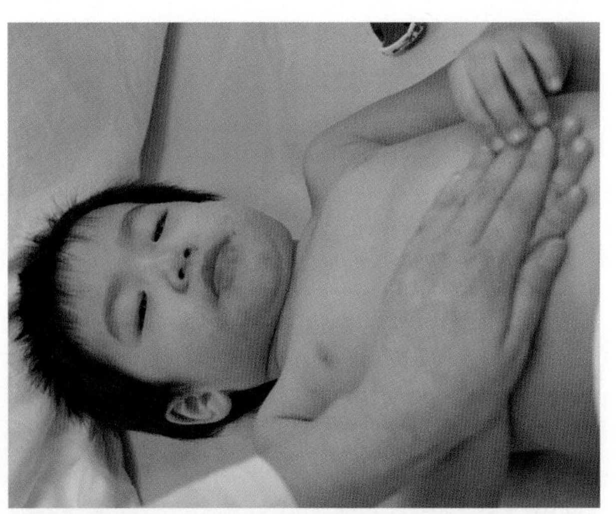
그림 3-26 간지러움을 타는 아동의 복부 촉진 방법
간호사의 손밑에 아동의 손을 놓아 촉진한다.

기 시 횡격막의 하강으로 같이 내려감으로 인해 정상위치보다 아래에서 만져지는데 이를 간의 비대로 오인해서는 안 된다. 간이나 비장의 비대는 질병이 있음을 암시한다.

16 / 생식기

생식기는 아동을 앙와위로 눕혀 검진한다. 어린 아동을 검진할 때에는 부모가 함께 있도록 하여 아동의 불안감을 완화시키고 자세를 잡아주도록 요청할 수 있다. 학령전기 이후의 나이 든 아동 검진 시에는 검진 전에 검진 과정을 미리 충분히 설명하여 협조를 구한다. 검진 과정 중에 아동의 사생활 보호에 유의하며 아동이 원하면 부모를 검진 동안 밖에서 기다리게 한다.

1) 여아 생식기

외부 생식기의 구조를 관찰하고 낭종이 의심되는 부분은 촉진하여 검진한다. 치구(mons pubis)는 치골결합 위의 원형의 단단한 지방 덩어리이고 대음순은 치구에서 회음부까지 분포된 두 개의 지방조직 주름이다. 치구와 대음순은 사춘기가 되면 역삼각형 모양의 음모로 뒤덮인다. 7세 이전에 음모가 나타나면 성조숙(precocious puberty)을, 13세 이후에도 음모가 나타나지 않으면 사춘기 지연(delayed puberty)을 의심한다. 대음순의 안쪽을 보기 위해 아동을 앙와위로 눕힌 자세에서 고관절을 구부리고 발바닥을 모아 엉덩이 쪽으로 발바닥이 향한 자세(개구리 다리 자세)를 취하도록 하고 장갑을 낀 손으로 대음순을 부드럽게 벌려 시진한다. 대음순 안쪽에 작은 2개의 피부덮개인 소음순이 있다. 소음순의 앞쪽 끝에는 작은 콩모양의 발기 기관인 음핵이 표피에 덮여있다. 미숙아에서는 소음순이 돌출되어 보이나 이후 대음순의 발달로 만삭아에서는 대음순이 소음순을 덮게 된다. 요도구는 음핵 아래에 있고 요도구 주위에 스케네선(Skene's gland)이 보인다. 질 입구는 요도구 뒤쪽에 위치하며 원형 또는 초생달 모양의 주름으로 보이는 처녀막이 질입구에 있다. 질입구 주변에는 두 개의 바르톨린선(Bartolin gland)이 있어 성교 시 맑은 윤활점액을 질 내로 분비한다. 어린 아동에게 있어서 처녀막의 파열이나 질 분비물은 성적 학대의 증상이 될 수 있음에 유의한다.

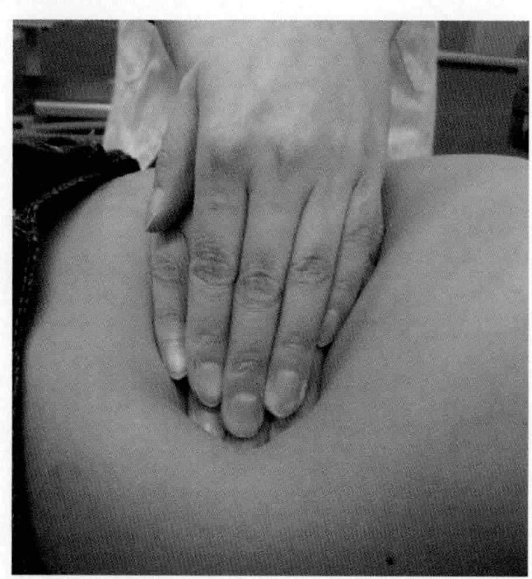

그림 3-27 **복부의 심부촉진**

2) 남아 생식기

음경(penis)과 음낭(scrotum)의 외부 구조를 시진과 촉진한다. 음경은 배측의 음경해면체와 복측의 요도해면체로 구성되어 있다. 요도와 인접한 요도해면체는 원뿔모양의 발기조직인 귀두까지 연결되어 요도구와 만난다. 요도구는 음경 끝의 중앙에 위치해야 하는데 요도구가 음경의 복측(하부)로 전위되어 있는 요도하열(hypospadias)이나 요도구의 배측(상부)으로 전위되어 있는 요도상열(epispadias)이 있는지 관찰한다. 이는 불임이나 신체상에 영향을 줄 수 있으므로 학령기 전에 치료를 받아야 한다.

음낭의 크기와 고환의 존재여부에 대해서도 검사해야 한다. 음낭은 음경 뒤쪽의 느슨한 보호 주머니로 대부분 아동에서 왼쪽이 오른쪽에 비해 약간 아래로 내려와 비대칭적으로 보인다. 음낭의 내부는 양쪽으로 두 부분의 고환으로 나뉘어지고 고환에서 정자가 생성된다. 고환을 검진할 때에는 거고근 반사(cremasteric reflex)가 일어나지 않도록 주의하여 촉진해야 한다. 거고근 반사는 차가운 자극이나 감정적 흥분에 의해 고환이 골반강 내로 당겨져 올라가는 것이다. 그러므로 고환 검진 시 손을 따뜻하게 하고 검진하려는 음낭 쪽의 서혜관을 검지로 살짝 눌러 고환이 올라가는 길을 막아 촉진한다[그림 3-28]. 이때 양쪽에서 2개의 고환이 각각 촉진되지 않으면 고환이 복강 내에서 하강하지 않은 잠

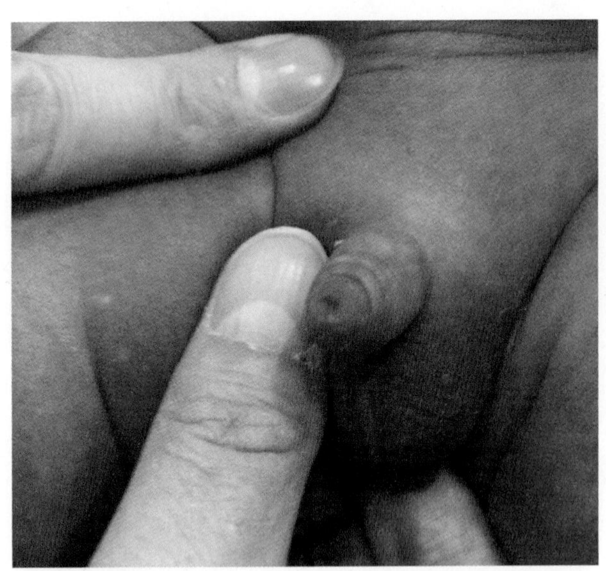
그림 3-28 **고환 검진**

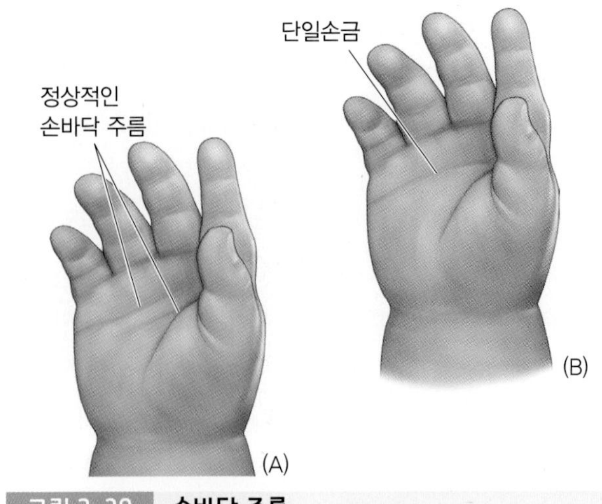

그림 3-29 **손바닥 주름**
(A) 정상 (B) 다운증후군(단일 손금)

복고환을 의심할 수 있다. 고환은 촉진 시 타원형이며 단단하고 탄력적이며 자유롭게 움직이고 좌우대칭이다. 음낭수종(hydrocele)이 있으면 음낭 내의 액체로 인해 음낭이 커지고 부종이 관찰된다. 이는 음낭의 뒷면에 빛을 비추어서 확인하기도 하는데 체액이 차서 커진 음낭으로 빛이 투과되어 분홍색이나 빨간색으로 보인다. 그러나 음낭탈장이 있으면 음낭 내부가 탈장된 장으로 채워져 촉진 시 부드럽고 물렁한 덩어리가 있고 덩어리를 누르면 장이 서혜부를 따라 올라가면서 바람 빠진 풍선 처럼 움푹 들어간다.

17 / 사지

각 사지의 색과 구조를 시진하고 온감(warmth)을 촉진하여 확인한다. 팔과 다리의 피부색이 균일한지를 관찰하고 피부온도를 손등을 이용하여 촉진해 보아 양쪽이 대칭적인지를 확인한다. 손가락과 발가락의 개수를 확인하여 합지증(syndactyly)이나 다지증(polydactyly)이 있는지를 검진한다.

손톱의 색깔, 경도, 형태를 조사한다. 정상적으로 손톱은 분홍색이고 단단하며 매끄럽고 볼록한 형태를 보인다. 피부가 검은 아동의 손톱은 좀 더 검게 보인다. 청색증이 있으면 손톱이 파란색이나 보라색으로 보이며 노란색은 황달을 의미한다. 호흡기능의 감소나 청색증형 심장질환으로 인해 만성 청색증을 경험한 아동은 곤봉형 손가락(clubbed fingers)을 보인다. 반면 철 분결핍성 빈혈이 있는 경우 손톱 표면이 움푹하게 들어가는 스푼형 손톱이 될 수 있다. 스트레스 수준이 높은 아동은 손톱의 경도가 무르게 느껴질 수 있다.

손바닥의 주름은 정상적으로 세 개의 손금이 관찰되는데 다운증후군과 같은 염색체 질환이 있는 아동의 경우에는 손바닥 중앙의 2개의 손금이 모아진 단일 손금(simian line)을 갖는다[그림3-29].

손목과 팔꿈치 그리고 어깨 관절의 움직임과 운동범위가 정상인지를 조사한다. 신생아에서 쇄골골절이나 어깨와 팔근육의 마비가 있으면 어깨관절의 운동범위에 제한이 있다. 관절의 부종이나 발열이 있는지, 주전방부(antecubital space)의 림프절이 만져지는지, 요골 맥박이 촉진되는지 확인한다.

발목과 무릎, 그리고 고관절의 정상적인 운동범위를 확인한다. 신생아의 고관절을 완전히 외회전시켜 딸깍거림이 있으면 고관절 탈구를 의심한다. 슬와부나 서혜부에 림프절이 만져지는지 촉진하고, 대퇴부 맥박이 양측이 동일하게 촉진되는지 확인한다. 아동이 걷는 것을 관찰하여 보행이 안정적인지, 절뚝거리는지, 내반족 혹은 외반족 같은 발의 이상이 있는지를 검사한다.

18 / 등

등에서는 척추의 만곡을 시진한다. 신생아는 정상적으로 C자형의 둥근 척추모양을 가진다. 이후 척추모양이 경추와 요추 부위의 만곡으로 이중 S자형으로 변화하면서 아동은 머리를 가누고 앉을 수 있는 등의 운동발달을 보이게 된다. 척추측만증(scoliosis)은 척추의 비정상적인 측만곡으로 12세 이상의 학령기 아동과 청소년은 검진 시 척추측만증 검사를 시행하여야 한다. 이는 [표 3-10]과 같이 2가지 자세에서 시행되며 검진 결과 척추측만증이 의심되면 전문의에게 보고한다.

척추 부위를 따라 피부를 관찰한다. 잠재 이분척추(spina bifida occulta)를 암시하는 피부동(dermal sinus), 체모여부를 확인한다. 척추를 따라 각각의 척추를 촉진하여 경도를 사정한다.

19 / 신경학적 기능

신경학적 기능(neurologic function)은 운동기능, 감각기능, 뇌신경 기능과 심부건 반사의 검사를 통해 평가한다. 아동이 지시에 따라 해야 하는 검사가 많으므로 간호사는 아동이 이해할 수 있는 용어로 자세히 알려 준 후 검사를 시행한다. 이는 보통 발달평가 검사와 함께 이루어지며 아동과 놀이하는 방식으로 검사를 하면 아동의 협조로 인해 검사가 더 수월해질 수 있다.

표 3-10 척추 측만증 검사방법

속옷만 입고 발을 모으고 똑바로 서게 한 후 아동의 뒤쪽에서 다음을 관찰한다.
· 양쪽의 어깨와 엉덩이의 위치가 대칭적인지? · 양쪽의 견갑골의 돌출부가 대칭적인지? · 척추의 만곡이 정상적인지? · 자세가 한쪽으로 기울어져 보이는지? · 팔을 옆으로 했을 때 양쪽의 팔꿈치의 위치가 대칭적인지?
아동의 등을 구부린 후 손을 발가락에 닿도록 하고 다음을 관찰한다.
· 척추가 비정상적으로 휘어져 보이는지? · 돌출된 부분이 있는지? · 한쪽 어깨가 다른 쪽보다 더 돌출되어 보이는지?

1) 운동과 감각 기능

운동검사는 아동을 걷거나 뛸 때의 자세의 균형, 대칭성, 근육의 강도 등을 관찰하여 사정한다. 또한 균형과 조정을 담당하는 소뇌의 기능을 사정하기 위해 손바닥과 손등을 교대로 무릎을 반복하여 치게 하는 빠른 교대운동이나 아동이 검지로 움직이는 검진자의 검지를 닿게 한 후 코끝에 닿게 하는 지적운동을 검사한다. 또한 눈을 감고 20~30초간 다리를 붙이고 서있는 자세를 유지할 수 있는지에 대한 롬베르그 검사도 실시한다. 감각 기능을 사정하기 위하여 아동에게 눈을 감도록 하고 신체 부분을 부드러운 솜이나 손으로 아동을 가볍게 간지럽게 한 다음 어디를 만졌는지를 표현하도록 한다. 서화감각(graphethesia)은 아동의 손바닥에 간단한 숫자를 써서 아동이 맞힐 수 있는지에 대한 검사로 숫자를 모르는 어린 아동은 O, X를 이용하여 검사를 한다.

2) 뇌신경

제 1~12뇌신경을 체계적인 방법으로 검진한다. 이때 아동의 연령에 따른 발달수준에 맞는 방법을 이용하여야 정확한 검사결과를 얻을 수 있다. 이는 각 신체부위 검진 시 각 뇌신경에 대한 검사도 같이 시행하여 평가하게 된다. 아동의 경우 보통 뇌손상이나 감염 등으로 인해 뇌신경의 이상 소견을 보일 수 있다.

3) 반사

(1) 심부건 반사

반사해머를 근육과 뼈를 연결하는 건에 직접 짧게 두드려 검사한다. 이때 반응이 없거나 너무 과도하게 나타난다면 뇌손상을 의심할 수 있다. 심부건 반사(deep tendon reflexes)를 사정하기 위한 방법은 [그림 3-30]에 제시되어

표 3-11 심부건 반사의 평가

등급	평가
0	반응없음, 비정상 반응
1+	감소되어 있음, 감소된 정상 반응
2+	평균적인 반응, 정상 반응
3+	약간 과도한 반응, 정상 혹은 비정상 반응일 수 있음
4+	매우 과도한 반응, 비정상 반응

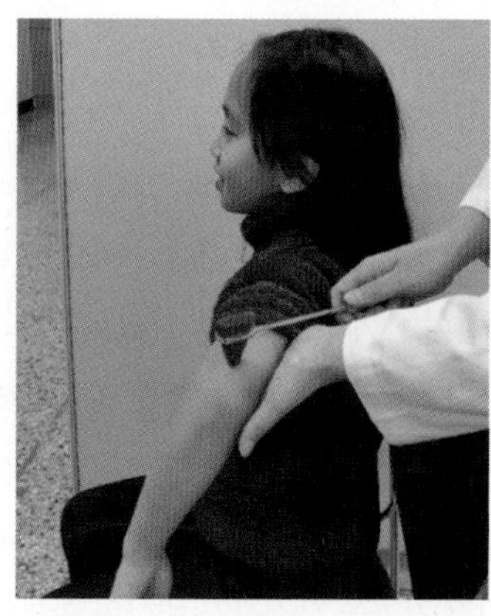
(A)

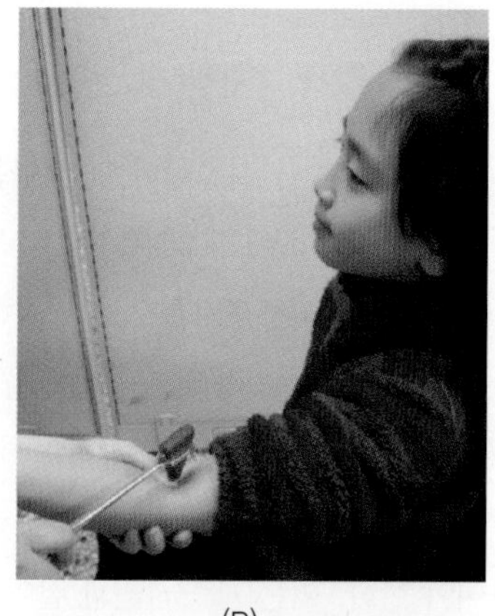
(B)

(C)

(D)

그림 3-30 **심부건 반사**

(A) 삼두근 반사. 삼두건(triceps tendon)을 반사해머로 치면, 전박이 눈에 띄게 신전한다. (B) 이두근 반사. 검사자의 엄지손가락을 이두건(biceps tendon)위에 두고, 반사해머로 검사자의 엄지를 친다. 정상반응은 전박의 굴곡이다. (C) 슬개건 반사. 슬개골 바로 밑에 위치한 슬개건을 반사해머로 친다. 정상반응은 무릎이 신전되거나 다리를 밖으로 차게 된다. (D) 아킬레스건 반사. 아동의 발을 지지한 채로 아킬레스건을 반사해머로 친다. 정상반응은 발목의 족저굴곡이다. (C)와 (D) 검사 시는 아동의 주의를 분산시키기 위해 양손을 잡고 있도록 한다.

있다. 이는 사지와 근육이 이완되어 있을 때 정확한 반응을 검사할 수 있다. 그러므로 아동이 검사에 대해 긴장하지 않도록 반사해머를 아동의 손에 두드려 아픈 것이 아님을 미리 알려주고 검사하는 동안 장난감 등을 이용하여 아동을 환기시킨다. 주로 삼두근 반사, 이두근 반사, 슬개건 반사와 아킬레스건 반사 등을 사정한다[표 3-11].

(2) 표재성 반사

표재성 반사(superficial reflexes)는 피부에 존재하는 반사수용체에 의한 반사이다. 이는 바빈스키 반사(Babinski reflex), 복부 반사(abdominal reflex)와 남아의 거고근 반사(cremasteric reflex)를 포함한다. 바빈스키 반사는 3개월 이하의 영아에서 정상적으로 보이는 원시반사 중 하나로 생후 1년 이상의 아동에서 보이는 경우 대뇌손상을 의심할 수 있다. 이는 발바닥의 외측 가장자리 부분으로 회전하면서 엄지발가락까지 긁어 검사한다. 첫째발가락이 배측굴곡되고 나머지 발가락이 부챗살 모양으로 펴지면 바빈스키 양성반응이다. 복부 반사는 앙와위 자세에서 복부의 이완을 위해 무릎을 구부리게 한 후 배꼽을 중심으로 복부의 사분면 쪽으로 피부를 가볍게 자극하여 유도해 낼 수 있다. 정상적으로, 배꼽과 복부근육이 자극한 방향으로 수축되고 치우치게 된다. 남아의 거고근 반사는 대퇴부 안쪽을 가볍게 긁어 자극하면 고환이 상승됨으로 나타난다.

Ⅳ 입원과 질병이 갖는 의미

01 / 위기 및 스트레스 관리

1) 입원과 관련된 아동의 위기 및 스트레스

아동은 성인보다 위기에 취약한데 그 이유는 일상적인 건강 상태나 환경의 변화에 의해서 스트레스를 경험하여, 스트레스를 해결하는 대처능력이 제한적이기 때문이다. 분리, 통제력 상실, 신체손상 및 통증 등이 주요 스트레스원이 될 수 있으며, 아동의 연령, 질병이나 입원에 대한 이전 경험, 선천적 후천적으로 습득된 대처기술, 질병의 심각성, 활용 가능한 지지체계의 유무 등이 위기 및 스트레스 관리에 영향을 줄 수 있다. 입원관련 아동의 스트레스 요인은 입원 횟수, 입원기간, 부모의 불안 등이 관련이 있을 수 있다. 위기와 스트레스에 따른 아동의 반응은 주로 7세 이하의 아동에게 흔한데 퇴행, 분리불안, 무관심, 공포, 수면장애 등이 있을 수 있다. 따라서 가족중심의 간호가 중요하며, 가족의 방문이 필요하다.

아동의 입원스트레스를 증가시키는 위험 요인은 까다로운 기질, 부모와의 부조화, 연령, 남자 아동, 평균 이하의 지능, 다양하고 지속적인 스트레스 등이 있을 수 있다. 그러므로 입원으로 인해 질병으로부터 회복, 스트레스 극복 및 대처 능력 확인 기회 대인관계 확장, 새로운 사회화 경험의 긍정적인 측면을 강조하도록 한다[표 3-12].

표 3-12 입원 후 아동의 행동 반응

구분	행동 반응
어린 아동	• 행동의 철회나 수줍음 과잉행동, 분노발작 • 대소변 가리기와 같은 새로운 기술 습득 거부 • 지나친 편식 • 담요나 장난감에 대한 애착 • 잠자리에 드는 것이 어려움 • 악몽과 같은 새로운 공포 • 처음 얼마간 부모에 대해 서먹해 함 • 부모에게 매달림 • 부모의 주의를 끄는 행동을 함 • 분리에 대한 심한 저항
나이 든 아동	• 부모를 향한 분노 • 부모에게 강한 의존을 보이다가 냉정함 • 타인에 대한 질투

간호진단 및 목표

간호진단 : 익숙치 않은 일상, 지지체계, 낯선 환경과 관련된 불안/ 두려움

간호목표 : 분리경험이 최소화 될 것이다.

예상되는 결과 : 아동은 분리불안에 대한 감정을 표현하고, 공포가 감소되어 안전감을 경험하며 적절한 안위수준을 나타낸다.

아픈 아동	다른 형제자매
• 부모의 특별하고 집중적 관심 • 다른 형제자매에 대한 질투와 분노 • 아동의 역할 상실 가능	• 부모의 행동이 불공평 • 자신을 거부하는 것으로 해석

그림 3-31 아동의 입원으로 인한 가족구성원의 역할 변화

아동의 입원으로 인한 부모의 반응은 불신(disbelief), 분노(anger), 죄책감(guilt)이 나타날 수 있으며, 질병의 심각성과 의료 절차와 관련하여 두려움과 불안을 가질 수 있고, 상해나 통증과 관련하여 불안을 느낄 수 있다. 또한, 병원 치료와 관련하여 절차 및 치료에 대한 정보 부족, 낯선 환경의 규칙과 규정, 의료인에 대한 두려움 등으로 좌절감을 느낄 수 있다. 또한 우울, 신체적 · 정신적 피로감, 다른 가족이나 자녀를 걱정하거나 그리워하고, 재정적 부담, 미래에 대한 걱정이 있을 수 있다. 그러나 부모는 아동의 건강에 가장 중요한 사람이므로 치료 과정에 참여하도록 권유 받았을 때 좌절감이 감소될 수 있다[표 3-13].

입원 아동의 형제자매의 반응으로는 분노, 질투, 죄책감, 외로움, 두려움, 걱정이 나타날 수 있으며, Craft(1993)는 입원하는 형제 자매의 입원이나 병원경험과 직접적인 관

표 3-13 아동의 입원에 대한 부모의 반응에 영향을 미치는 요인

- 자아 강인성 정도
- 사전 대처 능력
- 가능한 지지체계
- 아동 질병의 심각성
- 문화적, 종교적 신념
- 질병과 입원에 대한 이전 경험
- 가족구성원 간의 의사소통 양상
- 진단과 치료와 관련된 의료 절차
- 가족에게 발생하는 부가적인 스트레스

저항기 (phase of protest)	절망기 (phase of despair)	분리기 (phase of detachment)
• 울부 짖으며 부모를 찾음 • 부모에게 매달림 • 낯선사람 피하고 접촉 거부함 • 떼를 쓰며 부모에게 매달림 • 부모가 떠나지 못하도록 붙잡고 놓아 주지 않음 • 언어적 : 싫어! 저리가! 신체적 : 발로 차거나 물거나 때리거나 꼬집음	• 말이 없어지고 위축 • 주위에 대해 무관심, 활동성 저하 • 무력감, 우울 • 퇴행(엄지손가락 빨기, 오줌 싸기, 우유 병으로 먹기)	• 낯선 병원환경에 지나치게 • 관심 • 낯선 의료진이나 간호사와 친숙한 상호작용을 보임 • 피상적인 관계 형성, 겉으로 보기에 행복해 보임

그림 3-32 **분리불안의 단계**

련 요인을 다음과 같이 설명하였다. ① 연령이 어리거나 많은 변화를 경험하는 경우, ② 자기 집이 아닌 곳에서 친척이 아닌 보호자의 보살핌을 받는 경우, ③ 아픈 형제자매에 대한 소식을 거의 듣지 못하는 경우, ④ 입원 전과 비교해서 입원한 형제자매에 비해 차별적으로 대우 받는다고 인식하는 경우로 설명하였다. 따라서 정확한 설명을 통해 영향을 최소화하도록 해야 한다[그림 3-31].

02 / 분리불안

1) 분리불안의 특징 및 부모의 참여

분리불안(separation anxiety)이 일어나는 시기는 영아 중기에서 학령전기이며, 특히 6~30개월에 분리불안 증상이 심하다. 분리불안에 대한 아동의 반응은 자기중심적이고 인형 같은 무생물에 집착하게 되는데 이는 체념의 결과이다. 연령에 따른 분리불안 증상을 살펴보면 6~30개월에는 입원이 가장 큰 스트레스이며 [그림 3-32]에 설명하고 있는 저항기의 전형적인 거부반응이 나타난다. 학령전기 아동은 부모와의 짧은 이별은 견딜 수 있지만 일반적으로 질병의 스트레스로 인해 분리불안의 행동을 나타낸다. 그리고 스트레스에 대한 대처 미숙, 저항행동 미미, 수동적 · 간접적인 분노 표현을 하므로 부모의 보호나 지지가 필요하다. 학령기 아동은 적개심, 분노 등 부모에게 짜증을 내거나의 공격적 태도, 의료인 기피, 또래나 형제와의 단절, 학교에서 문제행동 등으로 나타나며 학령중기나 후기 아동은 또래나 일상생활로부터 단절, 고립감, 지루함, 격리감, 우울감을 느끼므로 부모가 자주 방문하는 것과 더불어 또래 집단 방문이 필요하다. 청소년은 동년배 집단으로부터 분리됨에 불안을 느낀다[그림 3-32].

아동의 분리불안을 최소화하기 위해서 짧은 기간이라도 자주 방문하도록 격려하며 가정에서 사용하던 장난감이나 이불 등을 가져오게 하여 정서적 안정감을 갖도록 하는 것이 중요하다. 어린 아동은 의미 있는 사람과 함께 한 물건을 연관시키기 때문에 그들은 이러한 소유물로부터 편안함과 확신을 얻는다. 또한 부모가 검사나 치료 시에 참여하는 것이 필요하다. 부모의 참여에 대해 간호사는 지속적인 부모-자녀 애착형성의 중요성을 인지하는 것이 필요하며, 아동의 분리불안에 대해서 부모의 반응에 대한 개별적 평가를 시행하여 부모의 수면, 영양, 휴식에 대한 요구를 파악하고 스트레스를 최소화하는 것이 필요하다. 또한, 부모가 직접적인 간호에 많이 참여할수록 아동은 덜 불안하고, 간호사의 지지와 도움이 모든 가족들에게 항상 가능하다고 설명하여 간호사의 지지와 도움을 이용할 수 있도록 간호사와 부모는 신뢰감 형성이 필요하다[그림 3-33].

2) 분리로 인한 영향의 최소화 전략

간호사는 부모와 분리로 인한 아동의 행동을 이해하고 적절한 간호를 제공할 필요가 있다. 따라서 간호사는 가족의 필수적인 역할을 인정하여 건강관리 제공자와 아동, 가족 사이의 협력의 중요성을 강조하는 것이 필요하다. 또한, 감정을 억제하지 않고 표현하도록 격려하며 울도록 허용하고 장기간의 분리에는 분리기 반응이 나타나지 않도록 한다. 분리불안으로 인한 행동이 아동의 정상적인 행동임을

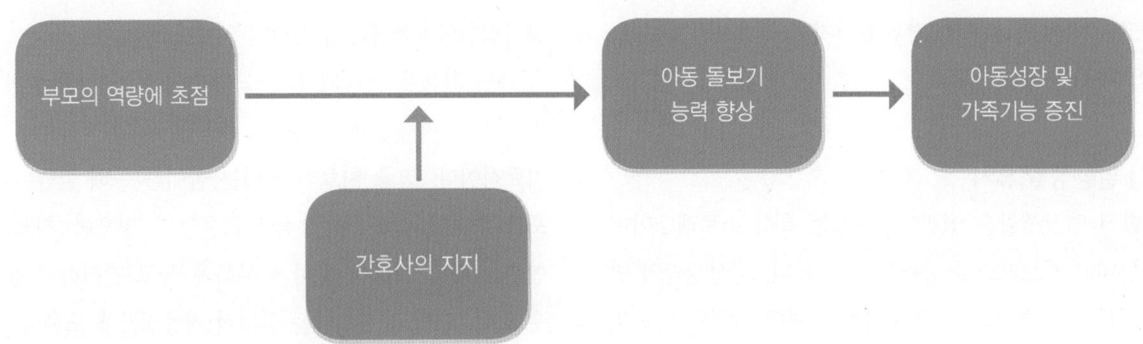

그림 3-33 간호사의 지지 필요성

이해하여 부모의 불안과 죄의식을 줄일 수 있도록 도와주는 것이 필요하다. 아동에게는 구체적 사건과 관련하여 시간을 예측할 수 있는 방법을 제시하며, 부모가 아동을 떠날 때 이유를 반드시 설명한다. 아동에게는 짧은 시간이라도 하루에 여러 번 방문하는 것이 더 효과적이고, 부모가 아동이 좋아하는 물건을 가져와 사용하도록 하는 것이 부모가 다시 돌아올 것이라고 생각하는데 도움을 준다. 간호사는 병원 규칙에 어긋나지 않는 한 아동이 평소에 하는 활동을 병원에서도 계속할 수 있도록 돕는 것이 필요하다.

03 / 통제력 상실

1) 발달단계에 따른 통제력 상실

아동에게 통제력 저하는 신체적 제한, 일상생활 및 의식주의 변화, 강요된 의존성 등의 상황에서 발생할 수 있다. 이때에는 자가간호 성취를 통해 자존감의 발달에 영향을 주는 것이 필요하다. 영아의 경우 양육자의 지속적이며 애정어린 보살핌을 통해 신뢰감 발달을 확립하는 시기인데, 통제력 상실은 일관성 없는 돌봄, 일상으로부터 분리 및 불신감, 통제력 저하가 원인일 수 있으므로 가정에서 사용하던 물건으로 익숙한 환경을 유지하며 부모가 옆에 있도록 하고 동일한 간호사가 간호하는 것이 필요하다.

유아는 자율성을 성취하는 일상적 행동(식사, 수면, 목욕, 배변, 놀이)이 입원으로 변화되거나 좌절, 강요되어 의존 및 거부증(negativism)이나 분노발작(temper tantrums)으로 표출되거나 퇴행할 수 있는데 일관성 있는 일상활동과 친숙함이 필요하다.

학령전기 아동은 솔선감 발달을 이루는 시기로 능동적 탐색 행위가 특징이며 자기중심적, 환상적 사고, 전조작적 사고를 하는 시기이므로 입원으로 인해 수치심, 죄책감, 두려움 경험을 경험할 수 있다. 특히 이 시기에는 구체적인 것을 일반적인 것, 일반적인 것을 구체적인 것으로 사고를 하는 변환적 사고(transductive reasoning)를 하는데 예를 들어, 간호사는 통증 주는 사람으로 한 번 인식되면 간호사복 입은 사람 모두 통증을 주는 사람으로 인식하게 되어 피하게 되는 것이다.

학령기 아동의 경우 독립성과 생산성을 획득하는 시기이므로 입원으로 인해 지루함, 우울, 적대감, 좌절감을 느낄 수 있다. 자신이 쓸모 있고 생산적이라는 생각을 갖도록 통제력을 증진하고 같은 또래를 병실 친구로 배정하는 것이 필요하다.

청소년은 자아정체성을 성취하는 시기로 입원으로 인해 의존에 대한 거부, 위축반응, 강한 자기주장, 분노, 좌절 등을 느끼게 되며 일상생활이나 대인관계의 변화로 불안을 느끼고, 병원 규칙에 따른 구속과 의존성으로 인한 통제력 저하를 겪을 수 있다. 따라서 무력감과 의존성을 이해하고, 충분한 설명 및 교육을 통해 이러한 감정이 일시적임을 확인하고 간호하는 것이 필요하다.

2) 통제력 상실의 최소화

(1) 활동의 자유 제공

신체적 억제에 대한 이해부족으로 심하게 반항하는 경우에는 치료 및 간호 절차를 위해 강제적 억제가 필요하며 주의 깊게 사용한다. 환경적 요인으로 활동에 제한이 될 수 있으며, 꼭 필요한 경우에 필요한 시간만 유지하고 곧 제거해야 하고, 오랫동안 지속할 경우 감각자극 증가시킬 수 있는 활동을 제공할 필요가 있다.

(2) 일상생활 유지

변화된 일상생활은 어린아동에게는 특히 스트레스이며 분리에 대한 스트레스를 증대시킬 수 있다. 일상생활의 변화로 인한 통제력 상실을 최소화하기 위해 학령기 아동과 청소년에게는 스스로 하루일과표를 계획하여 실천하는 것이 필요하다.

(3) 독립성 강화

통제력 상실을 최소화하기 위해 간호사는 융통성있고, 관용적이고, 편안해야 한다. 영아기가 지난 대부분의 아동은 자가간호를 수행하고자 노력하므로 자신의 건강과 안녕을 위해 스스로 행하는 모든 활동인 자가간호를 수행할 수 있도록 격려하는 것이 필요하다. 입원실 배치 시에 아동의 요구에 따라 결정하는 것도 도움이 된다.

(4) 이해 증진

예상되는 두려움에 대해서는 더 많은 통제력을 갖게 하므로 사전준비 및 정보 제공을 통해 스트레스를 감소시키며 질병과 입원에 대한 올바른 해석을 이끌어 낼 수 있고 무력감을 감소시킬 수 있다.

04 / 발달에 적합한 활동 제공

입원 아동에게 아동의 성장발달에 위협적인 요소를 최소화하는 것이 간호의 일차적 목적이며, 놀이는 아동이 하고자 하는 일을 스스로 선택할 기회를 제공할 수 있다. 따라서 병원의 놀이방을 이용하도록 하며, 학교는 또래들과의 만남을 통한 사회화의 기회가 될 수 있다.

놀이 활동은 아동에게 기분전환과 즐거움을 줄 수 있으므로 전환 활동은 아동의 연령, 흥미, 제한점, 안정성 등 고려하여 선택하는 것이 필요하다. 때로는 많은 활동을 하지 못하는 아동에게 라디오, TV, 컴퓨터 등을 이용할 수 있다. 아동의 장난감은 스스로 좋아하고 친숙하며, 많은 양보다 몇 개의 작고 안정성이 있는 장난감을 선택하는 것이 좋고 장기입원아동에게는 주기적인 교체가 필요하다.

표현 활동은 아동의 감정을 표출하는 가장 좋은 방법이며 아동이 자유롭게 표현하고 활동할 수 있는 놀이는 매우 치료적이다. 그중 치료적 놀이는 놀이를 통해 불안이나 공포를 조절하고 요구나 감정을 표현할 수 있으며, 창조적 표현은 생각과 감정을 보다 풍부하게 하고 안전하게 표현할 수 있다. 그림의 경우에는 심리적 적응평가에 도움이 되며, 음악적 표현이나 무용과 운동, 누군가를 위해 선물 만들기 등도 이용할 수 있다. 아동에게 연극놀이는 두려움을 감소시키며, 정서적으로 이완에 도움을 주고 효과적인 의사소통이 될 수 있으며 문제를 해결하는 좋은 기회가 된다.

05 / 입원으로 인한 잠재적 이점의 극대화

간호사는 부모-아동의 관계를 강화하기 위해 부모에게 아동의 성장발달에 대해 더 많이 알 수 있는 기회를 제공하고, 식이문제, 문제 행동, 수면장애와 같은 어려움을 감소시키는 것이 필요하다. 건강이나 신체적 특성에 대해 더 많이 알 수 있는 교육 기회를 제공한다. 또한 위기경험과 같은 어려움을 극복함으로써 오는 성취감을 통해 자신감과 참을성을 느낄 수 있도록 하고, 아동의 개별적, 긍정적 능력을 강조하여 자기 극복 능력을 향상시키는 것이 필요하다. 아동에게 또래집단을 구성하고 부모에게는 지지집단을 구성하여 아동과 부모 모두에게 사회화 기회를 제공한다.

06 / 가족구성원 지지

1) 가족 지지

가족 전체를 포함하는 가족중심간호(family-centered care)가 아동간호의 핵심이므로 가족의 가치이나 요구를 고려하여 협동적 관계를 증진하며 가족에게 능력을 부여 등을 우선순위로 하여 가족지지(support)를 제공한다. 간호사는 함께 하고자 하는 마음과 더불어 가족의 언어적 · 비언어 적 메시지를 파악하여 배려하는 마음을 포함하여 정서적 지지를 한다. 또한 영적인 지지를 제공하고 문화적, 사회 · 경제적, 민족적 가치를 수용하며 부모의 정서적인 짐이나 죄책감을 덜어줄 수 있는 간호를 제공하는 것이 필요하다.

2) 정보 제공

아동의 질병과 입원에 대해 적응하고 적절하게 대처하기 위해 질병에 대한 정보, 질병에 대한 치료 및 진행 과정, 질병과 입원에 대한 아동의 정서적 · 신체적 반응, 위기에 가족이 나타낼 수 있는 정서적 반응 등에 대한 정보를 제공하며 아픈 아동의 형제자매에게도 정보를 제공한다.

아동과의 의사소통

01 / 영아

영아는 스트레스를 받았을 때 울고 만족하였을 때 웃는다. 영아가 우는 것은 배고프거나 통증을 느끼는 것과 같은 불유쾌한 자극에 의한 것이며, 간호사는 이러한 영아가 의미하는 요구를 해석하고, 영아의 불편감과 긴장을 감소시키기 위해 노력하여야 한다. 영아는 자기 의사 표시뿐만 아니라, 다른 사람의 의사를 알아 채는 데도 비언어적인 방법을 사용한다. 즉, 자신이 말을 하거나 남의 말을 이해하지 못해도, 주변에서 일어나는 일들을 예민하게 느낄 수 있다. 또한 영아들은 낯선 것이 급작스럽게 나타나면 위협을 느끼게 되고, 공포를 느낄 수도 있다. 그렇지만 그것을 자주 반복해서 접하게 되면 곧 그것이 위험하다는 느낌이 없어 진다.

따라서 영아에게는 상황에 익숙해질 수 있는 시간이 필요하다. 6개월 이상이 되면 친숙해질 때까지 낯선 사람을 의심하기 시작한다. 처음 보는 사람을 의심하고 경계하는 영아에게 좋은 접근 방법은 시선을 마주치지 않고 무관심한 것처럼 대하는 것이다. 영아가 볼 수 있는 장소에서는 어떤 자극적인 행동도 하지 않으며 보지 않고 고개를 돌리고 있으면, 영아는 안심하고 간호사를 관찰할 수 있을 것이다. 그 다음에 아이에게 천천히 접근하는데, 장난감을 이용해도 좋다. 그렇게 간호사가 안전한 사람이라고 판단되면, 아이는 안심하고 간호사를 만지고 손을 잡으려 하거나 간호사의 관심을 끌기 위한 시도를 하게 된다. 중요한 것은 영아가 간호사를 관찰할 수 있도록 하고, 호기심을 불러일으키게 하고, 간호사에게 스스로 접근할 수 있는 충분한 여유를 주어야 한다.

영아는 표현하는 능력보다 이해하는 능력이 더 먼저 발달하므로 비록 말을 잘하지 못할지라도 알아서는 곤란한 사실이나 오해받기 쉬운 말은 하지 않는 것이 좋다. 또한, 영아는 간호사의 목소리 즉, 말의 내용보다 어조에 대해서 민감하게 반응한다. 보통 영아는 조용한 음성과 부드럽게 다루는 행동에 쉽게 반응하며, 크고 거친 소리와 갑작스러운 움직임은 영아를 위협할 수 있다.

02 / 유아

이 시기의 아동은 자기중심적이므로 의사소통의 초점을 아동에게 두어야 한다. 유아기 아동은 타인의 경험에 대해서는 관심이 없어 아동의 협조를 구하기 위해서 다른 아동의 경험을 이용하는 것은 소용이 없다. 그러나 아동에게 직접 만지거나 시험해 보도록 하는 것은 도움이 된다.

또한 유아기 아동은 낯선 사람이나 낯선 행동에 대해 강한 두려움을 가지고 있으며, 말의 단어 하나하나에 문자적인 의미를 부여한다. 행동 또한 자신과 남의 행동에 모두 직설적인 의미로 이해하므로, 비유나 예증, 농담은 사용하지 않는다. 모든 것이 직선적이고 분명하기 때문에 융통성 있는 해석을 할 수 있는 능력이 없다. 모든 것이 사실이고 의미나 말을 하는 의도는 단 하나뿐이다. 어른들처럼 종합하고 보편화하는 능력이 없다.

그리고 유아기 아동은 물활론으로 인해 모든 물건을 인간과 같은 특성을 가진 것으로 생각하고 어른들처럼 살아 있는 것과 죽어 있는 것을 구별하지 못한다. 예를 들어, 책상이나 의자와 같은 집안의 모든 물건들이 자기 자신과 똑같은 감정을 가지고 있다고 생각한다. 따라서 이런 아동의 특성을 잘 이해하여 대화를 할 때 흥미를 불러일으키고 유지시키기 위해 아동이 관심을 가질 만한 재미있는 놀이를 가지고 접근한다.

03 / 학령전기 아동

이 시기의 아동은 자기 신체에 대하여 민감한 반응을 보이며, 장난감이나 옷 또는 애완동물과 같은 소유물에 대한 애착도 이 시기에 가장 뚜렷이 나타난다. 특히 자기 신체의 일부를 잃게 될 위협을 받을 때 아동은 심각한 영향을 받게 된다. 그래서 이 시기의 아동은 수술을 특히 두려워하며 극심한 공포의 원인이 될 수 있다. 조그만 손상도 두려워하는 그들이 간호사를 두려워하는 것은 당연한 이치다.

일반적으로 이 시기의 아동에게 "너한테 무슨 병이 있는지 알아보자"는 식으로 직접적인 접근을 하면 대상자가 잘 응해 주지도 않을뿐 아니라, 아예 아픈 데가 없다고 잘라 말할 것이므로 간접적이고 우회적인 접근 방법을 사용한다. 간호사는 학령전기 아동에게 어떤 병에 걸렸더라도 치료하고 나면 여전히 힘이 세고 아주 튼튼할 것이라는 믿음을 주는 것으로 두려움이나 위협감을 완화 시켜줄 수 있다. 예를 들면 많이 자랐다든지, 힘이 세어 보인다든지, 참을성이 많다는 식으로 많은 관심을 갖고 눈에 띄는 장점을 칭찬하는 방법이 효과적이다.

또 다른 접근은 아동이 부담 없이 쉽게 대답할 수 있는 질문을 하는 방법이다. 놀이에 관한 이야기부터 시작해서 아이가 대답을 하면 현재 병이 없는 신체 부위에 대한 이야기로 대화를 시작하여 서서히 문제의 초점으로 옮겨 가는 것이 좋다. 이렇게 건강한 부위에 대하여 이야기하고 난 후에 "오늘 아침 밥을 안 먹었니?" 혹은 "약간 아픈 데가 있지?" 하는 정도로 접근한다. 그러나 아동에게 처음부터 어디가 아프냐고 묻는다면, 아동은 자신의 신체적 완전함을 유지하기 위해 아무데도 아픈 곳이 없다고 이야기할 것이다. 한편 아동에게 취미나 장점, 건강한 신체 부위들을 언급하면서 충분히 안심을 시킨 다음 차차 증상으로 접근하면, 아동은 쉽게 아픈 곳을 이야기해 줄 것이다.

04 / 학령기 아동

학령기 아동은 구체적인 사고를 하기 시작하며 그들의 느낌, 생각, 개념을 설명할 수 있을 만큼 단어 사용이 풍부해지면서 지식을 획득하는 데 많은 관심이 있다. 그래서 학령기 아동은 시술이나 검사 등에 대해서 왜 하는지에 대한 것과 어떻게 하는 것인지에 대해서 설명해 줄 것을 요구한다. 이에 대해 간호사는 구체적이고 정확한 용어를 사용하여 설명해 주며 가능하면 기구를 직접 조작해 보도록 하는 것이 도움이 된다. 그리고 학령기 아동은 신체의 통합성 유지에 관심이 많아 침습적인 절차에 대해서 예민하게 반응한다. 간호사는 신체 통합성에 대한 두려움과 걱정 또한 솔직하게 대답해야 한다. 또한 학령기 아동은 학교에서 다른 아동과의 상호관계가 증가하고 가까운 친구가 생기며 그들의 행동에 대한 책임감을 배우고 규칙을 이해하며 규칙과 처벌에 익숙해진다. 같은 검사나 치료에 대해서 둘 이상의 아동을 준비시키거나 다른 또래 아동의 준비를 돕도록 격려하는 것이 도움이 된다.

아동과의 의사소통 시 고려해야 할 몇 가지 사항은 아래와 같다.

- 아동은 스스로 극복할 수 없다고 생각하고 자신의 신체가 잘 기능하지 않을 때 쉽게 화를 낸다. 아동의 질병에 대한 인식은 유병기간과 회복기간에 영향을 미친다.
- 아동은 어릴수록 집중시간이 더 짧으며 1가지 일에 오랫 동안 관심을 가질 수 없다.
- 아동은 추상적 개념을 이해하기 어려우며 구체적으로 사고한다. 시간은 특히 아동이 이해하기 어려운 개념이므로 이해할 수 있도록 설명해 주어야 한다. 따라서 그들에게 "너는 3일 이내에 좋아질 것이다."라고 말을 해도 3일이라는 기간에 대해 구체적으로 이해하지 못하기 때문에 안심하는데 도움이 되지 않는다.
- 아동은 어휘 사용에 한계가 있어 개념을 설명하여도 이해하지 못하는 경우가 많은데 개념을 설명할 때는 명확하고 간단한 용어로 짧게 설명하여야 하며 이해하고 있는지를 수시로 점검해야 한다.
- 아동은 듣는 것보다 보는 것에 익숙하다. 따라서 간호 시술 과정을 설명할 때 인형이나 간호사 자신을 이용하여 시범을 보이면 불안을 완화할 수 있다.
- 아동은 병원환경을 접해본 경험이 거의 없고, 익숙하

지 않으므로 진료나 검진 시 놀랄 수 있으므로 매우 조심스럽게 설명한다.

아동과의 의사사통 시 사용되는 지침으로는 다음과 같다.

- 아동의 연령을 고려하여 명확하고 간단한 언어로 대답을 한다. 그러나 정보를 단순화하기 위하여 왜곡시키지 않는다.
- 사실을 말한다. 간호사는 아동의 불안을 줄이기 위하여 거짓말을 할 수 있다. 그러나 간호사의 말이 달랐다면, 자신에게 간호사가 거짓말을 했다고 생각하게 되는데 이로 인해 신뢰를 회복하기가 거의 불가능하다.
- 아동은 약속을 하면 어른들이 그 약속을 정말로 지킬 것 이라고 생각하므로 지킬 수 없는 약속을 하지 않는다. "오늘 오후에 책을 읽자." 라는 약속 대신에 "만약 시간이 있으면 오늘 오후에 책을 읽어 줄게." 로 약속을 하는 것이 더 좋다.
- 아동은 감정을 표현하는데 개방적이므로 그들의 감정을 존중한다. "겁이 난다." 라고 말하는 것은 흔한 일이다. 아동의 공포나 걱정을 이해하려 하지 않고 "너는 큰 아이다. 용감하게 행동하라." 또는 "기운을 내라. 울 필요가 없다." 등과 같은 말로 아동의 감정을 무시하지 않아야 한다.
- 개방형 질문을 많이 사용해야 아동과 대화하기가 용이하다. "예", "아니오" 를 요구하는 질문인 폐쇄형 질문은 단편적인 반응을 유도하고 그들을 심문하고 있다는 인상만 주게 된다.

05 / 청소년

청소년의 의사소통 특징은 첫째, 청소년들이 쓰는 말은 통상 구어체와 속어라는 점이다. 따라서 간호사가 그들이 주로 사용하는 어휘를 사용하여 대화를 편하게 이끌어 가는 것이 효과적이다. 둘째, 청소년은 신체적으로나 정신적으로 변화가 많은 시기이므로 안전성이 결여되어 있다는 점이다.

청소년기 대상자와 대화할 때 흔히 범하기 쉬운 실수가 몇 가지 있는데, 첫째는 청소년기에 있어서 밖으로 표현되는 태도나 언행이 본래 그대로의 모습이 아닌 경우가 많다. 그저 장난조로 한번 해보는 정도의 것일 수도 있고, 자기 생각과 정반대의 말을 해서 떠보는 경우일 수도 있고, 자기가 평상시 궁금해 하던 것을 비유를 들어 질문하여 알아보려고 하는 것일 수도 있다. 흔히 10대 청소년들은 완전한 자유와 독립을 외치면서 간섭받는 것을 싫어하지만, 한편으로는 자신들이 자제력을 잃고 아주 엉뚱한 짓을 하지 않을까 하는 두려움을 갖고 있어 간섭을 싫어하면서도 누군가 엄격한 규칙에 따라 자신을 강력히 통제해 주고 규제해 주기를 바라며, 그런 사람이 있다고 느낄 때 비로소 안심하게 된다.

둘째는 청소년들은 감정을 말로 분명하게 표현하지 않을 때가 많다는 점이다. 겉으로는 냉담한 것 같아 보여도 사실은 감정의 동요가 심한 경우도 있고, 굉장히 당황하면서도 전혀 말을 하지 않는 경우도 있다. 청소년기 대상자와 대화를 나누기가 어려운 또 다른 이유는 감정의 기복이 심하다는 것이다. 처음 만났을 때는 말도 많고 태도도 좋아 대하기 쉬웠던 아이가 어느 순간에 화를 내고 말도 없이 앉아만 있는 경우도 있다.

청소년기 대상자에게 가장 중요한 문제는 성문제와 신체적 변화와 관련된 문제일 것이다. 간호사는 청소년과 대화를 나눌 때 마음 놓고 이야기해 줄 수 있는 정해진 말이 없기 때문에, 무엇을 어떻게 말해 주는 것이 가장 오류가 적은지를 생각한 후에 이야기하는 것이 좋다.

간호사가 대상자의 성에 대하여 물어 볼 때, 자위행위에 대하여 청소년 자신에 대한 이야기를 해 보라는 것보다는 일반적으로 자위행위에 대해 청소년이 어떻게 생각하고 있는지를 먼저 물어보는 것이 효과적이다. 그 이유는 자신의 행위에 대한 이야기가 아니기 때문에 이야기가 훨씬 자연스러워지며 아울러 대상자가 알고 있는 지식의 정도도 알게 된다. 그러다가 자연스럽게 자신의 자위행위에 대해서 이야기하게 될 수도 있다.

청소년은 자위행위에 대해 자신의 육체적인 충동 및 자기 자신을 제대로 통제하지 못하는 것에 대한 두려움이 크다. 따라서 간호사가 자위행위를 해도 아무런 해가 없다고 단순하게 이야기하는 것이 청소년을 안심시킬 수 없다. 자위행위에서 파생되어 나온 이런 측면을 이해하고, 그런 두려움을 말로 표현하도록 하는 것이 좋다. 스스로 두려움을 표현하지 않으면, 간호사가 그 두려움을 이야기해 줄 수도 있다.

자위행위에 대하여 대화를 할 때, 간호사가 그 나이 또래의 다른 청소년도 비슷한 문제 때문에 걱정을 한다고 말할 수는 있어도 간호사 자신도 성적인 문제를 가지고 있었다고 말해 주는 것은 별로 도움이 되지 못한다. 이러한 이야기가 일시적으로 대상자를 안심시킬 수는 있지만 간호사를 부끄러운 실패자로 여기게 되어 간호사의 말에 더 이상 귀를 기울이지 않게 된다.

또한, 성 문제에 대해 이야기할 때 간호사가 너무 잘난 체하는 인상을 주어서도 안 되고 내가 너보다 나을 것도 없다는 인상을 주어서도 안 된다.

VI 입원아동에 대한 기본간호

01 / 입원 준비 지침

아동과 부모에게 입원(admission)이라는 사건은 큰 충격이며 스트레스가 될 수 있다. 따라서 입원 전 아동과 가족에게 상담은 반드시 필요하다. 입원 전 상담은 아동과 부모에게 병원이라는 곳을 덜 위협적이고 친숙하게 하며, 병원 직원과 가족 간 신뢰감 형성에 도움을 줄뿐만 아니라 긍정적 환경 확립을 위해 반드시 필요하다. 따라서 입원 전에 입원준비에 대한 계획을 세워야 하며, 아동의 발달연령을 고려한 적절한 설계가 필요하다. 아동의 이전 입원 경험 여부 및 입원 이유를 파악하고 이용 가능한 지지 체계 등을 고려하여 아동에게 맞는 개별적 간호를 제공하는 것이 중요하다. 실제 입원 전 입원준비 프로그램을 시행하되 입원준비는 아

표 3-14 아동가 가족을 지지하기 위한 입원지침

입원 전	입원
• 발달연령, 질병의 심각성, 질병의 전염성, 예상된 입원기간에 따라 병실을 배정 • 새로운 아동의 입실 전에 같은 병실에 있게 될 아동을 준비 • 아동과 가족을 위해 입원 서류 양식 및 아동에게 필요한 장비를 갖추어 병실을 준비	• 아동과 가족에게 담당 간호사를 소개 • 병동의 편의시설, 배정된 병실과 병동을 안내하고, 소아과 병동의 긍정적인 구역을 강조 – 병실: 호출, 침상 조절기, 텔레비전, 욕실, 전화 이용법 등 설명 – 병동: 놀이방, 식당 등 소개 • 같은 병실의 아동과 부모에게 입원 아동과 가족을 소개 • 아동의 손목, 발목에 신분확인 팔찌를 착용 • 면회시간, 식사시간, 취침시간, 제한점에 대한 병원의 규칙이나 일정을 설명하고, 이에 대한 서면 안내문을 제공함. • 간호력을 작성 • 활력징후, 혈압, 신장, 체중을 측정 • 검사물을 채취하고 검사실로 보냄 • 신체검진 동안 아동을 지지하고 도움
응급입원	**집중치료실(ICU) 입원**
• 응급상황에서는 준비된 입원은 불가능 • 생명을 위협하는 응급상황이 아니라면, 아동에게 자신의 간호에 참여하도록 함으로써 통제감을 유지하도록 함 • 다음은 입원상담의 필수요소이다. – 가족에 대한 적절한 소개 – 아동의 연령과 발달 수준 평가 – 아동의 이름 사용 – 아동의 평소 건강상태 및 치료에 방해가 되는 문제나 수술 및 이전 입원경험에 대한 정보 – 아동과 부모 양쪽 모두에서 수집한 주호소	• 집중치료실 입원을 위해 아동과 부모를 준비하게 함 • 예상치 못한 중환자실 입원을 위해 실제적으로 하게 될 경험과 흔한 가족의 관심사항(ex 아동의 간호를 책임질 사람, 면회 시간, 가족이 머무를 수 있는 장소)에 대해 아동과 부모를 준비하게 함 • 집중치료실에 있는 아동에게 처음 면회 왔을 때 아동의 외양과 행동에 대해 부모를 준비하게 함 • 정서적 지지를 제공하고, 질문에 답할 수 있도록 가족을 침상가에 머물게 함 • 면회 동안 형제를 준비시켜, 형제를 보았을 때 당황해하는 것을 예방함

동의 주위집중 시간에 맞추어 정하고 어릴수록 짧게 정한다. 아동의 입원준비에서 최적의 접근은 각각의 아동과 가족을 위해 계획된 개별적 프로그램을 적용하는 것이 중요하다. 또한 입원 전 병원 환경에 익숙해지도록 병원을 미리 순회하는 것이 좋고, 입원 자료 준비는 아동의 연령과 선호도에 맞게 영화, 강의, 시범, 놀이, 인형극, 모형 등을 이용하여 준비한다. 심리적 안정감을 갖도록 토론 기회를 제공하는 것이 좋으며, 입원 전에 입원 생활 및 입원과 관련된 절차, 서류 등의 세부적 정보 제공에 대해 부모와 상담이 필요하다[표 3-14].

02 / 병원 입원 절차

1) 간호력

(1) 기능적 건강양상에 의한 간호력 양식

간호력은 개별적 간호계획을 세우기 위해 아동과 가족에 대한 자료를 수집하는 것이다. 간호력의 목적은 대상자의 일상적인 건강생활 양식을 사정하여 병원 생활에서 편안한 환경을 제공하기 위한 것이다.

Gordon(1994)이 개발한 기능적 건강양상에 의한 간호력 양식은 다음을 포함한다.

건강지각-건강관리 양상, 영양-대사 양상, 배설양상, 수면-휴식 양상, 활동-운동 양상, 인지-지각 양상, 자아인식과 자아개념 양상, 역할-관계 양상, 성-생식 양상, 대처-스트레스 대응 양상, 가치-신념 양상 측면에서 간호력을 작성한다.

2) 신체사정

아동의 입원 시에 아동의 몸에 대해 머리에서 발끝까지 세심한 신체사정이 필요하다. 아동의 연령이나 질병에 관계없이 입원 아동은 신체의 모든 부분을 자세히 사정하고 결과를 기록한다. 특히, 작은 상처, 발진, 학대 징후, 기능장애, 기형 등이 있는지 확인한다.

3) 아동의 병실 배치

아동의 발달 정도 및 요구의 다양성에 기초하여 비슷한 연령, 같은 성, 비슷한 질병 유형을 가진 아동이 함께 있도록 배치하고 연령과 신체적 제한 정도에 적합한 환경을 제공하는 것이 필요하다. 특히, 청소년의 경우 또래와의 사회화 증진을 위해 같은 성, 비슷한 나이의 청소년을 같은 병실에 배치하는 것이 좋다.

03 / 특수 병원환경에서의 간호

1) 통원이나 외래환경

통원이나 외래환경(ambulatory/outpatient setting)은 병원 전염 기회가 감소될뿐만 아니라 비용이 절약될 수 있다. 외래에서 긴 대기시간 동안 아동이 지루해지지 않도록 장난감, 책, 놀이감을 이용할 수 있도록 준비한다. 외래에서 수술을 할 경우에는 수술에 대한 필요한 정보를 미리 제공하고, 병원에 가지고 올 물품을 교육하여 아동과 부모 가 수술에 대한 준비를 하도록 한다.

2) 격리실

아동이 감염성 질병을 보유하거나 면역기능 장애 아동이 입원할 수 있다. 격리실 입원으로 인한 스트레스가 일반병실보다 증가할 수 있으므로 통제감을 가지도록 준비하는 것이 필요하다. 격리실에서 사용되는 물품을 아동에게 보여주고 기능을 설명하며 만져 보게 하여 아동이 익숙하게 한다. 또한 간호사 자신을 소개하고, 마스크 착용 전 자신의 얼굴을 아동에게 보여준다. 환아의 상태가 호전되면 지루함을 예방하기 위해 감각 자극 활동을 격려하고 사회적 상호작용 기회를 제공한다. 비록 격리실 입원이 아동과 부모에게 힘들고 스트레스가 되지만, 격리의 긍정적인 면을 생각하도록 격려한다.

3) 응급입원

응급입원(emergency admission)은 아동과 부모에게 충격적인 경험이 될 수 있다. 극적인 경험과 관련된 두려움과 불안을 줄이기 위해 심리적 지지간호가 필요하다. 응급입원에 필수적 부분을 집중해서 준비하도록 하고, 아동의 상태가 안정되면 치료의 전 과정을 마치도록 한다. 응급상황이지만 아동의 사생활을 보호하도록 노력해야 하며 다양한 정서반응을 수용하고, 부모-자녀간의 접촉을 유지하는 것이 안정에 도움이 된다. 또한 간호사는 응급상황 발생 전·후 모든 사건을 설명하는 것이 필요하며, 응급상황에서 침착함을 유지하는 것이 중요하다.

4) 집중치료실

집중치료실(intensive care unit, ICU)은 질병의 심각성, 환경의 특성, 복잡하고 위협적인 의료절차 등이 아동과 부모 모두에게 스트레스원이 될 수 있으므로 가족의 정서적 요구를 파악하여 간호하는 것이 중요하며, 부모에게 가장 절박한 요구는 환아의 상태에 대한 정보에 관한 것이므로 상세히 알려주는 것이 중요하다[표 3-15].

5) 퇴원계획과 가정간호

퇴원계획은 입원 기간 동안 교육이 이루어질 수 있도록 입원관리 및 추후간호를 위한 가족교육 내용을 포함해야 한다. 퇴원 계획의 사정단계에서는 가족의 능력 파악, 가정에서 사용해야 하는 기구나 물품 등에 대한 두 사람 이상의 기술 습득, 가능하며 적절한 지지 자원 확인이 필요하다. 계획단계에서는 지속적 가정간호가 가능하도록 교육이 필요하다. 교육을 계획할 때 기술의 복잡성, 기술을 배울 수 있는 능력, 이전 경험을 사정하여 환아나 부모가 관찰이나 도움 받아 참여하거나 도움 없이 스스로 수행하는지 파악한다. 그에 따라 개별적·단계적 교육을 평가 실시하여 평가 결과에 따른 교육 자료를 제공하도록 한다.

최소한의 감독으로 간호를 책임질 수 있는 시행착오 기간을 전환기 간호라 한다. 부모와 아동에게 이 기간이 필요할 수 있다. 평가와 계속적 지지 단계에서는 특히 중환아 가정간호 계획 시에 추후 입원 필요성 여부, 아동의 성장 및 발달, 가족에게 미치는 영향, 활용 가능한 실제적 자원 활용 정도, 경제적 비용 절약 등을 고려한다. 퇴원 후 지속적이고 전문적인 지지를 위해 추후 가정 방문이나 전화 방문이 필요하며, 지역사회 조직과의 협력도 고려한다.

표 3-15 집중치료실 입원 아동과 부모가 경험하는 스트레스

요인	내용
신체적 스트레스 요인	• 침습적 치료와 관련된 통증과 불편감 • 억제대나 침상 안정과 같은 부동 • 수면장애 • 먹고 마실수 없음 • 배설습관의 변화
환경적 스트레스 요인	• 낯선 환경 • 낯선 소리(장비의 소음과 사람들 소리) • 낯선 사람들 • 불쾌한 냄새 • 계속 켜져 있는 불빛 • 급박한 분위기 • 불친절한 의료진과 이해할 수 없는 설명
사회적 스트레스 요인	• 가족이나 친구들과의 관계 상실 • 학교 결석에 대한 걱정 • 놀이의 박탈
심리적 스트레스 요인	• 프라이버시 결여 • 삽관 시 의사소통 장애 • 불충분한 지식과 이해되지 않는 상황 • 질병의 심각성 • 걱정하는 부모의 행동

04 / 건강한 피부유지

1) 피부손상의 위험

피부는 외부 물질로 부터의 보호와 감각, 체온조절, 대사작용 및 면역의 기능이 있다. 따라서 피부 손상 위험 요인 있는 아동은 철저한 관찰이 필요하다. 피부 손상의 위험 요인에는 기동성 장애, 단백질 부족, 부종, 실금, 감각 상실, 빈혈, 감염 등의 원인과 장기입원, 양압에 따른 호흡수가 증가하거나, 고정된 자세를 취해야 하는 상황이나 중환자실에서 체중 감소 등이 있다. 반응성 충혈(reactive hyperemia)이란 주변의 피부가 빨갛게 되고 조직괴사가 초래되어 압력에 의한 궤양(욕창, pressure sore)이 발생되는 것이다.

따라서 색, 직경과 깊이, 위치, 공간의 존재 유무, 냄새, 삼출물, 치료에 대한 반응을 적어도 매일 관찰하고 기록해야 한다.

2) 욕창의 진행 단계

욕창의 단계는 심부조직 손상이 의심되는 단계부터 Grade Ⅰ, Ⅱ, Ⅲ, Ⅳ 단계, 분류 불가능 단계로 나눌수 있다[표 3-16]. 욕창의 빠른 치료를 위해서는 진행 단계를 정확히 파악하는 것이 중요하다.

표 3-16 욕창의 진행단계

진행 단계	증상
심부조직 손상이 의심되는 단계	피부손상이 없는 보라색 또는 적갈색의 부분적 피부변색 혹은 혈액이 찬 수포를 말한다. 주위조직에 비하여 단단하거나 물렁거리고 통증을 유발할 수 있으며 따뜻하거나 차갑게 느껴질 수 있다. 증상이 심해지면 조직손상으로 진행될 수 있다.
1단계	눌렀을 때 하얗게 되지 않는 발적(non-blanching redness)이 나타나며 발적 부위는 압력제거 후에도 정상 피부색으로 회복되지 않는다. 피부가 손상되지않은 상태이며 침습부위는 표피에 제한된다.
2단계	표피와 진피의 일부분까지 침범된 부분층 피부손상을 말한다. 피부는 붉고 습하며 통증이 심한 얕은 상처로 피부색이 변화되고 부분적인 피부상실과 표재성궤양이 있다. 괴사조직은 없으며 손상이 없는 수포 혹은 손상된 수포가 나타날 수 있다.
3단계	전층 피부손상상태로 피하층이 노출되나 근막, 근육, 뼈의 노출은 없다. 괴사조직이 있을 수 있으며 동로(sinus tract)와 잠식(undermining)의 형성이 가능하다.
4단계	전층 피부손상상태로 근막, 근육, 뼈, 지지조직(건, 인대 등)이 노출되고 괴사조직이 있을 수 있으며 동로와 잠식의 형성이 가능하다.
분류불가능(Unstageable)단계	전층 피부손상상태이나 괴사조직으로 상처기저부가 덮어져 있어서 조직의 손상 깊이를 알 수 없는 상태이다.

3) 피부손상의 종류

(1) 압력에 의한 상처

피부나 그 아래 조직에 미치는 압력이 모세혈관 폐쇄를 일으키는 모세혈관 폐쇄 압력보다 클 때 발생하며, 이 압력은 조직에 저산소증을 유발하여 세포를 파괴한다.

압력에 의한 상처를 예방하기 위해 자주 체위변경을 실시하고, 실시한 내용을 기록한다.

압력완화 장비(pressure relief device)를 사용하여 환자가 압력에 의해 영향을 덜 받도록 한다.

(2) 마찰

침대시트 표면에 피부가 마찰될 경우 발생할 수 있으며, 발생 부위는 돌출된 부위에 잘 생기며 특히 팔꿈치, 발뒤꿈치에 흔히 발생한다.

마찰에 중력과 전단 손상이 더해지면 손상은 더욱 커진다.

(3) 전단

전단(shear)은 침대, 의자 표면에 신체의 무게와 중력, 마찰이 동시에 작용하여 나타난다.

(4) 표피의 박리

반창고를 제거할 때 표피가 함께 제거되는 경우 피부손상이 발생하며, 이때 표피가 박리되는 것을 예방하기 위해 투명 드레싱, 드레싱 고정 바인더나 피부 보호제를 사용한다.

피부 부착제품을 사용할 경우에는 당김이나 주름 없이 부착하고 한 손으로 피부 아래의 조직을 안정시킨 후 천천히 떼어내야 손상이 덜하다.

피부 부착제를 제거할 때에는 미지근한 물, 물에 적신 솜, 미네랄 오일, 수렴제를 사용하면 박리를 예방할 수 있다. 또한, 소변과 혼합된 대변 실금, 상처 배액, 위루관 주변의 위액 누출 등의 화학적 요인의 자극 부위를 깨끗이 닦아 주고, 피부 보호제 적용하는 것이 필요하다.

05 / 목욕

침상에만 있는 영아나 어린 아동은 수건을 사용하여 침상목욕 하도록 한다. 영아와 어린 아동은 절대 목욕통 속에 혼자 두지 말고 혼자 앉을 수 없는 영아는 목욕하는 동안 한 팔로 안전하게 지지한다. 피부가 겹쳐진 곳은 깨끗이 씻도록 하고, 가능하다면 아동 스스로 하도록 격려한다. 그러나 정신적 · 신체적 제한이 있고, 자살 가능성이 있거나, 정신병이 있는 아동의 경우에는 주의 깊게 감독하여야 한다.

06 / 구강 위생

영아나 쇠약한 아동은 간호사나 가족이 구강간호를 수행해 주며, 칫솔질이 가능한 아동은 칫솔질을 하도록 상기시켜 주어 스스로 하도록 한다.

07 / 모발 간호

만약 아동에게 수액 투여를 위한 두피정맥 이용을 위해 면도하는 경우에는 부모의 허락이 필요하며, 위생 상태를 유지하기 위하여 10대 청소년의 경우에는 피지 분비가 활발하므로 자주 머리를 감도록 한다.

08 / 영양 공급

열과 감염 증상에 선행하여 질병의 초기증상으로 식욕상실이 나타날 수 있으며, 부모와의 분리로 인한 우울이나 거부증이 있을 경우에는 먹는 것을 강요하지 않도록 한다. 특히 아동에게는 영양 공급 부족으로 인한 탈수를 주의해야 하며, 고탄수화물 음료는 삼투효과가 있어 오히려 설사를 악화시키므로 피해야 한다. 영양 공급에 이상이 있다면 섭취한 음식물 종류와 섭취량을 사정할 필요성이 있으며, 입원 아동의 음식섭취 증진을 위해 여러 방법들을 이용할 수 있다(입원 아동의 음식섭취 증진을 위한 지침 참조).

09 / 체온조절

1) 기전

우리 몸은 기준 값을 유지하기 위해 외부환경이나 정보를 시상하부로 전달하여 체온을 조절한다. 시상하부에서 자동온도조절기전(thermostat-like mechanism)에 의한 신체의 온도를 기준값(set point)으로 하여 그 기준값 이상으로 체온이 상승된 것을 열(fever)라 한다. 아동에게 나타나는 대부분의 열은 바이러스(virus)가 원인이다.

2) 체온하강 방법

열에 의한 것인지 고체온증에 의한 것인지에 따라 다르므로 구별할 필요성이 있다.

(1) 열

감염이 원인이며 치료 및 간호는 해열제를 사용한다. Acetaminophen을 4시간 간격으로 투여하고 하루 5회 이상은 투여하지 않는다. 비스테로이드성 소염 진통제(Non-steroidal anti-inflammatory drugs, NSAIDs)도 사용할 수 있다. Aspirin 은 Reye syndrome의 부작용이 있으므로 사용하지 않는다. 아동이 오한을 느끼지 않는 경우라면 피부를 공기에 노출하고 실내 온도를 낮추고 환기를 증가시키고 이마에 찬물 찜질을 사용할 수 있다. 이러한 간호는 해열제 투여 후 약 1시간 후 시행하면 효과적이다.

6개월~6세 사이의 아동에서 열성 경련이 3~4% 정도 발생되는데 단순 열성 경련은 뇌손상을 유발하지 않으며 지속시간은 10분 이내이다.

(2) 고체온증

기준값(set poin)이 정상이며 열소비가 열생산보다 많을 경우로, 열사병이나 Aspirin 중독, 발작(seizure), 갑상선기능항진증(hyperthyroidism)일 경우 고체온일 수 있다. 이 경우에는 냉요법을 적용한다. 이는 피부에서 식혀진 혈액은 내부의 기관과 조직에 전도되고 따뜻한 혈액은 다시 표면으로 순환하여 또다시 식혀져서 재순환하므로 자주 체온을 측정하여야 한다. 체온보다 1~2℃ 낮도록 하는 것이 효과적이다. 냉목욕(cooling bath) 방법은 차게 식힌 수건을 이마에 얹고 더워지면 갈아 주며 때때로 신체의 일부분을 노출시켜 미온수에 적신 수건으로 닦아 주는 방법으로서 약 30분간 지속하고 시행 후에는 체온을 재측정한다. 아동은 체온이 1℃ 올라갈 때 대사율이 10% 상승되며, 전율 시에는 3~4배 증가하고, 산소와 수분 및 칼로리 요구량이 증가하므로 아동에게는 체온을 유지하는 것이 중요하다.

입원 아동의 음식섭취 증진을 위한 지침

- 소량씩 자주 제공한다.
- 영양가 있는 간식을 준다.
- 익숙한 그릇들을 사용한다.
- 여러 아동이 모여서 먹게 한다.
- 집에서 만든 음식을 먹어도록 허용한다.
- 음식을 보기 좋고 특별하게 보이도록 준비한다.
- 식사시간이 즐겁도록 식사시간 전 · 후에는 치료나 검사를 실시 하지 않는다.
- 아동이 잘 먹으면 칭찬하고, 먹지 않는다고 벌을 주거나 억지로 먹이지 않는다.
- 계절 음식, 강한 냄새가 나는 음식, 뜨겁거나 여러 가지를 섞은 음식은 피한다.
- 아동이 좋아하는 음료와 음식을 주며, 가능하다면 음식의 선택과 준비에 아동을 참여시킨다.

10 / 신체적 손상과 통증

1) 발달 단계에 따른 통증표현

아동에서 발달단계에 따른 통증의 표현은 차이가 있으므로 발달단계에 대해 이해하고 그에 따른 간호가 필요하다[표 3-17].

(1) 영아

일관성 있는 지표는 얼굴표정이다. 고통스러운 자극이 있을 경우 날카로운 고음의 울음을 울면서 몸을 흔들고 얼굴을 찡그리고 있다. 어린 아동의 경우 통증사정은 얼굴, 다리, 활동, 울음, 달래기를 통해 파악할 수 있다[표 3-18]. 영아의 통증 경험은 6개월 미만은 분명한 기억을 가지고 있지 않으나 그 이후 영아는 부모의 지지와 이전의 통증 경험에 의해 영향 받는다. 통증이 있을때에는 부모가 안아 주거나 익숙한 장난감이나 놀이를 제공하는 것이 좋다.

(2) 유아

유아 통증의 영향 요인은 이전 경험의 기억, 부모로부터 분리, 신체적 제한, 타인의 정서적 반응, 준비 정도 등에 의해 영향을 받는다. 또한 통증이 있다면 공격적인 행동을 취하는 데, 얼굴을 찡그리거나 입술을 악물고 눈을 크게 뜨거나 몸을 흔들고, 비비고, 물거나 때리고 도망치는 것 등의 행동을 취한다. 또한 성인은 활동이 감소되지만 반면에 유아의 경우에는 안절부절 못하거나 지나치게 움직인다. 따라서 느끼는 통증에 대해 부모나 의료진과 의사소통 하는 것이 좋다.

(3) 학령전기 아동

이 시기의 아동은 신체적 손상에 대한 두려움과 불안이 크다. 침습적 절차는 고통의 존재와 상관없이 위협적으로 느끼므로 처치 후에 일회용 반창고를 붙여준다. 또한 붕대의 크기가 클수록 상처가 크다고 여기므로 과도한 처치는

표 3-17 아동의 질병과 통증에 대한 개념 발달

	질병의 개념	통증의 개념
2~7세	• 현상주의(phenomenism): 질병의 원인을 외적이고, 관련성이 없는 구체적인 현상으로 인식 • 접촉감염(contagion): 두 사건 사이의 근접성을 질병의 원인으로 생각	• 일차적으로 신체적, 구체적인 경험과 관련 • 마술적으로 사라질 것으로 생각 • 잘못에 대한 벌로 생각 • 통증이 다른 사람 때문에 생겼다고 여기며 그 사람을 때리기도 함
7~10세	• 오염(contamination): 신체에 '나쁜 것' 혹은 '해로운 것'으로 아동의 외부에 있는 사람이나 물체 혹은 잘못된 행위를 질병의 원인으로 인식 • 내재화(internalization): 질병의 원인은 외부에 있으나 신체 내부로 들어와 발생하는 것으로 인식	• 신체의 구체적인 기관과 관련 • 심리적인 통증을 느낄 수 있음 • 신체적 손상과 죽음에 대한 공포를 갖고 있음 • 통증을 잘못에 대한 벌로 여김
13세 이상	• 생리적(physiologic): 기관이나 대사과정의 기능장애 및 기능 부재로 질병이 온다고 인식 • 심리생리적(psychophysiologic): 심리적인 행위와 태도가 건강과 질병에 영향을 준다고 인식	• 통증의 원인을 해부생리학적으로 설명 • 다양한 형태의 심리적 통증을 인지 • 성숙한 이해에도 불구하고 성인에 비해 대처할 수 있는 생활경험이 한정 • 통증을 겪는 동안 통제력 상실에 대한 두려움이 있음

표 3-18 어린 아동의 통증사정척도(FLACC scale)

	0	1	2
얼굴	특별한 표정이 없거나 미소를 띠고 있음	가끔 찡그리거나 찌푸림, 위축되거나 흥미가 없음	자주 혹은 계속 찌푸리고 있으며, 이를 악물고, 턱이 바르르 떨림
다리	자연스럽게 있거나 이완되어 있음	불편하거나 안절부절 못하거나 긴장되어 있음	발로 차거나, 다리를 구부리고 있음
활동	가만히 누워 있거나 정상적인 체위를 취하고 있으며, 쉽게 움직임	움찔거리거나, 앞뒤로 움직이거나 긴장되어 있음	등을 움츠리고 있거나 경직되어 있거나 뻗침
울음	깨어 있거나 잘 때 울지 않음	신음하거나 혹은 훌쩍거리거나, 때로는 불평함	계속 울거나 비명을 지르거나 흐느껴 울며, 불평이 많음
달래기	만족하고, 이완되어 있음	쓰다듬거나 안아 주거나 말로 달랠 수 있음. 기분전환이 가능함	달래고 편안하게 하기가 어려움

하지 않도록 하는 것이 좋다. 의사소통 시 특히 단어 선택에 유의해야 하는데 이 시기의 아동은 이중적 의미를 이해하지 못하고, 설명이나 사전 중재에 호의적 반응을 보이므로 처치 전에는 설명을 해주는 것이 필요하다. 전신적 신체 저항보다 통증을 일으키는 사람을 밀어내거나 기구를 치우려고 애를 쓰거나 안전한 장소로 피신하는 경향이 있다. 통증의 정도를 알아보기 위해 사용하는 얼굴 척도(face scale)는 3세 정도의 아동에게 적용한다.

(4) 학령기 아동

학령기 아동은 질병의 의미, 신체기관의 기능, 치료의 필요성, 잠재적 위험성, 죽음의 의미 등을 이해한다. 현실에 대해 인지가 가능하므로 신체 손상, 불구, 죽음 등에 대한 두려움이 있다. 또한 불확실한 회복, 영구적 손상, 죽음 등에 더 많은 관심을 가지며 이전의 경험은 거의 영향을 주지 않는다. 질병의 원인에 대해 자책감이나 죄책감을 가질 수 있다. 만성 질환 아동은 침습적 절차에 더 스트레스를 받으며 반면에 급성 질환 아동은 신체적 증상에 민감하며, 두려움에 대한 표현은 여아가 남아보다 더 강하다. 통증에 대한 대처반응으로는 꼼짝하지 않거나 주먹을 꼭 쥐거나, 이를 악물거나 억지로 웃는 것처럼 용감하게 행동한다. 따라서 통증의 부위, 강도, 유형에 대해 자세히 언어로 표현하도록 격려하는 것이 필요하고 수동적 통증 표현 고려(심각한 얼굴 표정을 지으며 표현은"괜찮아요."라고 말함)한다. 검사나 치료 전에 충분한 설명을 해주어 불안을 감소시키는 것이 필요하다.

(5) 청소년

이 시기에는 신체상(body image)의 발달이 가장 민감하고 사생활에 매우 예민하다. 따라서 지나치게 얌전하거나 안절부절못함 등의 비언어적 표현을 잘 관찰하는 것이 필요하며, 통증에 대해 적절한 설명을 해주고, 필요 이상의 과잉반응은 피해야 한다.

2) 신체적 손상의 예방 및 최소화

아동은 입원으로 인한 신체적 손상이나 죽음을 두려워하며, 예상되는 고통스러운 절차에 대해 아동을 준비시키는 것은 두려움을 감소시켜줄 수 있다. 각 연령에 따라 치료나 검사 방법의 조정이 가능하다. 절차를 수행하는 동안 부모와의 접촉을 유지하고, 가능한 한 절차를 신속하게 시행하는 지지적 간호를 시행하는 것이 필요하다. 아동은 자신의 생각이나 잘못된 행동이 신체적 손상의 원인이라고 생각하는 경향이 있으며 자기 생각이 드러나는 것을 두려워한다. 따라서 그림이나 인형놀이로 투사기법을 사용한다. 아동이 불안해 할 경우에 긍정적 정보를 주고, 자세한 설명을 하는 것이 필요하다.

3) 통증 사정

(1) 통증에 관한 오해

통증에 대해 의사소통이 어려운 어린 아동은 통증사정이 어렵고, 의료진들의 오해 등으로 인해 통증관리가 적절하게 이루어지지 못하고 있다[표 3-19]. 통증완화를 위해 마약성

표 3-19 아동 통증에 대한 일반적인 오류

오류	사실
1. 간호사는 신체적인 모습이나 행동만으로 아동의 통증을 정확하게 파악할 수 있다.	1. 간호사는 보통 아동이 자체 평가에 의해 반응하지 않으면 통증을 과소평가한다.
2. 어린 아동, 특히 신생아는 통증을 느끼지 않는다.	2. 신생아를 포함한 모든 아동은 통증을 느낀다.
3. 일상적인 행동을 다시 보이거나 자는 아이들은 통증을 느낄 수 없다.	3. 아이들은 통증이 있으면 음악이나 놀이로 고통을 잊으려고 하거나 통증으로 지쳐 잠을 잘 수도 있다.
4. 마취제의 부작용 때문에 이 진통 방법은 어린 아동에게 매우 위험하다.	4. 마취제는 체중미달인 영아를 포함한 아동에게 안전하게 사용할 수 있다.
5. 통증은 영아나 어린아동에게 아무런 해를 미치지 않을 것이다.	5. 신생아가 통증이 있다면 창백하고 서맥이 있다.
6. 아동이 통증을 부인한다면, 그 아동의 말을 믿어야 한다.	6. 아동은 주사와 같이 자신이 더 무섭게 생각하는 것을 피하기 위해서 자신이 벌을 받게 되거나, 남들이 자신의 감정을 알까봐 무서워서 통증을 부인할 수 있다.

진통제를 사용하는 경우 중독에 대한 두려움이 있을 수 있다. 중독이란 약물에 대한 자발적 · 심리적 의존을 말하는데 약물의 내성(용량의 증가를 요구하는)과 신체적 의존(약물이 중단되었을 때 금단증상이 나타나는)이 발생하는 중독에 대한 두려움이 생길 수 있으며 또한 마약성 진통제 사용 후 호흡억제에 대한 두려움이 있을 수 있다. 이는 진통 효과에 대한 내성이 있으면 호흡억제효과에 대한 내성이 있을 것이라고 생각할 수 있다. 통증은 마약성 진통제의 호흡억제 효과에 대해 길항적으로 작용한다.

(2) 아동 통증사정의 원칙

미국통증협회(2000)에서는 "통증은 5번째 활력징후"라고 하였다. 따라서 통증이 있다면 규칙적인 사정이 필요하다. 아동의 입장에서 통증에 대해 사정해야 하고, 아동에게 아픈 부위를 표시하거나 지적하거나 그리도록 한다[그림 3-34]. 통증력(pain history)을 조사하여 통증의 원인을

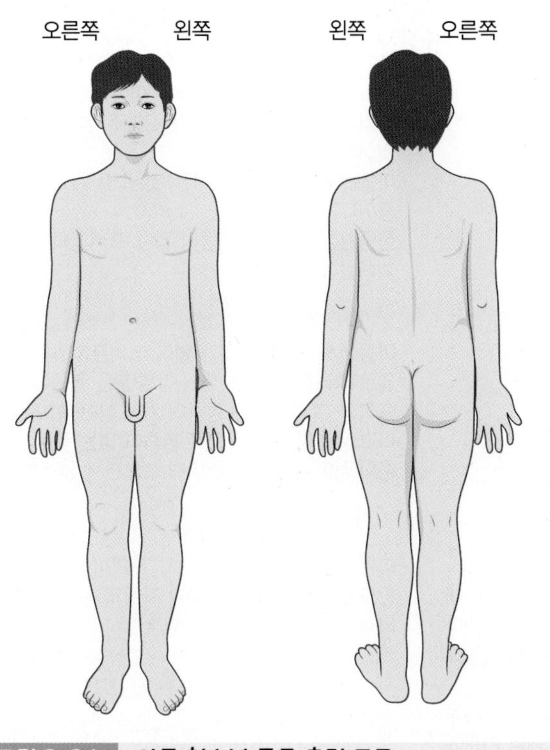

그림 3-34 아동 청소년 통증 측정 도구

Q(Question the child)
• 아동에게 질문
U(Use pain rating scales)
• 통증사정도구 사용
E(Evaluate behavior and physiologic change)
• 행동, 생리적 변화 평가
S(Secure parent's involvement)
• 부모 참여
T(Take cause of pain into account)
• 통증의 원인 고려
T(Take action and evaluate results)
• 중재, 결과 평가

그림 3-35 QUESTT(Baker and Wong, 1987)

표 3-20 통증사정척도

통증척도/설명	추천연령	내용
얼굴척도(face pain rating scale)		
"아프지 않음"의 미소 짓는 얼굴부터 "가장 심하게 아픔" 이라는 눈물 흘리는 얼굴까지 6개의 얼굴로 구성됨 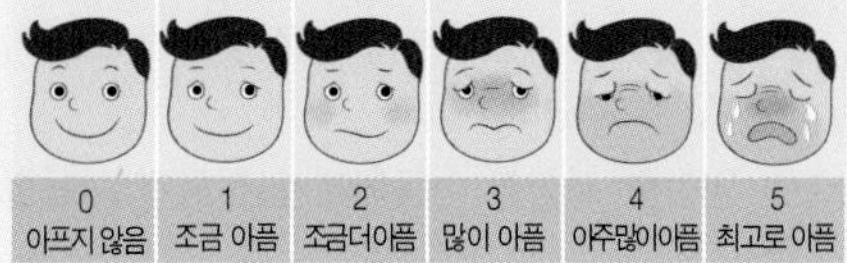 	• 3세 가량의 아동에게 사용 • 원본 척도에서는 통증을 설명하는 용어 없이 사용되었다. • 사용목적에 따라 부호를 추가하여 0~5척도 대신 0~10척도로 사용할 수 있다. • 얼굴 표정, 숫자, 언어 짧은 말이 함께 표현된 척도가 추천된다.	• 아동의 얼굴은 행복해 보이는 모습과 슬퍼 보이는 모습으로 그려 있으며, 이는 통증이 없는 상태와 통증이 심한 것을 설명한다. • 얼굴 0은 통증이 없기 때문에 매우 행복해 보이는 얼굴, 얼굴 1은 약간 아파 보이는 얼굴, 얼굴 2는 약간 심하게 아파보이는 얼굴, 얼굴 3은 심하게 아픈 얼굴, 얼굴 4는 매우 심하게 아픈 얼굴, 얼굴 5는 상상할 수 없을 정도로 심하게 아픈 얼굴이며, 이는 실제로 아동이 눈물을 흘리는 것을 보지 못하더라도 아동이 그렇게 느끼면 포함된다. • 아동에게 통증의 느낌을 가장 잘 표현한 그림을 고르라고 한 후, 그 밑에 있는 번호를 통증사정 기록지에 기록한다.
오우커척도(Oucher scale)		
"통증이 없음"을 의미하는 표정에서 "이렇게 아파본 적이 없을 정도로 너무 아픔"을 의미하는 6가지 얼굴 표정 사진으로 구성: 0~100까지 표시된 수직선을 포함한 척도와 함께 한다; 흑인과 스페인계 아동을 위한 척도도 개발되어 있음 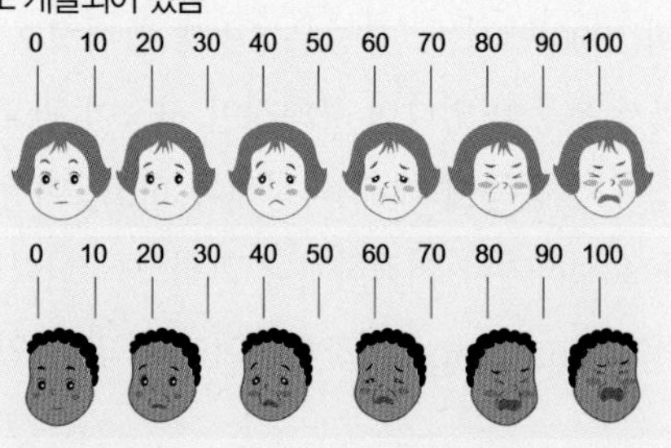 	• 아동이 사진척도를 사용할 수 있는 인지능력이 갖추어져 있는지를 먼저 결정해야 한다. • 3~13세의 아동에게 사용한다. • 아동이 200까지 셀 수 있거나 두 개의 숫자 척도를 사용할 수 있는 아동에게 사용한다.	• 사진척도(photographic scale) • 척도의 6개의 사진 각각을 지적하면서 통증 강도를 설명, 0~5점 • 숫자척도(numeric scale) 척도의 각 지점을 가르키면서 통증 강도의 다양함을 설명한다; "0"은 통증이 없음을 의미한다. "이 구역은 약간 아픔을 의미함"(1~29), "이 구역은 심하게 아픔을 의미함(77~99)", "100은 당신이 이렇게 아파본 적이 없을 정도로 너무 아픔을 의미함" 점수는 아동이 진술한 실제 숫자로 한다.
포커칩척도(poker chip tool scale)		
4개의 빨간색 포커칩을 아동의 정면에 수평으로 배열하여 사용함	• 4세 가량의 아동에게 사용	• 플라스틱 조각들을 통증 정도에 따라 선택하도록 한다. 첫 번째 조각만은 "조금 아픈" 것이고 4번째 조각까지 다 선택하는 것은 "아주 심하게 아픈" 것이라고 설명 • 아동에게 "네가 지금 아픈 것은 몇 개의 조각만큼이니?"라고 묻는다. • 통증양상기록지에 아동이 답한 포커칩의 개수를 기록한다.
언어-표시척도(word-graphic rating scale)		
다양한 통증의 강도를 나타내기 위해 기술된 말을 사용함 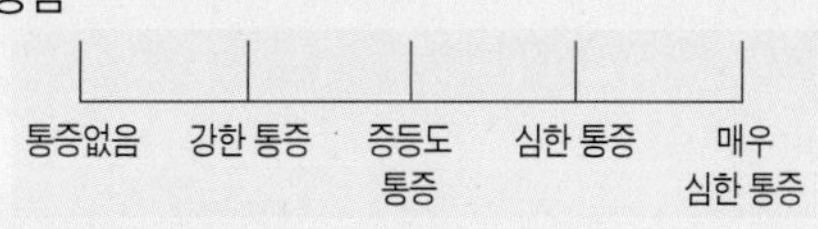 	• 4~17세의 아동에게 사용	• 아동에게 "이것은 네가 얼마나 아픈지 나타내는 말로 그려진 선이다. 선의 이 부분은 통증이 없는 쪽이고, 그 반대편은 통증이 가장 심한 쪽이란다." 라고 말한다. 손가락으로 통증이 없는 쪽에서 통증이 심한 쪽으로 선을 따라 그으면서 설명한다.
숫자척도(numeric scale)		
양끝에 "통증없음"과 "가장 아픈 통증"이라고 표시된 수직선을 사용하며, 때로 중간지점에 "보통의 통증"이라고 표시될 수 있다; 수직선상에 0~5 혹은 10까지(그 이상의 숫자도 사용할 수 있음) 표시해서 사용함 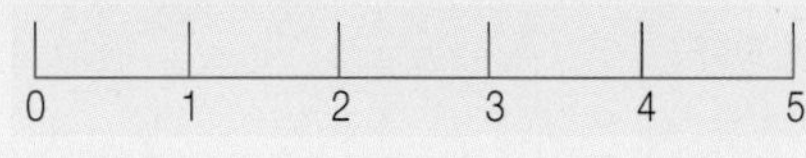 	• 5세 가량의 아동에게 사용 • 숫자를 셀 수 있거나 숫자에 대한 개념이 어느 정도 있으며 다른 숫자와의 관계를 아는 아동에게 사용할 수 있다. • 척도는 수평이나 수직으로 사용할 수 있으며 숫자를 해당 기관에서 사용하는 다른 척도의 척도의 숫자와 동일하게 사용할 수 있다.	• 아동에게 양끝 지점의 숫자가 의미하는 통증의 강도를 설명한다. 아동에게 자신의 통증을 잘 나타내는 숫자를 선택하게 한다.

표 3-20 통증사정척도 (계속)

통증척도/설명	추천연령	내용
시각상사척도(visual analogue scale)		
10㎝ 길이로 그어진 수평선 혹은 수직선 위에 대상자가 지각하는 주관적인 통증 정도를 측정하는 방법	4세 전후 아동에게 사용한다 수직선 혹은 수평선으로 된 척도를 사용할 수 있다.	아동에게 수직선상에 통증 정도를 가장 잘 표현하는 지점에 표시 하도록 한다. ㎝자로 그 길이를 측정하고 이것을 통증 점수로 한다.
색상척도(color tool)		
크레용(markers)을 가지고 신체윤곽을 사용하여 자신만의 척도를 만들도록 함	색맹이 아니고, 색깔을 아는 4세 아동에게 사용된다.	8가지 색상의 크레용을 무작위로 접어서 보여준다. 아동에게 자신이 "네가 가장 아플 때를 나타내는 색깔을 골라라."고 한다. 아동이 고른 색깔을 따로 표시해 둔다.

잘 관찰하고 사정한다. 포괄적인 통증사정의 접근 방법인 QUESTT(Baker and Wong, 1987)를 사용한다[그림 3-35]. 아동이 통증을 의심할 수 있는 행동이나 단서를 보이면 통증의 원인을 사정하여 그 병리적 특징이 통증의 강도나 유형에 대한 단서를 제공할 수 있다. 간호사는 아동에게 아동이 아파야 할 어떤 잘못도 하지 않았다는 것 설명하여 이해시키는 것이 필요하며, 주사를 맞으면 잠깐 아프나 계속적으로 심하게 아픈 것을 피할 수 있음을 확신시킨다. 통증에 대해 부모를 통한 정보 수집이 중요하며 부모가 아동에게 질문하도록 하여아동과 신뢰감을 형성하는 것이 중요하고, 아동이 아프다고 하면 믿어주어야 한다.

(3) 통증사정도구 사용

통증이 예상되는 시간 전에 미리 척도 사용법을 교육시킨다. 자가보고 사정도구로는 3세 정도 아동에게 사용하는 얼굴척도(face scale), 색상척도(color tool), 포커칩척도(pocherchip tool), 숫자척도(numeric scale), 오우커척도(Oucher scale), 언어-표식척도(word-graphic rating scale), 시각상사척도(visual analogue scale)가 있다[표 3-20].

(4) 행동반응 및 생리적 변화의 평가

통증사정의 목적은 통증을 확인하고 통증의 정도를 이해하는 것으로 신체적, 정서적, 사회 발달적 측면을 고려한 총체적 통증사정이 필요하다. 통증에 대한 생리적 반응은 피부홍조, 발한, 혈압과 맥박, 호흡수 증가, 동공확대가 있으며 정서적 반응으로는 두려움, 분노, 불안이 있을 수 있다. 아동에게 통증 사정의 효과적 방법은 행동의 변화, 신체적 반응을 관찰하는 것이다[그림 3-36].

간호진단 및 목표

간호진단 : ~와 관련된 급성 통증
간호목표 : 아동은 통증 감소를 경험할 것이다.
예상되는 결과 : 통증이 있을 때 적절한 전략 및 진통제를 사용하여 통증을 수용할 수 있을 정도로 완화된다.

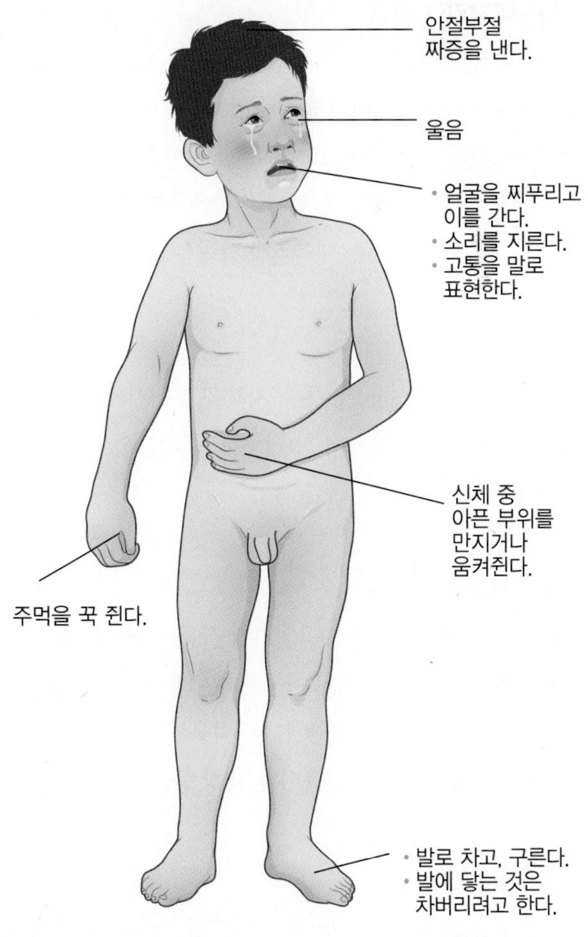

그림 3-36 통증아동 사정

투약에 대한 반응으로 통증을 사정할 수 있으며 생리적 측정결과 해석 시에는 주의해야 한다. 장기간 지속적 통증은 단기간 통증에 비해 활력징후의 변화가 적다.

통증 사정 평가에 부모의 참여를 격려한다. 부모에게 아동이 평소 통증과 관련하여 사용하는 단어 파악하고, 통증이 있을 때 평소의 반응과 효과가 있었던 치료방법 파악하여 통증 감소에 적용한다.

통증의 중재 및 결과 평가 시에 통증의 원인, 강도, 위치 등이 중요한 요소이다. 또한, 통증사정기록지를 이용할 수 있다.

4) 통증 관리

통증을 효과적으로 관리하고, 완화하는 방법은 비약리적인 방법과 약리적인 방법이 있다. 두 가지 방법을 적절히 사용한다.

(1) 비약리적 관리

비약리적 관리의 특징은 안전하고 비침습적이며 비용이 저렴하고 간호사가 독자적으로 수행이 가능하다는 것이다. 비약리적 관리 이용 시에 고려해야 할 사항은 아동의 연령, 통증의 강도, 관심 정도, 능력에 적합한 전략과 선택이 필요하다. 통증을 관리하는 비약리적 방법은 다음과 같다.

① 주의분산

주의분산(distraction)은 통증 지각을 둔화시키며 통증의 정도나 기간에는 영향을 주지 않는다. 주의분산 후에는 통증을 다시 느낄 수 있다.

② 이완요법

이완요법(relaxation)은 자율신경계 활동을 변화시켜 통증 반응에 영향을 미친다. 어린 아동에게는 좋아하는 장난감을 주거나 조용히 노래를 들려주거나 음악을 듣게 한다. 학령기나 청소년기에는 심호흡, 근육이완, 명상 등을 이용한다.

③ 심상요법

심상요법(guided imagery)은 상상력을 이용하여 즐거운 생각을 이끌어 내는 방법이다.

④ 생각중지

생각중지(thought stopping)는 자신과 보이지 않는 대화를 하거나 사고를 중지하여 통증 잊어버리게 하는 방법이다. 이는 어린 아동에게 적용하기 힘들다.

⑤ 피부자극

피부자극(cutaneous stimulation)은 아픈 부위를 문지르거나 만져서 근육을 이완시켜 통증 완화시키는 방법이다. 어린 아동일수록 부모가 제공해주는 피부자극이 효과적이다.

⑥ 상호작용

상호작용(interaction)은 직접적인 신체 접촉과 비언어적 소통 이용하는 방법이다. 진통제와 함께 사용할 때 효과가 커진다.

(2) 약리적 관리

통증을 조절하기 위해 약물 투여 시 정확한 대상자, 정확한 약물, 정확한 용량, 정확한 경로, 정확한 시간을 확인한다.

① 정확한 약물

통증 조절을 위해 사용되는 약물은 비마약성 진통제와 마약성 진통제로 분류할 수 있다[그림 3-37].

비마약성 진통제		마약성 진통제 (Opioids)
비스테로이드성 소염제 (nonsteroidal anti-inflam motory drugs, NSAIDs)		
• Aspirin, • Acetaminophen • (Tylenol) • 말초신경에 작용	• Prostaglandin의 생산 억제, 염증 감소, 통증 완화 • 주로 구강으로 투여	• Morphine • 중등도 이상의 통증 • 경구 & 비경구 투여 가능 • 저용량에서 고용량으로 점차 증가 • 반드시 심폐 모니터링 필요 • 의식수준 사정 • Meperidine (Demerol)

그림 3-37 진통제의 분류

i. 비마약성 진통제 특성

- 진통효과의 한계가 있어 과잉 투여해도 더 이상의 통증완화는 일어나지 않으며, 내성, 의존성이나 중독의 위험성이 낮다.
- 해열 및 진통작용이 있고, Acetaminophen을 제외한 대부분에서 혈소판 억제기능이 있다.
- 비스테로이드성 소염제의 진통작용은 말초 부위의 Prostaglandin을 억제함으로써 나타나고, 정확한 진통기전은 알려져 있지 않다.
- 비마약성(nonopioid)계 약물은 천장 효과(ceiling effect)를 가지고 있다. 천장 효과란 약의 투여량과 효능의 관계가 어느 정도 선까지 정비례하고 어느 지점을 도달하면 아무리 더 많은 약을 투여해도 더 이상 효능이 나타나지 않는 것이다.

ii. 마약성 진통제의 특성

- 마약성 진통제는 약효의 상한선이 없다. 용량을 증가하면 진통효과도 상승한다.
- 경구적 투여나 비경구적 투여 시 용량이 같으면 효과도 비슷하게 나타난다.
- 마약성 진통제의 약물 부작용으로는 호흡억제, 오심 및 구토, 장운동 감소, 요정체 등이 있다.
- 심한 통증 시 가장 효과적인 방법은 중추신경계에 작용하는 마약성 진통제와 말초 신경계에 작용하는 비마약성 진통제를 함께 사용하는 것이다.
- 비마약성 진통제의 이점을 최대한으로 이용한다. 예를 들어 Tylenol과 Codeine을 함께 사용할 경우 Tylenol는 일정량 사용하고 Codeine을 다양하게 첨가한다. 통증 호소 시에는 Tylenol 양만 증가시키고 Codeine 양을 그대로 유지한다.

② 정확한 용량

통증 조절을 위해 부작용은 최소화하고 최대의 통증 조절 효과를 나타낼 수 있는 적정량을 투여한다. 점차 서서히 용량을 증가시켜 부작용을 최소화한다. 아동의 특성은 성인보다 약을 빨리 대사시킨다는 것이다. 따라서 아동은 체중을 기초로 약 용량을 계산한다. 그러나 아동의 체중이 50kg 이상이면 성인 용량을 적용한다. 경구 투여로 정맥투여와 동일한 진통효과를 얻기 위해서 더 많은 용량 필요할 수 있다. 투약 후에는 통증 정도를 자주 사정한다. 아동에게 적용하는 비마약성 진통제의 용량과 마약성 진통제의 안전한 용량은 [표 3-21][표 3-22]과 같다.

③ 정확한 경로

통증을 줄이기 위해 가장 효과적이고 통증이 가장 적은 방법을 선택한다.

i. 구강투여

주사용 마약성 진통제의 사용을 줄이기 위해 경구용 비마약성 진통제의 사용을 효과적으로 한다.

ii. 정맥 내 투여

통증이 있을 때 스스로 통증을 조절하는 자가 통증 조절법(patient controlled analgesia, PCA)를 이용한다. 이것은 환자가 1회씩 투여할 수 있는 작은 용량의 주입기(infusion pump)를 이용하여 마약성 진통제를 정맥 내로 투여하는 것으로 Morphine, Hydromorphone, Fentanyl을 이용할 수 있다.

iii. 경막 외 마취

척추의 경막 외 공간에 카테터를 삽입하는 경막 외 마취(epidural analgesia)는 수술 후 통증조절에 사용하며 호흡억제를 사정하기 위해 의식 상태와 호흡 상태를 주의 깊게 사정한다.

표 3-21 아동에게 적용되는 비마약성 진통제

약물	용량
Acetaminophen (Tylenol)	• 10~15mg/kg/회(1일 4회, 4~6시간마다) • 구강으로 5회 이상/24시간, 75mg/kg/일 초과하지 말 것
Ibuprofen 소아용 Motrin 소아용 Advil	• 6개월 이상 아동 : 5~10mg/kg/회(1일 3~4회) • 40mg/kg/일 초과하지 말 것
Choline magnesium trisalicylate(Triliste)	• 37kg이하 아동 : 50mg/kg/일(1일 2회) • 37kg 이상 아동 : 2,250mg/일(1일 2회)
Naproxen (Naprosyn)	2세 이상 : 10mg/kg/일(1일 2회)
Tolmetin(Tolectin)	2세 이상 : 20mg/kg/일(1일 3~4회)

표 3-22 아동에게 적용되는 아편제제

약	최초 권장 용량(체중 50kg 이하)		경구 용량	비경구 용량
	경구	비경구		
Morphine	• 3~4시간 간격으로 0.2~0.4mg/kg • 12시간에 걸쳐 0.3~0.6mg/kg을 • 서방정 형태로 투여	• 3~4시간 간격으로 0.1~0.2mg/kg IM • 2시간 간격으로 0.02~0.1mg/kg IM bolus • 8분 간격으로 0.015mg/kg PCA • 0.01~0.02mg/kg/hr IV 주입(신생아) • 0.01~0.06mg/kg/hr IV 주입(아동)	3~4시간 간격으로 30mg	3~4시간 간격으로 10mg
Fentany(Sublimaze)	• 5~15μg/kg • 최대 용량은 400μg	• 30분 간격으로 0.5~1.5μg/kg/ IV • 1~2μg/hr IV 주입	없음	0.1mg IV
Codeine	3~4시간 간격으로 1mg/kg	추천되지 않음	3~4시간 간격으로 200mg	3~4시간 간격으로 130mg
Hydromorphone (Dilaudid)	4~6시간 간격으로 0.04~0.1mg/kg	• 3~4시간 간격으 로0.02~0.1mg/kg IM • 2시간 간격으로 0.005~0.2mg/kg IV	3~4시간 간격으로 7.5mg	3~4시간 간격으로 1.5mg
Hydrocodone	3~4시간 간격으로 0.2mg/kg	추천되지 않음	3~4시간 간격으로 30mg	없음
Levorphanol (Levo Dromoran)	6~8시간 간격으로 0.04mg	6~8시간 간격으로 0.02mg/kg	6~8시간 간격으로 4mg	6~8시간 간격으로 2mg
Meperidine (Demorol)	추천되지 않음	2~3시간 간격으로 0.75mg/kg	2~3시간 간격으로 300mg	3시간 간격으로 100mg
Methadone (Dolophine, others)	6~8시간 간격으로 0.2mg/kg	6~8시간 간격으로 0.01mg/kg	6~8시간 간격으로 20mg	6~8시간 간격으로 10mg
Oxycontin	3~4시간 간격으로 0.2mg/kg	없음	3~4시간 간격으로 20mg	없음

표 3-23 마약성 진통제의 부작용

내성의 징후		진통 효과 및 시간의 감소
전신적 부작용		• 심한 변비 • 호흡억제 • 진정 • 오심과 구토 • 흥분, 고조 • 혼미 • 환각 • 기립성 저혈압 • 소양증, 두드러기 • 발한 • 축동(miosis) • 아나필락시스
신체적 의존성이 있는 환자의 금단 증상	초기 징후	• 최루(lacrimation) • 비루(rhinorrhea) • 하품 • 발한
	후기 징후	• 안절부절 못함 • 흥분 • 진전 • 식욕부진 • 동공확대 • 소름(gooseflesh) • 오심과 구토

iv. 국소 도포

통증 조절을 위해 국소 도포용 마취 크림인 EMLA(eutec-ticmixture of local anesthetics, lidocaine 2.5% & prilocaine 2.5%)를 이용한다. 이것은 피부천자 시 이용하며 도포 후 최소한 60분 정도, 심부 2시간 30분 정도 유지해야 한다. 마취 지속시간은 최대 4시간이다.

v. 피내 방법

피내 방법(intradermal route)은 피부 마취제로 사용하는데 요추천자, 골수천자, 동맥천자, 피부생검 시 이용한다. Lidocaine을 주로 사용하는데 최대 4.5mg/kg까지 사용할 수 있다. 부작용은 찌르는 듯한 작열감이 있을 수 있는데 이때에는 buffered lidocaine를 사용하거나 Lidocaine을 가온하여 사용한다.

④ 정확한 시간

예방적 투약의 경우 계획된 투약시간 방법(around the clock, ATC)이 효과적이다. 진통제의 혈중 농도를 적정하게 유지함으로써 통증 발생을 예방할 수 있다. 일시적 통증 조절이나 진정이 필요한 경우에는 절차나 검사 시작 전 투여한다. 약물의 최고 효과 시점을 고려하여 투여하는데 예를 들어 마약성 진통제가 최고효과시간이 정맥주사로 약 30분이고 비마약성 진통제의 최고효과시간이 경구로 약 2시간이다.

(3) 부작용 관찰

비마약성 진통제도 부작용이 있으나 주로 마약성 진통제가 부작용과 관련이 있다[표 3-23].

① 호흡부전

Benzodiazepine계 약물(Diazepam)의 경우 호흡부전이 있을 수 있는데 호흡부전이 있다면 의식수준 사정하고 정맥내 투여량은 25% 감소시키며 아동에게 부드럽게 자극을 준다. 만약 무호흡 상태라면 Naloxone을 투여(40kg 이하 아동의 경우: 0.1mL Naloxone과 10mL NS를 혼합하여 투여)한다.

② 변비

마약성 진통제의 흔한 부작용으로 장 연동운동이 감소하고 항문괄약근 긴장감이 증가한다.

③ 소양증

피하나 정맥주사 시에 나타날 수 있다. 이때에는 저용량의 Naloxone을 투여하거나 Nalbuphine으로 치료한다. 정맥투입으로 인한 소양증은 경구 Antihistamine이 효과적이다.

④ 오심, 구토

오심, 구토의 부작용이 나타날 경우에는 진토제를 이용하고, 마약성 진통제는 투여 2일 후에는 증상이 진정 될 수 있다.

⑤ 내성 치료

내성 치료는 마약성 진통제의 용량이나 사용기간을 줄이는데 도움을 준다. 신체의존성이 있다면 금단증상 예방하기 위해 용량을 천천히 감소시킨다. Morphine에 의한 신체 의존성 예방하기 위해서 용량을 점차적으로 감량하되, 매 2일마다 25%씩 감량한다. 첫 2일간 6시간 마다 이전 하루 용량의 반을 투여한다. 하루 총량이 0.6㎎/㎏이 될 때까지 계속하며, 용량에 도달한 2일 후에 투여를 중단한다.

(4) 투약의 효과

진통제 투여 시 지지적 진술을 이용하면, 진통제의 효과를 상승시킬 수 있다. 투약의 치료적 효과를 강조하고, 통증 감소를 기대하도록 조건화한다. 또한, 약의 치료적 목적을 강조하는 것도 도움이 될 수 있다.

확인문제

14. 영아가 통증을 경험할 때 관찰 가능한 신체적 징후는?

15. 심상요법은 왜 아동의 통증감소에 효과적인가?

16. 생각중지 기법의 의미는 무엇인가?

17. 아동의 통증관리 프로그램은 비약물적 요법과 약물적 관리 방법을 모두 포함할 수 있는가?

18. 근육주사를 통한 진통제 투여가 왜 아동에게 드물게 시행되는가?

11 / 약 용량의 결정

아동은 간 효소의 미성숙으로 체내에서 약물과 결합하는 단백질 혈청 농도가 낮으며, 신장 기능이 미숙하다. 특히 신생아에 비해 영아는 간의 해독작용과 신진대사가 더 빠르게 진행되므로 약물의 용량이나 횟수의 증가를 받아들일 수 있다.

아동에게 투여할 약 용량 계산 시 체표면적에 대한 비율적 용량 계산 방법은 다음과 같다.

아동용량 = 아동의 체표면적/성인의 체표면적×성인용량 = 아동의 체표면적(㎡)×용량/㎡ [그림 3-38]

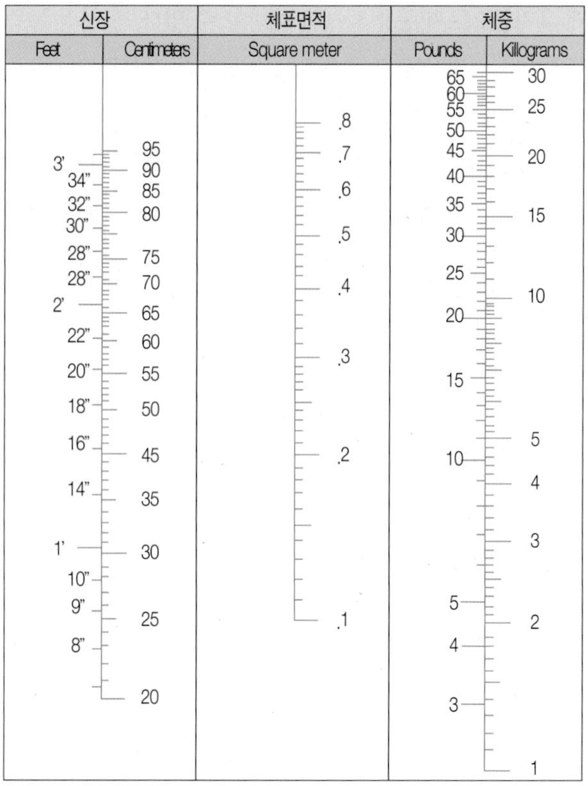

12 / 안전한 투약을 위한 준비

약물 투여 시 정확하고 올바른 투약을 위해 '5R'를 지킨다. 정확한 약(right drug), 정확한 양(right dose),정확한 경로(right route), 정확한 대상자(right person), 정확한 시간(right time)을 지킨다.

1) 약물의 종류 및 이름 확인

의사의 처방에 따라 정확한 약물의 종류와 이름을 확인하는 것은 간호사의 책임이다. 투약 오류를 방지하기 위해 약장에서 약을 꺼낼 때, 뚜껑을 열 때, 다시 약장에 넣을 때 라벨을 3번 확인 한다.

2) 용량 확인

투여될 약의 정확한 용량의 확인은 반드시 필요하며, 특히 아동의 경우에는 소량이라도 환아의 상태에서 영향을 미칠 수 있다. 정확한 약물 계산을 해야하고, 반드시 단위를 확인한다. 약 용량 계산 시 1㎎은 1,000mcg(㎍)과 같다.

3) 아동 확인

투약카드와 아동의 신원확인 밴드를 확인하며, 대상자나 보호자가 환아의 이름을 직접 말하거나 신원확인 밴드를 확인하는 2가지 이상의 방법을 사용하여 안전을 보장한다.

그림 3-38 **체표면적 측정을 위한 노모그램**

아동의 키에서 체중까지를 선으로 그어서 직선이 중앙단을 통과하는 지점이 아동의 체표면적이다.

4) 부모의 도움

부모를 통해 투약을 성공적으로 이끌수 있는 유용한 정보를 얻는다. 또한, 이전의 투약으로 인해 발생한 부작용 등을 확인할 수 있다. 때로는 경구투약은 부모가 하고 간호사는 투약을 감시하는 것이 아동의 심리적 손상을 덜어 줄 수 있다.

13 / 경구 투여

1) 준비

아동에게 투약하는 경구 투여 약은 대부분 용액제이므로 플라스틱 약컵, 주사기를 이용하여 용량을 정확히 측정하여 약을 운반하고 투약해야 한다. 서서히 녹여서 먹어야 하는 약물이나 코팅된 정제는 갈아서 사용하지 않는다[그림 3-39].

2) 투약

경구 투약 시 흡인(aspiration)이 되지 않도록 주의해야 하고, 약은 우유에 섞어 먹이지 않도록 한다[표 3-24].

표 3-24 아동의 경구 투약 시 유의점

- "이 약 마실 수 있겠니?"라고 말하지 않는다. 아동이 그것을 할 수 있을지 없을지에 대해 어른이 확신을 갖지 못하는 것으로 보이면 아동은 자기자신에 대해 심각한 의심을 품게 될 것이다.
- "이 약 좀 마실래?"라고 말하지 않는다. 이렇게 하면 아동은 "싫어요."라고 말할 수 있는 기회를 갖게 되며, 자신이 약을 반드시 먹어야 한다는 사실을 인정하지 않으려 들 수 있다.
- 단호하게 "자, 이제 약 먹을 시간이다."라고 말한다. 아동이 통제권을 가지고 있다고 느낄 수 있도록 이차적인 선택의 기회를 준다. 즉, "자, 이제 약먹을 시간이다. 약 먹고 나서 우유 마실래, 아니면 물 마실래?" 정도로 하는 것이 적당한 선택인데, 이는 물론 우유나 물이 투약 금기사항이 아닐 때를 전제로 한다.
- 절대로 약을 사탕이라고 말하지 않는다. 아동이 약을 사탕이라고 생각하면, 아무도 보지 않을 때 치명적인 양을 먹게 될 수도 있다.
- 약을 먹게 하려고 선물을 사용하지 않는다. 첫 번째 투약에는 선물이 효과가 있겠지만, 두 번째 투약에서는 좀 더 많은 선물을 원할 것이고 세 번째 투약에서는 이보다 더 많은 선물을 바라게 된다. 어느 시점에서는 큰 선물을 주는 일이 불가능해지기 때문이다.
- 협박하지 않는다. "이 약 빨리 먹지 않으면 주사를 놓아 버릴 거야." 라는 말에 아동은 잘 따르지 않는다. 아동은 해볼 테면 해보라는 듯이 나오고, 다시 아동이 통제권을 갖게 된다. "이 약 먹지 않으면 의사 선생님을 부를 거야." 라는 말은 의사를 악당으로 만들기 때문에 공정하지 않고, 궁극적으로 그렇게 말하는 사람의 권위를 손상시킨다.
- 약의 맛에 대해 거짓말을 하지 않는다. 아동은 어른으로부터 정직함을 기대한다. 대부분의 소아용 약물은 라스베리, 오렌지 또는 체리 시럽 등의 향을 첨가시키기 때문에 맛이 그리 나쁘지는 않다.
- 약의 맛이 쓰다면 사과주스 한 숟갈과 섞거나 찻숟갈 하나 분량의 가미 시럽을 약과 섞는다. 약을 이유식 전체에 섞는 것은 좋지 않다. 왜냐하면 아동이 약 모두를 섭취하려면 이유식 한 공기를 모두 먹어야만 하기 때문이다. 원칙적으로는 아동이 약을 그대로 먹고 나서 맛이 좋은 음료를 마셔서 쓴맛을 없애게 하는 것이 좋다.
- 약이 정제의 형태로 나온다면 보통은 약을 으깨서 물에 녹이거나 시럽 또는 애플소스와 섞어 맛을 더 좋게 할 수 있다. 캡슐을 깨서 입자들을 꺼내기 이전에 반드시 그 약이 캡슐 형태가 아니라도 효과가 있는지 확인한다. 코팅된 정제를 다룰 때도 동일한 사전 주의에 따라야 한다.
- 아동이 "곧" 또는 "샤워를 한 후에" 먹으라고 하고 침대 가에 약을 두고 나와서는 안 된다. 아동은 "곧" 다른 일에 열중하여 약을 먹지 않을 수도 있고, 아니면 더 어린 아동이 그 약을 보고 호기심으로 삼켜버릴 수도 있기 때문이다.

14 / 근육 주사

근육의 깊은 곳은 신경이 적게 지나가므로 자극적인 약물을 투여할 때 주로 근육주사를 이용한다.

1) 주사기와 바늘의 선택

아동은 투여용량과 주사할 근육의 양이 적기 때문에 주사기도 소량을 측정할 수 있는 것을 사용한다. 공기주입방법(air bubble technique)은 아주 소량의 약이 투여되는 경우에는 위험 하므로 권장하지 않는다. 철분 제제나 디프테리아, 파상풍 독소 주사 시에는 피하조직으로 주사되었을 때 감염의 가능성이 있으 므로 Z자형 주사방법을 사용한다[그림 3-40].

2) 주사부위 선택

6개월 이후의 영아나 어린 아동의 경우 한 부위로 투여할 수 있는 최대 용량이 1mL이므로 충분히 큰 근육 선택한다. 특히 신경과 혈관이 지나가는 부위는 피해야 한다. 둔부의 근육은 걸으면 더 발달되므로 아동이 걷기 시작한 이후에 이용한다. 주로 외측광근을 이용한다. 외측광근은 손을 이용하여 대 전자와 슬관절 찾은 후, 거리를 3등분 한 후 1/3 지점에 주사한다[표 3-25].

3) 투여

주사기를 삽입한 후에 주사기 윗부분에 혈액이 당겨 나왔는지 여부를 반드시 확인하고 난 후 주사용액을 투여한

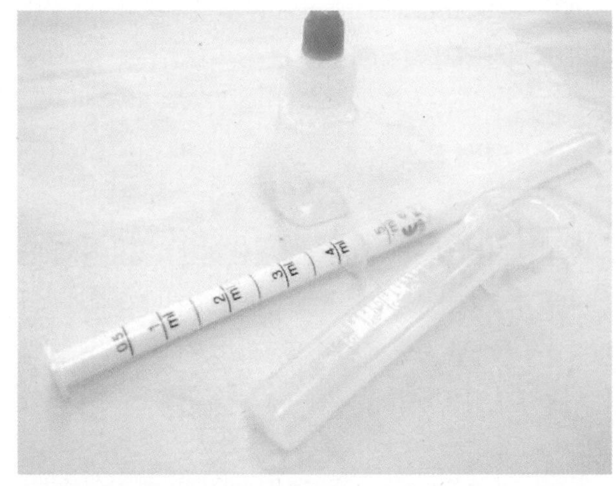

그림 3-39 경구투약 기구들

정확한 투약을 위해 눈금이 그려져 있는 경구 투약 기구들

표 3-25 아동의 발달단계별 근육주사 부위, 바늘 길이, 바늘 두께, 최대 투여량

	근육주사 부위	바늘 길이	바늘 두께	최대 투여량
4개월 미만 영아	외측광근 복측둔근	1.5㎝	예방접종: 25G 점성약물: 23G	1mL
4개월 이상 영아	외측광근 복측둔근	2.5㎝	예방접종: 25G 다른 모든 투약: 23G 점성약물: 22G	1mL
유아	삼각근 외측광근 복측둔근	1.5㎝ 2.5㎝ 2.5㎝	예방접종: 25G 다른 모든 투약: 23G 점성약물: 22G	0.5~1mL 2mL
학령전기	삼각근	1.5~2.5㎝	예방접종: 25G	0.5~1mL
학령기 아동	복측둔근	2.5㎝	다른 모든 투약: 23G 점성약물: 22G	2~3mL
청소년기	삼각근 복측둔근	1.5~2.5㎝ 2.5㎝	예방접종: 25G 다른 모든 투약: 23G 점성약물: 22G	1~1.5mL 2~5mL

다. 아동에게 긴 설명이나 주사기를 감추려고 하거나 달래려는 노력은 아동을 더 불안하게 하므로 하지 않는다.

15 / 피하 및 피내 주사

1) 피하 주사

피하 주사(subcutaneous injection)는 Insulin이나 hormone 투여 시, 알러지 탈감작이나 백신을 투여할 때 이용한다. 주사 시에 흡인해 볼 필요가 없다.

2) 피내 주사

피내 주사(intradermal injection)는 결핵 반응검사나 국소 마취, 알러지 검사 시에 이용한다.

16 / 정맥 주사

정맥 주사는 설사나 탈수, 말초혈관 허탈로 흡수가 잘 안 되거나 약물의 혈청농도를 높일 필요가 있거나 오랜기간의 비경구적 투여나 통증 조절이 필요한 경우, 응급치료를 받는 아동에게 필요하다.

1) 정맥 주사 시 고려할 사항

정맥 주사(intravenous administration)는 효과가 빠르나 부작용이 생기면 조절하기 어렵다.

약물의 투여량, 수분 제한 여부 확인, 희석 용액의 유형, 약물 투여에 걸리는 시간, 주입 속도, 현재의 약물이나 다른 약물이 투여될 시간, 아동이 정맥으로 주입 받고 있는 모든 약물의 적합 성을 정맥 주사 전에 고려해야 한다.

소량을 주입할 경우에는 실린더 주입기(syringe pump) 및 주입펌프(infusion pump)를 이용한다[그림 3-41]. 또 다른 수액 조절 장치는 점적기(micro dropper)인테, 이 장치는 분당 몇 방울까지 유속을 정확히 통제한다. 이 장치는 점적수를 mL당 60방울로 제한한다(보통은 mL당 20방울로 떨어진다[그림 3-42]. 이러한 기계 및 기구는 좀 더 정확한 정맥 내 주입을 가능하게 한다.

heparin lock을 이용할 경우 정맥천자를 반복하지 않고 약물을 정맥 내로 투여할 수 있다[그림 3-43].

2) 정맥 주입 카테터와 장치들

장기 정맥 주입 요법을 위한 정맥 장치는 우심방 바로 밖에 있는 대정맥으로 카테터를 삽입한다. 이때 카테터는 쇄골 바로 아래 흉부에 있게 된다[그림 3-44 (A), (B), (C)]. 이러한 방식으로 사용되는 전형적인 카테터는 Tunneled Cathter(Broviacs, Hickmans) 또는 Groshongs 등이다. 이러한 카테터들은 주름 방지 직물(Dacron)로 된 테두리를 가지고 있는데, 이것이 피하 조직에 붙어 카테터를 제자리에 고

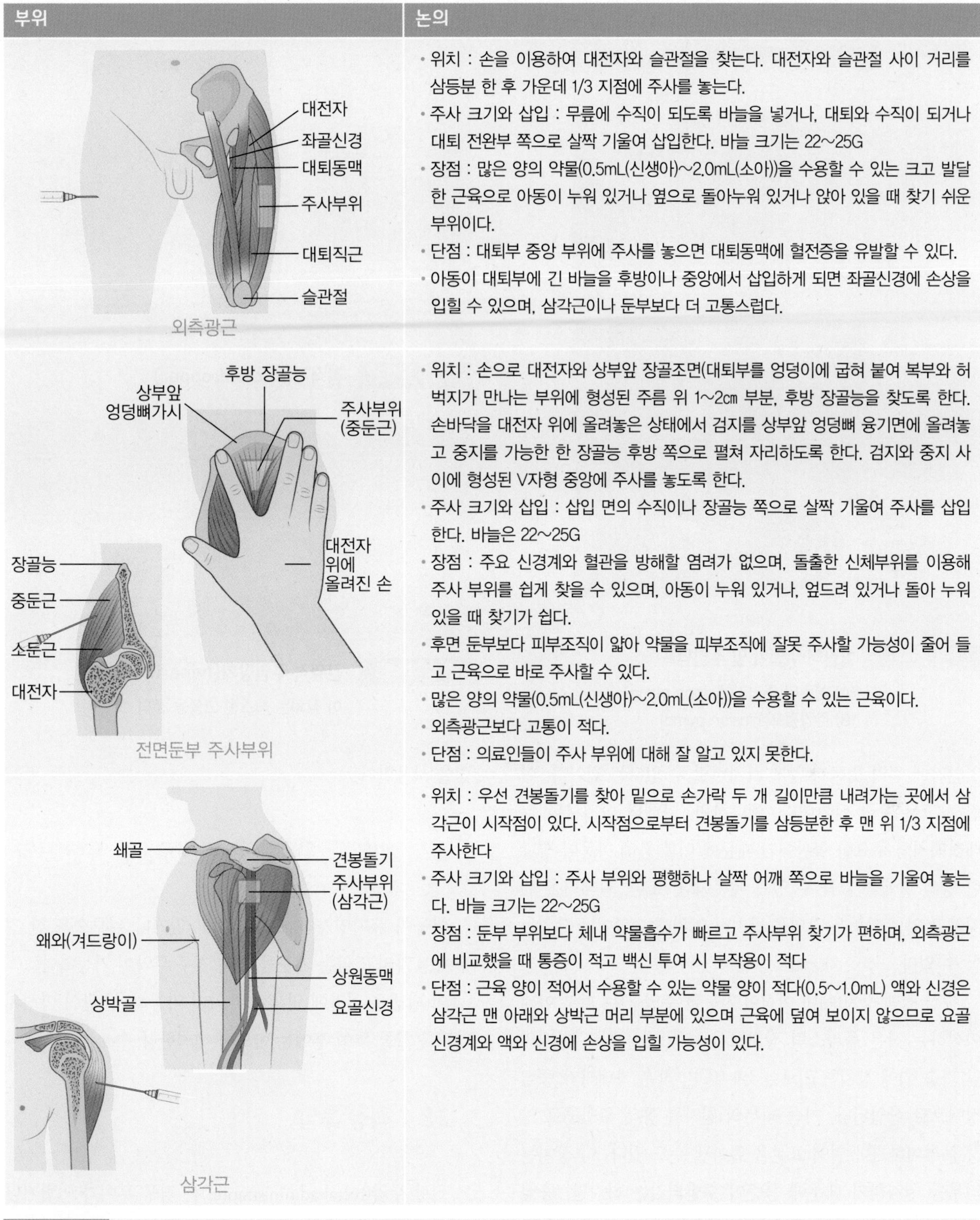

부위	논의
외측광근	• 위치 : 손을 이용하여 대전자와 슬관절을 찾는다. 대전자와 슬관절 사이 거리를 삼등분 한 후 가운데 1/3 지점에 주사를 놓는다. • 주사 크기와 삽입 : 무릎에 수직이 되도록 바늘을 넣거나, 대퇴와 수직이 되거나 대퇴 전완부 쪽으로 살짝 기울여 삽입한다. 바늘 크기는 22~25G • 장점 : 많은 양의 약물(0.5mL(신생아)~2.0mL(소아))을 수용할 수 있는 크고 발달한 근육으로 아동이 누워 있거나 옆으로 돌아누워 있거나 앉아 있을 때 찾기 쉬운 부위이다. • 단점 : 대퇴부 중앙 부위에 주사를 놓으면 대퇴동맥에 혈전증을 유발할 수 있다. • 아동이 대퇴부에 긴 바늘을 후방이나 중앙에서 삽입하게 되면 좌골신경에 손상을 입힐 수 있으며, 삼각근이나 둔부보다 더 고통스럽다.
전면둔부 주사부위	• 위치 : 손으로 대전자와 상부앞 장골조면(대퇴부를 엉덩이에 굽혀 붙여 복부와 허벅지가 만나는 부위에 형성된 주름 위 1~2cm 부분, 후방 장골능을 찾도록 한다. 손바닥을 대전자 위에 올려놓은 상태에서 검지를 상부앞 엉덩뼈 융기면에 올려놓고 중지를 가능한 한 장골능 후방 쪽으로 펼쳐 자리하도록 한다. 검지와 중지 사이에 형성된 V자형 중앙에 주사를 놓도록 한다. • 주사 크기와 삽입 : 삽입 면의 수직이나 장골능 쪽으로 살짝 기울여 주사를 삽입한다. 바늘은 22~25G • 장점 : 주요 신경계와 혈관을 방해할 염려가 없으며, 돌출한 신체부위를 이용해 주사 부위를 쉽게 찾을 수 있으며, 아동이 누워 있거나, 엎드려 있거나 돌아 누워 있을 때 찾기가 쉽다. • 후면 둔부보다 피부조직이 얇아 약물을 피부조직에 잘못 주사할 가능성이 줄어 들고 근육으로 바로 주사할 수 있다. • 많은 양의 약물(0.5mL(신생아)~2.0mL(소아))을 수용할 수 있는 근육이다. • 외측광근보다 고통이 적다. • 단점 : 의료인들이 주사 부위에 대해 잘 알고 있지 못한다.
삼각근	• 위치 : 우선 견봉돌기를 찾아 밑으로 손가락 두 개 길이만큼 내려가는 곳에서 삼각근이 시작점이 있다. 시작점으로부터 견봉돌기를 삼등분한 후 맨 위 1/3 지점에 주사한다 • 주사 크기와 삽입 : 주사 부위와 평행하나 살짝 어깨 쪽으로 바늘을 기울여 놓는다. 바늘 크기는 22~25G • 장점 : 둔부 부위보다 체내 약물흡수가 빠르고 주사부위 찾기가 편하며, 외측광근에 비교했을 때 통증이 적고 백신 투여 시 부작용이 적다 • 단점 : 근육 양이 적어서 수용할 수 있는 약물 양이 적다(0.5~1.0mL) 액와 신경은 삼각근 맨 아래와 상박근 머리 부분에 있으며 근육에 덮여 보이지 않으므로 요골 신경계와 액와 신경에 손상을 입힐 가능성이 있다.

그림 3-40 근육 주사 부위

정시키고 감염을 방지하는 데 도움을 준다. 카테터 간호는 병원의 감염관리 기준에 따라 출구 부위 위의 드레싱을 규칙적으로 갈아주고, 개방을 유지하기 위해 헤파린이나 식염수를 사용하여 세척을 하는 일 등이 필요하다.

이러한 카테터의 이점은 더 이상 피부에 천자를 하지 않아 불편을 야기하지 않는다는 점이고, 단점은 카테터가 무

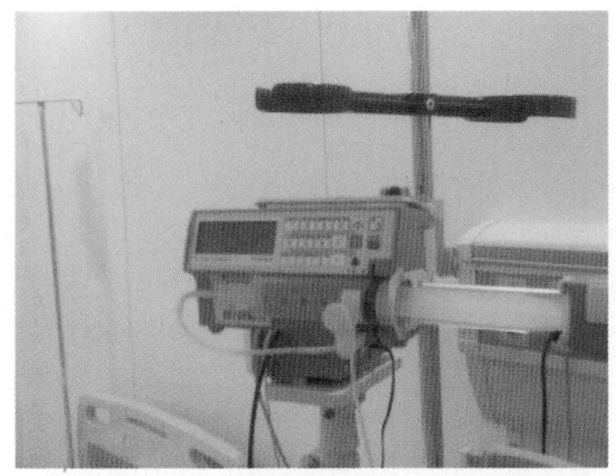

(A)

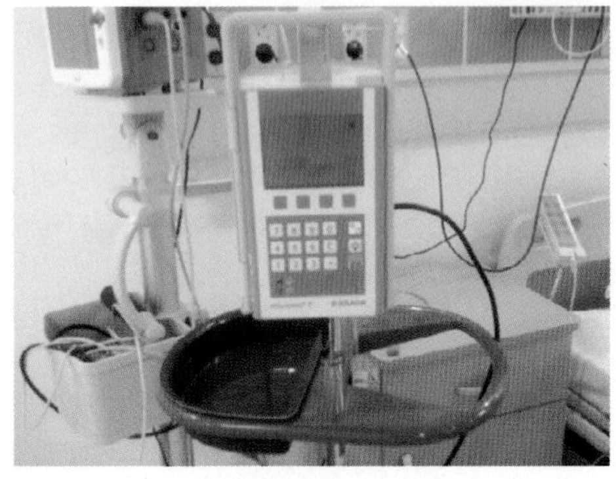

(B)

그림 3-41 **실린더 주입기 및 주입펌프**

(A) 실린더 주입기(syringe pump)
(B) 주입펌프(infusion pump)

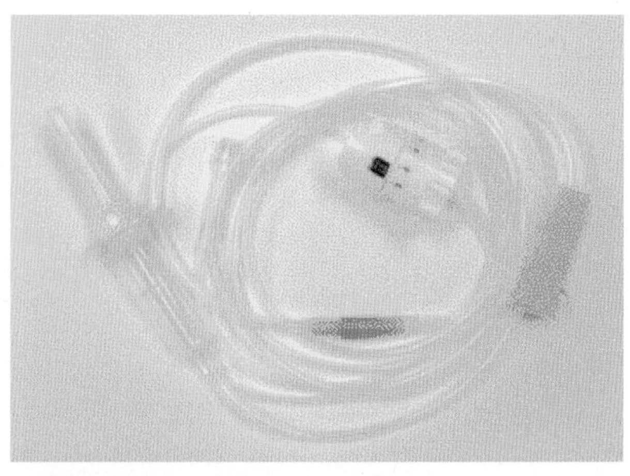

그림 3-42 **점적기(micro dropper)**

그림 3-43 **간헐적 주입장치(heparin locks)**

이 장치는 최소한 고통을 준다

엇인가에 걸려 뜻하지 않게 빠져버릴 수 있다는 점이다. 이런 사고는 응급 상황이다. 왜냐하면, 카테터 삽입 부위는 대정맥처럼 주요한 혈관이기 때문에 이를 통해 아동이 상당한 양의 혈액을 잃을 수 있기 때문이다. 또한, 카테터를 유지하고 있는 아동은 감염을 방지하기 위해 수영이나 샤워는 할 수 없다.

중심 정맥 장치(체내 이식이 가능한 주입구)는 피부 아래 이식하는 작은 플라스틱 장치로서 보통 쇄골 바로 아래의 앞 가슴 위에 장치하고[그림 3-44(C)], 작은 카테터가 중심 정맥으로 삽입된다. 가슴 피부의 천자를 통해 주입구로 약물을 투여하거나 혈액 표본을 뽑아낼 수도 있다. 이 장치는 피부를 천자하기 때문에 통증이 수반되기는 하지만, 중심 정맥 카테터처럼 눈에 잘 띄지 않고 드레싱이 필요 없으며 샤워와 수영을 비롯한 모든 활동이 허용되기 때문에 아동이 보다 더 잘 받아들일 수 있을 것이다. 이러한 주입구에는 제조자가 제공한 바늘만 사용해야 되며, 아동의 불편감을 줄이기 위해 EMLA(Eutectic Mixture of Local Anesthetic)크림을 사용한다.

17 / 비위관, 구위관 혹은 위루술을 통한 투약

아동이 유치영양 튜브를 가지고 있거나 위루술을 한 경우에는 가지고 있는 기구를 통해 경구 투약이 가능하다.

이 방법은 시간에 맞추어 투약이 가능하다. 관이 막히지 않도록 약물 투여 후에는 반드시 세척한다.

18 / 직장 투약

직장 투약(rectal administration)은 경구 투여가 어렵거나 금기인 경우, 경구제제로 구토를 조절하지 못할 때 이용하며 해열제, 진정제, 진통제, 진토제의 경우 좌약의 형태로 직장 투약이 가능 하다.

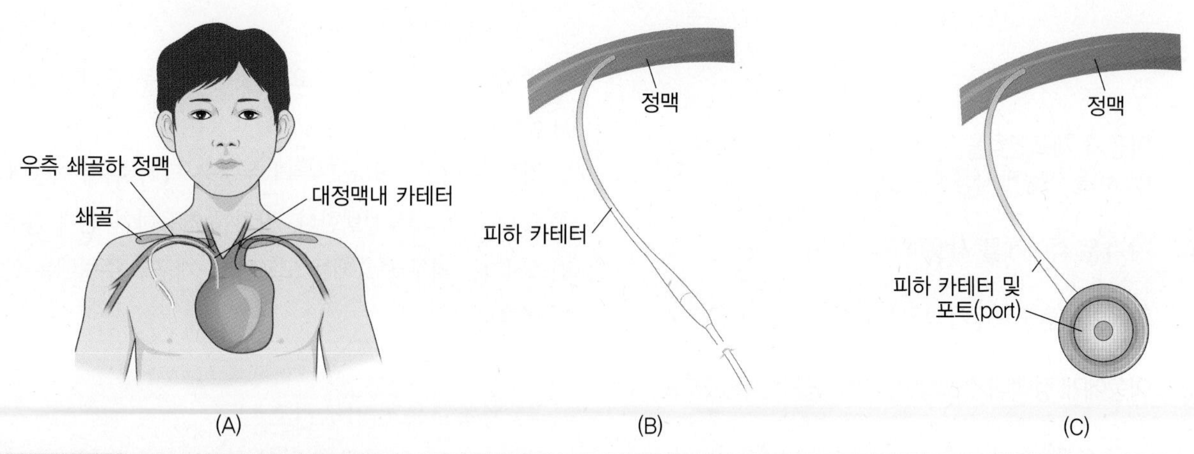

그림 3-44 **정맥 주입 카테터와 장치**

(A) 정맥내 주입을 위한 쇄골하수액선의 삽입부위 (B) 피부 밑 쇄골하 카테터 (C) 피부 밑 중심정맥접근장치

19 / 눈, 귀, 코의 약물 투여

1) 눈의 약

아동의 눈에 약물을 투여하는 경우 협조를 얻거나 억제법을 사용하는 것이 필요하다. 앙와위나 좌위로 아동의 체위를 취해 주고 머리를 신전시켜 위로 보게 한 후, 한 손으로 아래쪽 눈꺼풀을 밑으로 당기고, 점적기를 쥔 손은 머리위로 올려 아동이 몸부림칠 때 눈에 손상이나 약이 얼굴이 떨어지지 않게 한다[그림 3-45(A)].

2) 귀약

아동의 귀에 약물을 투여하는 경우 앙와위를 취하거나 머리를 적당한 쪽으로 돌린 후에 3세 이하 아동은 귓바퀴를 후하방으로 부드럽게 당김으로서 외이도 직선으로 유지하고, 3세 이상 아동은 귓바퀴를 후상방으로 당긴다. 점적 후 몇 분 동안 약을 넣은 쪽의 귀가 위로 가게 눕혀 두는 것이 좋다.

3) 코약

코약을 아동에게 투여 시 몸의 크기에 따라 축구공 쥐기 방식으로 안고 머리를 간호사의 팔에서 신전하거나 침대나 베개의 가장자리에서 머리를 신전하는 자세를 취해주고 약은 수직으로 삽입한다[그림 3-45(B)].

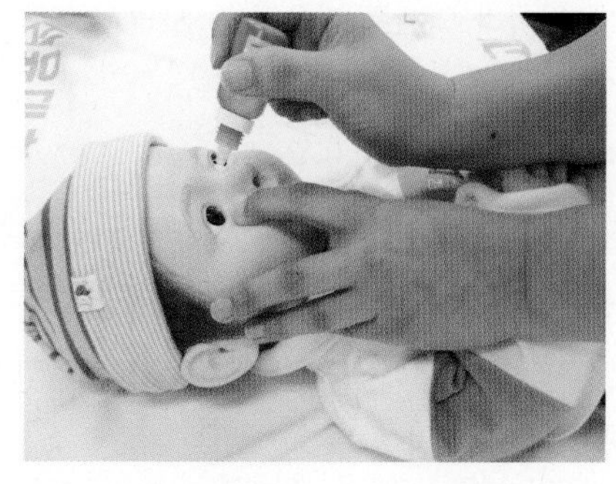

(A)

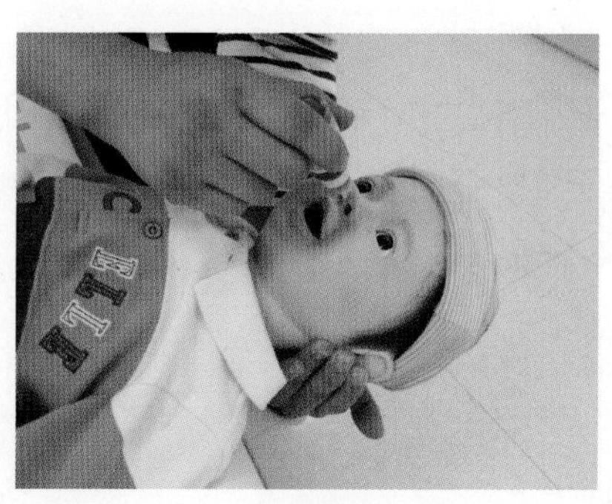

(B)

그림 3-45 **점이제 투여**

(A) 안약의 투여 (B) 코약의 투여

확인문제

19. 아동의 체표면적을 구하기 위해 노모그램(nomogram)을 어떻게 사용하는가?

20. 차가운 점이제를 사용해도 되는가?

21. 영아의 경우 근육 주사 부위로 적절한 곳은 어디인가?

22. 아동에게 정맥내 수액투여시 안전장치는 무엇인가?

20 / 관장

아동에게 심한 변비가 있거나 수술이나 진단적 검사를 위해 직장을 비워야 하는 경우에는 관장이 필요하다.

영아나 아동에게 시행하는 관장은 용액의 종류와 양, 직장으로 주입하는 튜브의 길이를 제외하고 성인과 동일하다. 아동에게는 등장성 용액을 사용하며, 관장액을 보유하기 힘들기 때문에 잠시 동안 엉덩이를 모아서 관장액이 밖으로 배출되지 않도록 잡아 주어야 한다.

수술전에 장세척 용액을 구강이나 비위관으로 투여하는데 폴리에틸렌 글리콜-전해질 세척액 사용한다. 폴리에틸렌 글리콜-전해질 세척액 사용 시에 전해질 불균형이 초래될 가능성이 있으므로 주의한다[표 3-26].

21 / 장루설치술

1) 적응증

장루는 영아의 경우, 괴사성 결장염, 밀폐항문, 선천성 거대결장 등에 적용하며, 유아는 크론병, 장염증성 질환이 있을 경우 설치할 수 있다. 처치에 대해 아동을 준비시키고 아동과 가족에게 교육한다.

표 3-26 아동의 연령별 관 삽입 길이 및 관장액 용량

연령(세)	삽입길이(㎝)	용량(㏄)
영아	2.5	120~240
2~4	5.0	240~360
4~10	7.5	360~480
11	10.0	480~720

2) 장루 간호

장루 간호에서 가장 중요한 것은 개구부 주변의 피부를 보호하는 것이 필요하다.

장루는 배설주머니로 부터 누출을 막기 위해 아동에게 꼭 맞는 사이즈를 선택한다. 장치를 착용하기 전에 피부를 건조시키는 피부 보호제를 도포하고, 개구부 주변에는 연고를 바른다.

3) 가족교육과 가정간호

가족과 아동은 장루 장치의 착용법, 피부간호, 피부문제, 합병증 등이 발생될 경우 취할 수 있는 대처에 관한 적절한 교육을 받아야 한다.

확인문제

23. 영아의 경우, 관장카테터는 얼마나 깊게 삽입해야 하는가?

22 / 위관영양

위장관의 이상, 연하곤란이나 호흡곤란의 문제로 구강섭취가 어려울 경우 비위관이나 장관 영양법을 통한 음식섭취나 위루술이나 공장루술을 통한 음식 섭취가 필요할 경우가 있다.

1) 위관 영양준비

신생아나 영아에게 위관 영양이나 위루를 통해 영양을 공급할 때 미이라 억제를 적용하고, 노리개 젖꼭지를 입에 물린다.

위관영양액과 정맥주사용 수액이 섞이지 않기 위해 안전수칙받침 봉이 달려 있는 지속적 영양공급 전용 분리형 펌프를 사용하고 공급관마다 투여되는 영양물질의 이름을 적은 밝은 색 테이프나 라벨을 부착한다. 또한, 영양액을 영양공급 전용 용기에 담아 둔다.

위관영양을 위해 처방우유를 담을 용기를 준비하고, 위내용물을 확인하여 위관에 들어간 후 공기를 주입할 주사기를 사용한다. 영아를 안고 머리와 가슴을 약간 상승시킨 상태에서 앙와위나 우측위를 이용한다. 6개월 이전에는 입으로 삽입하면 고통이 적고, 빠는 것을 자극할 수 있다. 유아나 어린 아동의 경우에 는 비강을 사용하되, 양쪽 코를 교대로 사용한다.

흡인액의 산도를 측정하여 위에 튜브가 적당하게 삽입되었는지 확인하고, 공기를 밀어 넣고 청진하여 청진 상 "꾸르륵" 소리가 난다면 정확하게 투입된 것이다.

2) 위관 측정 방법

아래의 2가지 방법을 통해 위관의 길이를 특정할 수 있다.

- 코-귓불 길이에서 코-검상돌기(xiphoid process)까지 길이
- 코-귓불 지나 검상돌기와 배꼽 중간지점까지 측정하여 합[표 3-27][그림 3-46].

3) 위관영양의 과정

위관영양의 과정은 다음과 같다.

- 아동을 앙와위로 눕히고 머리를 약간 굴곡
- 삽입할 길이를 측정, 테이프로 표시
- 멸균된 물이나 수용성 윤활제를 사용하여 표시된 지점까지 삽입
- 뺨에 고정
- 1분에 10mL를 넘지 않도록 조절
- 수유시간은 15~30분이 소요
- 1시간 정도는 오른쪽으로 눕히거나 복위로 눕히고, 가능하다면 트림을 시킴
- 잔류액을 확인하는데 한끼에 30mL를 투여하고 이전의 위 내용물이 10mL가량이 흡인되었다면 처방된 우유는 30mL가 아니라 20mL만 투여된 것이다.

23 / 위루영양

위루영양(gastrostomy feeding)은 비위관 자극을 피하면서 장기간 튜브를 통해 영양을 공급하는 것으로, 감염과 피부 자극을 예방하기 위해 상처 간호가 필요하다. 잠금장치는 막히기 쉬워 공기가 빠져 나가지 못하므로 자주 트림을 시켜야 한다[그림 3-47].

확인문제

24. 영아의 경우, 위관 튜브의 올바른 길이를 재는 방법은 무엇인가?

24 / 산소의 공급

산소는 동맥혈 내의 산소 분압이 감소할 때 적용한다. 아동에게 산소를 공급하는 경우, 처방된 농도와 아동의 나이가 중요하다. 비강 통로가 건조해지는 것을 예방하기 위해 가습기로 습도를 유지하는 것이 필요할 수 있는데, 산소는 가연성이 있기 때문에 사용할 때 특별한 주의를 요한다.

1) 산소 공급 방법

산소 공급 장치로부터 나온 산소는 대상자에 투여하기 위해서 산소 주입기구가 필요한데, 이는 투여될 산소의 농도와 양에 따라 다양하다.

표 3-27 극소 저출생 체중아의 위관 삽입 길이

체중(g)	750	755~999	1,000~1,249	1,250~1,499
삽입길이(cm)	13	15	16	17

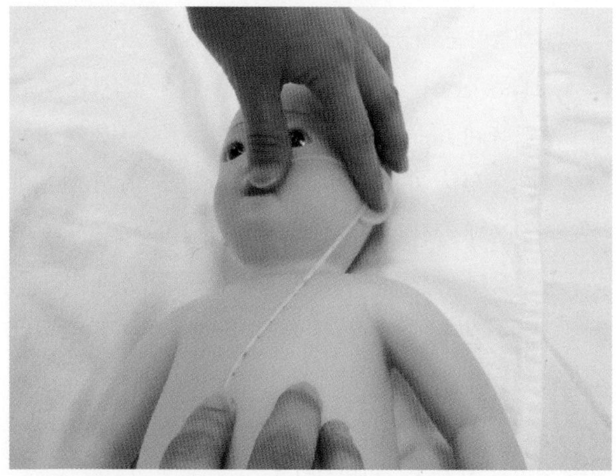

그림 3-46 위관삽입

아동의 비위관은 콧등에서 귓불까지 그리고 검상돌기와 배꼽중간 지점까지 측정한다.

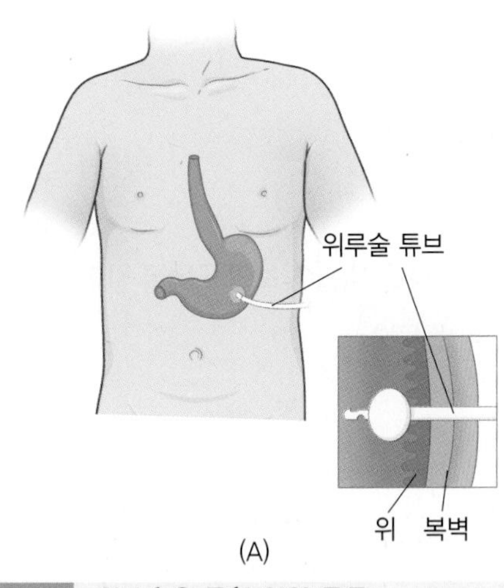

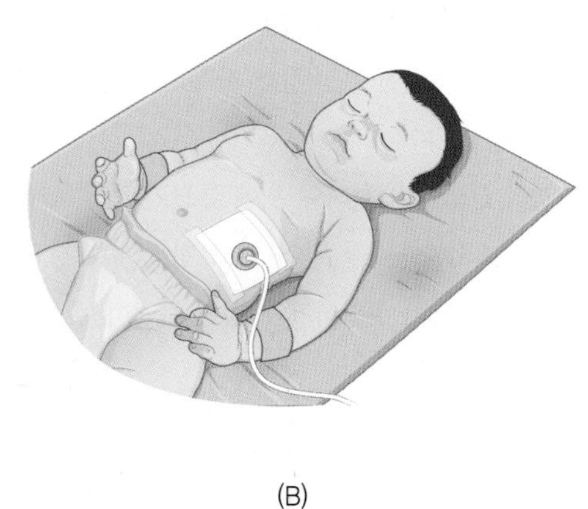

그림 3-47 **위루술을 통한 영양 공급**

(A) gastrostomy 튜브의 내부장치 (B) gastrostomy 튜브 사용 아기

(1) 마스크

산소를 공급할 때 마스크(masks)의 크기가 중요하다. 콧등부터 턱의 끝 부분까지 얼굴에 꼭 맞아야 하지만 미주신경 자극을 피하기 위해서 눈을 압박해서는 안 된다. 다음 유형의 마스크를 이용할 수 있다.

단순 안면 마스크는 6~10L/min의 속도로 마스크를 얼굴에 맞게 씌었을 때 산소농도 30~60%까지 제공한다. 재호흡 방지 마스크는 단순 안면 마스크에 저장백이 붙어 있어 마스크를 썼을 때 12~15L/min의 속도로 60~90%까지 고농도의 산소 공급이 가능하다[그림 3-48].

(2) 비강캐뉼라

비강캐뉼라는 저농도의 산소를 공급하는데 사용할 수 있으나 가습된 산소를 공급할 수는 없다. 비강캐뉼라를 통한 산소 공급을 6L/min 이상에서는 산소화는 증가시키지 않으면서 비강인두를 자극시킨다. 비강캐뉼라는 1~6L/min의 속도로 44%까지 산소를 공급할 수 있다. 비강캐뉼라 끝이 콧구멍 앞쪽에 위치하도록 하고 고무밴드를 아동의 머리 주위에 고정시킨다. 영아, 학령 전기 및 학령기 아동은 일반적으로 캐뉼라를 잘 견디나 유아는 얼굴에서 캐뉼라를 벗겨내려 하기 때문에 하므로 안면 마스크나 blow-by 캐뉼라가 보다 적절한 산소 공급방법이다.

(3) 텐트

이론적으로 산소 텐트(tent)는 50%의 가습된 산소를 공급할 수 있지만 실제로는 30%의 가습된 산소를 공급할 수 있다. 산소 농도는 산소 분석기로 결정된다. 산소가 새는 것을 막기 위해 침요로 산소 텐트의 모서리를 고정시킨다. 산소 텐트를 사용할 경우에는 아동에게 접근하거나 시각적으로 사정하는 것이 어려우며, 환아는 부모와 분리되어 있고 격리되어 있다고 느끼거나 밀실공포증을 느낄 수 있다. 아동이 깨어 있을 때는 마스크를 사용하고 자는 동안에는 텐트를 사용하는 것이 더 효율적일 수 있다.

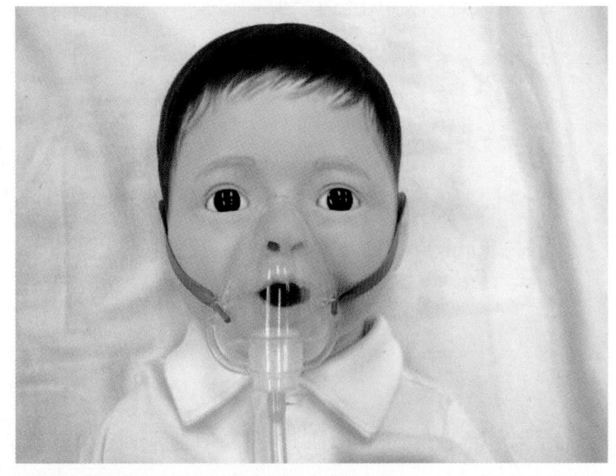

그림 3-48 **산소마스크**

산소마스크를 착용한 아동

(4) Blow-by 캐뉼라

Blow-by 캐뉼라는 산소가 흐를 수 있는 좁은 산소 카테타 또는 둥글게 감긴 산소관이다. 이 기구는 아동이 다른 산소 공급방법을 사용할 수 없을 경우나 가습과 더불어 저농도의 산소 공급이 필요할 때 사용될 수 있다. 공급되는 산소의 농도는 산소 공급 속도와 얼굴과의 거리에 따라 달라진다. 부모는 아동을 무릎에 앉히고 얼굴 쪽으로 관을 향하게 하면서 아동의 움직임에 따라 기구를 움직일 수 있다. 이 방법은 아이의 두려움을 감소시켜 주며 부모가 아동의 간호에 쉽게 참여할 수 있게 해준다.

산소 공급 시스템에 대한 의사의 처방을 확인한 후 멸균 증류수가 든 용기를 튜브에 연결된 산소 계량기에 부착한다. 활력 증상, 피부 색깔, 호흡 능력, 산소 포화도 측정 결과, 의식 수준 등의 환아의 상태를 파악하고 처방된 공급량에 따라 산소를 공급한다. 아동이 저항하는 경우에는 적절성을 확인하고 아동의 안위를 증진시키기 위해 노력한다. 산소요법 시행 시 침대 옆에 "산소 사용 중"이라고 표지를 붙이고 주변에서 가연성, 휘발성 물질을 사용하지 않도록 한다. 산소요법에 대한 아동의 반응을 모니터하고 초기 사정 결과와 비교하면서 지속적으로 관찰한다.

25 / 분무요법

분무요법(aerosol therapy)은 약물을 기도로 직접 투여해야 할 때 시행된다. 기관지 확장제, 스테로이드제제 및 항생제가 분무 형태로 아동에게 직접 투여될 수 있다. 분무요법은 보유기 안에 약을 담아서 사용할 수 있는 분무텐트, 간헐적 양압기, 분무기(nebulizer)의 방법으로 시행된다. 분무요법 중 아동에게 가장 많이 사용되는 방법은 정량 분무식 흡입기(metered dose inhaler, MDI)를 사용하는 것이다. 많은 기관지 확장제가 이 방식으로 이용되며 천식이 있는 아동이 많이 이용한다.

약물의 용량은 아동의 체중에 따라 정하여 분무장비의 컵에 넣고 2~3mL의 생리식염수를 희석 용액으로 추가하여 아동에게 마스크를 씌우거나 mouthpiece를 물도록 하거나 보조자나 부모에게 Blow-by 튜브장치를 잡고 있게 한다. 6~7L/min으로 맞춘 산소계량기나 이동식 압축펌프에 산소튜브를 연결하고 치료하는 동안 아동이 심호흡하도록 지지한다. 분무요법은 약 10분간 지속한다.

26 / 흉부물리요법, 체위배액

흉부물리요법(chest physiotherapy)은 기도를 청결하게 하는 기법으로 자세 변경과 체위배액(Postural drainage)으로 구성된다. 리듬감 있게 흉벽을 타진하여 붙어 있는 분비물이 떨어져 나올 수 있게 하고, 가능하다면 기침과 심호흡을 격려한다. 흉부물리요법은 과도한 분비물이 생성되거나 기관지에 분비물이 정체되어 있는 아동에게 실시한다. 이 과정은 대개 아침식사 전에 실시하고 만약 아동이 밤 동안 점액이 정체되어 기도를 막고 기침을 한다면 자기 전에 시행한다.

흉부물리요법은 감염이 있는 경우보다 더 빈번하게 사용한다. 배액 전에는 기관지 확장제를 간헐적 양압호흡, 정량 분무식 흡입기(MDI)를 통해 사용한다.

타진과 진동의 두 가지 방법이 사용된다. 타진은 흉부를 진동시켜서 정체된 분비물이 떨어져 나오게 하며, 진동은 배액되는 부위 위에 손바닥을 편평하게 해서 진동시킨다.

아동의 식사시간을 확인하고, 기본적인 호흡상태 및 맥박, 산소포화도를 파악한다. 분비물이 잘 배출되도록 중력을 이용하여 자세를 취하고 처방된 기관지 확장제를 투여하여 기관지 평활근을 이완시키면 분비물이 더 쉽게 배출된다. 손가락과 엄지를 모아 손을 컵 모양으로 만들고 손목을 가볍게 하고 팔꿈치를 구부린다. 손을 교대로 하여 가슴을 때리면서 텅빈 소리가 들리는지 확인하면서 3~5분간 흉부를 타진한다. 3~5분마다 폐의 다른 부분을 타진한다. 점액이 가득찬 부위에 따라 체위를 적용한다[그림 3-49][그림 3-50]. 타진 후에 심호흡과 기침을 하도록 격려한다. 심호흡은 호기의 속도를 증가시켜 분비물을 기침으로 뱉어낼 수 있는 위치까지 밀어낸다. 흉부물리요법시행 후, 아동의 심폐상태를 감시한다.

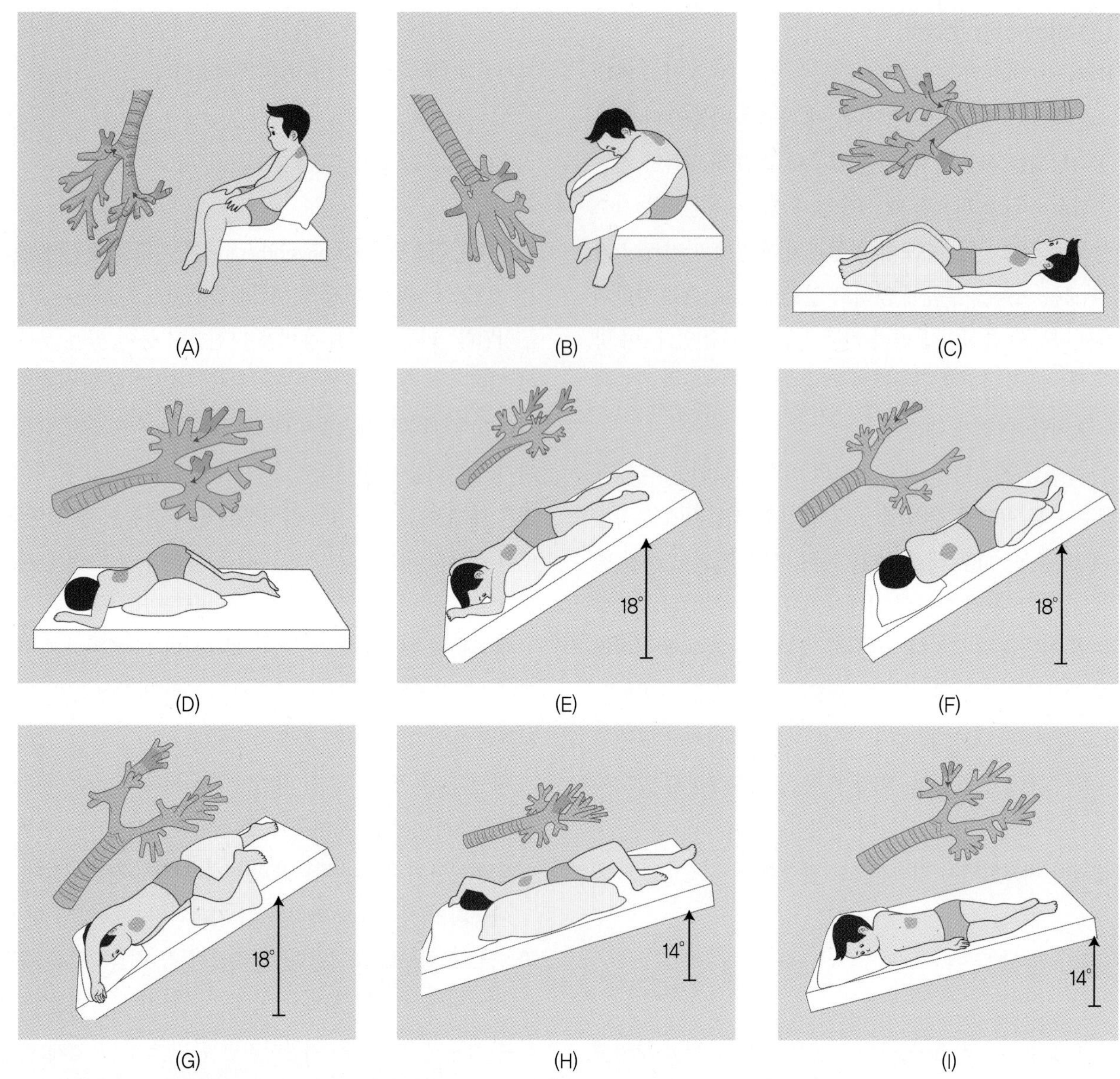

그림 3-49 기관배액을 증진시키기 위한 체위

(A) 우상엽의 폐첨분절 및 좌상엽 폐첨후분절의 폐첨소 분절 (B) 우상엽의 후분절 및 좌상엽 폐첨후분절의 후소분절 (C) 좌 · 우상엽의 전분절, (D) 좌 · 우상엽의 상분절 (E) 좌 · 우하엽의 후폐 전분절 (F) 우하엽의 우측폐저분절 (G) 좌하엽의 전폐저분절 (H) 우중엽의 중앙분절과 외측분절, (I) 좌상엽의 설상구분절

그림 3-50 간호사의 무릎과 베개를 이용한 체위 배액

(A) 좌상엽의 폐첨분절 (B) 좌상엽의 후분절 (C) 좌상엽의 전분절 (D) 우하엽의 상분절 (E) 우하엽의 후폐저분절 (F) 우하엽의 외측폐저분절 (G) 우하엽의 전폐분절 (H) 우중엽의 중앙분절과 외측분절 (I) 좌상엽의 설상구분절

 치료 및 검사와 관련된 일반적 개념

01 / 사전 동의

1) 사전 동의 효력 발생

사전 동의는 치료 및 검사에 따르는 모든 위험과 결과를 충분히 이해시키고 법적 · 윤리적 요구와 관련된 것이다. 사전 동의를 받기 전 대상자는 동의 여부를 결정하는 데 필요한 정보를 제공받아야 하며, 강제, 협박, 기만, 다른 형태의 구속이 없는 상태에서 자율적으로 행동할 수 있어야 한다. 사전 동의를 받을 수 있는 대상자의 조건은 대상자가 동의할 수 있는 능력이 있어야 하며 법적 성인으로 선택이나 결정할 수 있어야 하며, 선택의 결과를 이해할 수 있는 지적인 능력이 있어야 한다. 아동의 경우에는 부모나 법적 보호자에게 동의서를 받아야 하고 부모나 법적 대리자 및 환아에게 치료나 검사의 선택, 치료, 검사에 따르는 유익성, 위험에 관한 정보를 제공하는 것은 의료진의 책임이다. 가능하면 부모 동의서를 받는 것은 물론, 아동의 승낙도 함께 받아야 한다.

2) 사전 동의가 필요한 경우

사전 동의가 필요한 경우는 다음과 같다.

- 모든 수술
- 위험요인이 있는 진단검사(기관지경 검사, 천자, 조직생검, 혈관 촬영술, 뇌파검사, 요추천자, 심도자법, 뇌실촬영술, 골수천자)
- 위험요인이 있는 의학적 치료(수혈, 흉강천자, 복수천자, 방사선요법, 쇼크치료)
- 의학적, 교육적, 공적으로 사용하기 위해 사진을 촬영하는 경우
- 의사의 충고에도 불구하고 부모가 아동을 병원에서 퇴원 시키고자 하는 경우
- 영아돌연사, 변사, 의문사를 제외한 사후 부검
- 검사, 변호사, 보험사 직원과 같은 권한이 없는 사람에 의한 의료기록의 열람

3) 동의서 규정

동의서가 규정하는 내용은 다음과 같다. 부모와 법정 대리인 동의서는 아동의 보호와 양육은 물론, 법적 의무까지 책임이 있다. 동의서의 효력은 절차, 위험성, 효과, 대안에 대해 설명하는 것으로 이는 의사의 법적 책임이며, 간호사는 부모와 법적 대리인 및 환자가 동의서에 서명하는 것을 본 증인이 된다. 자립한 아동이나 성숙한 아동에 대한 서면 동의서는 받는 것이 필요하며, 부모가 동의서를 작성할 수 없는 경우에는 아동을 책임지고 있는 사람이나 친척의 동의를 받아야 한다. 따라서 일시적으로 아동을 돌보는 사람은 응급의 경우를 대비하여 부모로부터 서약서를 받아 두도록 하는 것이 필요하다.

그러나 생명이 위협하거나 돌이킬 수 없는 영구적 손상을 입을 가능성이 있는 응급상황의 처치 시에는 서면 동의를 필요로 하지 않는다. 그 이유는 치료의 지연으로 아동의 생명이나 건강이 위험에 처할 경우에는 법적 절차를 통해 예외 조항으로 두었기 때문이다.

02 / 치료 및 검사를 위한 아동의 준비

1) 심리적 준비

아동과 부모에게 고통과 스트레스를 주는 치료나 검사를 받는 경우, 경험해야 할 절차에 대한 정보를 제공하는데 초점을 두어 아동의 경험이 긴장되고 고통스러운 절차가 되지 않도록 하는 것이 중요하다. 아동에게 통증이 있는 처치에 대한 가장 효과적 준비는 감각적인 정보를 주고 상상이나 이완 등의 대응기술을 발달시키는 것이다.

간호사는 아동과 신뢰감을 형성하고 지지하여 긍정적 관계 확립하는 것이 필요하며, 부모에게 참여하도록 하여 아동에게 안정감, 보호, 편안함을 제공하도록 한다. 치료 및 검사 전에 설명을 제공하도록 하되, 설명은 아동의 이해 수준에 적합하도록 짧고, 단순해야 하고, 설명을 하는 데 기구를 사용하면 더 효과적일 수 있다[표 3-28].

2) 신체적 준비

(1) 사전 약물 투여

스트레스가 많은 검사나 처치 시 사전 약물 투여는 처치 전에 최고의 효과를 나타낼 수 있도록 작용 시간을 고려하여 투여하며 이미 정맥투입이 되고 있는 경로를 이용하거나 경구 혹은 경피로 투여하는 것이 좋다.

(2) 의식상태

의식상태의 진정(conscious sedation)은 방어반사를 유지하며, 스스로 기도개방 상태 유지할 수 있고, 신체적 자극이나 언어적 요구에 의해 적절히 반응하는 상태이다.

깊은 진정상태(deep sedation)는 의학적 조절로 환자가 쉽게 각성되지 않는 정도의 의식이며 무의식 억압상태가 유발되어 방어반사가 부분적이나 전적으로 상실되는 상태이고, 환자 스스로 기도개방이 유지가 불가능하고, 신체적 자극이나 언어적 요구에 적절히 반응할 수 없는 상태이다.

(3) 사전준비 기구 및 유의점

검사나 처치 전 진정 상태의 아동의 안전을 위해 양압 산소 공급체계나 기도관리, 호흡기구 같은 응급장비나 기구와 응급 운반기구 등을 준비하고, 만약 이산화질소(nitrous oxide)를 사용하는 경우 다른 진정제, 아편제제, 억압제와 같이 사용하지 않아야 한다.

3) 치료 및 검사의 수행

검사나 치료에 대해 설명했던 의사나 간호사가 지지적 간호를 수행하는 것이 바람직하며, 시술은 입원실보다 처치실을 이용하며, 절대 놀이방에서 하지 않는다. 치료 및 처치과정에서 간호사의 단호하고 긍정적 태도를 통한 접근 방법은 아동에게 안정감을 제공하므로 성공의 기대를 높일 수 있다. 또한 아동에게 치료 및 처치과정에 참여하도록 하고 선택의 기회를 제공하여 참여의식과 성취감과 자긍심을 갖도록 한다. 아동이 위축되거나 힘든 상황에서 저항하거나 분노하는 것은 당연하며 이는 의사소통 및 대응의 일차적 수단이므로 감정을 표현하도록 격려하고, 주의를 전환하도록 한다.

4) 치료 및 검사 수행 후 지지

아동에게 치료 및 검사 수행 시에 감정을 표현하도록 격려하는 것은 아동의 감정을 명료화하는데 도움을 줄뿐만 아니라 간호전략 개발의 근거를 제시할 수 있다. 아동에게 가장 효과적 중재 방법 중 하나는 치료적 놀이를 시행하는 것이 도움이 될 수 있다. 또한, 아동은 잘했다는 칭찬을 듣고 싶어하므로 긍정적 강화를 하도록 한다. 필요할 경우에는 처치과정에서 놀이를 적용하는 것도 도움이 된다.

03 / 수술

1) 수술 전 간호

(1) 수술 준비

수술은 아동에게 두렵고 심각한 손상을 주는 치료 방법이므로 아동을 위한 심리적 · 신체적 간호가 반드시 필요하다. 아동의 수술 전 마취 유도 시에 부모가 아동과 함께 있어주는 사례가 점차 증가하고 있다. 아동과 부모에게 수술실을 사전에 견학하고, 담당 의료진 소개하여 아동의 불안감을 감소시키도록 하며, 수술이 끝난 후 회복실에서 되도록 빨리 아동을 볼 수 있도록 배려하는 것이 필요하다.

(2) 신체 간호

간호사는 수술 전 아동에게 수술 전 점검표 [표 3-29]에 따라 여러 신체적 간호를 제공한다. 구강 섭취를 제한하기 전 영아는 당원의 고갈과 탈수를 예방하는 간호가 필요하다. 계획된 수술의 경우 수술 전날 자정 이후부터 우유나 고형식을 금식하도록 하고 수술 전 4~8시간부터 맑은 유동식까지 금식한다. 이는 8-6-4-2원리에 따라 8시간 전에는 고형식, 6시간 전에는 연식, 4시간 전에는 모유수유, 2시간 전부터는 맑은 국물까지 금식하도록 하고, 금식 기간은 차트에 기록하도록 한다.

(3) 안정상태 유도

수술 전 투약을 하는 이유는 불안 감소, 기억상실, 안정을 유도하고, 구토를 억제하며, 분비물을 경감하여 수술을 용이하게 하기 위해서이다. 따라서 진정제를 투여하는 경우

표 3-28 발달 단계별 치료 및 검사를 위한 아동의 준비

	발달특성	지침
영아기: 신뢰감 발달 및 감각운동 기적 사고	부모에 대한 애착형성	• 치료나 검사과정에 부모를 참여시킴 • 아동이 볼수 있는 곳에 부모가 있도록 함 • 부모가 같이 있지 못하는 경우에는 아동에게 친숙한 장난감 등을 제공
	감각운동기	• 치료나 검사 동안 부드럽게 이야기하기, 노리개 젖꼭지 주기 등의 감각적인 완화요법 사용 • 진통제로 불편감을 감소 • 스트레스가 심한 처치 후에 안아 주거나 아동을 편하게 해주도록 권유
	행동의 모방 근육조절력의 향상 과거 경험의 기억	• 바람직한 행동의 모델을 보여 줌 • 6개월 이후의 영아는 저항할 것을 예상하고 적절히 억제 • 영아 후반기 아동은 이전의 고통스러운 경험과 연관한다는 것을 이해 • 아동을 놀라게 하는 것을 멀리 둠. • 고통스러운 처지는 처치실에서 시행
	낯선 사람에 대한 불안	• 아동에게 평상시 간호를 제공하던 사람이 돕도록 함 • 위협적이지 않은 태도로 천천히 시행 • 치료나 검사를 하는 동안 낯선 사람이 들어오지 않게 함 • 고통스러운 과정 후에 아동을 꼭 안아 주고, 아동을 편하게 하도록 함
유아기: 자율성 발달 및 감각운동기, 전조 작기적 사고	자기중심적 사고	• 아동이 보고, 듣고, 맛보고, 냄새 맡고, 느끼는 것과 관련하여 과정을 설명 • 협조가 필요한 부분을 강조
	물활론(모든 물질은 생명이나 혼, 마음을 가지고 있음)	• 아동이 놀랄 만한 물건은 보이는 곳에 두지 않음 • 적절히 억제
	제한된 언어표현	• 행동을 이용하여 의사소통 • 아동에게 익숙하고 간단한 말을 사용 • 작은 모형기구를 이용하여 아동이 직접 다루어 보게 함 • 놀이를 이용한다: 인형을 가지고 시범을 보이나 아동이 아끼는 인형은 사용하지 않음 • 아동이 부모와 간호사 간의 대화를 오해할 수도 있으므로 부모와 아동은 따로 준비함
	제한된 시간개념	• 검사나 치료 직전에 빨리 아동을 준비함. • 5~10분의 짧은 시간을 통해 교육 • 지연되지 않도록 여분의 기구 준비 • 치료나 검사가 끝나면 아동에게 알림. • 독립성을 획득하기 위해 가능하면 스스로 선택할 수 있도록 허용
	거부하는 행동	• 치료나 검사 시에 저항을 예상하고 단호하게 접근 • 분노발작 시에 무시 • 전환요법 사용
학령전기: 솔선감 발달 및 전조작기적 사고	솔선감 획득	• 가능하면 아동을 간호에 참여시킴 • 검사나 치료를 오래 연기하지 않는 범위 내에서 선택권을 줌 • 협조하지 않았다고 나무라지 않으며, 도와주고 협조한 것을 칭찬함
	자기 중심성	• 검사나 치료과정의 감각적 측면을 강조하여 아동에게 어떻게 영향을 주는지 설명 • 기구 사용을 시범해 보임 • 모형기구나 실제 기구를 갖고 놀도록 함
	물활론	• 사용하지 않는 기구는 눈에 보이는 곳에 두지 않도록 함 • 생각이나 느낌을 말로 표현하도록 격려
	시간 개념과 좌절을 견디는 능력 제한	• 유아와 같은 접근을 하나 시간을 10~15분 정도로 두 번 이상 나누어 교육
	질병과 입원을 벌로 생각	• 검사나 치료가 수행되는 이유를 아동에게 설명 • 검사나 치료는 결코 벌이 아니라고 말함

표 3-28 발달 단계별 치료 및 검사를 위한 아동의 준비 (계속)

	발달특성	지침
학령기: 근면감 발달 및 구체적 사고	신체적 손상, 신체침습, 거세공포	• 검사나 치료전 해당 부위를 아동이나 인형, 그림을 보고 알려주고 지적하도록 함 • 가능하면 비침습적인 검사나 치료방법 이용 • 천자 부위에 반창고를 붙여 줌 • 성기 부위의 검사나 치료가 불안을 야기할 수 있음을 이해하고, 가운과 함께 팬츠를 입도록 함
	언어기술의 증가	• 말로 설명하되 단어에 대한 이해 정도를 평가
	근면성을 획득하기 위해 노력함	• 검사물 채취와 같은 단순한 일에 책임을 부여 • 검사나 치료를 언제 시행할지, 어느 부위에 시행하는지 결정에 아동을 참여 • 드레싱을 제거하거나 기구를 다루게 하는 등의 능동적인 참여 격려
	시간개념의 증진	• 20분 가량의 교육시간을 계획 • 검사나 치료 전 준비
	또래와의 관계 발달	• 같은 검사나 치료에 대해 둘 이상의 아동을 준비시키거나 다른 또래 아동의 준비를 돕도록 격려 • 자존심 유지를 위해 검사나 치료 동안 프라이버시를 유지
	언어 기술의 증가: 지식을 획득하는데 대한 관심	• 정확한 의학용어를 사용하여 검사나 치료에 대해 설명 • 간단한 해부, 생리도표를 이용하여 검사나 치료의 이유에 대해 설명 • 구체적인 용어로 기구의 기능이나 기전에 대해 설명 • 가능하면 기구를 사용하는 모델로 인형이나 사람을 이용하여 직접 기구를 조작해 보도록 함 • 검사나 치료 전 · 후에 질문과 토의의 시간을 가짐
	자기 통제력의 증가	• 사전에 아동의 협조를 얻으며, 어떤 일이 일어나는지를 아동에게 알려 줌 • 심호흡, 이완, 숫자세기와 같은 조절방법을 교육
청소년: 정체감 발달 및 추상적 사고	외모에 대해 의식함	• 프라이버시 유지 • 검사나 치료로 인한 외모의 변화와 줄이는 방법에 관해 토의함. • 치료나 검사의 이점을 강조
	추상적 사고나 추리능력의 증가	• 검사나 치료가 필요한 이유와 장기적 결과에 대해 설명 • 죽음, 불구, 어떤 잠재적 위험에 대한 청소년의 두려움을 이해 • 두려움, 선택, 대안에 관한 질문 격려
	독립성을 성취하기 위해 노력함	• 시간과 장소, 검사나 치료시 동반할 사람, 입을 옷 등에 관한 계획과 결정에 참여 • 가능하면 억제를 사용하지 않음. • 자신을 조절할 수 있는 방법 제안 • 퇴행행동 수용 • 청소년은 새로운 권위적 인물을 수용하기 어렵고 검사나 치료에 저항할 수 있음을 이해
	미래보다 현재에 더 관심을 가짐	• 앞으로의 검사나 치료의 효과보다 현재의 효과에 더 의미를 두는 것을 이해
	동년배 관계와 집단 정체감의 발달	• 학령기 아동과 같으나 훨씬 더 큰 의미가 있음

표 3-29 수술 전 점검표

이름 ____________________
체중 ____________________ 날짜 ____________________
수술 중 환자의 부모 위치 ____________________ 금식 현황 ____________________

환아 확인(확인자 2인 이상)

□ 환자 이름 □ 생년월일 □ 의무 기록 번호
확인출처: □ 환아 □ 부모 □ 대리인 □ 배우자 □ 가족 □ 기타 ____________________
□ 미성숙 아동 □ 이동대표기관/문서 □ 신분증 팔찌/이름, 환자번호
□ 환자 운송 수단 및 기록 확인

시술 절차(환아, 원본의 진술)

시술 절차문(다음 사항을 모두 검토)
□ 동의서 □ 신체 소견서 □ 의사 처방전/메모 □ 시술 계획 □ 진단검사/결과보고
부위/위치 확인
□ 부적절한 부위(신체 중 정상적으로 열린 부위를 통한 시술)
환아/타인의 진술 부위 ____________________
측면 ____________________
부위/측면에 적용시킬 사항
□ 동의서 □ 신체소견서 □ 의사 처방전/메모 □ 시술 계획 □ 방사선 진단검사/결과보고

시술 전 준비

	직원이름	직원이름
동의서 작성	________	________
신체소견서 작성	________	________
마취소견/신체소견 작성	________	________
마취 날짜/수술평가	________	________
병록지에 환자 신분 부착(입원 환자인 경우)	________	________
현재 병상기록	________	________
예전 병상기록	________	________
시술 전 투약/문서화	________	________
정맥주사 유무	________	________

합성조직 이식(적용 여부) □ 시술부위 가능성 □ 시술 적합요구확인
부위 표시: 부위 명시 □ 의사 □ 의사가 아닌 시술자 □ 부위표시 없음 □ 수술실 기록 참고
모든 팀 구성원의 부위진술과 부위명칭 일치 □ 그렇다 □ 명시되지 않음
명시된 부위가 환자를 가린 후 보임 □ 그렇다 □ 명시되지 않음
수술실 기록 참고
소견 ____
직원확인: 환아, 시술, 부위, 위치
직원이름: ____________________ 서명: ____________________
직원이름: ____________________ 서명: ____________________

에는 과소환기, 무호흡, 기도폐쇄, 심폐장애 등의 부작용을 주의하는 것이 필요하다. 특히 Midazolam은 불안을 감소시키고, 기억상실, 진정작용에 탁월한 효과가 있어 널리 사용한다. Fentanyl Oralet의 사용 시에는 오심 · 구토, 호흡억압 증상 등의 부작용을 관찰하는 것이 필요하다.

(4) 아동의 불안 해소를 위한 방법

수술 시에 아동의 불안 해소를 위해서 사용하는 흡입가

스의 역겨운 냄새를 중화시키기 위해 방향제 섞는 것이 가능하며, 투명한 마스크를 사용하여 천천히 얼굴에 부착한다. 가스관의 방향을 아동의 얼굴 쪽으로 대고 아동이 혼미해질 때까지 튜브로 가스를 주입 후에 마스크를 부착한다. 마취를 유도하는 동안 아동이 누워 있는 것보다 앉아있도록 허용할 수 있다. 마취 유도 전에 마스크와 인형을 사용하여 놀이를 해보도록 허용하면 아동의 불안을 해소할 수 있다.

2) 수술 후 간호

수술 후 아동의 상태를 주의 깊게 관찰해야 하는데 염증반응은 열을 동반하므로, 간호사는 체온 증가에 예민해야 한다. 또한 신생아는 Halothane에 예민하고 치명적이므로 주의해야 한다[표 3-30].

수술 후 합병증 예방하기 위해 기도를 확보하고 최대 환기를 유지하며, 산소포화도와 전해질 균형 상태를 주기적으로 확인한다. 수술 후 안위를 제공하며, 통증조절을 위해 계획된 정기적 투여가 통증 조절에 효과적이며, 장음(bowel sound)이 돌아올 때까지는 경구로 금식하도록 한다. 호흡기 감염을 예방하기 위해 호흡 횟수 이상이나 얕은 호흡, 기침 등의 호흡기 감염의 초기 증상이 있을 시에는 즉시 보고하고, 합병증을 예방하기 위해 호흡운동과 기침을 격려하고, 폐활량계 사용하거나 어린 아동의 경우 풍선불기 놀이 등을 이용하는 것이 좋다.

표 3-30 수술 후 아동의 활력증상 변화

변화	잠재적 원인	설명
혈압		
증가	과도한 정맥류 뇌압 증가 CO_2 정체 동통 약물(케다민, 에피네피린)	미숙아에게 치명적인 심실 출혈 증가
저하	정맥 확장, 마취제 (할로탄, 아이소후로란, 인훌로란) 아편제제(몰핀)	후기 쇼크 증상, 혈압이 저하되나 혈관수축이 일어나 심박출 유지
심박동수		
증가	관류 감소 체온 상승 동통 초기의 호흡 저하 약물 (아트로핀, 몰핀, 에피네피린) 저산소혈증	심박출량 유지 위해 심박동수 증가
저하	활력 자극 뇌압 증가 후기의 호흡 저하 약물 (프로스티그민)	영아에게는 빈맥보다 서맥
호흡수		
증가	호흡곤란 체액 증가 저체온증 체온 상승 동통	호흡수 증가로 호흡장애
저하	마취제, 아편제제 동통	아편제제로 인한 호흡수 감소는 심호흡을 하도록 함
체온		
증가	쇼크(후기 증상) 감염 환경요인 (더운 실내, 과도한 담요) 악성 고열증	열은 감염과 관계가 있으며 나중에 염증과 상관없이 체온 증가 특히 유아에 있어서 열이 없는 염증반응은 없음
저하	혈관확장 마취제 (할로탄, 아이소후로란, 인훌로란) 근육 이완제 환경 원인(냉방) 차가운 수액이나 수혈	신생아는 특히 할로탄에 예민하고 치명적

04 / 치료나 검사를 위한 체위

1) 경정맥 천자

경정맥 천자(jugular venipuncture)는 영아나 어린 아동의 혈액 검사물 채취에 이용하며, 이때에는 미이라 억제법을 이용하여 환아를 고정시킨다. 아동의 머리를 옆으로 돌리고 천자를 시행하며, 천자 후에는 부위를 마른 거즈로 덮어 3~5분간 압박한다[그림 3-51(A)].

2) 대퇴정맥 천자

경정맥 이외에 흔히 사용되는 부위로 앙와위 상태에서 다리를 개구리처럼 벌려 서혜부가 잘 보이도록 한다. 시행 중 아동이 배뇨를 할 수 있으므로 기저귀로 회음부를 덮은 뒤 시행하며 시행 후에는 천자 부위를 압박하여 출혈을 예방한다[그림 3-51(B)].

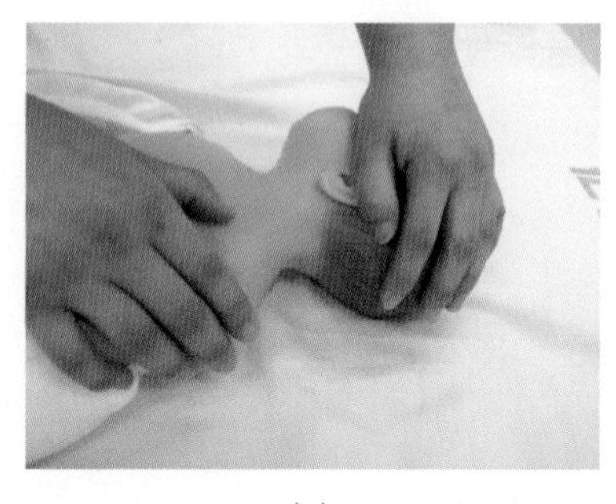

(A)

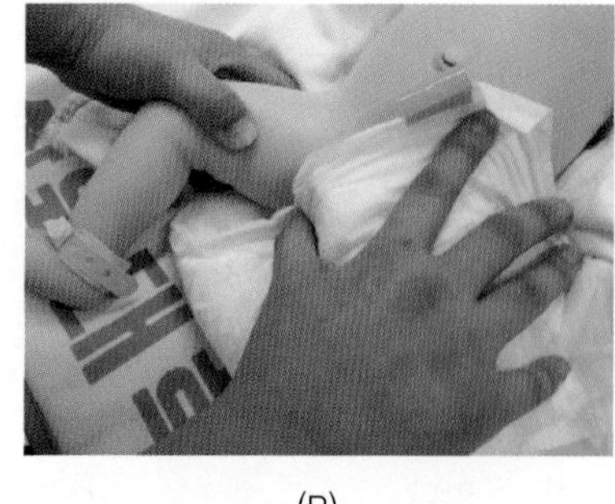

(B)

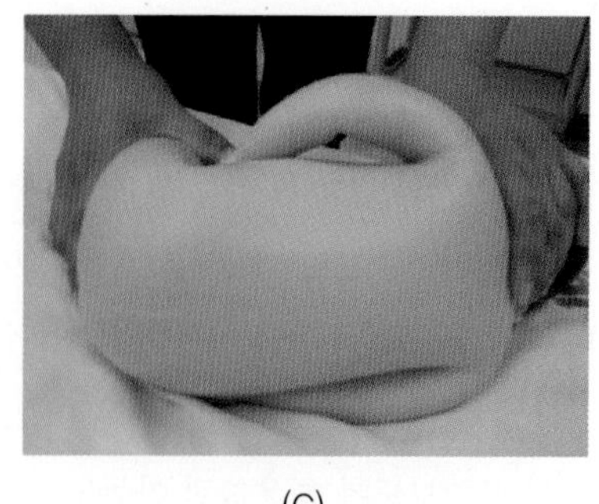

(C)

그림 3-51 **체위**

(A) 경정맥 천자를 위한 체위 (B) 대퇴정맥 천자를 위한 체위 (C) 요추천자를 위한 체위

3) 사지의 말초정맥 천자

정맥천자 부위로 가장 많이 사용하며 천자 시에 한 사람은 아동의 옆에서 움직임을 막고 팔이나 다리를 고정시킨 후에 시행한다.

4) 요추천자

요추천자(lumbar puncture)를 위해서는 산소포화상태나 심 박동을 감시하고, 요추 3~4번 부위에 가는 바늘을 삽입하여 뇌 척수액을 수집하므로 반드시 억제가 필요하다. 검사 후에는 환아의 활력징후를 측정하고, 의식 변화 상태를 측정하며 운동과 기타 신경학적 징후 관찰한다. 검사 후 수분을 공급하고 한 시간 정도 조용히 누워 있어야 두통을 감소시킬 수 있다[그림 3-51(C)].

5) 골수천자/생검

골수천자/생검의 경우에는 유아는 자세를 취하기 쉽고 붙잡기 용이한 경골을 선택하지만, 아동의 경우 장골 전방이나 장골 후방을 많이 사용한다. 이때 적절한 마취제로 통증을 경감시키며 아동이 깨어 있을 경우 아동을 안아주고 두 사람이 아동을 억제한다. 한 사람은 아동의 상체를 억제하고 다른 한 사람은 하체를 억제한다.

05 / 소변 검사

소변 검사물(urine specimen)은 정규 검사 시 필요하다. 소변 검사물의 종류와 수집하는 방법은 다음과 같다.

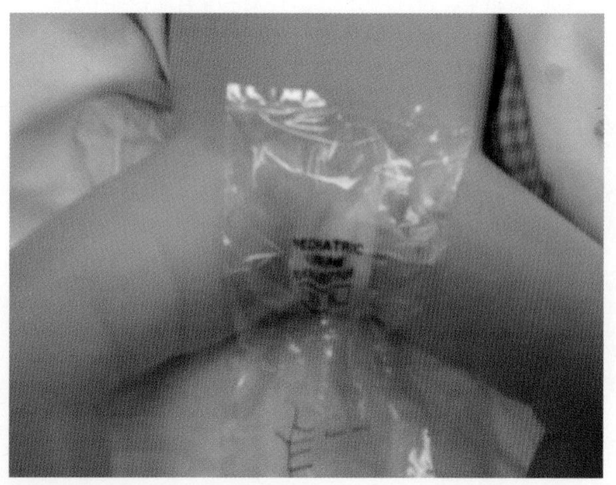

그림 3-52 **소변 수집주머니**

음경과 음낭 모두 주머니 안에 들어가도록 부착

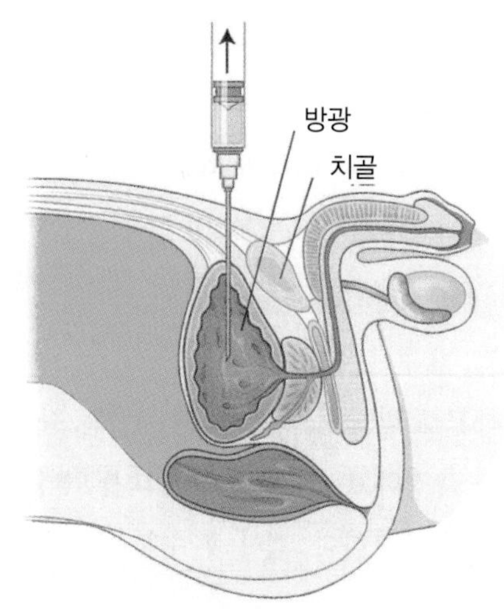

그림 3-53 **치골 상부흡인**

가득찬 방광은 복부천자에 의해 쉽게 사정된다.

1) 검사물 수집

학령전기 아동이나 유아는 소변 검사물을 수집하기 위해 물이나 좋아하는 음료수를 준 다음 자발적 배뇨할 때까지 30분 정도 기다린 후 채집하며, 학령기 아동이나 청소년의 경우에 소변 검사 시 월경이 있다면 검사를 연기하거나 검사지에 기록한다.

소변을 자발적으로 볼수 없는 어린 아동의 경우에는 소변수 집주머니(urine collection bag)를 사용한다[그림 3-52].

소변 검사물은 30분 이내 검사하며, 만약 소변 검사물을 수집하기 어려운 경우 1회용 기저귀로부터 얻은 소변 검사물을 통해서도 검사가 가능하다.

청결한 소변검사물이 필요하다면 처음 소변 몇 mL 정도 버리고 그 다음에 배뇨하는 것을 수집한 요(중간뇨)를 수집한다. 여아의 경우에는 앞에서 뒤의 방향으로 세 번 이상 닦아주며, 남아는 생식기 끝부분 닦아서 채집하고, 만약 검사물을 바로 보낼 수 없는 경우에는 냉장고에 보관한다.

2) 24시간 소변 수집검사

24시간 소변 검사물은 많은 물질들과 그 양, 하루 동안 분비되는 물질의 양을 측정하기 위해 필요하다. 24시간 소변 수집검사의 수집기간은 비워진 방광에서 시작하여 방광을 비우는 마지막 시간을 측정하여 수집하며, 24시간 동안의 소변은 냉장 용기에 보관한다. 처음 소변은 버리고 그 이후로 수집된 검체를 보관 용기에 얼음이나 방부제를 넣어 모은다. 24시간 후 마지막 소변까지 수집한 검체를 검사실로 보낸다.

3) 도뇨관 삽입

자발적 배뇨를 하지 못할 경우에는 도뇨관 삽입하여 시행한다. 아동은 주로 8~10F 도뇨관을 사용하며 도뇨관이 없다면 feeding tube도 사용이 가능하다. 도뇨관을 삽입할 경우에 아동이 경험하는 작열감, 고통, 불편감을 해소하고 통증을 감소시키기 위해 2% lidocaine 윤활제를 사용할 수 있다.

4) 치골상 천자

급성 요로감염이 의심될 때 치골상 천자를 시행할 수 있는데 이는 의사가 수행한다. 20~21G의 천자침을 치골의 중앙 1㎝ 위쪽에서 수직으로 삽입하여 채집한다. 치골상 천자는 어느 정도 소변이 고여 있어야 하고, 사전에 채집 부위의 피부 준비가 필요 하다[그림 3-53].

06 / 대변 검사

1) 검사물 수집

대변 검사물은 기생충이나 설사의 원인균을 규명하거나, 위 장관의 기능을 평가하고 잠혈을 확인하기 위해서 필요하다. 대변 검사물 전용 용기에 충분한 양을 채취한다. 가장 이상적인 대변검체는 소변이 섞이지 않은 검체이다

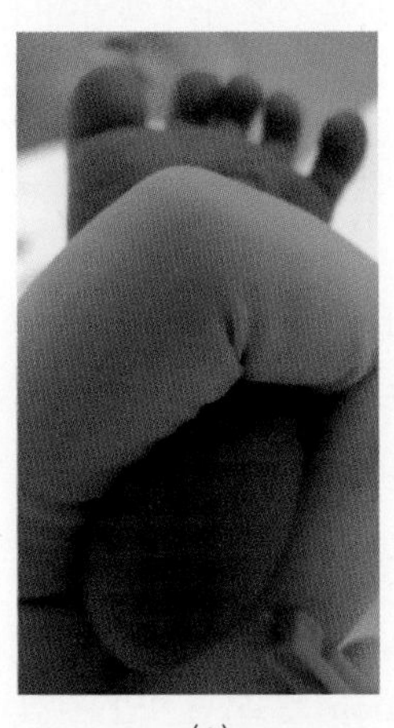

(A)

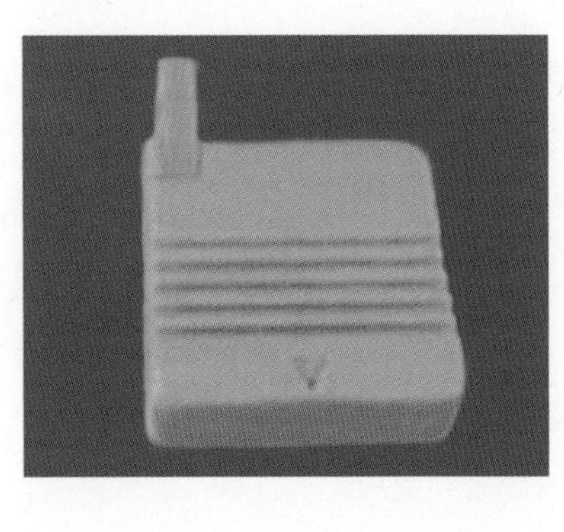

(B)

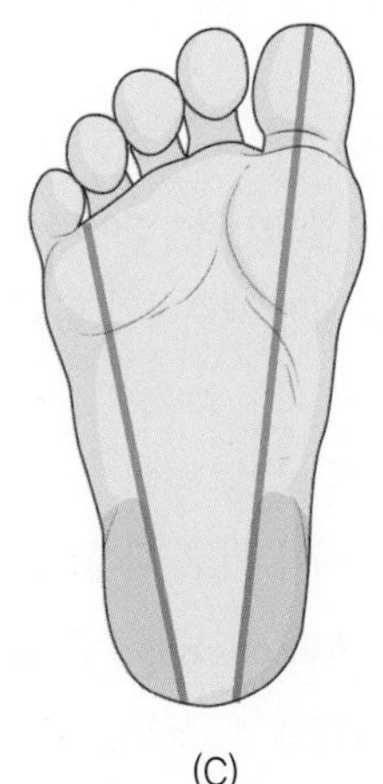

(C)

그림 3-54 **모세혈관 검사물**

(A) 발뒤꿈치 천자 (B) 발뒤꿈치 자동채혈장치(tenderfoot) (C) 천자부위(파란선 외측 부위)

07 / 혈액 검사

1) 혈액 검사물 채취

정맥혈액 검사물은 말초 정맥천자나 중심 정맥장치의 흡인을 통해 얻을 수 있다. 중심 정맥선에서 혈액검사물 채취는 처방만 있다면 항상 가능하다.

2) 동맥혈 가스 분석

동맥혈 가스 분석(arterial blood gas analysis, ABGA)은 혈액 내 가스농도 측정하는 것으로 요골, 상완, 대퇴동맥에서 Allen test 시행 후 의사가 수행한다. 항응고제(heparin)로 처리된 특별한 수집관을 이용하고 채집된 동맥혈은 공기방울이 들어가면 안되므로 채집 즉시 끝을 고무마개로 막는다. 동맥혈은 얼음으로 차갑게 유지하고 채집 즉시 검사물로 보낸다.

3) 모세혈관 검사물

말초혈액을 채취하는 경우 채취 부위는 발뒤꿈치를 이용한다. Tenderfoot이나 Autolet(적절한 깊이로 통증을 최소한 상태에서 발뒤꿈치 천자를 할 수 있는 자동채혈장치를 사용하며[그림 3-54], 아동의 발바닥의 선 바깥 부분을 이용하여 천자한다. 팔에서 채혈할 경우에는 멍이 들지 않도록 팔을 구부리지 않고 펴고 있도록 하며, 아동에게 혈액은 계속적으로 생성된다고 교육하고 반창고를 붙여준다.

08 / 호흡기 분비물

호흡기 감염을 진단하기 위해 객담이나 코의 분비물의 수집이 필요하다. 영아나 어린 아동의 경우에는 호흡기 분비물을 쉽게 채취하기 힘들다.

1) 흡인기

카테터가 기도 내에 삽입되어 있고 기침반사가 있는 경우에는 Mucous trap같은 흡인기를 이용하여 호흡기 분비물을 수집한다.

2) 코세척

코세척은 Respiratory syncytial virus 감염 진단 위해서 시행하고, 1~3cc의 생리식염수를 코 속에 점적하여 내용물을 흡인한다. 이후에 bulb syringe로 내용물을 흡인한다.

3) 비인후 도말

비인후 도말(nasopharyngeal swab)은 백일해균이나 인후배양을 위한 방법이다. 인후배양을 위해 무균 면봉을 사용한다.

확인문제

25. 아동에 있어 모세혈관을 얻기 위한 부위는?

26. 24시간 소변 검사물을 수집할 때 어느 시점에서 수집시간을 재기 시작해야 하는가?

27. 여아에게 치골상부 흡인 시 회음부를 누르는 이유는?

안전 관리

입원 중 안전은 간호의 필수적 요소이며, 특히 아동에게는 추상적 사고와 추론적 능력이 부족하므로 아동의 입원기간 동안에 안전하게 보호하는 것은 간호사의 책임이다.

01 / 감염관리

병원 감염(nosocomial infection)의 위험을 감소시키기 위해 내과적 무균법 적용과 적절한 예방조치(barrier precaution)는 아동을 간호하는 데 있어 중요하다.

1) 표준지침

표준지침(standard precaution)은 보편적인 지침과 체액 분리 지침으로 나눌 수 있다. 보편적 지침(universal precaution, UP)은 혈류를 통한 전파의 위험성을 감소시키는 것이다. 체액 분리 지침(body substance isolation, BSI)은 습기찬 신체 표면으로부터 전파의 위험성을 감소시키는 것이다.

2) 전파양식에 근거한 예방지침

(1) 공기전파

공기전파는 공기방울의 입자(비말핵)나 균이 포함된 먼지 입자가 공기 중에 떠 있음으로 발생되는 것으로 공기를 통해 전파할 수 있는 질병으로는 홍역, 수두, 결핵이 있다. 따라서, 공기 취급법과 질병의 공기전파를 막기 위한 노력이 필요하다.

(2) 비말전파

비말전파는 환자의 기침이나 재채기가 대화, 흡인, 기관지경 검사 등과 같은 절차 중에 발생되는 것이다. 감염원과 감염된 사람의 밀접한 접촉을 주의하여 감염의 위험을 감소시킨다.

(3) 접촉전파

접촉전파의 예방지침은 직접 · 간접 접촉에 의한 전파의 위험성을 감소시키기 위한 것이다. 구체적 내용은 다음과 같다.

- 신체 분비물, 소변, 대변, 구토물이 있을 경우 반드시 장갑 이나 가운을 착용한다.
- 주사침은 주사침 처리용 용기에 버리고, 다시 뚜껑을 닫지(recapping) 않는다.
- 손씻기는 오염물질 접촉 후, 환자 접촉 전 · 후, 같은 환자 라도 다른 신체부위를 만지기 전 등의 행위 시에 반드시 시행한다.
- 손을 씻고 난 뒤에는 수건보다 일회용 종이 타월을 사용하여 물기를 제거한다.

02 / 환경적 요인

1) 낙상 예방

환아의 안전을 위하여 낙상 예방 간호가 필요하다. 침상 높이를 적절히 조절하며 필요시에는 침상난간을 올리고, 물건을 찾다가 떨어지지 않도록 적절한 조명을 유지한다. 욕실에서는 욕조의 미끄럼방지에 각별한 주의를 기울이며, 아동을 유모차에 앉힐 때는 벨트로 반드시 고정한다. 움직임이 심하거나 정신 지체 아동의 경우에는 처치대 위에 혼자 두지 않는다.

2) 안전사고 예방

가정이나 병원에서 발생할 수 있는 안전사고 예방을 위해 아동의 경우에 전기기구를 주의하여 다루고 수은 체온계나 병처럼 작고 깨지기 쉬운 물건은 대상자의 주위에 두지 않는다. 모든 창문은 안전하게 잠겨 있어야 하고, 블라인드나 커튼의 줄은 손이 닿지 않아야 하고 갈라진 줄로 목이 졸릴 위험을 제공해서는 안 된다. 영아돌연사증후군 예방을 위해 앙와위 자세로 베개 없이 눕혀야 한다. 과도한 난방, 담배연기, 술, 불법적 약물을 피하고, 부드러운 침대가 아니라 단단한 표면이 있는 침대를 두는 것이 아동의 수면 환경 안전에 도움이 된다.

03 / 장난감

장난감은 아동의 나이, 상태, 치료에 적합해야 하며 아동의 발달 연령에 맞는 것을 선택하되 알러지를 유발하지 않고 씻을 수 있으며, 깨지지 않고 작은 조각으로 분리되어 삼킬 염려가 없는 안전한 장난감을 선택한다.

04 / 한계 설정

1) 한계 설정 교육및 감독

간호사는 병원에서 아동이 갈 수 있는 곳과 할 수 있는 행위에 대해서 알고 있어야 하고 교육해야 하며 그에 따라 감독을 해야 한다.

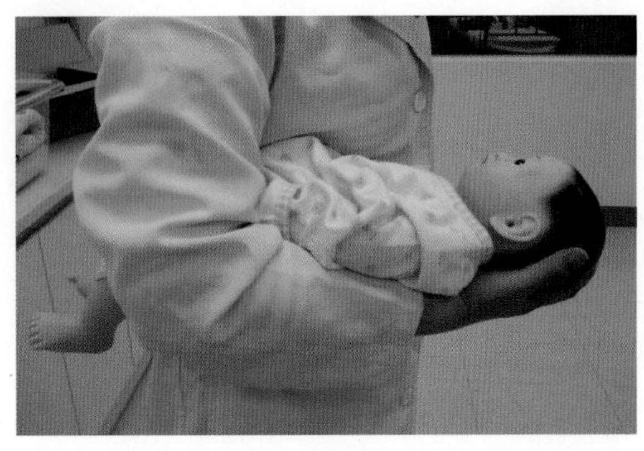
(A)

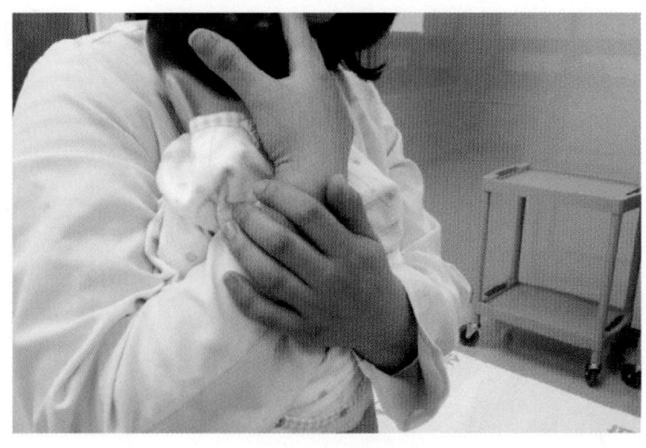
(B)

그림 3-55 **아동의 이동방법**
(A) 축구공쥐기 (B) 등을 지지하여 안아주기

05 / 이동

1) 아동의 이동 방법

아동의 한 손은 활동을 위해 남겨둘 수 있도록 하며, 아기를 똑바로 세워서 전박으로 아기의 둔부를 지지하고 몸의 앞부분을 간호사의 가슴에 의지하도록 한다[그림 3-55].

06 / 억제

1) 억제대의 사용

억제대(restraint)는 안전, 안위, 검사, 진단적, 치료적 절차를 수행하기 위해 필요하며, 사용하기 전에는 반드시 의사의 처방과 부모의 동의가 필요하다.

억제가 필요한 경우에는 아동과 부모에게 간단한 설명을 해야 하고 억제 시간이 길어지는 경우에는 그 이유에 대해 설명을 반복하고, 억제가 처벌이 아님을 이해시킨다.

억제대는 의도한 목적이 잘 성취되는지, 정확하게 착용되었 는지를 확인하고 순환, 감각, 피부 통합성이 잘 유지되는지 1~2시간 간격으로 관찰하고 기록한다.

간호사는 억제의 목적, 착용, 제거 방법, 사용 시에 올 수 있는 합병증의 징후를 올바르게 알고 적용하며 억제대 사용 시의 합병증을 예방하기 위해 2시간마다 풀어 준다.

2) 종류

(1) 자켓 억제

자켓억제는 자켓을 입혀 끈을 만지지 못하도록 등에 고정하는 억제대로 긴 끈은 침대의 아래쪽에 고정되어 있으며 환아를 수평으로 눕혀 두고자 할 경우에 유용하다.

(2) 미이라 억제

미이라 억제(mummy restraint)는 영아 및 어린 아동의 머리나 목 부위에 치료나 검사(정맥천자, 인후검사, 위관영양)를 시행하기 위해 잠시 동안 사용한다.

(3) 팔과 다리의 억제

팔과 다리에 패드를 대어 압력이나 조직이 손상되지 않도록 주의해야 하며, 환아의 피부를 자주 관찰하여 자극이나 순환장애 유무를 확인한다. 팔과 다리를 억제하는 억제대는 8자 억제(clove hitch restraint)가 있다.

(4) 팔꿈치 억제

팔꿈치 억제(elbow restraint)는 아동의 손이 얼굴, 머리에 닿지 않도록 하는데 이용한다. 특히, 토순 수술이나 두피 정맥주사 시에 손상된 피부를 긁지 못하도록 한다[표 3-31].

확인문제

28. 전신 억제(mummy restraint)가 필요한 때는 언제인가?

표 3-31 안전 억제대

억제대의 종류	목적	방법
Clove-httch 억제대	정맥 내 주입 등과 같은 절차를 위해 한 팔이나 다리를 고정한다.	• 일회용 억제도구, 거즈, 부드러운 무명(muslin) 테이프를 사용한다. • 부드러운 무명 테이프는 아동이 힘을 줄 경우 약간 늘어나서 너무 탄탄하거나 혈액순환을 방해하거나 아프게 하지 않는다. • 그림과 같이 억제대를 묶는다. • 아동이 억제대에서 벗어나려고 몸부림치면 도구 아래의 손목이나 발목주위에 부드러운 거즈를 몇 겹 댄다. • 억제대를 침대 아래에 고정시킨다. • 난간을 내릴 때 아동의 팔이나 다리를 잡아당겨 상해를 입힐 수 있기 때문에 침대 난간에 고정시키지 않는다. • 누군가가 옆에 있을 경우에만 억제대를 푼다.
재킷 억제대	6개월 이하의 아동은 반듯이 누운 상태에서 억제하고, 더 큰 아동은 너무 활동적이므로 재킷 밖으로 빠져 나오거나 목에 너무 힘을 주어 질식할 수도 있으므로 주의한다.	• 재킷의 뒤에서 끈을 묶는다. • 아동을 한 위치에 고정시키기 위해 측면에 부착된 끈을 매트리스 아래에 고정시킨다.
팔꿈치 억제대	아동이 머리나 얼굴을 만지지 않도록 한다.	• 설압자를 넣을 만큼 넓은 주머니를 가진 두 겹의 부드러운 무명을 사용한다. • 주머니를 수직으로 위치시킨다. 아동의 팔에 억제대를 감싼다. 끈, 테이프 또는 핀으로 억제대를 고정시킨다.
No–No sleeves	아동이 머리나 얼굴은 만지지 않도록 한다.	• 팔꿈치 억제대인 No–No sleeves를 사용해도 좋다. No–No sleeve 속에 아동의 팔을 집어넣고 벨크로테입을 사용해 고정시킨다. • No–No sleeves가 너무 꽉 조여 혈액순환에 방해가 되는지 관찰하고 억제대 밑에 긴 팔 옷을 입힌다.
전신 억제대 = 미이라 억제	머리, 목 또는 인후와 관련된 검사과정동안, 어린 아동이 움직이지 못하게 한다. ex 비위관 삽입 또는 채혈	• 검사가 진행되는 동안에만 사용한다. • 그림에 나타난 단계를 따른다. • 아동이 예외적으로 힘이 셀 때는 몇 개의 안전핀을 꽂아 더 단단히 고정시킨다. • 호흡기능을 계속 관찰해야 하는 아동의 경우 가슴이 노출되도록 접는다.
Papoose Boards	머리, 목, 인후와 관련된 검사과정 동안 아동이 움직이지 못하게 한다.	"Papoose Boards"는 신생아나 영아에게 전신억제를 할 때 이와 같은 방법으로 사용하는 억제대이다.
휠체어와 카트	이동하는 동안 휠체어에 앉아있도록 주지하고 아동이 카트에서 굴러 떨어지지 않도록 하며, 아동을 이동시키는 동안 안전을 증진한다.	• 휠체어에 억제 조끼를 사용한다. 끈을 휠체어의 틀에 고정시키되, 충분한 여유를 두어 약간의 움직임을 가능하게 한다. • 카트의 경우는 억제용 벨트를 사용하고 난간을 위로 올린다. • 억제 도구가 제자리에 있더라도 병동을 벗어난 복도에 아동을 혼자 놓아두지 않는다.

Ⅸ 심폐소생술

01 / 심폐소생술

심정지의 발생은 예측이 어렵고, 예측되지 않은 심정지의 60~80%는 가정, 직장, 길거리 등 의료시설 이외의 장소에서 발생하므로, 심정지의 첫 목격자는 가족, 동료, 행인 등 주로 일반인일 수 있다. 심정지가 발생한 후 4~5분이 경과하면, 뇌가 비가역적 손상을 받기 때문에 심정지를 목격한 사람이 즉시 심폐소생술을 시작하여야 심정지가 발생한 사람이 정상 상태로 소생할 가능성이 높다.

1) 목적

호흡과 순환이 모두 정지된 경우 가슴압박과 인공호흡을 교대로, 일정한 비율로 시행하는 것이다. 가슴압박은 혈액의 순환을 인공호흡은 산소공급을 도와줌으로써 결국 폐로 들어온 산소와 뇌와 심근으로 가도록 하여 대상자의 생명유지 및 회복을 돕는다.

2) 기본 심폐소생술

기본 심폐소생술(cardiopulmonary resuscitation, CPR)이란 심장과 폐의 활동이 갑자기 멈추었을 때 실시하는 응급처치이며 심정지가 의심되는 의식이 없는 사람을 발견하였을 때, 구조를 요청하고 기도를 유지하며, 인공호흡과 인공순환을 하는 심폐소생술의 초기 단계를 말한다.

3) 연령의 기준 및 방법

심폐소생술에서 연령의 정의는 신생아는 출산 때부터 병원을 떠날 때까지의 아기이며, 만 1세 이전을 영아, 만 1세부터 만 8세 까지 소아, 성인은 만 8세 이상을 말한다. 신생아와 영아의 심정지 주원인은 호흡부전이나 영아돌연사증후군이며 1세가 넘은 아동의 심정지 주원인은 외상이 가장 흔한 원인이다.

심정지 대상자를 발견하면 반응을 확인한 후, 응급의료체계에 신고하여 도움을 요청한다. 그리고 환아의 맥박을 확인하여 맥박이 촉지되지 않으면 이후 가슴압박(compression)–기도유지(airway)–인공호흡(breathing)의 순서로 시행하며, 최소 5cm 이상의 깊이로 최소 분당 100회 이상의 가슴압박을 하도록 한다. 가슴압박의 중단을 최소화하고, 인공호흡을 과도하게 하여 과환기 시키지 않도록 한다[표 3-32][표 3-33][표 3-34]

4) 자동 제세동기 사용방법

갑자기 발생된 심정지의 대부분은 심실세동에 의해 유발되며, 이를 위한 가장 중요한 치료는 전기적 제세동(electrical defibrillation)이다.

자동제세동기는 환자의 심전도를 자동으로 판독하여 제세동이 필요한 심정지를 구분해주며, 사용자가 쉽게 전기적 제세동을 일으켜 환자를 치료하게 한다.

자동 제세동기의 패드는 심장에 최대의 전류를 전달하도록 위치시키며 소아의 경우 성인에 비해 적은 에너지인 2~4J/kg로 제세동을 하는 것이 권장된다[표 3-35].

02 / 이차적인 방법

정맥주사는 약물투여를 위해 실시되어야 한다. 골내를 통한 약의 처치는 골내로의 혈액공급이 풍부하기 때문에 정맥주사 처치보다 빠르게 순환한다. Epinephrine, Lidocain과 Atropine 같은 약은 endotracheal tube를 통해 투여해야 한다. 생리식염수에 희석한 약을 tube 깊숙이 집어넣어 카테터로 처치하고, 1~2mL의 생리 식염수에 의해 들어가게 한다. 몇몇 약들은 소생 시 유용하게 사용되고, 응급차 내에서도 사용되도록 준비되어야 한다.

- Atropine : 기관지 분비를 줄이고 소생술을 시도하는 중간에 기도를 깨끗하게 유지한다. 미주신경의 영향을 감소시키고 서맥을 경감시킨다.
- Calcium chloride : 심장수축을 증가시킨다. Digitalis 독성이 나타날 때는 금기사항이다.
- Epinephrine : 심장수축을 시작하거나 강하게 해서 심박동 수와 혈압을 늘인다.
- Adenosine : 부정맥을 경감시킨다.
- Bretylium tosylate : Lidocaine 같이 심실성 부정맥을

경감시킨다.

- Dopamine : 심박출량을 증가시키고, 혈관수축의 원인에 α-receptor로 작용한다.
- Dobutamine : 심박수와 수축성을 증가시키는 β-antagonist 로 작용한다.
- Lidocaine : 심실성 부정맥을 경감시킨다.

03 / 심리적 지지

심폐정지도 급성의 응급상황이고, 이 상태에 도달한 모든 사람들이 어떻게 행동해야 하는지를 알고 있어야 한다. 심장의 활동이 시작된 후에도 심실세동은 세동 제거를 필요로 한다. 아동들이 심폐소생술에 반응을 보이기 시작함과 동시에 들을 수 있음을 알아야 한다. 그들은 수많은 사람들이 주위에 있고, 심폐 모니터 leads 같은 Ⅳ tubing, endotracheal tube 같은 기구들이 있는 것에 당황하게 된다. 심폐정지가 일어나기 직전에 신체에 일어난 변화에 대해 강렬한 기억을 가진다. 아동은 지각을 회복하기 시작한다. 모든 사람들이 그들을 돕기 위해 있다는 것을 확신할 필요가 있고, 그대로 누워있는 것이 도와주는 것이라는 것을 알아야 한다.

응급소생팀의 몇 명은 아동을 편안하게 하고 나머지는 아동의 부모에게 편안하게 조언을 한다. 자신들의 아동이 갑자기 호흡을 중단한 것을 보면 부모는 극히 놀라게 된다. 응급소생팀이 즉시 도착해서 돌보는 것을 본 부모는 그들의 아동이 아픈 것에 더 놀란다. 아동들의 현재 상태가 어떠한지를 즉시 부모에게 알려주어야 한다. 아동의 심박동과 호흡이 가능해지자 마자 아동을 볼 수 있게 해준다. 심전도 모니터나 혈액가스 처치 같은 부가적인 순서가 이행되어야 한다. 아동이 소생하지 못하면 부모가 비탄에 잠기므로 이들을 도와주어야 한다.

 퇴원간호

퇴원은 입원으로 인한 여러 가지 스트레스 요인들이 해결 되는 과정이기도 하면서 일상생활로의 복귀를 의미한다. 그래서 가족은 퇴원을 기다리기도 하면서 한편으로는 집으로 돌아가서 어떻게 아동을 돌봐야할지 두려운 마음을 가지고 있다. 더욱이 최근 병원은 운영의 효율성과 입원으로 인한 부정적인 부분들을 최소화하기 위하여 조기퇴원을 권장하고 있는 추세이다. 간호사는 아동과 가족이 퇴원 후의 생활에 잘 적응할 수 있도록 퇴원계획을 수립하여야 한다. 퇴원계획은 입원 시부터 준비되어야 하며, 아동과 가족의 신체적 · 정서 · 심리사회적 욕구들을 모두 고려하여 수립하도록 한다. 일부는 퇴원 후에도 아동의 신체적 건강상태가 만성상태로 진행되어 병원과 지속적으로 관계를 맺을 수 있다. 간호사는 아동이 퇴원 시 나타내는 반응에 민감해야 하며, 연속적인 간호가 필요한지, 교육적 자원과 재정적 자원이 필요한지, 대상자가 만성상태에 적응할 수 있도록 도와줄 수 있는 서비스가 있는지를 확인하도록 한다.

01 / 퇴원교육의 내용

퇴원교육의 내용은 다음과 같다.

- 식이요법: 처방 식이, 제한 식이
- 활동수준, 적당한 운동
- 약물 복용 방법: 약물의 종류와 투여시간, 용량, 횟수, 효과, 부작용 등
- 드레싱 물품 구입 및 교환방법
- 추후 관리 및 병원 방문 날짜, 장소
- 퇴원 후 계속될 가정간호 및 의뢰
- 건강증진 내용

표 3-32 성인의 심폐 소생술(만 8세 이상)

NO	수행항목	이론적 근거
1	반응확인과 동시에 호흡확인 쓰러져 있는 대상자에게"여보세요, 괜찮아요?"라고 큰 소리로 물으면서 목을 흔들지 않고 어깨를 가볍게 두드리며 대상자의 움직임, 눈깜빡임 등의 반응을 확인한다. 구조자가 대상자의 호흡 유무와 비정상 여부를 10초 이내에 사정한다.	심정지 호흡은 심정지 발생 직후 1분 동안 40% 정도에서 발생, 신속하게 CPR 시행
2	도움 요청 • 반응이 없으나 정상 호흡을 보이는 경우 측위를 취해 구강의 이물이 기도로 흡인되는 것을 예방하고 적절한 조취를 취한다. • 반응이 없고 정상호흡이 아니라고 판단되면 심정지 상황으로 인식하고 119에 신고하거나 심정지 코드 방송을 부탁한다.	• 혼자보다 도움을 받는 것이 대상자의 예후에 더 좋음 • 측위에서 혀가 기도를 막지 않아 기도 폐쇄의 위험 감소
3	맥박 확인 경동맥에서 맥박 촉진, 이를 위해 10초 이상 소비하지 않는다.	가능한 한 빨리 혈액순환 위해 일반인은 이 단계를 생략
4	맥박이 분명하게 촉진되는 경우 흉부압박은 하지 않은 채 인공호흡을 계속하면서 약 2분마다 맥박을 재 사정한다. 분당 10~12회 속도, 즉 5~6초에 한 번 인공호흡을 한다(이 과정에서 완료). 맥박이 촉진되지 않은 경우 대상자를 단단한 바닥에 눕히거나 혹은 침대에 단단한 판자를 깔고 앙와위로 눕힌다.	• 혈액순환 유지되는 경우 흉부압박 필요 없음, 규칙적 맥박 사정 필요 • 단단한 바닥이어야 압박의 압력 정확히 전달
5	흉부압박 구조자의 양 손바닥 아래(heel of the hands) 부분을 포갠 채 손가락이 가슴에 닿지 않도록 하면서, 대상자 흉부 중간에 위치한 흉골의 아래쪽 절반 부위에 댄다.	• 맥박이 촉진되지 않는 것은 혈액순환에 문제 있음 의미, 빨리 심장 마사지 시행 • 적절한 위치, 손모양을 유지해야 소생술이 효율적, 주변 장기의 손상 감소
6	흉부압박 시 손과 팔, 어깨는 90°를 유지, 팔과 어깨보다는 상체와 허리의 움직임을 이용하여 힘을 준다.	팔꿈치를 구부리면 압박의 힘이 정확하게 심장에 도달 불가, 팔과 어깨의 힘 이용할 경우 구조자가 쉽게 지침
7	흉골을 5~6cm 정도 깊이로 압박한다. 압박 직후 흉부가 완전하게 이완 된 이후 다음 압박을 해야 하며 1분에 100~120회의 속도로 압박한다.	압박되었던 흉부가 완전히 이완되어 충분한 양의 혈액이 귀환하도록 함
8	기도유지 인공호흡을 실시하기 위해 머리 젖히고 턱 들기 방법으로 기도 개방	외부와 폐 사이 공기 흐름이 가능하게 하기 위해
9	인공호흡 머리를 젖혔던 손의 엄지와 검지로 대상자의 코를 잡아서 막고, 구조 자의 입을 크게 벌려 대상자의 입을 완전히 막은 뒤에 가슴이 올라올 정도로 1초 동안 숨을 불어놓고, 가슴이 부풀어 오르는지 눈으로 확인한다.	500~600mL(6~7mL/㎏)의 1회 호흡량 유지
10	30회의 흉부압박, 2회의 인공호흡을 반복하여 시행하며 심폐소생술 동안 흉부압박의 중단을 최소화하려고 노력해야 한다. 맥박 확인, 심전도 확인, 제세동 등 필수적인 치료를 위해 흉부압박의 중단이 불가피한 경우에도 10초 이상 중단해서는 안 된다.	가능한 혈액순환이 계속 유지되기 위해 흉부압박과 인공호흡이 함께 시행되어야 혈액순환을 통한 산소공급이 이루어 짐
11	흉부압박과 인공호흡을 지속하면서 다른 구조자가 있는 경우 약 2분 마다 흉부압박을 교대해 준다.	시작 1.5분~3분 사이 흉부압박 교대 필요
12	제세동기 도착할 때까지 인공호흡 지속	

표 3-33 소아의 심폐 소생술(만1~ 8세)

NO	수행항목
1	반응과 호흡확인 “얘야, 괜찮니?”라고 큰 소리로 불러 의식을 확인한다.
2	도움 요청 • 반응이 없으나 정상 호흡을 보이는 경우 측위를 취해 구강의 이물이 기도로 흡인되는 것을 예방하고 적절한 조취를 취한다. • 반응이 없고 정상호흡이 아니라고 판단되면 심정지 상황으로 인식하고 119에 신고나 심정지 코드 방송을 부탁한다.
3	맥박 확인 경동맥이나 대퇴동맥을 통해 맥박 촉진, 이를 위해 10초 이상 소비하지 않는다.
4	맥박이 분명하게 촉진되는 경우 흉부압박은 하지 않은 채 분당 12~20회의 속도(3~5초에 1회 호흡)로 인공호흡을 계속하면서 약 2분마다 맥박을 재 사정한다. 맥박이 촉진되지 않거나, 불확실, 서맥(분당 60회 이하), 관류상태가 좋지 못한(창백한 피부)일 경우 대상자를 단단한 바닥에 눕히거나 혹은 침대에 단단한 판자를 깔고 앙와위로 눕힌다.
5	흉부압박 구조자의 양 손바닥 아래(heel of the hands) 부분을 포갠 채 손가락이 가슴에 닿지 않도록 하면서, 대상자 흉부 중간에 위치한 흉골의 아래쪽 절반 부위에 댄다.
6	흉부압박 시 손과 팔, 어깨는 90°를 유지, 팔꿈치를 굽히지 않도록 하며, 팔과 어깨보다는 상체와 허리의 움직임을 이용하여 힘을 준다.
7	흉골을 5~6㎝ 정도로 깊이로 압박한다. 압박 직후 흉부가 완전하게 이완된 이후 다음 압박을 해야 하며 1분에 100~120회의 속도로 압박한다.
8	기도유지 인공호흡을 실시하기 위해 머리 젖히고 턱 들기 방법으로 기도 개방
9	인공호흡 머리를 젖혔던 손의 엄지와 검지로 대상자의 코를 잡아서 막고, 구조자의 입을 크게 벌려 대상자의 입을 완전히 막은 뒤에 가슴이 올라올 정도로 1초 동안 숨을 불어놓고, 가슴이 부풀어 오르는지 눈으로 확인한다.
10	30회의 흉부압박, 2회의 인공호흡을 반복하여 시행하며 심폐소생술 동안 흉부압박의 중단을 최소화하려고 노력해야 한다. 맥박 확인, 심전도 확인, 제세동 등 필수적인 치료를 위해 흉부압박의 중단이 불가피한 경우에도 10초 이상 중단해서는 안 된다.
11	흉부압박과 인공호흡을 지속하면서 다른 구조자가 있는 경우 약 2분마다 흉부압박을 교대해 준다.
12	제세동기 도착할 때까지 인공호흡 지속

표 3-34 영아의 심폐 소생술(만1세 이전)

NO	수행항목
1	반응과 호흡확인
2	도움 요청 • 반응이 없으나 정상 호흡을 보이는 경우 측위를 취해 구강의 이물이 기도로 흡인되는 것을 예방하고 적절한 조취를 취한다. • 반응이 없고 숨을 쉬지 않거나 그저 헐떡이는 숨만 겨우 쉬고 있는 경우 119에 신고하거나 자동 제세동기를 가져오도록 요청한다.
3	맥박 확인 상완동맥을 통해 맥박 촉진, 이를 위해 10초 이상 소비하지 않는다
4	• 맥박이 분명하게 촉진되는 경우 흉부압박은 하지 않은 채 분당 12~20회의 속도(3~5초에 1회 호흡)로 인공호흡을 계속하면서 약 2분마다 맥박을 재 사정한다. • 맥박이 촉진되지 않거나, 불확실, 서맥(분당 60회 이하), 관류상태가 좋지 못한(창백한 피부)일 경우 대상자를 단단한 바닥에 눕히거나 혹은 침대에 단단한 판자를 깔고 앙와위로 눕힌다.
5	흉부압박 • 1인 구조자의 경우 – 두 손가락을 대상자의 흉골 위의 양젖꼭지를 연결한 가상의 선(inner-mammary line) 바로 아래 지점에 대어 압박하는 "두 손가락 흉부압박법"을 이용 • 2인 구조자의 경우 – 한 구조자가 영아의 흉부를 두 손으로 감싸고 엄지 손가락으로 흉골 하부 1/3지점을 압박하는"양손 감싼 두 엄지 흉부압박법"이 권장 : 관상동맥 관류압 증가, 적절한 압박의 깊이와 힘 유지, 수축기압과 이완기압 더 높게 생성할 수 있는 장점이 있음
6	가슴 앞뒤 직경의 1/3(최대 4㎝)정도 깊이로 압박한다. 압박 직후 흉부가 완전하게 이완된 이후 다음 압박을 해야 하며 1분에 100~120회 속도로 압박한다.
7	기도유지 인공호흡을 실시하기 위해 머리 젖히고 턱 들기 방법으로 기도 개방
8	인공호흡 머리를 젖혔던 손의 엄지와 검지로 대상자의 코를 잡아서 막고, 구조자의 입을 크게 벌려 대상자의 코와 입을 완전히 막은 뒤에 가슴이 올라올 정도로 1초 동안 숨을 불어놓고, 가슴이 부풀어 오르는지 눈으로 확인한다.
9	30회의 흉부압박, 2회의 인공호흡을 반복하여 시행하며 심폐소생술 동안 흉부압박의 중단을 최소화하려고 노력해야 한다. 구조자가 2인인 경우 15회의 흉부압박과 2회의 인공호흡을 반복하여 시행한다. 맥박 확인, 심전도 확인, 제세동 등 필수적인 치료를 위해 흉부압박의 중단이 불가피한 경우에도 10초 이상 중단해서는 안 된다.
10	흉부압박과 인공호흡을 지속하면서 다른 구조자가 있는 경우 약 2분마다 흉부압박을 교대해 준다.
11	제세동기 도착할 때까지 인공호흡 지속

표 3-35 자동 제세동기(Automatic external defibrillator: AED) 사용방법

NO	수행항목
1	반응과 정상적인 호흡이 없는 심정지 환자에게만 사용하여야 하며, 심폐소생술 시행 중에 자동제세동기가 도착하면 지체 없이 적용해야 한다.
2	전원켜기 자동제세동기를 심폐소생술에 방해가 되지 않는 위치에 놓은 뒤에 전원 버튼을 누른다.
3	두 개의 패드 부착 패드 1 : 오른쪽 빗장뼈(clavicle) 바로 아래 패드 2: 왼쪽 젖꼭지 옆 겨드랑이 패드 부착부위에 이물질이 있다면 제거, 패드와 제세동기 본체가 분리되어 있는 경우에는 연결
4	심장리듬 분석 "분석 중…"이라는 음성 지시가 나오면, 심폐소생술을 멈추고 환자에게서 손을 뗀다. 제세동이 필요한 경우라면 "제세동이 필요합니다."라는 음성 지시와 함께 AED 스스로 설정된 에너지로 충전을 시작한다. AED 필요 없는 경우에는 "환자의 상태를 확인하고, CPR을 계속하십시오."라는 음성 지시가 나온다. 이 경우에는 즉시 CPR을 다시 시작한다.
5	제세동 시행 제세동이 필요한 경우에만 제세동 버튼이 깜박이기 시작한다. 다른 사람이 환자에게서 떨어져 있는지 반드시 확인한 후에 깜박이는 버튼을 눌러 제세동을 시행한다.
6	즉시 심폐소생술 다시 시행 제세동을 실시한 뒤에는 즉시 가슴압박과 인공호흡 비율을 30:2로 CPR 다시 시작한다. AED는 2분마다 심장리듬 분석을 반복해서 시행하며, 이러한 AED의 사용 및 CPR 시행은 119 구급대가 현장에 도착할 때까지 지속한다.

요 점

※ 건강사정은 건강력 조사와 신체검진으로 이루어지며 건강력 조사는 정확한 건강 평가를 하고 검사실에서의 검사나 신체검진을 보완하기 위한 정보를 모으기 위한 것이다.
※ 건강력은 주호소, 현재 병력, 과거 병력, 가족력, 하루 일과, 각 신체부위별 조사 등으로 구성되어 있다.
※ 신체검진은 4가지 기술을 이용하여 시행하는데, 이는 시진, 촉진, 청진, 타진이다. 신체검진의 기술과 접근방식은 아동의 연령에 따라 달라져야 한다.
※ 신체검진은 활력징후, 일반적인 외형, 정신상태, 신체계 측, 머리, 눈, 코, 귀, 입, 목, 가슴, 유방, 폐, 심장, 복부, 생식기-항문, 사지, 신경학적 기능 등이 포함된다.
※ 사춘기의 소녀는 유방자가검진을, 소년은 고환자가검진을 건강검진 시 교육받도록 해야 한다.
※ 시각사정은 시력검사, 색각검사, 눈의 정렬검사, 주변시야 사정 등으로 이루어진다.
※ 청각사정은 속삭임검사와 Rinne, Weber 검사 등에 의해 이루어진다.
※ 건강사정은 어떤 질병이 간과될 것에 대해 걱정하고 있는 아동과 부모에게 불안을 초래하기도 한다. 그러므로 검사하는 동안의 따뜻한 지지는 이러한 염려를 완화시키는데 도움을 줄 수 있다.
※ 검사 도구는 안전하게 사용해야 한다. 어린 아동이 검사 대에서 비보호상태로 방치되거나 떨어지지 않도록 주의를 기울여야 한다.
※ 검사에 대비해 아동을 준비시키면 불안을 감소시킬 수 있다. 해당 검사를 아동이 이미 친숙한 것과 관련시켜 설명하면서 아동과 부모를 준비시킨다.
※ 간호 계획과 수행에 부모를 포함시킨다. 부모 자신이 두려움을 조절하지 못할 경우, 그 두려움이 아동에게 전달된다. 부모에게는 "아이의 봉합선 위의 드레싱을 지금 교환할 거예요."라고 하고, 아동에게는 "지금 네 배 위에 깨끗한 붕대를 붙일 거야."라고 말한다.
※ 가능하면 고통스러운 검사는 최소한으로 줄인다.
※ 통증을 유발하는 검사는 아동의 침대에서 떨어진 처치실에서 수행하여, 침대는 "안전한 곳"이라는 인식을 심어준다.
※ 신체를 춥게 하거나 노출시키지 않고 처치를 수행한다. 어린 아동일지라도 존중받기를 기대한다는 것을 인식한다.
※ 아동이 검사에 대한 분노나 두려움을 표현하도록 허용한다. 검사가 끝나면 이러한 반응을 줄이기 위해 치료적 놀이를 제공한다.
※ 검사를 시행하기 이전에 아동의 신분을 확인한다.
※ 아동에게 필요하다면 시작 전에 검사과정을 연습하여 익숙해지게 한다.
※ 어떤 검사가 수행되어야 한다고 말을 했다면, 즉시 수행한다. 어떤 일이 일어나기를 기다리는 것은 실제로 처치를 받는 것보다 더 큰 스트레스가 되기도 한다.
※ 아동을 검사과정에 관여시키면 아동에게 통제권을 가졌다는 느낌을 줄 수 있다.
※ 협조가 잘 되지 않았더라도 잘 했다고 칭찬한다. 고통스러운 검사였다면 크게 소리지르지 않은 것만도 협조로 간주될 수 있다.
※ 많은 아동과 영아는 통증 경감을 위한 처방을 받는 경우가 적은데, 그 이유는 영아가 통증을 느끼지 못하거나 기억하지 못한다는 등과 같은 건강관리 담당자들의 그릇된 인식때문이다. 학령전기 또는 학령기 이후의 아동 통증 관리 프로그램에 부모를 함께 참여하게 하는 것은 통증 치료에 중요하다.
※ 아동의 통증에 대한 평가는 poker chip 도구나 FACES 도구 등을 사용하여 스스로 보고하는 표준화된 도구를 이용하는 것이 가장 좋다. 자가 보고의 형식이 아니고는 간호사나 부모들이 아동의 통증을 과소 평가할 수도 있다. 간호사들은 도구를 선택하여 아주 익숙하게 활용할 수 있어야 한다.
※ 많은 아동이 비약물적 방법과 약물적 통증 관리 방법을 병합함으로써 효과를 본다.
※ 근육을 통해 아동에게 투여되는 진통제는 거의 없다. 정맥 투여는 급성 통증을 겪는 아동을 위해 선택할 수 있는 방법이다. 일반적으로 모르핀을 이용하는 자가통증조절법은 아동에게 효과적으로 사용된다.

확인문제 정답

1. 유도형 질문
2. 발생시기 및 기간, 증상의 특징, 강도, 발생부위, 악화요인과 완화요인, 관련증상
3. 놀이, 수면, 위생, 영양
4. 가족 내 유전적 요인과 환경적 요인이 특정질환과 관련이 있기 때문
5. "우리가 아이에 대해 더 알아야 할 것이 있으면 말씀해 주세요." 혹은 "저에게 더 질문할 사항이 있으십니까?"
6. 시진, 촉진, 청진, 타진
7. 3세
8. 5~95 백분위의 범위
9. 신체 각 부위별 온도, 색깔, 탄력성, 병변의 존재 여부
10. 손전등 불빛이나 검안경의 불빛을 동공에 비춤
11. 외안각에서 후두부위 가장 돌출된 방향으로 가상선을 그어 이 가상선이 이개의 위쪽 끝에 닿거나 지나야 함
12. 음차의 진동을 양쪽 귀에서 똑같이 들을 수 있음
13. 부종, 홍반, 주름, 수축, 함몰
14. 산만한 몸의 움직임, 눈물, 높고 날카로운 거친 울음, 경직된 자세, 놀이의 결핍, 주먹질과 방어는 아동의 통증에서 자주 나타나는 신체적 증상들이다.
15. 아동의 상상력은 풍부하기 때문이다.
16. 생각중지 기법은 불안한 사고를 현실적인 긍정적 사고로 대치하는 것이다.
17. 아동의 통증관리 프로그램은 약물적, 비약물적 방법을 모두 포함한다.
18. 아동은 투약을 통증과 연관시켜 생각하고, 이 과정은 아동에게 더 큰 공포를 주므로 근육주사는 아동에게 드물게 사용한다.
19. 노모그램을 사용하기 위해서 아동의 체중과 신장의 선을 그린 후, 가운데 선과 교차하여 만나는 지점이 아동의 표면적이다.
20. 귀 점적 시 차갑게 점적되면 통증을 유발한다.
21. 아동의 근육 주사 부위로는 외측 광근이 가장 좋다.
22. 자동속도 주입기와 micro droppers는 수액이 주입되는 동안 안전하게 나누어 들어가도록 하는 정맥내 수액용법이다.
23. 영아에게 관장 카테터는 2.5㎝를 삽입한다.
24. 비위관의 길이는 콧등에서 귓볼을 지나 검상돌기와 배꼽 사이의 중간되는 지점까지 측정한다.
25. 손가락 끝과 발뒤꿈치 모두 모세혈관의 혈액을 채취하기에 적당한 부위이다.
26. 24시간 소변을 수집할 때에는 첫 소변을 버리고 그때부터 24시간 동안 수집한다.
27. 회음 압력을 통해 여아의 요도를 차단하기 위해서이다.
28. 전신억제대는 어린 아동을 일시적으로 움직이지 못하게 해야 할 때 사용한다.

UNIT 02

성장발달과 건강증진

04 아동의 성장발달 특성과 사정

05 신생아

06 영아

07 유아

08 학령전기 아동

09 학령기 아동

10 청소년

CHAPTER 04

아동의 성장발달 특성과 사정

주요용어

기질(temperament)
다당 백신(polysaccharide vaccines)
리듬성(rhythmicity)
발달(development)
발달과업(developmental task)
성숙(maturation)
성장(growth)
약독화 생백신(live attenuated vaccines)
유전(hereditary)
재조합 백신(recombinant vaccines)
적응성(adaptablilty)
접근성(accessibility)
지속성(sustainability)

학습목표

01 아동의 성장과 발달을 설명한다.
02 성장발달에 영향을 미치는 요인을 설명한다.
03 아동의 기질을 설명한다.
04 발달 검사를 수행한다.
05 예방접종의 종류와 시기를 설명한다.

I 성장과 발달

모든 아동은 출생부터 예측 가능한 성장과 발달단계를 경험한다. 각 발달단계의 정상범위를 이해함으로써 간호사는 아동의 현 상태를 효과적으로 사정할 수 있고 건강한 성장과 발달을 촉진시키는데 도움을 줄 수 있다. 따라서 아동의 발달단계에 따른 성장과 발달 특성을 학습하는 것은 아동간호에 필수적이다.

성장과 발달에 대한 정보는 아동간호에서 중요하다. 아동은 여러가지 변화과정을 거치면서 성장하고 발달한다. 각 발달단계의 정상발달 범위를 이해함으로써 아동의 현재 상태를 파악하고 각 발달단계에 따라 세심한 주의를 기울일 수 있다.

01 / 성장발달의 개념

성장발달이란 개인이 환경과의 역동적인 관계에서 일어나는 양적 및 질적인 변화과정으로 많은 측면의 상호작용을 포함하기 때문에 복잡한 현상이다. 성장과 발달은 동의어는 아니지만, 이 두 과정은 함께 일어나며 상호의존하는 특성이 있다.

성장(growth)이란 용어는 변화 즉, 특별한 외적 자극 없이도 일어나는 비교적 환경의 영향을 적게 받는 것으로서 키가 크고 체중이 증가하는 신체적 증가, 유치가 영구치로 대치되고 뼈가 화골화되는 골격의 변화, 제2차 성(sex) 특징의 발현 등과 같은 것을 의미한다. 발달(development)이란 비교적 외적인 환경의 영향을 많이 받는 것으로서 정신적, 정서적, 사회적, 종교적인 변화를 뜻하는 것이며 성장보다 광범위한 개념이다.

Hurlock은 성장은 신장, 체중, 두위, 흉위 등과 같은 신체적 크기나 양적인 변화에 있어서의 증가를 나타낼때 사용하는데, 일정한 시기가 되면 중단된다고 하였다. 반면 발달은 낡은 특징을 소실하고 새로운 특징을 습득하는 질서 정연하고 일관성 있는 연속으로서 전 생애 주기를 통해 일어나는 계속적인 변화라고 하였다.

Crow는 "성장은 특별한 측면이나 부분적인 측면에 있어서의 변화를 내포하고, 발달은 전체적인 측면에 있어서의 변화를 뜻하며, 또한 성장이라는 용어는 성숙(maturation)에 사용되며 발달은 환경적 영향 또는 학습에 의해서 일어나는 변화에 사용된다."고 하였다.

아동이 건강한 상태에서 성장발달에 대한 평가는 주로 어머니와의 면담을 통해 이루어진다. 예를 들면 1세 아동의 어머니는 자신의 1세 된 아동이 아직 걷지 못하는 것이 정상인지 아닌 지에 대해 질문하는데, 이때 아동의 평균 발달에 대한 이해 없이는 올바른 정보를 제공할 수 없다.

아동이 잘 성장하고 있다고 안심시키는 것에 덧붙여 아동 발달에 대한 내용을 기초로 부모에게 상담과 교육이 필요하다. 예를 들면 기어다닐 연령에 가까운 아동의 부모에게는 가정에서의 안전사고에 대해 상담을 하여 부모가 계단에 울타리를 하고 바닥을 깨끗이 하도록 한다. 2세 아동의 부모는 아동의 정서적 특성에 대한 조언을 듣게 된다. 이러한 조언을 통하여 부모는 아동의 음식 거부를 식이 문제로 보지 않고 정상 발달특성으로 이해한다. 사춘기가 다가오는 아동의 부모는 이 단계의 아동을 어떻게 준비해야 할지에 대해 의논하기를 원한다.

아동의 성장발달에 대한 안내지침은 적당한 시기에 제공하는 것이 중요하다. 너무 이른 시기에 제공되는 정보는 필요한 시기에는 잊어버리게 된다. 반면, 정보제공이 너무 늦으면 부모는 벌써 그 상황을 무시하거나 해결했을 수도 있다. 적당한 시기에 안내지침을 제공하고 신생아부터 청소년까지 성장과 발달단계를 인식함으로써 아동과 가족의 요구를 충족시켜 주어야 한다.

입원이나 수술을 준비하는 아동을 간호할 때, 발달단계를 고려하는 것은 필수적이다. 6세 된 아동이 이해할 수 있는 정도를 고려하지 않고 입원이나 수술을 준비하는 것은 끔찍한 일이다. 아동이 입원과정에 대해 이해하고 있는가? 어떠한 수술인가? 어떠한 마취 방법을 사용할 것인가? 아동의 발달단계에 대한 이해는 이런 질문의 답에 도움을 줄 수 있다. 아동이 너무 어려서 질병에 대한 이해가 전혀 없을 때 아동에게 복잡한 수술 절차를 설명하는 것은 전혀 유익하지 않다.

신체적 성장은 고려해야 할 또 다른 중요한 요소이다. 질병은 각 발달단계에서 아동에게 다르게 영향을 미친다. 5세 아동과 13세 아동이 골절된 상황을 생각해보면, 5세 아동은 골절된 부위의 치유와 건강한 골세포를 유지하기 위한 2가지 요구를 충족시키기 위해 칼슘이 필요하다. 그러나 13세 아동은 급속한 성장시기에 있으므로 더 많은 요구를 충족시켜야 한다. 즉, 13세 아동은 5세 아동과 마찬가지로 골절된 부위의 치유와 건강한 골세포 유지뿐 아니라 급격한 성장시에 필요한 칼슘도 충분히 제공해야 하며 사춘기의 특성상 신체상의 변화에도 민감하다는 점을 감안해야 한다. 이러한 경우에서, 간호사는 충분한 칼슘을 제공하여 영구적인 손상을 예방하도록 도와야 하며 신체상의 손상을 입지 않도록 주의가 요구된다.

02 / 성장발달의 원리

신체적 성장뿐만 아니라 성숙의 양상도 우연히 발생하는 것은 아니다. 몇 가지 이론은 이 과정을 조절한다. [그림 4-1]을 보면, 일반적 성장(호흡계, 소화계, 신장계, 근골격계, 순환계 성장)은 아동기 동안 꾸준히 진행하지만 어떤 신체조직은 다른 것 보다 더 빨리 성장한다. 신경조직(척수와 뇌)은 처음 2년 동안 급속히 자라고, 2~5세까지 균형있게 자라게 된다. 림프계(비장, 가슴샘, 림프절, 편도선) 또한 아동을 감염으로부터 보호하기 위해서 영아기와 아동기 동안 급속히 성장한다. 학령전기 아동에서 비장은 대개 1~2㎝이고, 5세에 조직은 이미 절정의 크기에 달한다. 사정 시, 어린 아동일수록 초기 림프조직 성장 때문에 편도 선과 가슴샘이 커진다. 이와 대조적으로 생식기관은 사춘기까지는 거의 성장하지 않는다.

1) 성장과 발달은 임신부터 죽음까지 계속되는 과정이다

성장과 발달이 진행되는데는 속도의 의미로 빠르고 늦은 시기가 있지만, 일생동안 지속되는 복합적인 과정이다. 발달속도가 느려지는 시기는 있지만 발달이 정지되는 시기는 없다. 성장 변화의 속도는 차이가 있고, 한 예로 생애의 첫 해와 이후를 비교할 수 있다. 첫 해 동안에는 출생 시 체중의 3배가 되고 신장은 50% 증가한다. 그러나 그 이후에는 그렇지 않다. 만약 이런 성장 속도가 계속된다면 5세의 아동은 약 720㎏의 체중과 약 1m 84㎝의 키가 될 것이다.

2) 성장과 발달은 일정한 연속선상에서 진행된다

키의 성장은 오직 하나의 연속선상에서 발생한다(작게→크게). 발달은 또한 예측할 수 있는 순서로 진행된다. 예를 들어 다수의 아동은 기어다니기 전에 앉고, 서기 전에 기며, 걷기 전에 서며, 달리기 전에 걷는다. 언어에 있어서도 울다가 옹알이를 하고 간단한 말을 한 다음 복잡한 문장을 구사하게 된다. 아동은 예측할 수 있는 성장과 발달의 연속성을 따른다.

3) 각각의 아동은 다른 속도로 예측될 수 있는 단계를 거친다

모든 발달단계는 아동이 보통 달성할 수 있는 정해진 지점보다는 시간적인 범주를 가지고 있다. 2명의 아동은 다른 속도로 운동 연속선상을 거칠 수 있다. 예를 들면 한 아동은 11개월에 걸었고, 다른 아동은 14개월이나 되어서 걸었다. 둘은 모두 정상적으로 발달한 것이다. 그들은 둘 다 예측할 수 있는 단계를 거쳤다. 단지 다른 속도로 발달했을 뿐이다.

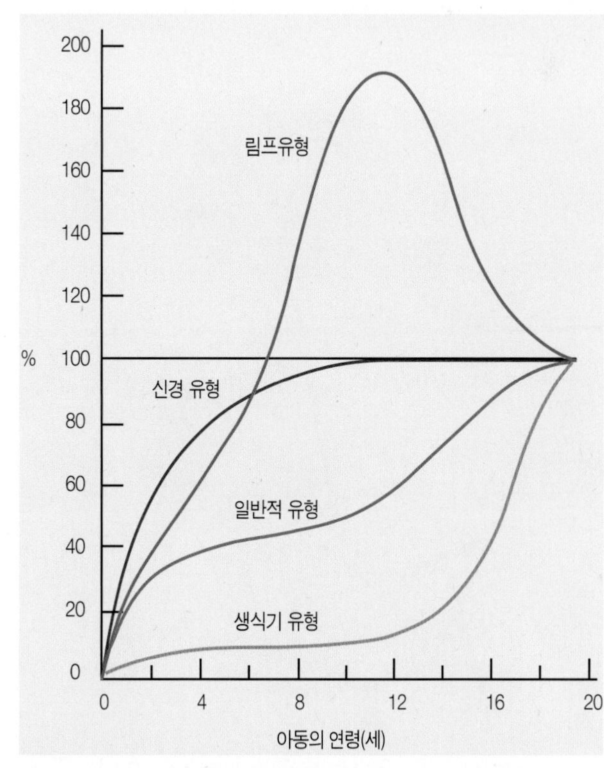

그림 4-1 다양한 신체조직의 출생 후 성장 유형

4) 모든 신체 계통은 같은 속도로 발달하지 않는다

어떤 신체 조직은 다른 것보다 더 빠르게 성숙한다. 예를 들어 신생아나 영아는 머리, 유아는 몸통, 아동기에는 사지가 주로 발달한다. 또한 생식기관은 사춘기까지 거의 성장하지 않는다.

5) 머리에서 발치로 발달이 이루어진다

Cephalo는 그리스어로 머리란 뜻이고 caudal은 꼬리란 뜻으로 발달은 머리에서 꼬리로 진행된다[그림 4-2]. 신생아는 복위에서 오직 머리만을 침대에서 들 수 있으나 그 후, 침대에서 머리와 가슴을 들고 4개월 정도가 되면 뒤집기까지 조절할 수 있다. 9개월에는 기어다닐 정도로 다리를 조절할 수 있으며 1년이 되면 똑바로 서거나 걸을 수 있게 된다.

6) 신체 부위의 근위에서 원위로 발달이 진행된다

이 원칙은 두미 발달과 밀접하게 관련되어 있는데 신체의 중심에서 먼 구조로 발달된다는 것으로, 상지의 발달과정을 따라가 보면 가장 잘 이해할 수 있다. 신생아는 팔과 손을 거의 사용할 수 없다. 그 후에는 두손으로 젖병을 쥐고 팔을 자유롭게 사용하게 된다.

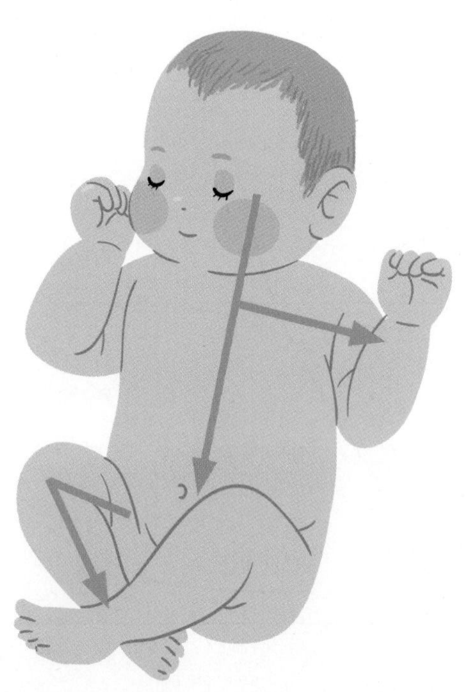

그림 4-2 머리에서 발치로 이루어지는 발달

7) 전체에서 미세한 기술로 발달된다

이런 원칙은 다른 진행과 같다. 왜냐하면 아동은 손가락 같은 말단 신체부위를 조절할 수 있고, 미세한 운동기술을 수행할 수 있기 때문이다(3세에는 큰 크레용을 집을 수 있지만, 12세에는 작은 펜을 들고 쓸 수 있다).

8) 경험이나 학습에는 최적의 시기가 있다

아동은 신경계가 특정한 학습을 할 수 있을 정도로 충분히 성숙될 때까지는 과업을 학습할 수 없다. 예를 들어 아동의 부모가 연습을 많이 시킬지라도 등(spine)을 조절할 만큼 신경계가 성숙될 때까지 아동은 앉는 학습을 할 수 없다. 적당한 시기에 발달 과업을 학습할 기회를 부여받지 못한 아동은 다른 아동보다 이후에 그 과업을 학습하는데 더 많은 어려움을 가질 수 있다. 또한 발달에도 민감기가 있어 생후 첫 1년 동안 애착과 신뢰가 형성되며, 이것이 성격의 기초가 된다.

9) 신생아 반사는 발달이 진행하기 전에 소실되어야 한다

파악 반사가 소실되기 전까지 스스로 움켜쥘 수 없으 며, 걷기 반사가 소실되기 전까지 안정적으로 서 있을 수 없다.

확인문제

1. 성장과 발달의 용어 차이점은 무엇인가?
2. 초기 아동기 동안 가장 급속하게 성장하는 신체조직은 무엇인가?
3. 성장 발달은 어떠한 방향성이 있는가?

Ⅱ 성장 발달에 영향을 미치는 요인

유전과 환경은 상호관계를 통해 아동의 성장과 발달을 결정하는데 있어서 최우선적인 2가지 요소로, 이러한 요소의 독특한 결합으로 아동의 성장과 발달이 결정된다.

01 / 유전

유전(hereditary)은 발달에 크게 영향을 미친다. 수정(fertilization)의 순간부터 유전구조가 전해지는데, 여기에는 눈의 색이나 키의 잠재성, 유전성과 같은 신체적 특성이 포함된다.

1) 성

평균적으로 출생 시 남아가 여아보다 체중이 많고 키가 크다. 그러나 사춘기에 여아는 남아보다 일찍 성숙한다. 사춘기의 끝에(14세~16세) 남아는 다시 여아보다 더 키가 커지고 체중이 무거워지는 경향을 나타내기 시작한다.

2) 건강

염색체 이상 같은 선천성 질환이나 유전적 질환이 영향을 미친다. 선천적 질환을 가지고 태어난 아동은 현대의 좋은 건강관리와 약물 및 치료로 인해 정상적으로 성장할 수도 있지만, 질병의 유형이나 정도에 따라 성장지연, 장애를 가지고 살아야 하는 경우도 있다.

3) 지능

지능이 높은 아동은 일반적으로 다른 아동에 비해 신체적으로는 빨리 자라지 않는 편이지만, 기술면에서는 더 빨리 발전한다. 높은 지능의 아동은 운동기술보다는 책을 보거나 또는 정신적인 놀이를 하는데 더 치중하는 경향이 있기 때문에 신체적인 기술이 떨어지는 경향이 있다.

02 / 환경

환경은 개인의 성장 발달에 광범위하고 포괄적인 영향을 미친다. 일반적으로 환경은 출생 전, 출생 후 요인에 영향을 미친다.

1) 모체의 상태

모체의 영양상태, 모체의 정서적 긴장, 내분비 장애는 태아의 성장, 발달에 지연을 초래하거나 방해요인, 기형을 초래할 수 있다. 또한, 모체의 X-선 조사나 전염성 질환 역시 유산, 조산, 사산을 초래할 수 있다. 모체의 흡연은 미숙아 출생률을 높이며 알코올 및 약물중독 역시 성장, 발달의 문제를 초래한다.

2) 사회경제적 수준

사회 경제적 수준이 교육, 직업, 가족수입을 결정하기 때문에 사회경제적 수준이 낮은 가족의 아동은 불충분한 건강관리나 나쁜 영양상태를 의미할 수 있다. 예방접종을 하지 않아 질병이 발생할 수 있다.

3) 부모-아동 관계

부모-아동과의 애착관계가 영향을 미칠 수 있다. 아동을 돌보는 시간의 양보다는 아동과 지낸 시간의 질이 더 중요하다. 초기의 돌봄제공자로부터 사랑의 결손, 부모의 사망, 장기 입원으로 인한 부모와의 접촉 단절, 이혼, 불충분한 부모의 사랑은 아동의 식욕이나 회복 및 발달 등을 방해할 수 있다[그림 4-3].

4) 아동의 순위

아동의 순위는 아동의 성장 및 발달과 관계가 있다. 외동이거나 형제 중 나이가 제일 많은 아동은 대화 대상이 주로 성인들이기 때문에 언어 발달이 뛰어나다. 그러나 아동은 다른 아동을 봄으로써 배우기 때문에 형제가 없는 혼자인 아동은 배변습관과 같은 다른 기술이 부족할 수 있다[그림 4-4].

5) 건강

환경적 요인으로 인해 오는 질병은 선천적인 질병보다 성장과 발달에 더 큰 영향을 준다. 신생아 집중치료실에 입원해 있는 영아의 청력은 과자극된 소리에 의해 영향을 받

그림 4-3 애정적인 부모와의 관계는 아동의 성장발달에 긍정적인 영향을 미친다.

그림 4-4 아동의 순위

을 수 있으므로 그들의 건강은 환경에 의해서 직접적인 영향을 받게 된다. 류마티스열의 결과로 인해 심장 손상을 가진 아동은 활동적인 운동을 수행하는데 있어서 이동 능력에 제한을 받을 수 있다.

Ⅲ 기질

기질(temperament)은 아동 자신만의 고유한 특성으로 선천적이다. 아동은 기질에 따라 환경적 자극에 반응하거나 행동하는 개인의 일반적인 반응양상 또는 개인의 독특한 사고과정이라고 정의할 수 있다. 기질은 인지나 도덕 발달과는 달리 단계에 따라 발달되는 것이 아니라 선천적인 것이다.

01 / 반응양상

Chess와 Thomas는 아동의 기질을 사정하는데 있어서 9가지로 특성이 분류됨을 확인하였다.

1) 활동수준

아동의 활동수준은 개인마다 다르다. 몇몇 아동은 지속적으로 움직이고 거의 조용히 있지를 못해서 침대 위에서 몸을 흔들고 움직인다. 반면 어떤 아기들은 거의 움직이지 않고 처음의 자리에 머물러 있고 조용하고 유순한 방법으로 환경을 대하는 태도를 보인다[그림 4-5].

2) 리듬성

리듬성(rhythmicity)을 가진 아동은 신체적인 기능에 있어서도 규칙적인 리듬을 나타낸다. 일정한 시간에 잠을 자고 깨고 규칙적인 장운동을 가진 아동은 부모 입장에서는 돌보기 쉽고 예측이 가능하다. 반면, 불규칙한 리듬성을 가진 아동은 식욕이나 수면 습관이 일정치 않아 돌보기가 힘들 수 있다.

3) 접근성

접근성(accessibility)은 새로운 자극에 최초로 접촉했을

그림 4-5 아동의 활동수준은 기질과 환경에 따라 다르게 나타난다.

때 아동의 반응을 의미한다. 이는 아동마다 달라서 수유나 음식, 놀이에서 나타난다. 새로운 상황에 접했을 때 쉽게 친숙해지는 경우가 있는가 하면 몇몇 낯선 사람이나 낯선 환경에 놓여졌을 때 울 수도 있다.

4) 적응성

적응성(adaptability)은 시간이 지남에 따라 자극에 대해 개인이 변화될 수 있는 능력이다. 적응력이 있는 영아는 처음에 욕조에 들어가면 크게 울며 반항하다가도 곧 즐겁게 물장구를 치며 앉아 있는다. 이와는 반대로 새로운 환경에는 도저히 길들여지지 않는 아동도 있다.

5) 반응의 강도

몇몇 아동은 욕구가 해결되지 않았을 때 온몸으로 상황에 반응하여 크게 울거나 그들의 팔을 휘젓거나 화를 내기 시작한다. 반면 다른 아동은 눈에 보일 정도의 표시를 거의 나타내지 않거나, 상황에 대해 경한 수준의 반응을 나타낸다.

6) 산만함

산만한 영아 같은 경우는 인공 젖꼭지로 달랠 수 있다. 때로는 장난감이 도움이 될 수 있다. 어떤 아동은 산만하지 않다. 아동이 어떤 반응을 나타내느냐에 따라 부모는 아동이 고집이 세다고 생각할 수도 있으며 안정적이라고 생각할 수 있다.

7) 지속성

지속성(sustainability)은 물체나 대상에 흥미를 지속시킬 수 있는 능력으로 아동마다 다양하다. 어떤 아동은 하나의 장난감을 가지고 1시간씩 노는데 반해, 어떤 아동은 각각 다른 장난감을 가지고 노는 데 1~2분을 넘기지 않는다.

8) 반응의 역치

반응의 역치는 반응을 일으키는데 필요한 자극의 세기 정도이다. 낮은 역치를 가진 아동은 자극이 거의 필요하지 않고, 높은 역치를 가진 아동은 행동의 변화를 위해서 강한 자극이 필요하다.

9) 감정의 질

행복해하고 웃는 아동이 있는 반면 짜증과 울음으로 반응하는 아동이 있다. 이러한 감정의 질은 아동에 대한 부모의 반응에 큰 차이를 줄 수 있다. 긍정적인 감정을 가진 아동의 부모는 부정적인 반응을 보이는 아동의 부모보다 아동과 좀 더 많은 시간을 보내려고 한다.

02 / 기질에 따른 간호

기질에 대한 3가지 범주는 [표 4-1]에 나타나 있다. 보통의 활동수준과 규칙적인 리듬성을 가지며, 새로운 상황에 대한 접근성과 적응능력이 쉽고, 주의력과 참을성이 있으며 긍정적인 기분을 가진 아동은 부모의 입장에서 보면 돌보는데 "이상적"이고, "쉬운" 아동이다. 매우 활동적인 아동은 초보 부모의 입장에서는 돌보기가 어려운데, 만약 아동이 불규칙한 신체 리듬을 보이고 적응능력이 없다면 더 그렇다. 그런 아동에게는 다른 계획과 주의를 전환시킬 수 있는 다른 방법이 요구된다. 아동이 새로운 경험에 수줍어 하면 적응하는데 느리다는 것을 알아야 한다.

자녀에 대한 이해는 성공적인 아동성장에 필수적인 요소이다. 예를 들어 아동이 병원에 입원하였을 때 아동의 기질을 이해하면 처치나 통증에 대한 아동의 반응을 미리 예상할 수 있기 때문에 중요하다. 만약 적응이 느린 아동에게는 새로운 처치를 적용하기 전에 반복적으로 설명하는 과정이 필요할 수 있다.

표 4-1 기질의 분류

쉬운 아동	힘든 아동	천천히 흥분하는 아동
예상하기 쉬운 리듬성을 가지고 있고, 새로운 환경에 대한 접근성과 적응성을 쉽게 가지고 있고, 경 · 중등도의 반응의 강도를 가지며 전반적으로 긍정적인 감정을 가진 간호하기 쉬운 아동이다. 40~50%의 아동이 이 범주에 있다.	불규칙한 습관을 가지거나 부정적인 감정을 가지며 새로운 환경에 적응하기 보다는 후퇴하는 경향이 있는 아동을 말하며, 전체 아동 중 약 10% 정도가 이 범주 안에 속한다.	이 범주에 있는 아동은 전반적으로 비 행동적이고 약하게 반응하고, 새로운 상황에 대해 적응하는 것이 느리고 일반적으로 부정적인 감정을 가진다. 아동 중 15% 정도가 이러한 양상을 나타낸다.

확인문제

4. 성장 발달에 영향을 미치는 요소에는 어떠한 것들이 있는가?

5. 아동의 기질 중 힘든 아이의 특성은 무엇인가?

Ⅳ 발달 검사

발달 사정은 아동의 발달력 조사와 발달검사를 통해 이루어진다. 발달력은 아동의 이전의 발달과정을 부모에게 질문하여 확인하게 된다. 대부분의 부모는 첫째 자녀의 성장발달 기록은 잘 보관하지만 둘째 이후 자녀의 기록은 조금 소홀하게 된다. 또한 부모의 기억에 의존하여 발달력을 보고하는 경우 부모는 아동에게서 처음 관찰된 행위나 발달을 기억해 내지 못하는 경우가 많다. 따라서 휴일이나 계절을 단위로 해서 기억을 회상시키거나 다른 가족들에게 물어보도록 하게 함으로써 기억을 되살릴 수 있도록 한다.

01 / 목적 및 시기

발달 검사의 목적은 아동에게 잠재된 발달 장애를 조기에 발견하고, 다른 또래 아동들의 발달 속도에 비해 지연되는 아동을 구별하며, 발달 지연 장애의 위험이 있는 아동을 관찰하고자 함이다.

발달 검사는 아동의 협조 정도가 결과에 영향을 줄 수 있다. 따라서 아동이 안정된 상태에서 검사가 이루어 질 수 있도록 부모가 함께 있는 상태에서 검사를 하며 가능한 아동이 배고프거나 졸리지 않은 시간에 시행하는 것이 좋다.

02 / 덴버 발달 검사

덴버 발달 검사(Denver Developmental Screening Test, DDST)는 0~6세 아동의 발달 지연을 선별하기 위해 광범위하게 사용되는 도구이다. 우리 나라에서는 문화에 맞게 표준화한 한국형 Denver II 검사(신희선 외, 2002)를 이용하여 평가한다[그림 4-6].

1) 평가영역

DDST의 4가지 주된 영역은 다음과 같다.

1. 개인–사회성(personal–social) 25문항
2. 미세운동–적응(fine motor–adaptive) 29문항
3. 언어(language) 39문항
4. 전체운동(gross motor skills) 32문항

개인–사회성 영역은 아동이 사람들과 상호작용하고 일상생활을 위해 개인적 필요를 스스로 해결할 수 있는 능력을 의미한다. 미세운동–적응영역은 작은 물체를 조작하거나 눈–손의 협응 능력과 문제해결능력이 포함된다. 언어영역은 아동이 언어를 듣고 이를 이해하며 사용하는 능력을 말하며 전체운동은 앉고 걷고 뛰는 등의 큰 근육운동이 해당된다.

이 4가지 영역의 검사는 부모의 보고와 아동의 행동을 관찰함으로써 이루어진다. 아동의 행동을 관찰하기 위해 간호사는 표준화된 검사도구를 이용하고 검사방법지침에 따라 검사를 시행하여 아동의 반응을 유도한다[그림 4-7]. 아동의 발달수준에 따라 아동이 항목을 성공적으로 수행할 수도 있고 실패할 수 도 있다. 간호사는 이를 해석하여 발달이 정상인지 의심스러운 발달인지를 결정하게 된다.

검사의 시행 절차는 우선 정확한 나이를 계산한다. 그리고 연령선을 긋는다[그림 4-8]. 2주 이상 조산한 경우는 그 주수만큼 빼서 보정하고 예정일보다 늦게 태어난 경우는 보정이 필요 없다. 합격여부는 P(pass), F(fail), R(refuse), N(no opportunity)로 표기한다. 연령선을 교차하여 지나가지 않는 항목은 우측단을 진하게 칠하여 지연이 있음을 표시한다[그림 4-9].

2) 해석 및 평가

Denver II 검사 결과 점수의 해석은 다음과 같다.

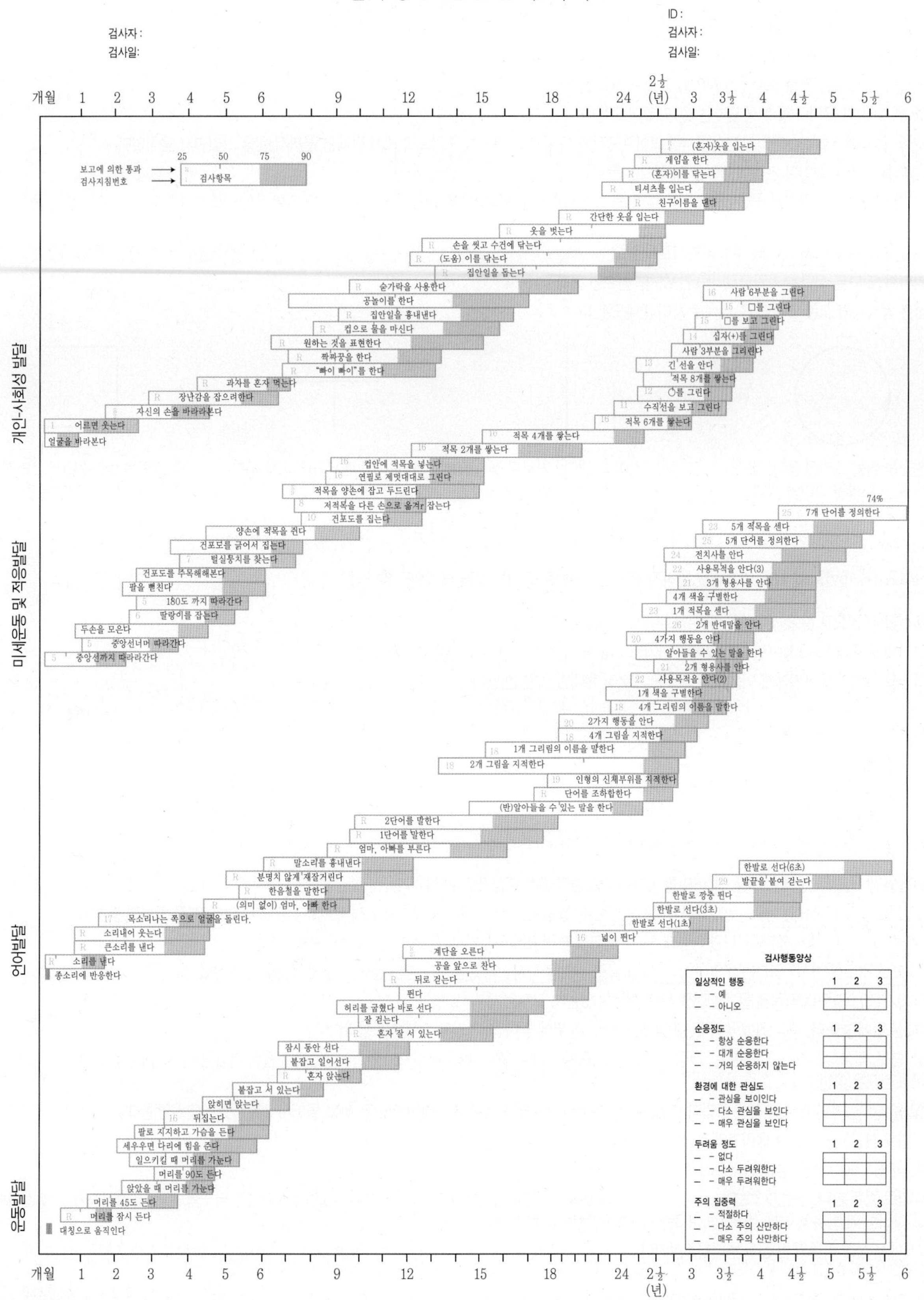

그림 4-6 **한국형 Denver Ⅱ 검사형식**

출처: 김희선, 한경자 오가실, 오진주, 하미나 (2002)

검사지침

1. 웃고, 이야기 하고, 손을 흔들어서 웃게 한다. 만지지 않을 것.
2. 아기는 몇 초간 손을 응시해야 한다.
3. 부모는 칫솔질하는 것을 도와주고 치약을 묻혀 주어도 된다.
4. 구두끈, 운동화 끈이나 옷 뒤의 단추는 낄 수 없어도 된다.
5. 아기의 얼굴에서 30cm 거리에 털실뭉치를 보여주면서 한쪽 끝에서 서서히 중앙으로 해서 반대편 끝까지 원을 그리면서 움직인다.
6. 딸랑이를 손가락 끝이나 손등에 대었을 때 잡으면 통과.
7. 아기가 털실뭉치가 없어진 곳을 계속 보거나 어디로 갔는지 찾으면 통과, 털실뭉치는 아기가 보는 데서 빨리 떨어뜨려야 한다. 검사자는 손을 움직이지 말고 털실뭉치만 떨어뜨린다.
8. 아기는 적목을 손에서 하나씩 주고 두드리도록 한다.
10. 엄지와 또 다른 어떤 손가락으로라도 건포도를 집으면 통과.
11. 선은 검사자가 그린 것과 30도 이내로 차이가 나도 된다.

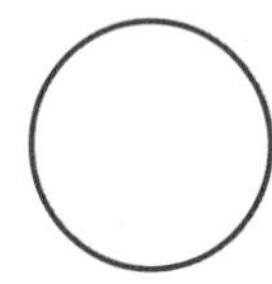

12. 완전히 원을 그리면 통과, 계속 된 둥근 모양만 그리면 실패

13. 어느 것이 더 긴가? 거꾸로 놓고서 다시 묻는다. 3번 물어서 다 맞거나 6번 중 6번 맞으면 통과.

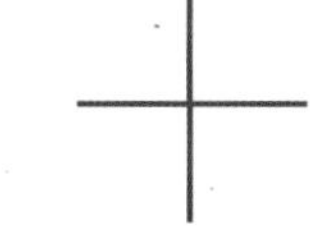

14. 선이 어디에 서라도 교차되면 통과.

15. 그림을 보여주면서 그리게 하고 못 그리면 그리는 것을 보여준다.

※ 12, 14, 15번을 할 때 모양 이름은 말하지 말고 12, 14번은 그리는 것을 보여주지 않는다.

16. 계산할 때 쌍으로 된 것(팔, 다리 등)은 한 부분으로 계산한다.
17. 아기의 뒤쪽에 15~30cm 떨어진 곳에서 아기의 이름을 속삭인다. 다른쪽 귀에도 반복한다.
18. 그림을 가리키고 아기에게 이름을 말하게 한다(소리 흉내만 내면 안 된다).

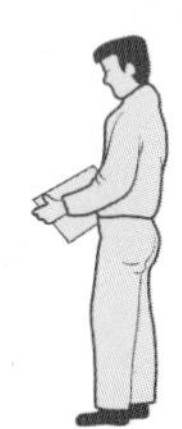

19. 인형을 가지고 코, 눈, 입, 손발, 배, 머리를 지적하도록 한다. 6개 이상 맞히면 통과다.
20. 그림을 이용해 묻는다. "어느 것이 날아가지? 야옹하지? 말하지? 짖지? 따가닥 따가닥 달리지?" 5개 중 2개 또는 4개를 맞히면 통과이다.
21. "추울 때는 어떻게 하지? 피곤하면 어떻게 하지? 배고프면 어떻게 하자? 2개 또는 3개를 맞히면 통과이다.
22. "컵으로 무엇을 하지? 의자는 무엇에 쓰이지? 연필로 무엇을 하지?" 라고 묻는다. 행동용어가 답에 포함되어야 한다.
23. 아기가 맞는 갯수의 적목을 옮겨놓고 몇 개의 적목이 있는지 말하면 통과이다.
24. "책상 밑에 놓아라. 책상 위에 놓아라. 내 앞에 놓아라. 내 뒤에 놓아라." 4가지 수행하면 통과이다.
25. 공, 연못, 책상, 집, 바나나, 커튼, 문, 천장이 무엇인지 묻는다. 만일 용도, 형태, 무엇으로 만들어졌는지 일반적 특성을 이야기하면 통과(예 : 바나나는 과일, 꼭 노란색은 아님).
26. "말은 크다. 그러면 쥐는? 불은 뜨겁다. 그러면 얼음은? 태양이 낮 동안에 빛난다면 달은?" 하고 물어서 3개 중 2개 맞히면 통과.
27. 벽이나 난간을 사용하여 올라가되 사람을 잡고 올라가는 것은 안됨.
28. 검사자(21.5cm 폭)를 놓고 넓이 뛰게 한다.
29. 똑바로 걷게 한다. 앞발 뒤꿈치와 뒷발의 엄지발이 2.5cm 거리내에 되도록 걷는다. 검사자가 실제 걸어보이고 아이는 네 발자국 이상 걸어야 하며 3번 시도해서 2번하면 통과.
30. 2세에서 정상 아동의 반 정도는 비협조적이다.

그림 4-6 한국형 Denver II (계속) 출처: 김희선, 한경자 오가실, 오진주, 하미나 (2002)

특정 항목을 적용하기 위한 도구

- 우수(advanced) : 연령선에 대해 완전히 오른쪽에 있는 항목을 통과(검사 대상아보다 나이 많은 아동들의 25% 미만이 통과)
- 양호(OK) : 연령선이 25%와 75% 사이를 지나는 항목을 통과
- 주의(caution) : 연령선이 75% ~ 90% 사이를 지나는 항목을 실패 또는 거절
- 지연(delay) : 연령선에 대해 완전히 왼쪽에 있는 항목을 실패(거절 포함)

다음으로 검사의 평가는 지연은 없고 주의 1개 이하인 경우는 정상(normal), 1개 이상의 지연이 있거나 2개 이상의 주의인 경우는 의심(suspect), 연령선에 대해 완전히 왼쪽에 있는 항목 1개 이상에 거절을 보이거나, 75~90%사이를 지나는 항목 1개 이상에서 거절을 보인 경우은 검사불가(untestable)로 한다. 의심이나 검사 불가의 결과를 보인 대상자은 1~2주 후에 재검사를 하도록 하며 재검사 역시 의심이나 검사 불가인 경우 주의와 지연 항복의 수, 과거 발달 정도, 임상 검사와 과거력, 의뢰할 자원의 이용가능성 등에 기초하여 임상적 판단을 내리도록 한다.

V 예방접종

예방접종은 면역기능을 강화하여 건강한 삶을 영위할 수 있도록 하는 방법으로 국가차원에서의 전염병 관리를 위해 중요한 사업이다. 특히 예방접종으로 예방 가능한 질환으로

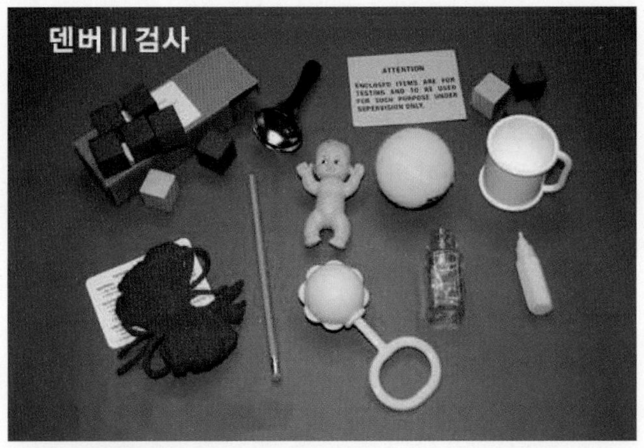

그림 4-7 덴버 II 검사

덴버 2 검사 도구 구성

- 지름 12inch 빨간 털뭉치
- 건포도
- 1inch의 색깔 있는 나무 블록 10개
- 5/8인치 입구의 작고 투명한 유리병
- 손잡이 달린 딸랑이
- 테니스 공 빨간 펜
- 작은 종
- 젖병이 포함 되어 있는 작은 플라스틱 인형
- 손잡이가 달려있는 플라스틱의 컵
- 하얀 종이

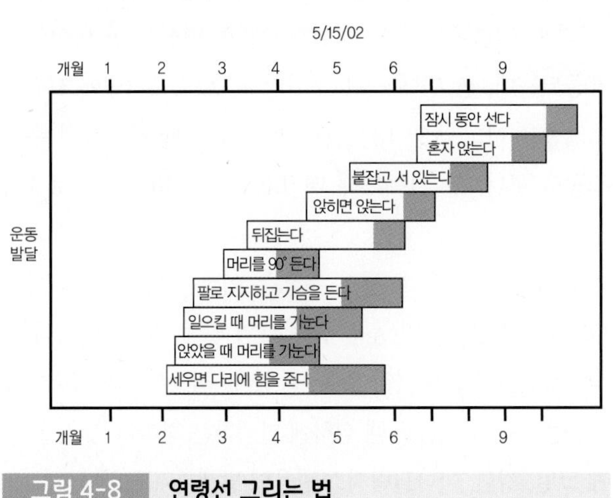

그림 4-8 연령선 그리는 법

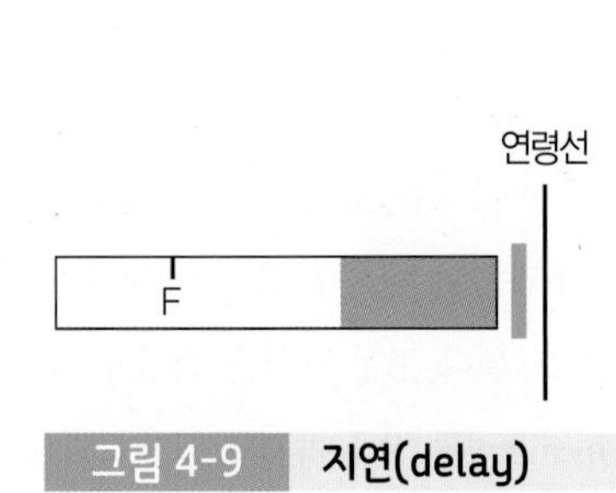

그림 4-9 지연(delay)

인해 초래되는 불필요한 고통으로부터 아동을 보호하고 궁극적으로 삶의 질을 향상시키는 효과가 있다. 질병관리본부에서는 통합 예방접종시스템을 구축하여 어린이 예방접종 지원사업을 운영하고 있으며 국가예방접종의 접종 비용을 전액 지원하고 관리하고 있다.

간호사는 건강한 아동이나 병에 걸려 병원에 찾아오는 아동과 보호자에게 예방접종에 대하여 알려 주어야 할 책임이 있다.

01 / 예방접종의 종류와 시기

1) 제조 방법에 따른 백신의 분류

예방접종에 사용되는 백신은 제조방법에 따라 야생형(wild) 세균 또는 바이러스의 병원체를 실험실에서 변형하여 제조한 것으로 다음과 같이 분류할 수 있다.

(1) 약독화 생백신

약독화 생백신(live attenuated vaccines)은 실제 인체에 감염증을 유발하는 야생 바이러스 또는 세균에서 유래된 것으로 약독화(attenuation)시킨 것이다. 약독화 생백신은 대부분 1회의 접종으로 면역력을 유발하며 백혈병, HIV 감염증 환자 등의 면역저하 환자에서만 중증의 치명적인 반응이 발생할 가능성이 있다. 국내 표준예방접종 백신으로 사용되는 생백신에는 BCG(피내용, 경피용), MMR, 일본뇌염, 수두, 로타바이러스, 대상포진이 있다.

(2) 불활성화 백신

사백신이라고도 불리는 불활성화 백신(inactivated vaccines)은 병원체를 배양한 후 열이나 화학 약품으로 불활성화 시킨 백신이다. 불활성화 백신의 항원에 대한 항체가는 시간이 지남에 따라 감소하므로 정기적인 추가접종이 필요하며, 특히 파상풍과 디프테리아의 경우에 현저하다. 그러나, 모든 불활성화 백신이 일생동안 추가접종이 필요한 것은 아니다. 예를 들면, b형 헤모필루스 인플루엔자(Haemophilus influenzae type b, Hib) 질환은 5세를 초과하면 매우 드물게 발생하기 때문에 추가접종을 하지 않아도 된다. B형 간염은 백신에 대한 면역 기억(immunologic memory)과 긴 잠복기로 인해 스스로 항체가가 상승되는 "auto boosting"이 일어나기 때문에 추가접종이 필요하지 않다.

국내 표준예방접종 백신은 대부분 사백신이 많으며, BCG, 일본뇌염백신은 생백신과 사백신이 모두 사용된다.

(3) 다당 백신

다당 백신(polysaccharide vaccines)은 특수한 형태의 아단위 불활성화 백신으로 피막을 구성하는 긴 사슬의 다당으로 만들어진 세포분획 백신이다. 다당 백신은 T세포 비의존적인 백신으로 보조 T세포(T-cell)의 도움 없이도 B세포를 자극할 수 있으며 백신에 의해서 생성되는 항체는 IgM항체이다. 현재 다당에 단백을 화학적으로 결합(conjugation)한 단백결합 백신이 개발되어 기억 T 세포 반응을 유도할 수 있게 되었다. 폐렴구균백신에 다당 백신과 단백결합백신이 있다.

(4) 재조합 백신

재조합 백신(recombinant vaccines)은 유전자 재조합기술(genetic engineering technology)에 의해서 생산된 항원을 이용하여 제조된 백신이다. 미국 및 국내에서는 B형 간염 백신과 인유두종바이러스 백신(human papillomavirus vaccine, HPV Vaccine), 장티푸스 생백신, 약독화 인플루엔자 생백신의 4가지의 유전자 재조합 백신이 유통되고 있다.

2) 백신의 투여

우리나라 표준예방접종 실시기준은 [표 4-2]과 같다.

(1) 디프테리아, 파상풍, 백일해 백신

디프테리아, 파상풍, 백일해(DTaP) 백신은 한 바이엘로 제공되는데, 한 번에 근육 주사한다. 2, 4, 6개월에 3회 기초접종을 하고, 15~18개월과 만 4~6세 때 각각 1회 추가접종을 한다. 만 11~12세 때 Tdap 또는 Td 백신으로 1회 접종한다.

DTaP 예방접종 후 생길 수 있는 이상반응은 실제로 드물다. 가장 흔한 이상반응은 접종 부위 발적, 통증, 어지러움, 식욕부진, 구토, 미열이 있을 수 있다. 접종부위의 국소이상반응은 4차, 5차 접종 때 심하게 발생하는 경향이 있다. 드물게 고열, 경련, 아나필락시스 반응이 발생하기도 한다.

표 4-2 아동기 표준 예방접종표(한국)

	대상감염병	백신 종류 및 방법	횟수	출생~1개월이내	1개월	2개월	4개월	6개월	12개월	15개월	18개월	19~23개월	24~35개월	만4세	만6세	만11세	만12세
국가예방접종	결핵	BCG(피내용)	1	1회													
	B형간염	HepB	3	1차	2차			3차									
	디프테리아 파상풍 백일해	DTaP	5			1차	2차	3차		4차				5차			
		Tdap	1													6차	
	폴리오	IPV	4			1차	2차	3차						4차			
	b형헤모필루스 인플루엔자	Hib	4			1차	2차	3차	4차								
	폐렴구균	PCV	4			1차	2차	3차	4차								
		PPSV	–										고위험군에 한하여 접종				
	홍역 유행성이하선염 풍진	MMR	2						1차					2차			
	수두	VAR	1						1차								
	A형간염	HepA	2						1~2차								
	일본뇌염	IJEV (불활성화 백신)	5						1~2차				3차		4차		5차
		LJEV (약독화 생백신)	2						1차				2차				
	사람유두종 바이러스 감염증	HPV	2														1~2차
	인플루엔자	IIV	–					매년 접종									
기타예방접종	결핵	BCG(경피용)	1	1회													
	로타바이러스 감염증	RV1	2			1차	2차										
		RV5	3			1차	2차	3차									

(2) 소아마비 백신

예방접종을 실시한 이후 국내에서는 1983년 이후 환자가 발생하지 않았다. 소아마비 백신에는 경구용(Oral Polio-Vaccine, OPV)과 사균백신(inactivated poliomyelitis vaccine, IPV)이 있다. 현재 국가표준예방접종에서는 IPV를 사용한다. 폴리오 예방접종은 DTaP-IPV 또는 DTaP-IPV/Hib 콤보 백신으로도 접종이 가능하다. 단, 콤보 백신으로 기초접종 시에는 동일 제조사의 백신으로 접종할 것을 권장해야 한다. 폴리오 예방접종 후 생기는 이상반응은 매우 드물며, IPV에 포함된 소량의 항생제로 인한 과민반응을 보이거나, 주사 부위의 발적, 경결, 압통 등의 증상이 있을 수 있다.

(3) 홍역, 이하선염, 풍진 백신

홍역은 전 세계적으로 유행하는 급성 발진성 바이러스 질환이다. 한국에서는 2001년 대유행 이후로 2014년 세계보건기구 홍역퇴치인증을 받았다. 그러나 홍역은 매우 감염률이 높은 급성 유행성 감염병이므로 항상 주의를 기울여야 하는 질환이다. 홍역, 이하선염, 풍진(MMR) 백신은 한 바이엘로 제공되며 한 번에 주사한다.

12~15개월에 1차 접종을 실시하고 만 4~6세에 1회 추가 접종한다.

MMR 백신의 부작용은 접종 후 통증, 두통, 발열, 발진, 관절통, 일시적인 혈소판감소증 외에 뇌염, 뇌신경마비 등의 신경학적 이상반응이 나타날 수 있다. 재접종 시에는 부작용 발생빈도는 낮다.

(4) 간염 백신

① A형 간염

원인균은 A형 간염 바이러스이며, 분변-경구 경로로 전파되며, 대부분 사람-사람으로 직접적으로 전파되거나, 간접적으로 분변에 오염된 물이나 음식물 섭취로 전파되기도 한다. A형 간염 접종 후 이상반응은 거의 드물며, 통증, 발적, 부종, 권태감, 피로, 미열 등의 증상이 있을 수 있다.

② B형 간염

원인균은 B형 간염 바이러스이며, 감염된 사람의 혈액이나 체액을 통해 전파된다. B형 간염 예방접종을 통해 B형 간염을 예방할 수 있으며, 만약에 모체가 B형 간염 표면항원(HBsAg) 양성인 경우에는 면역글로불린(HBIG)과 B형 간염 1차 접종을 생후 12시간 이내 각각 다른 부위에 접종해야 한다. 접종 후 이상반응은 거의 드물며, 접종부위가 종창 또는 염증, 발열, 피부발진 등이 나타나기도 하나 대부분 1~2일 사이에 사라진다.

(5) b형 헤모필루스 인플루엔자

b형 헤모필루스 인플루엔자(Haemophilus influenzae type b, Hib)균은 뇌수막염, 후두개염, 폐렴 등의 원인균으로, 기침이나 재채기를 할 때 호흡기 비말에 의해 상기도를 통해 감염된다. Hib 백신을 통해 예방이 가능하며, 예방접종은 Hib 또는 DTaP-IPV/Hib 콤보 백신으로 접종이 가능하다. 단, DTaP-IPV/Hib 콤보 백신은 기초접종 시에만 사용하도록 하며, 동일 제조사의 백신으로 접종하는 것을 권장한다. Hib 백신 접종 후 이상반응은 주사 부위의 국소적인 종창, 발적, 통증 등이 있을 수 있으나 12~24시간 내에 소실된다.

(6) 수두 백신

수두 바이러스의 전파경로는 호흡기 분비물 등의 비말(droplet)을 통해 호흡기로 감염되거나, 피부 병변 수포액에 직접 접촉함으로 사람에서 사람으로 전파된다. 생후 12~15개월에 1회 접종하며 접종 후 이상반응은 드물며, 접종부위가 붓거나 아프고, 발열, 발진이 있을 수 있다.

(7) 폐렴구균 백신

폐렴구균(Streptococcus pneumoniae)은 급성 중이염, 폐렴, 수막염 등의 주요 원인균으로 영유아와 노약자에게 발생 빈도가 높다. 직접접촉이나 호흡기 비말감염에 의해 전파되며, 단백결합 백신(Polysaccharide conjugate vaccine, PCV/10가, 13가)과 다당질 백신(Plain Polysaccharide vaccine, PPSV/23가)이 있다. PPCV는 B cell을 활성화시키지만 보조 T 세포를 만들지 못하여 2세 미만의 유아에서 면역기억을 유도하기 어렵다. PCV는 B cell과 T cell을 활성화시켜 높은 면역반응과 면역기억을 유도하여 IgG 항체를 생산한다. 영유아를 위한 기초예방접종에는 PCV가 적용되며, PCV의 10가와 13가 백신 간의 교차접종은 피해야 한다. PPSV는 폐렴구균 감염의 위험이 높은 2세 이상 아동과 65세 이상 노인에게 사용된다. 접종 후 나타나는 이상반응은 드물며, 간혹 접종 후 통증, 부종, 발적, 발열 등이 있을 수 있다.

(8) 일본뇌염

일본뇌염은 일본뇌염 바이러스를 가진 "작은 빨간집 모기"에 물리면 감염된다. 예방접종을 통해 예방할 수 있으며, 백신에는 불활성화 백신(사백신)과 약독화 생백신이 있다. 일본뇌염 불활성화 백신은 '쥐 뇌 조직 유래 불활성화 백신'과 '베로세포 유래 불활성화 백신'이 있으며 영유아는 '베로세포 유래 불활성화 백신'으로 접종하는 것이 권장되며, 불활성화 백신과 약독화 생백신의 교차접종은 하지 않도록 한다.

일본뇌염 예방접종 이상반응은 드물며, 접종 후 발적, 통증과 주사부위 부어오름, 발열, 발진 등이 있으며 아주 드물게 중추신경계 이상반응이 있을 수 있다.

3) 백신 접종의 시기와 접종 간격

백신을 적정하게 사용하는데 있어서 백신을 접종하는 시기와 접종 간격은 매우 중요하다. 질병관리본부(2018)에서 제시한 각 백신의 접종시기와 간격은 [표 4-3]와 같다.

- 추천되는 접종 간격 이내 또는 추천되는 최소 연령 이전에 백신을 접종해서는 안 된다.
- 모든 백신은 다른 백신과 동시 접종이 가능하나, 생백신을 다른 생백신과 접종할 경우에는 동시 접종하거나 4주 이상 간격을 유지하고 접종한다.
- 여러 번의 접종이 필요한 백신의 경우 접종 간격이 늦어지는 경우에도 예방 효과가 감소하지는 않는다. 하지만, 최소 접종 간격 이내에 접종하게 되면 항체 생성이 저하되어 예방 효과가 감소할 수 있다.
- 소아에게 추천되는 모든 백신을 같은 날에 동시 접종하는 것은 접종률을 올릴 수 있다. 그러나 허가되지 않은 한 각 백신을 한 개의 주사기에 넣어서 혼합하여 투여해서는 안 된다.
- 질병의 위험이 있고 백신의 효능과 안전성이 입증된 가장 어린 연령에게 추천된다. 추천되는 접종 연령 및 동일 항원간의 접종 간격을 지켰을 때에 적절한 예방력이 생기며 가장 좋은 효과가 증명되어 있다.

02 / 예방접종 후 이상반응

백신 접종 후 백신의 일차적 목적과는 다르게 원하지 않은 효과가 나타날 수 있으며 백신 접종 이후에 발생하는 모든 의학적인 사례(medical event)를 백신 접종의 이상반응(adverse event)이라 한다. 예방접종 후 이상반응은 실제 백신에 의해 발생하는 유해반응이거나 또는 우연히 백신 접종 후에 발생할 수 있으며, 국소, 전신적 및 알레르기 반응의 3가지 범주로 나눌 수 있다.

1) 국소 이상반응

주사 부위의 통증, 종창 및 발적 등의 국소반응의 발생률은 약 80% 정도이다. 이는 불활성화 백신의 경우에 가장 흔히 발생하며, 일반적으로 접종 후 수 시간 내에 발생하며 대부분 경미하고 저절로 호전되지만, 드물게는 국소 반응이 매우 심하게 나타날 수도 있다. 심한 국소반응은 흔히 과민반응(hypersensitivity reaction)에 기인하는 것으로 추측되며, 아르투스 반응(Arthus reaction)이라고도 하며 알레르기 반응은 아니다. 흔히 톡소이드의 접종 횟수가 과할 경우나 면역증강제를 포함한 백신을 접종한 경우 흔히 관찰된다.

2) 전신 이상반응

백신 접종 후에 발생하는 전신 이상반응으로 발열, 권태감, 근육통, 두통, 식욕감소 등이 있다. 이러한 증상들은 흔하고 비특이적이어서, 바이러스 감염증 또는 알코올 섭취 등에 의해서도 발생할 수 있다. 약독화 생백신 접종 후에 발생하는 발열 또는 발진 등의 이상반응은 바이러스의 증식으로 생기는 증상으로 가벼운 형태의 자연감염증과 비슷하다.

3) 심한 알레르기 반응 또는 아나필락시스 반응

백신에 의한 알레르기 반응은 50만 명 중 1명 미만의 빈도로 발생되며 백신 항원 자체 또는 백신에 포함된 다른 물질(세포배양물질, 안정제, 보존제, 세균의 증식을 막기 위한 항생제) 등에 의하여 생명을 위협할 수 있는 심한 알레르기 반응이 나타날 수 있다. 백신 접종 전에 예진을 적절히 시행함으로써 이러한 알레르기 반응의 위험을 줄일 수 있다.

03 / 예방접종의 금기 사항 및 주의사항

예방접종 금기 사항(contraindications)은 백신을 접종받은 사람의 상태가 심각한 부작용이 발생할 가능성이 아주 높은 경우로 백신을 투여하지 않아야 한다. 예방접종 주의사항(precautions)은 백신 접종이 심각한 부작용 발생 가능성을 높이거나 면역 생성을 저하시킬 수 있는 상태 등으로 접종 연기를 고려하거나 접종 시 주의가 필요한 상황을 의미한다[표 4-3].

- 백신 성분에 대해서 또는 이전 백신 접종 후에 심한 알레르기반응(아나필락시스)이 발생했던 경우
- 백일해 백신 투여 7일 이내에 다른 이유가 밝혀지지 않은 뇌증이 발생했던 경우
- 임신
- 면역저하
- 접종 48시간 이내에 40℃(105℉의 발열)
- 접종 48시간 이내 발생한 탈진 또는 쇼크와 같은 상태
- 접종 48시간 이내에 발생한 3시간 이상 달래지지 않고 지속되는 울음
- 발열 여부와 관계없이 접종 3일 이내에 발생한 경련
- 중등도 또는 심한 급성기 질환은 모든 백신의 접종 시 주의
- 최근에 항체 함유 혈액제제를 투여 받은 경우에는 MR과 수두 함유 백신 접종 일정 주의(대상포진 백신은 해당없음).

04 / 백신의 접종 방법

백신의 접종 방법은 피하주사(subcutaneous injection), 근육주사(intramuscular injection), 피내주사(intradermal injection), 경구투여(oral administration) 등이 있으며 각각의 백신은 규정된 접종 방법대로 정확하게 투여하여야 한다. 투여 방법이 잘못된 경우에는 충분한 예방효과가 생기지 않거나, 국소 이상반응 발생이 증가한다. BCG 접종 이외 주사로 투여하는 백신은 근육 또는 피하주사이다[표 4-4].

1) 조제와 보관

백신의 취급과 보관에 있어서 빛에 노출되거나 냉각되지 않도록 제조자의 주의를 요구한다. 사전 주의에 따르지 않으면, 백신의 효과와 효능은 유의하게 저하된다.

계란에 알레르기가 있는 아동은 예방접종 전에 알레르기 전문의사의 허가가 있어야 한다.

2) 부모교육

부모에게 어떤 백신을 접종하는지, 시기는 언제인지, 부작용은 무엇인지 알려주어야 한다. 아동은 예방접종을 하고 나서 약간의 미열이 있을 수 있다. 부모에게 해열 · 진통제 Tylenol)를 주라고 권고하고, 38.4℃ 이상이면 어린이용 Ibuprofen을 투여하도록 한다.

부모에게 열과 같은 예방접종의 어떤 부작용 증상이라도 보고하도록 한다. 부작용은 접종하고 몇 시간이나 며칠 내에 일어날 것이다. 생균이 약하게 있다면 바이러스들이 증가할 것이고, 30일 후에는 반응이 나타날 것이다. 풍진 백신은 60일 후에 혈청병이 나타날 것이다. 접종 날짜와 백신의 종류와 백신의 제조업자와 롯트 번호, 그리고 이름과 주소가 반드시 기록되어야 한다. 만약 백신의 반응이 나타나면, 이런 사례를 조사할 수 있다.

예방접종 부작용에 관한 기록을 복사하여 부모에게 집에서 잘 보관하도록 한다. 자녀가 학교에 입학할 때와 특유한 질병이 유행할 때에 필요할 수 있기 때문이다.

표 4-3 백신 접종의 금기사항 및 주의 사항

영구적인 금기사항	생백신의 일시적인 금기사항	소아기의 백일해 함유 백신 접종의 영구적인 주의사항	일시적인 주의사항
· 백신 성분에 대해서 또는 이전 백신 접종 후에 심한 알레르기 반응(아나필락시스)이 발생했던 경우 · 백일해 백신 투여 7일 이내에 다른 이유가 밝혀지지 않은 뇌증이 발생했던 경우	· 임신 · 면역저하	· 접종 48시간 이내에 40℃(105℉)의 발열 · 접종 48시간 이내 발생한 탈진 또는 쇼크와 같은 상태 · 접종 48시간 이내에 발생한 3시간 이상 달래지지 않고 지속되는 울음 · 발열 여부와 관계없이 접종 3일 이내에 발생한 경련	· 중등도 또는 심한 급성기 질환은 모든 백신의 접종 시 주의 · 최근에 항체 함유 혈액제제를 투여 받은 경우에는 MMR과 수두 함유 백신 접종 일정 주의(대상포진 백신은 해당없음)

표 4-4 예방접종 방법

종류	방법
BCG (피내용)	상완외측면 피내주사
B형 간염	영아 : 대퇴부 전외측 소아 / 성인 : 삼각근 부위 근육주사
DTaP	영아 : 대퇴부 전외측 소아 / 성인 : 삼각근 부위 근육주사
Td	삼각근 부위 근육주사 ※ Tdap : 근육주사 또는 상완 외측면 피하주사
폴리오(IPV)	영아 : 대퇴부 전외측 소아 / 성인 : 삼각근 부위 근육주사 또는 상완 외측면 피하주사
MMR	상완 외측면 피하주사
일본뇌염(불활성화 백신, 약독화 생백신	상완 외측면 피하주사
수두	상완 외측면 피하주사
인플루엔자(불활성화 백신)	영아 : 대퇴부 전외측 소아 / 성인 : 삼각근 부위 근육주사(생백신: 비강투여)
장티푸스	영아 : 대퇴부 전외측 소아 / 성인 : 삼각근 부위 근육주사 또는 상완 외측면 피하주사
신증후군 출혈열	영아 : 대퇴부 전외측 소아 / 성인 : 삼각근 부위 근육주사 또는 상완 외측면 피하주사
b형 헤모필루스 인플루엔자	영아 : 허벅지 전외측 소아 / 성인 : 삼각근 부위 근육주사
A형 간염	영아 : 허벅지 전외측 소아 / 성인 : 삼각근 부위 근육주사
폐렴구균	(다당질)영아 : 대퇴부 전외측 소아 / 성인 : 삼각근 부위 근육주사 또는 상완 외측면 피하주사 (단백결합)영아 : 대퇴부 전외측 소아 / 성인 : 삼각근 부위 근육주사
사람유두종바이러스	삼각근 부위 근육주사

확인문제

6. 생후 며칠 사이에 신생아의 체중감소는 약 얼마나 되는가?
7. 신생아의 두위 크기는 보통 몇 cm인가?
8. 2세된 아동에서 척추전만증 증상이 있는가? 이것은 예측된 현상인가?
9. 유아는 왜 복부가 돌출되어 있는가?
10. 학령전기 아동은 키와 체중의 변화가 어떠한가?
11. DDST II 의 4가지 주된 영역은 무엇인가?
12. DDST II 의 결과해석 중 지연이란 무엇인가?
13. DDST II 결과해석 중 의심이란 무엇인가?
14. 아동은 일반적으로 몇 개월에 DTaP 백신을 접종해야 하는가?
15. 수두면역법의 시기는 보통 언제인가?

요 점

※ 성장발달에 있어서 청소년기 동안에는 이차성징 발현으로 나타나는 신체의 급격한 변화와 더불어 정신적, 심리사회적 변화를 맞게 되는 사춘기에 해당된다.

※ 사춘기는 성적 성숙 및 수정 능력 발달을 의미하는 것으로 시상하부–뇌하수체–성선 축(hypothala–muspituitary gonadal axis)의 기능이 활성화되는 시기이다.

※ 성장과 발달에 대한 지식은 건강증진과 질병예방에 중요하다.

※ 성장과 발달에 영향을 미치는 유전적 요인은 성별, 인종, 학력 그리고 건강이다. 주위 환경적 영향은 영양의 질적인 면과 사회 경제적 수준, 환자의 어릴 적 관계, 가족 내 위치 그리고 환경적인 건강을 포함한다.

※ 성장과 발달의 요구를 충족시키기 위해서 아동은 건강한 식단을 위한 기초적인 지침을 따라야 한다.

※ 기질은 아동의 사고, 행동 또는 반응을 특징짓는 것이다. Chess와 Thomas(1985)는 기질에 근거하여 “돌보기 쉬운 아동”과 “어려운 아동”을 기술했다. 부모를돕기 위해서는 기질의 효과적인 면을 이해해야 한다.

※ 예방접종은 제조방법에 따라 약독화 생백신, 불활성화 백신, 다당백신, 재조합 백신으로 나뉘며, 우리나라 표준예방 접종 실시 기준에 따라 백신 투여가 중요하다.

확인문제 정답

1. 성장은 일반적으로 신체적 크기의 증가나 양적인 변화를 의미하며, 발달은 기술이나 기능 능력에 있어서의 증가로 질적인 변화를 의미한다.
2. 신경과 림프조직은 초기 아동기 동안 가장 급속히 성장한다.
3. 성장발달은 두미, 근원, 전체에서 미세운동으로의 방향성이 있다.
4. 성, 건강, 지능과 같은 유전적 영향과 모체, 사회 경제적 수준, 모아 애착과 출생 순위와 같은 환경적 영향을 받는다.
5. 불규칙적인 습관과 부정적인 감정을 보이며 새로운 환경에 적응하기 보다는 후퇴하려는 경향을 보인다.
6. 체중의 5~10%
7. 34~35㎝
8. 예측된 현상으로, 천골부위의 척추가 앞쪽으로 휜 척추 전만증이 현저하다.
9. 복부를 충분히 지지할 만큼 복근이 강하지 못하기 때문이다.
10. 학령전기 동안 키와 체중의 증가는 미약하다.
11. DDS T II 의 4가지 발달 검사 영역은 개인-사회성, 미세운동-적응, 언어, 전체운동 영역이 있다.
12. 지연은 해당 항목이 연령선 보다 왼쪽에 위치하면서 아동이 항목 수행에 실패(F)나 거부(R)했을 경우 지연으로 해석하고 막대기 오른쪽 끝에 칠해 표기한다.
13. 의심(suspicion)은 한 번 이상의 지연이 있거나 두 번 이상의 주의를 말하며, 1~2주 후에 아동을 재검사하도록 한다.
14. 아동들은 DTaP를 2, 4. 6개월과 15일, 18개월 사이에 접종한다.
15. 수두 예방접종은 첫돌이 지난 어느 때라도 12, 18개월 사이와 만일 면역력이 약하면, 11~12세 사이에 해야 한다.

CHAPTER 05

신생아

주요용어

기저귀 발진(diaper rash)
모유수유(breast milk feeding)
부모-신생아 애착(parent-infant attachment)
신생아 선별검사(neonatal screening test)
신생아 안전(newborn safety)
신생아 황달(neonatal hyperbilirubinemia)
신체계측(physical examination)
원시 반사(premitive reflex)
재태기간 사정(assessment of gestational age)
제대간호(umbilical care)
체온조절(thermoregulation)
출생 후 순환(postnatal circulation)
태아기 순환(fetal circulation)
퇴원교육(discharge education)

학습목표

01 신생아의 생리적 기능과 특성을 설명한다.
02 아프가 점수를 평가한다.
03 신체계측을 수행한다.
04 활력징후를 측정한다.
05 신체 각 기관을 사정한다.
06 행동 특성을 사정한다.
07 호흡유지 간호를 수행한다.
08 체온유지 간호를 수행한다.
09 목욕과 피부간호를 수행한다.
10 영양공급 간호를 수행한다.
11 생리적 황달 간호를 수행한다.
12 감염예방 간호를 수행한다.
13 신생아실 안전관리를 수행한다.
14 신생아 선별검사(대사이상, 청력)를 수행한다.
15 비타민 K 투여 및 B형 간염예방접종을 수행한다.
16 부모-신생아 애착증진 간호를 수행한다.
17 부모에게 퇴원교육을 수행한다.

I 생리적 기능과 특성

01 / 호흡기계

신생아에게 필요한 가장 중요한 생리적 변화는 호흡의 개시이다. 액체로 차 있던 폐포가 공기로 채워지면서 독립적인 자궁 외 생활로 적응하기 시작한다. 출생 후 첫 호흡은 수 초에서 30초 이내에 시작되어야 한다. 첫 호흡을 자극하는 요인은 제대결찰로 인한 동맥 내 산소분압 감소의 화학적 요인과 체온 하강에 따른 온도 자극 및 촉각 자극이다. 첫째, 혈액 내 저산소와 고이산화탄소와 저 pH의 화학적 요인이 연수의 호흡중추를 자극하여 호흡이 시작된다. 둘째, 따뜻한 곳에서 추운 환경으로 나오게 되는 갑작스런 온도 변화로 피부 감각과 호흡이 자극된다. 셋째, 산도 통과와 분만 중에 피부를 닦아 주는 것과 같은 촉각 자극도 호흡의 개시에 효과적이다. 그 외에도 폐혈관을 통한 적당한 혈량과 폐관류(pulmonary perfusion)의 확립이 호흡 시작에 중요한 역할을 한다[표 5-1].

공기가 처음으로 폐에 유입되면 폐와 폐포를 채우고 있던 액체의 표면장력에 의해 저항을 받는다. 즉 폐포에서 액체의 표면 장력은 계면활성제(surfactant)에 의해 감소되어 호흡을 용이하게 해준다. 이 액체의 약 1/3은 질 분만 시 압력으로 폐에서 빠져 나오고 남은 액체는 첫 호흡 후 폐 내 혈관과 림프선에 의해 빠르게 흡수된다. 폐의 액체는 분만 과정에서 흉부가 산도를 통과할 때 눌려 코와 입을 통해 배출되고 대신 공기가 상기도로 유입된다. 제왕절개분만에서는 신생아의 흉곽이 압박 받지 않으므로 폐에 액체가 남아 있어 최대 가스 교환을 위해 흡인 등의 호흡 지지가 필요하다. 출생 시 호흡형성에 어려움을 겪는 신생아는 심잡음이나 동맥관 개존증 가능성에 대해서 세밀한 검사를 받아야 한다. 신생아는 횡격막과 복벽 근육을 사용하는 복식호흡을 주로 한다. 호흡수와 리듬은 신생아의 활동량, 의식 상태, 울음 여부 따라 변화가 크다. 안정 시 혹은 수면 중의 정상 호흡수는 분당 40~60회이며 생후 1주 동안은 비교적 얕고 불규칙한 호흡이 주기적으로 나타난다.

02 / 순환기계

태반에 의하던 혈액 산소교환이 폐에 의해 이루어져야 하기 때문에 심혈관계의 변화는 출생 시 매우 중요하다. 즉 제대결찰 후 신생아는 폐를 통한 산소교환을 해야 한다. 이러한 변화는 점진적으로 이루어지며 폐와 심장, 큰 혈관의 압력변화로 발생한다. 태아기 순환(fetal circulation)으로부터 출생 후 순환(postnatal circulation)으로의 전환은 태아기 단락(fetal shunt) 즉 난원공, 동맥관과 정맥관의 기능적 폐

표 5-1 신생아 첫 호흡요인

영향요인	작용기전
화학적 요인	출생 시 질식상태(무호흡)로 혈중 PCO_2상승 과 PO_2와 pH 저하→ 화학적 변화가 호흡중추 자극
온도자극	출생에 따른 저체온 상태 → 감각수용기가 호흡중추 자극
촉각자극	산도 통과, 젖은 피부 닦아 주는 것, 움직임, 빛 등의 감각자극→ 호흡중추 자극
기계적 요인	흉벽의 복원력으로 점진적 폐혈류

표 5-2 태아순환과 신생아 순환

System	태아순환(Fetal circulation)	신생아순환(Neonatal circulation)
폐순환 혈관	수축(폐확장안됨, 혈행감소)	확장(폐확장, 혈행증가)
체순환 혈관	확장(저항 줄어듬)	태반 박리로 인한 동맥압 상승
동맥관	혈행 : 폐동맥 → 대동맥	대동맥 → 폐동맥(좌심실 압력상승) 동맥관 수축(산소분압 증가와 화학 성분 변화에 민감)
난원공	열린상태 우 → 좌 shunt	일시적으로 좌→우 단락 발생(좌심실 압력상승으로 flow 역전)

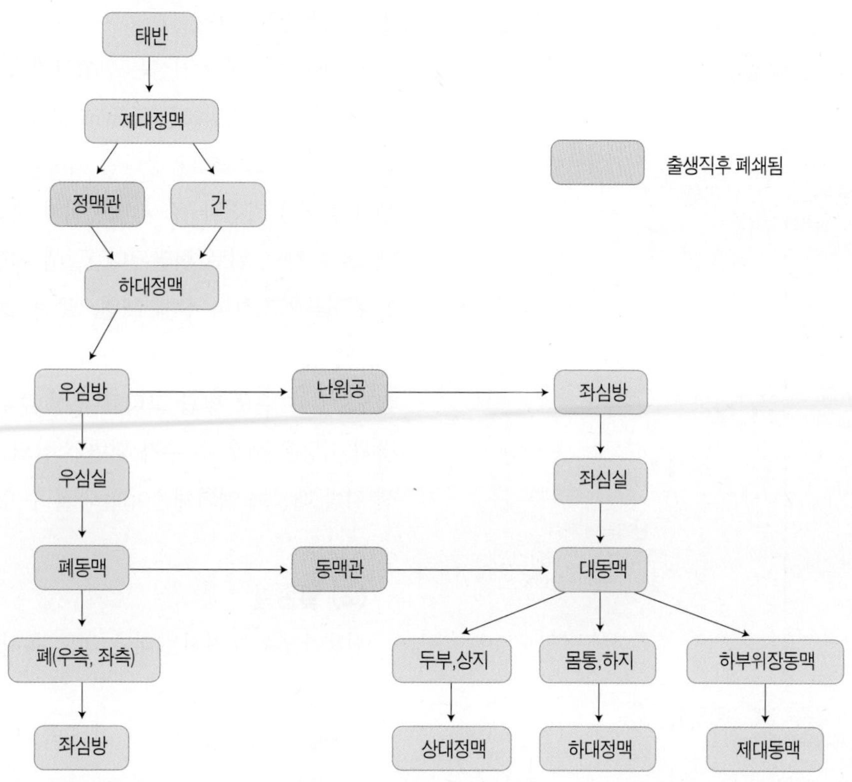

그림 5-1 **태아기 순환**

쇄에 의한다[그림 5-1][표 5-2].

출생 후 호흡이 시작으로 폐가 확장되면 흡입된 산소가 폐동맥을 이완시켜 폐혈관 저항을 감소시키고 결과적으로 폐 혈류량을 증가시킨다. 폐로 혈액이 유입되면 우심방, 우심실과 폐동맥의 압력이 감소된다. 이와 동시에 제대결찰로 인해 태반을 통한 혈액량이 증가하므로 폐순환의 혈관저항이 점차 커지게 되어 좌심방압이 증가된다. 그 결과 혈류는 압력이 높은 곳에서 낮은 곳 으로 흐르게 되어 태아기 단락을 통한 혈액 순환이 좌–우 단락으로 역전되게 된다. 동맥관 폐쇄를 조절하는 가장 중요한 요인들은 혈액의 증가된 산소 농도와 내인성 프로스타글란딘(endogenous prosta glandin)의 저하, 산혈증이다. 난원공은 심방중격 두 곳의 압박으로 출생 직후 기능적으로 폐쇄된다. 동맥관은 기능적으로 생후 4일 이내에 폐쇄된다. 해부학적 폐쇄는 더 오래 걸려 난원공과 동맥관은 생후 3~4개월이 되어야 닫힌다[표 5-3].

신생아 초기에는 동맥관을 통한 혈액의 역류로 인해 기능적인 심잡음이 가끔씩 들린다. 울거나 긴장할 경우 압력 증가로 우심방의 산소화 되지 않은 혈액이 동맥관의 입구를 넘어와 일시적인 청색증이 초래된다. [그림 5-2]에 첫 호흡개시와 함께 출생 시 발생하는 심혈관계와 호흡기계 변화가 있다. 신생아기의 말초순환은 적어도 첫 24시간동안 연장된다. 손, 발에서 청색증이 나타나는 것은 흔한 일이다(acrocyanosis, 말단 청색증). 이때 발을 만지면 차갑다.

03 / 체온조절

호흡이 안정된 이후 체온조절은 신생아에게 중요하다. 출생 직후 체온조절 기능은 아직 미숙한 상태이다. 체온유지는 열의 생산과 손실에 의해 유지되는데 신생아가 체온조절이 힘든 이유는 열을 소실하기 쉽기 때문이다. 열손실의

표 5-3 **태생기 혈관의 폐쇄시기**

혈관	생리적/기능적 폐쇄 시기	해부학적/구조적 폐쇄시기
제대혈관	출생 직후	출생 직후
정맥관	출생 직후	출생 직후
동맥관	출생 후 약 4일	출생 후 수주 약 3~4개월 경
난원공	출생 후 약 4일	출생 후 약 3~4개월 경

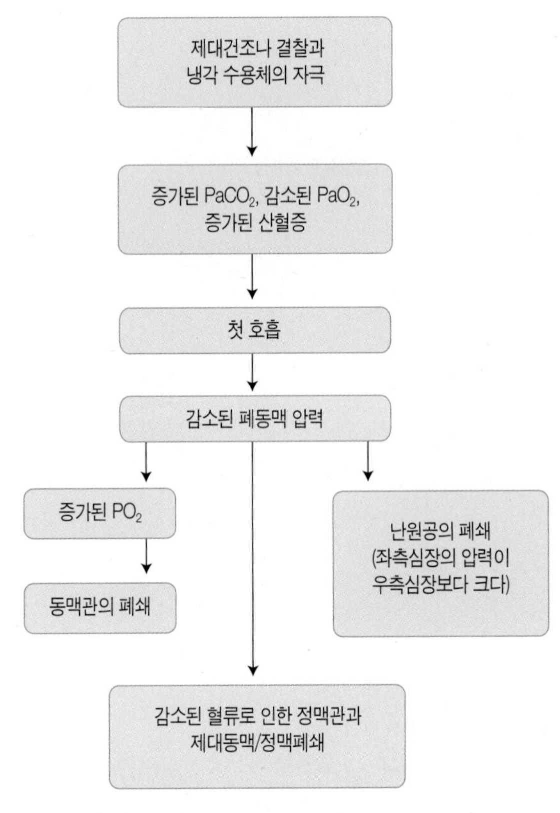

그림 5-2 **출생 시 순환계 변화**

요인은 크게 3가지로 본다.

첫째, 신생아는 몸 크기에 비해 체표면적이 넓어 열이 소실되기 쉽다. 신생아의 열생산은 성인의 1/3 수준이지만 단위 체표면적당 열손실은 2배이다. 이는 신생아가 굴곡 자세는 환경에 노출되는 체표면적의 크기를 감소시켜 일부 보상이 된다. 둘째, 신생아는 피하지방층이 얇아 열보존이 잘 되지 않는다. 셋째, 신생아는 비전율성(비떨림) 열생산(nonshivering thermogenesis) 기전에 의해 열을 생산하는데 이때 대사와 산소 소모는 증가한다. 이러한 신생아의 열보존 능력은 고온의 환경에서 열을 방출시키는 데도 어려움이 있어 고체온의 위험 또한 크다. 따라서 신생아가 적절한 체온을 유지할 수 있도록 환경온도의 조절과 보온에 유의해야 한다.

(1) 열생산

신생아의 열생산 기전은 성인과 달라 떨림(전율 shivering)을 통한 열생산을 하지 못한다. 신생아가 추위에 노출되면 비전율성 열생산 기전을 통해 대사율을 증가시켜 열을 생산하게 된다.

비전율성 열생산 기전은 신생아에게 특징적이며 주요 열 발생원은 갈색 지방조직(brown adipose tissue)이다. 이 조직은 일반 지방조직보다 강화된 대사활동을 통해 더 많은 열 생산 능력을 가진다. 갈색 지방에서 생산된 열은 혈액에 의해 신체 각 부위로 전달된다. 갈색 지방은 신생아 체중의 2~6%를 차지하며 신체 표면으로는 견갑골 사이와 목 주위, 액와, 흉골 뒤쪽에 위치하고 안쪽으로는 신장과 기관, 식도, 일부 주요 혈관 그리고 부신 주위에 분포되어 있다. 갈색 지방은 생후 수 주가 되면 소실되는데 출생 초기에 갈색 지방 때문에 액와체온이 높아질 수 있다.

(2) 열손실

신생아 열손실 기전은 대류, 전도, 복사, 증발의 4가지이다.

- 대류는 신체표면에서 차가운 주변공기로의 열 흐름이다.
- 대류의 효과는 공기흐름의 속도에 따른다. 창문이나 에어컨에서의 외풍을 차단하면 대류로 인한 열손실이 감소한다.
- 전도는 신생아의 몸이 차가운 물체와 닿았을 때 체온이 전달되는 것이다. 예를 들어 신생아를 차가운 물체나 바닥에 눕힐 경우 차가운 쪽으로 체온을 뺏기게 되므로 따뜻한 담요나 타월로 표면을 덮어 주면 열손실을 줄일 수 있다.
- 복사는 신생아의 몸이 닿지 않은 상태에서 주변의 차가운 물체로 체온이 전달되는 것이다. 신생아는 차가운 물체로 체온이 빼앗겨 열손실이 발생한다. 신생아를 가능한 차가운 물체로부터 멀리 떨어져 눕혀 놓도록 한다.
- 증발은 액체가 증기의 형태로 변화되면서 생기는 열손실이다. 신생아 몸은 젖은 상태이기 때문에 피부의 양수가 증발하면서 많은 열손실이 발생한다. 따라서 분만 즉시 신생아의 물기를 닦아주며 깨끗하고 따뜻한 포로 덮어준다. 신생아의 머리는 체표면의 큰 부분을 차지 하므로 젖은 머리에 모자를 씌워주면 증발로 인한 체온저하의 가능성을 감소시켜준다. 신생아는

불필요한 노출을 피해야 하기 때문에 모든 간호는 신속하게 하도록 한다. 옷을 벗긴 채 처치를 하게 될 경우(ex 소생술, 포경수술) 열손실로 인한 손상을 막고자 warmer에 눕혀야 한다. 대개 생후 4시간 후의 신생아 체온은 약 37℃로 유지된다.

04 / 혈액계

신생아의 혈액수치는 다음과 같다.

- 신생아의 총혈액양은 약 300mL로, 체중 1㎏당 80~110mL이다.
- 혈구 수 : 6백만/㎣ 이상
- 혈색소 수치 : 16~18g/100mL(평균 16.8)
- 헤마토크릿(Hct) 수치 : 45~50%
- 간접 빌리루빈 : 1~4㎎/100mL
- 백혈구 수 : 15,000~30,000개/㎣
- 혈당치 : 출생 시 평균 55~60㎎/mL(출생 후 1~3시간까지 최저치로 감소, 생후 12~24시간에 50㎎/mL로 자연히 회복 된다)
- 혈중 단백은 출생 시 정상이나 차츰 감소하여 생후 2~4개월에 최저치로 되었다가 점차 성인 수준까지 증가한다. 태아는 알부민과 globulin을 생산하지만 γ-globulin은 거의 생산하지 못한다. IgM 과 IgA 항체는 자궁 내 감염에 반응 하여 임신 20주경부터 만들 수 있다. 정상적인 경우 만삭아는 모체의 IgG를 받아서 출생하는데 태반을 통한 이 항체의 통과는 임신 12주경부터 시작된다.

05 / 위장관계

- 입 : 침샘의 일부는 출생 시에 기능하지만 대부분은 침을 흘리게 되는 생후 2~3개월 타액 분비가 왕성해 진다.
- 위 : 신생아 위 용적은 60~90mL이나 위의 분문 괄약근 미숙 때문에 쉽게 구토가 생긴다.
- 신생아의 장의 길이는 신체 크기에 비해 성인보다 더 길다. 따라서 성인의 장에 비해 흡수 면적이 넓고 분비선도 충분히 있어 소화를 잘 시킬 수 있으나 장의 근육이 약하므로 팽만되기 쉽다. 신생아는 지방과 전분 소화 능력이 제한적이다. 췌장 효소인 리파제와 아밀라제가 생후 몇 개월 동안 부족하기 때문이다. 간기능 미숙으로 혈액 내 단백질 수치가 낮아 진다.
- 태변 : 신생의 첫 대변은 생후 24시간 이내 배출되는 태변이라 한다. 이는 끈적하고 타르같은 검은 녹색에 냄새가 나지 않는 변으로 점액과 태지, 솜털, 호르몬, 자궁 내에서 쌓였던 탄수화물로 구성된다. 24~48시간까지 배변하지 않는 신생아는 장관 폐색, 태변 장폐색증, 밀폐항문의 가능성에 대해 검사해야 한다.
- 이행변 : 생후 2~3일이 되면 신생아 변은 색깔과 농도가 변해서 녹색의 묽은 변을 본다. 이는 이행변으로 설사같이 보일 수도 있다. 생후 4일경에 모유수유 신생아는 하루에 4회, 연한 황색의 달콤한 냄새가 나는 변을 본다. 분유를 먹는 아기는 좀 더 냄새가 나는 밝은 황색의 변을 하루에 2~3회 본다. 이행변 이후 정상변을 본다[표 5-4].

표 5-4 신생아 대변 양상

대변의 양상	태변(meconium)	이행변(transitional stool)	정상변(normal stool)
시간	생후 8~24시간 내	초기수유 후 4일~2주	생후 5~7일경부터 시작
색깔	암녹색(greenish black)	황갈색 내지 녹갈색(greenish yellow)	보통변색(yellow)
성분	mucopolysaccharide, 탈락세포, 태아의 솜털, 담즙색소, 태지, 양수 등		
특징	무취의 끈적이는 변 (oderless mucoitic stool)	태변에서 정상변으로 이행하는 과정의 변	이행변 이후에 보통양상의 변
기타	생후 24시간 이후에도 배출하지 않으면 장폐색, 밀폐항문 의심	변의 양상이나 색깔이 자주 변함, 태변보다 옅은 색깔, 점성도 덜함	모유수유와 인공영양아의 양상이 구분됨

06 / 비뇨기계

출생과 더불어 신장은 수분 및 전해질 균형과 노폐물 배설을 담당하게 된다. 신생아의 비뇨기계는 모든 구조가 갖추어져 있으나 소변의 농축 및 수분과 전해질 불균형에 대처 하는 기능은 미숙하다. 또한 신생아의 사구체 여과율(glomerular filtration rate)은 성인의 1/4 정도이므로 수분을 많이 주는 경우 바로 과수분증을 초래할 위험이 있다. 이러한 이유로 신생아는 탈수, 과수분증, 산혈증이 오기 쉽다. 보통 신생아는 생후 24~48시간 이내에 소변을 본다. 이 시간 내에 소변을 보지 않는 신생아는 요도 협착이나 신장 또는 요관부재를 의심해 볼 수 있다. 소변은 보통 밝은 색이고 냄새가 나지 않는다. 생후 6주가 되어야 세뇨관에서 재흡수를 할 수 있으며 농축이 현저해 진다. 신생아의 1회 소변량은 15mL 정도이고 요 비중은 1.008~1.010이다. 생후 1~2일의 하루 소변양은 30~60mL이나 1주일 경에는 300mL 정도 된다. 간혹 세포의 파괴로 요산(uric acid)이 배설되어 요산염 때문에 기저귀가 붉게 물드는 경우가 있다. 요산염은 기저귀를 물에 담그면 용해되어 없어지나 혈액은 그렇지 않으므로 혈뇨와 구분된다. 대개 소변 횟수를 기록하며 소변 양을 측정하려면 기저귀의 무게를 재어 보면 된다.

07 / 자가 면역계

출생 시 신생아는 모체로부터 태반을 통해 주요 수동항체(IgG: 소아마비, 홍역, 디프테리아, 백일해, 수두, 풍진, 파상풍 항체)를 받는다 . 단순 헤르페스 항체는 거의 전달이 되지 않아서 이 질병에 노출되지 않게 해야 하며 신생아는 항체로 자신을 보호할 수 없기 때문에 단순헤르페스 감염은 신생아에게 급성 치명적인 형태의 질병을 야기하거나 전신감염을 일으킬 수 있다. 신생아 출생 후 12시간 내에 B형 간염백신을 주사한다.

08 / 신경근육계

신생아는 성인과 같이 12쌍의 뇌신경을 가지고 있으나 기능은 원시 반사(premitive reflex)를 나타낸다. 만삭아는 사지를 움직이고 머리 움직임을 조절하려는 시도를 함으로써 신경 근육 기능을 나타낸다. 힘이 없이 늘어졌거나 촉진에 대해 근육이 전혀 반응하지 않는 것은 정상이 아니며 괴사, 쇼크 또는 뇌손상을 의심할 수 있다. 신경계 미숙으로 자극이 없는데도 종종 사지를 휘두르거나 씰룩거릴 수도 있다. 간단한 방법을 사용해서 반사에 일관성이 있는지 검사할 수 있다.

1) 각막반사

신생아 각막반사(blink reflex)는 성인과 동일하게 눈을 보호하기 위해 눈 가까이 물체가 다가오면 재빨리 눈을 감는 것이다. 눈에 손전등 같은 강한 빛을 비추어도 각막반사를 일으킬 수 있다.

2) 포유반사

포유반사(rooting reflex)는 신생아의 입 옆의 한쪽 뺨을 문지르거나 누르면 그 방향으로 고개를 돌린다. 이 반사는 음식을 찾는 것을 도와주는 반사이며, 약 4개월경에 사라지게 된다[그림 5-3(A)].

3) 빨기 반사

신생아의 입술을 건드리면 빠는 행동을 보인다. 빨기 반사(sucking reflex)는 약 6개월경에 사라지기 시작한다. 자극을 계 속 받지 않으면 이 반사는 금방 사라지지만 인공 젖꼭지와 같은 비 영양 흡철 도구를 빨게 하면 반사가 지속될 수 있다.

4) 연하반사

연하반사(swallowing reflex)도 성인과 마찬가지로 혀의 후방에 음식이 닿으면 자동적으로 삼킨다. 일반적으로 연하작용은 인두가 점액으로 막히는 것을 방지하지 못하기 때문에 기도 유지를 위해 구역질, 기침, 재채기 반사가 존재한다.

5) 밀어내기 반사

신생아는 혀의 전방 부위에 놓인 물질은 뱉어낸다. 밀어내기 반사(extrusion reflex)는 먹을 수 없는 물질을 삼키는 것을 막아 주며 약 4개월경에 사라진다. 그때까지 신생아는

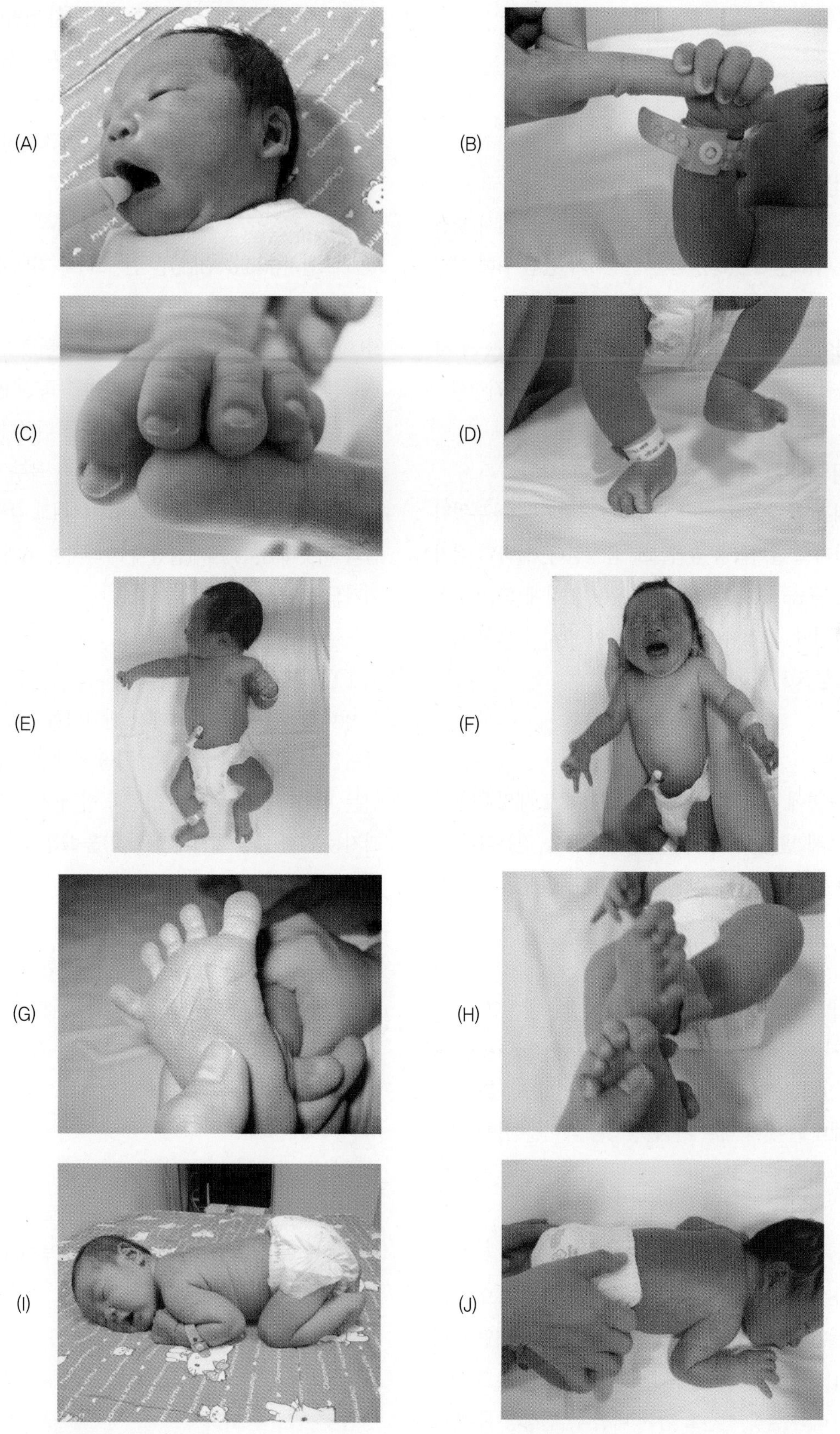

그림 5-3 신경근육계 반사

(A) 포유반사 (B) 파악(손)반사 (C) 파악(발)반사 (D) 보행반사 (E) 긴장성 목 반사
(F) 모로반사 (G) 바빈스키 반사 (H) 교차 폄 반사, (I) 체간굴곡반사, (J) 기기 반사

입안 들어온 고형음식을 거부하거나 뱉어낸다.

6) 파악 반사

(1) 손바닥 쥐기 반사

신생아는 손바닥 물건이 놓이면 손가락을 오므려서 물건을 움켜잡는다[그림 5-3(B)]. 이는 신생아가 안전 위해 어머니에게 매달렸던 때부터 해온 원시적인 반사로 보인다. 생후 3~4개월 사이에 손바닥 쥐기 반사(palmar grasp reflex)가 사라지며, 4개월 이후 신생아는 의미 있는 움켜쥠을 시작한다.

(2) 발바닥 쥐기 반사

신생아의 발가락에 물건이 닿으면, 손가락을 구부렸던 것과 마찬가지로 발가락을 앞쪽으로 움직인다. 발바닥 쥐기 반사(plantar grasp reflex)는 걸음마 준비를 하게 되는 8~9개월에 사라진다. 그러나 수면 중에는 이 반사가 오랜 기간 지속된다[그림 5-3(C)].

7) 보행반사

딱딱한 표면에 발을 닿게 하고, 직립자세로 세워주면 신생아는 빠르게 발을 교대로 몇 발짝 걸음을 걷는다[그림 5-3(D)]. 보행반사 5~6개월경에 사라지며, 이 반사가 사라진 후 아기는 자발적인 보행을 시도한다.

8) 발 내딛기 반사

발 내딛기 반사(placing reflex)는 Step-in-place reflex 와 비슷한데, 침대나 테이블 끝부분에 다리 전방부위를 닿게 해서 유도해내는 것이 다르다. 신생아는 테이블 위를 걷는 것처럼 빠른 움직임을 보인다.

9) 긴장성 목 반사

신생아가 누워 있을 때 머리를 한쪽에서 다른 쪽으로 돌리면 고개를 돌린 쪽 팔과 다리는 신전을 하고, 반대편 다리는 굴곡한다[그림 5-3(E)]. 만약 신생아가 반대편으로 고개를 돌리면 팔다리의 굴곡 신전도 함께 바뀐다. 긴장성 목 반사(tonic neck reflex)는 권투선수 반사 또는 펜싱 반사라고 불리는데 자세가 권투나 펜싱 선수와 비슷하기 때문이다. 많은 다른 반사와 다르게 이 반사는 기능을 가진 것처럼 보이지 않는다. 얼굴 앞으로 팔을 뻗어 움직이므로 눈의 협응을 촉진한다고 보인다. 또한 앞으로 주로 쓰게 될 손을 의미하는 것일 수도 있다. 이 반사는 생후 3~4 개월경에 소실된다.

10) 모로반사

모로반사(Moro reflex)는 큰 소리나 침대에 진동을 주어 신생아를 놀라게 하여 유도해낸다. 가장 정확하게 이 반사를 이끌어 내는 방법은 신생아를 앙와위로 안은 후 머리를 1인치 정도 아래로 하면 팔과 다리를 쭉 피면서 외전한다. 이때 손가락은 일반적으로 'C' 자세를 취한다. 신생아의 팔은 안을 것 같은 자세를 취하고 다리는 복부 쪽으로 끌어당긴다(내전). 이 반사는 자신을 보호하려고 감싸는 사람의 모습과 비슷하다. 3~4개월경에 사라지며, 6개월경까지 지속되기도 한다[그림 5-3(F)].

11) 바빈스키반사

발바닥 외측을 발꿈치에서 발가락쪽으로 뒤집어진 'J'자 곡선을 그리며 문지르면 발가락을 부챗살 모양으로 펼친다. 이는 발가락을 구부리는 성인과 반대이다. 적어도 12개월까지는 양성 반응(발가락을 펼침)을 보인다[그림 5-3(G)].

12) 교차 폄 반사

누워있는 신생아의 한쪽 다리 뻗게 한 후, 발바닥을 엄지손 톱 같은 물질로 문지르면 신생아는 마치 다리를 자극하는 손을 다른 쪽 발로 차서 밀어내려는 듯이 반대편 다리를 들어 올려 뻗는다[그림 5-3(H)] .

13) 체간굴곡반사

신생아가 엎드려있을 때 손가락으로 척추 부위를 따라 자극을 주면 자극 받은 쪽으로 등을 구부린다[그림 5-3(I)].

신체부위별 반사는 다음과 같다[표 5-5].

09 / 내분비계

신생아의 내분비는 적절히 발달되어 있으나 그 기능은

표 5-5 신생아의 반사 사정

	반사	반사유도자극과 반응	소실시기
입과 목	포유반사(rooting reflex)	입가를 손가락으로 자극하면 그 쪽으로 머리를 돌리고, 젖을 뺨에 대면 젖꼭지를 찾아 입을 벌린다.	깨어 있을 때 : 생후 3~4개월 잠잘 때 : 생후 7~8개월
	빨기반사(sucking reflex)	젖꼭지로 입을 자극하면 빤다	생후 6개월에 감소하기 시작한다.
	연하반사(swallowing reflex)	음식물이 구강 후부에 닿으면 삼킨다.	소실되지 않는다.
	구역반사(gag reflex)	음식물이나 흡인관이 인두 후부를 자극하면 구역질을 한다.	소실되지 않는다.
	밀어내기 반사(extrusion reflex)	혀를 건드리거나 누르면 혀를 밖으로 내밀면서 밀어내는 반응을 보인다.	생후 4개월경
	하품반사(yawning reflex)	산소량이 감소하면 하품을 한다.	소실되지 않는다.
	재채기반사(sneeze reflex)	비강을 자극하거나, 이물을 갖다대면 재채기를 한다.	소실되지 않는다.
	기침반사(coughing reflex)	이물이 후두 점막이나 기관, 기관지를 자극하면 기침을 한다.	소실되지 않는다.
눈	인형눈반사(doll's eye reflex)	머리를 천천히 오른쪽이나 왼쪽으로 돌릴 때 눈이 움직이지 않는다.	고정(fixation) 능력이 발달되면 소실된다.
	각막반사, 눈깜빡반사 (corneal reflex, blinking reflex)	갑자기 각막으로 사물이 다가오거나, 눈에 밝은 빛을 비추면 눈을 깜빡인다.	소실되지 않는다.
	동공반사(pupillary reflex)	밝은 빛이 비치면 동공이 수축된다.	소실되지 않는다.
몸통	모로반사(Moro reflex)	양팔을 들었다가 갑자기 놓거나 놀라게 하면 일반적인 반응으로 포옹자세를 취하며, 양팔과 다리를 뻗치고 손가락을 편다.	생후 2개월 이전에 강하게 나타나며, 3~4개월이 되면 대개 소실된다.
	놀람반응(startle response)	사지는 내전으로, 굽힌 상태로 울게 된다. 반사는 대칭적(symmetric)이다.	
	체간굴곡반사 [trunk incurvation(galant) reflex]	척수를 따라 한쪽으로 자극을 주면 자극을 받은 쪽으로 등을 구부린다.	생후 4주
목과 사지	긴장성 목반사 (tonic neck reflex fencing position)	머리를 한쪽으로 돌리면 얼굴이 향하는 쪽 팔과 다리는 펴고, 반대쪽 사지는 구부린다.	생후 3~4개월
	보행반사 (stepping reflex, dancing reflex)	신생아를 바로 세운 자세로 붙잡고, 발바닥이 바닥에 닿게 하면 마치 걷는 듯한 운동반응을 보인다.	생후 3~4주 후에 소실되고, 자발적 움직임으로 대체된다.
	발딛기 반사(placing reflex)	신생아를 세운 자세로 붙잡고 발등을 탁자에 닿게 하면 발이 탁자 위를 걷는 것처럼 다리를 든다.	생후 6주경에 없어지나, 소실시기는 다양하다.
	파악반사(움켜잡기반사) : 손바닥/발바닥 (grasp reflex: palmar/plantar)	손바닥 파악반사 : 신생아의 손바닥을 검진자의 손가락으로 건드리면 붙잡고 놓지 않는다. 발바닥 파악반사 : 발바닥을 발뒤꿈치에서 앞으로 건드리면 발가락을 오므린다.	손바닥 파악반사 : 생후 3~4개월 발바닥 파악반사 : 8개월경
	바빈스키 반사(Babinski reflex)	발바닥의 외면을 발꿈치에서 발가락쪽으로 가볍게 긁으면 엄지발가락은 발등쪽으로 구부리고 나머지 발가락은 부채살처럼 펴진다.	생후 12개월
	기기 반사(crawl reflex)	배를 대고 엎드리면 팔과 다리로 기어가는 듯한 움직임을 보인다.	생후 6주경

미숙하다. 예를 들면 뇌하수체 후엽에서 이뇨를 억제하는 항이뇨 호르몬(antidiuretic hormone, ADH) 즉 바소프레신(vasopressin)의 분비가 적어 탈수가 일어나기 쉽다. 생후 첫 일주일에서 2개월까지 에스트로겐의 영향으로 여아의 음순이 비후되고 가성월경(pseudomenstruation)이 나타날 수 있다. 이때 질 출혈보다는 우유빛 분비물이 더 자주 나타난다. 또한 남아, 여아 모두에서 생후 수일부터 2개월 동안 유방 팽륜이 나타나며 모체의 프로락틴(prolactin) 영향으로 마유(witch's milk)가 분비될 수 있다. 모체호르몬의 영향으로 나타나는 이러한 현상은 저절로 소실되므로 치료할 필요가 없다. 췌장 랑게르한스섬 세포는 비교적 큰 편으로 당뇨병 어머니에서 태어난 신생아에서 더욱 현저하게 나타난다. 당뇨관리를 하지 않은 어머니에서 출생한 신생아는 일시적으로 인슐린 과다증이 초래되어 저혈당증이 나타날 위험이 있다.

10 / 감각

신생아의 감각은 예전에 알려졌던 것보다 훨씬 발달되어 있다.

1) 청각

태아는 자궁 내에서도 들을 수 있다. 출생 후 몇 시간 내로 양수가 없어지며 유스타키오관을 거쳐 중이에서 흡수되자마자 청력은 정확해진다. 신생아는 귀에서 양수가 제거되면 성인 수준과 같은 소리에 대한 반응을 보이며 90㏈ 정도의 큰 소리 반응하여 놀람반사(startle reflex)를 보인다. 신생아는 또한 고주파음과 저주파음의 소리에 따라 반응이 다른데 심장박동이나 메트로놈, 자장가와 같은 저주파음은 신생아의 활동과 울음을 저하시키며 고주파음은 민감한 반응을 유발한다.

2) 시각

신생아는 출생 즉시 볼 수 있다. 그리고 복벽과 자궁이 얇게 늘어남에 따라 임신말기에는 자궁 내에서 빛과 어둠을 보고 있을 가능성이 있다. 신생아는 강한 빛에 눈을 깜박이거나 또는 밝은 빛이나 장난감을 따라 짧은 거리는 눈이 쫓아간다. 그러나 시야 가운데를 벗어난 이미지는 쫓아가지 못하고, 30㎝ 거리의 흑백물체에 가장 초점을 잘 맞춘다. 동공반사는 출생 시부터 존재한다.

3) 촉각

촉각은 출생 시부터 잘 발달된다. 신생아는 부드러운 접촉에 조용해지고, 뺨을 만졌을 때 빨기 포유반사를 보임으로써 접촉에 반응한다. 얼굴 중 입과 입술 주위, 손과 발바닥이 가장 예민하다. 또한 고통스런 자극에도 반응을 한다.

4) 미각

신생아는 맛을 분간할 수 있는 능력이 있다. 이는 출생 전에 혀의 미란이 발달되어 기능을 하기 때문이다. 신생아는 소금처럼 짠맛을 느끼면 고개를 돌리지만, 우유나 포도당 같은 달콤한 맛은 즉시 삼킨다.

5) 후각

후각은 코에서 점액 양수가 없어지면 바로 작용한다. 신생아는 모유의 냄새를 부분적으로 인지해서 어머니의 젖으로 고개를 돌리고 포유반사를 보인다. 특히 모유 냄새를 인지하여 엄마의 모유와 다른 여성의 모유를 구별할 수 있으며 이는 애착과정과 성공적인 모유수유에 영향을 미친다. 이것을 통해 신생아가 냄새를 맡는 능력이 있다는 것을 알 수 있다.

11 / 아프가점수

신생아기는 출생 후 첫 4주(28일)간의 기간을 의미하며, 모체로부터 분리된 신생아는 이 시기동안 자궁 외 환경에 "적응"하기 위한 다양한 신체적/생리적 변화를 경험하게 된다. 이때 신생아의 자궁 외 생활에 대한 적응정도는 아프가점수(Apgar score)로 평가한다.

아프가점수는 출생 후 1분과 5분에 두 번 실시하여 평가하는데 생후 1분에 측정한 아프가점수는 신생아의 질식 유·무를 판단하여 응급처치의 필요성 여부를 조사하는 지표가 되며, 생후 5분에 측정한 아프가점수는 신생아의 예후를 판정하는 데 중요한 지표가 된다. 아프가점수 평가는 출생 직

표 5-6 **아프가점수표(Apgar scoring chart)**

증상	점수		
	0	1	2
심박동	없음	느림(<100)	>100
호흡노력	없음	느리고, 불규칙, 약한 울음	좋음; 강한울음
근육긴장도	이완됨	사지의 약한 굴곡	굴곡됨
자극에 대한 반응 콧구멍에 카테터를 넣었을 때 발바닥을 때렸을 때	반응없음 반응없음	얼굴을 찌푸림 얼굴을 찌푸림	기침이나 재채기 울거나 발을 수축함
피부색	푸른색, 창백	체간은 분홍색이나 사지가 푸른색	완전히 분홍색

후 신생아의 상태를 평가 하는 방법으로 심박수와 호흡 능력, 근육긴장도, 자극에 대한 반응, 피부색의 5가지 항목을 검사하며 각 항목당 2점씩으로 채점하여 10점 만점으로 한다[표 5-6]. 아프가점수 7~10점은 자궁 외 생활의 적응에 어려움이 없는 상태를 나타내고, 4~6점은 중등도의 적응곤란 상태, 0~3점은 심한 적응곤란 상태를 나타낸다. 대개 아프가점수가 6점 이하인 경우 즉시 응급처치가 필요하다.

확인문제

1. 아프가점수에서 사정하는 5가지 영역은 무엇인가?
2. 신생아의 체온을 하강 시키는 열손실의 4가지 기전은 무엇인가?
3. 신생아의 첫 호흡을 유도하는데 관련되는 요인은 무엇인가?
4. 모로반사는 신생아의 신경계능력을 사정하는 최적의 반사이다. 이 반사를 검사하는 방법은 ?

II 신생아의 사정

01 / 신체계측

신생아의 신체계측(physical examination)에는 체중, 신장, 두위와 흉위가 포함된다. 신생아 간호에 참여하는 모든 사람들은 안전 관리에 대한 사항을 잘 준수해야 한다.

1) 체중

신생아의 출생 시 체중은 인종, 임신 중 영양상태와 자궁 내 요인과 유전적 요인에 따라 다르다[그림 5-4]. 재태기간에 따른 체중을 표준 신생아 체중곡선에 표시하도록 한다. 출생 시 체중은 평균 3.2~3.4kg이다. 신생아가 4.7kg 이상일 경우 당뇨병 같은 모성의 질환을 의심 해보아야 한다. 두 번째 아기는 보통 첫 아기보다 체중이 더 나간다. 과다한 세

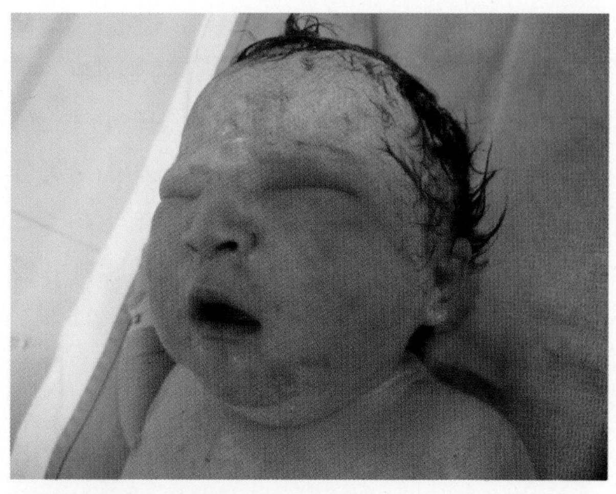

그림 5-4 **출생 직후 신생아 모습**

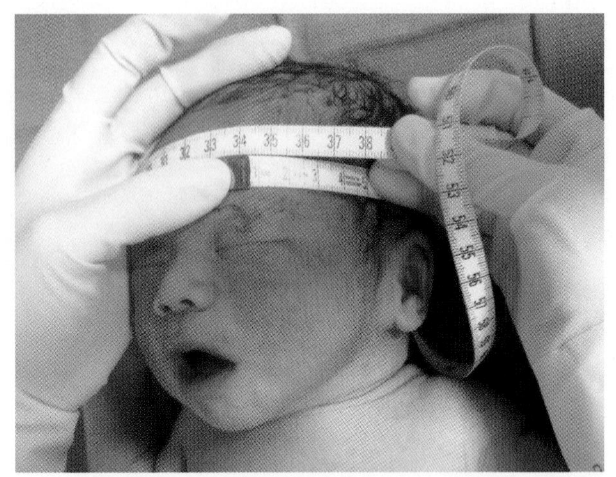

그림 5-5 두위 측정

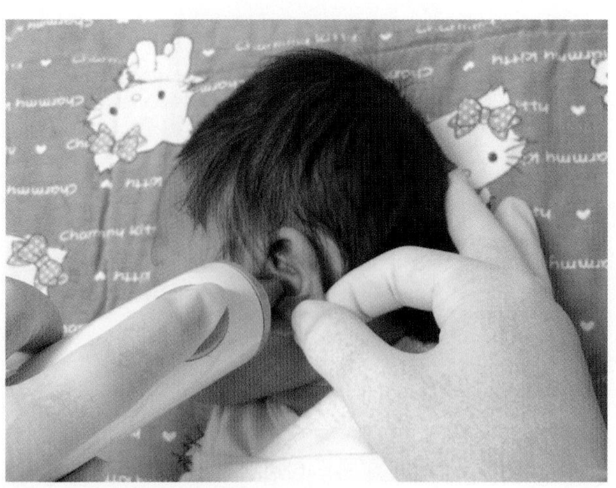

그림 5-6 고막체온(후하방)

포외액의 손실과 태변 배설 및 섭취의 제한으로 생리적으로 생후 3~4일경까지 출생 시 체중의 약 5~10% 감소했다가 생후 10일경 회복된다. 이런 현상을 생리적 체중 감소라고 한다. 그 후 생후 6개월 동안 신생아는 매월 약 900g(2lb), 주당 약 200g씩 체중 증가를 보인다.

2) 신장

키(height)는 머리부터 발뒤꿈치까지 길이(head-to-heel length)로 앙와위에서 다리 펴고 발바닥을 수직으로 굴곡시킨 뒤 두정부에서 발뒤꿈치까지의 길이를 줄자로 측정한다. 키는 평균 49~51㎝이며 두혈종이나 산류가 있는 경우는 두정골의 끝 부분을 찾아서 측정한다.

3) 두위

이마 중앙을 가로질러 후두돌출 부위로 줄자를 둘러서 잰 만삭아의 두위(head circumference)는 줄자로 양쪽 눈썹 위와 후두부 돌출부를 지나는 둘레를 재며 평균 34~35㎝이다. 머리둘레는 출생 시 머리에 변형(molding)이나 부종이 있어 가슴둘레와 거의 같은데, 만일 머리둘레가 가슴둘레보다 4㎝ 이상 클 경우, 수두증(hydrocephalus)을 의심할 수 있으므로 주기적인 측정과 추후 관찰을 해야 한다[그림 5-5].

4) 흉위

젖꼭지 위로 측정한 만삭아의 흉위는 두위보다 약 1~2㎝가 작다. 유방조직의 양이 많거나 유방 부종이 있을 경우 부종이 가라앉을 때까지는 수치가 정확하지 않을 수 있다.

확인문제

5. 생후 며칠 사이에 신생아의 체중 감소는 약 얼마나 되는가?

6. 신생아의 두위 크기는 보통 몇 cm 인가?

02 / 활력징후

1) 체온

신생아는 모체 안에서 성장했기 때문에 출생 시 체온은 약 37.2℃(99℉)이다. 이러한 체온은 미성숙한 체온조절기전과 열 손실로 인해 정상체온 이하로 출생 직후 급속히 떨어지게 된다. 분만실의 실내 온도는 대개 21~22℃ 정도로 신생아에게 열 손실을 더 가중시킨다. 체온 측정은 주로 고막(tympanic)이나 액와(axillary)로 하며 정상범위는 36~37℃로 신생아의 활동 상태에 따라 변동이 있다[그림 5-6]. 피부 체온은 중심체온(core body temperature) 보다 0.5~1℃ 정도 낮다. 신생아는 출생 직후 밀폐항문의 여부를 확인하기 위해 직장체온계를 사용할 수 있으며 체온은 비교 평가할 수 있도록 동일한 방법으로 측정하고 측정 방법도 함께 기록한다.

2) 맥박

출생 후 1시간 내로 신생아가 잠이 들면서 심박동은 120~140회/분의 평균 수치로 안정된다. 신생아의 심박동은 불규칙한데 이는 뇌의 심장 조절중추가 미숙하기 때문이다. 태아순환 shunt의 불완전 폐쇄로 일시적인 심잡음이 들릴 수 있다. 신생아 대퇴동맥에서의 맥박은 즉시 측정이 되지만 요골과 측두 맥박은 정확하게 측정하는 것이 어려우므로 신생아의 심박동 측정은 1분 동안 심첨부(4번째와 5번째 늑골사이)맥박에서 사정하도록 한다.

3) 호흡

휴식 시 호흡횟수는 40~60회/분까지 안정된다. 호흡 깊이, 횟수와 리듬은 불규칙적이기 쉽고 5~15초간 짧은 무호흡(청색증이 없는)이 발생할 수 있는데 이는 정상으로 주기적 호흡(periodic breathing)이라고 한다. 주로 횡격막과 복근을 사용하여 호흡하기 때문에 복부 움직임으로 가장 쉽게 관찰할 수 있다.

4) 혈압

혈압은 심장질환을 예측하는 자료이지만 건강한 만삭아의 경우는 고혈압 발생의 예측요인이 되지 못하므로 보통은 측정하지 않는다. 진동측정법으로 자동 혈압 측정계(noninvasive BP monitor, NIBP)를 이용하면 편리하고 정확하게 측정할 수 있다. 신생아용 혈압 커프의 크기는 2.5~4.0㎝이며 수축기/이완기 혈압의 정상범위는 80~45 /60~40㎜Hg이다.

03 / 신체 사정

1) 피부

(1) 색깔

대부분의 만삭아는 혈관 내 적혈구 농축이 증가되고 피하지방이 적어 혈관이 잘 보이므로 불그스레하게 보인다. 이런 붉은 색은 생후 1월경에 서서히 사라진다.

① 청색증

청색증은 출생 후 2~6시간 내 미성숙한 말초 순환으로 인해 신생아의 입술, 손, 발이 청색증을 보이는 현상으로 특히 추위에 노출 시 더 나타날 수 있다. 이를 말단 청색증이라 부른다. 전신의 얼룩덜룩(mottling)한 상태도 흔하다. 중심 청색증은 감소된 산소포화도를 의미하며 이는 일시적인 호흡기 폐쇄나 잠재된 질병상태의 결과일 수 있다.

② 창백

신생아의 창백증(pallor)은 보통 빈혈의 결과일 수 있다. 빈혈의 원인은 다음과 같다.

- 제대결찰 시 과다한 혈액 유실
- 출생 시 제대에서 신생아로 부적절한 혈액 흐름
- 태아-모체 수혈
- 임신 중 모체의 영양부족으로 체내 철분 저장량이 낮음
- 혈액형 부적합으로 많은 수의 적혈구가 자궁 내에서 출혈의 결과일 수도 있다. 중추신경계 손상을 입은 신생아는 청색증뿐만 아니라 창백하게 보일 수도 있다. 신생아의 회색빛 피부색은 일반적으로 감염의 지표로 본다. 쌍생아는 쌍태 수혈(twin-to-twin transfusion) 상태로 출생할 수 있다. 즉 한 명은 더 크고 혈색이 좋아 보이는데 다른 한 명은 더 작고 창백하다.

③ 할리퀸 증상(색깔변화)

때때로 미숙한 순환계로 인해 측위로 눕힌 경우 바닥에 닿은 쪽은 붉고 위 부분은 창백해 마치 몸의 중심에 선을 그어놓은 것처럼 보인다. 이는 일시적인 현상으로 임상적인 의미는 없다. 이런 현상은 신생아의 체위를 바꾸거나 심하게 울거나 보채면 즉시 사라진다.

(2) 출생모반

신생아에 흔히 발생하는 출생모반(birthmarks)의 수는 많다. 다양한 종류의 혈관종을 구분할 줄 알아서 부모가 모반에 관해 걱정을 하게 만들거나 잘못된 정보를 주지 않도록 한다.

① 혈관종

혈관종은 피부의 혈성 종양으로 3가지 종류가 있다.

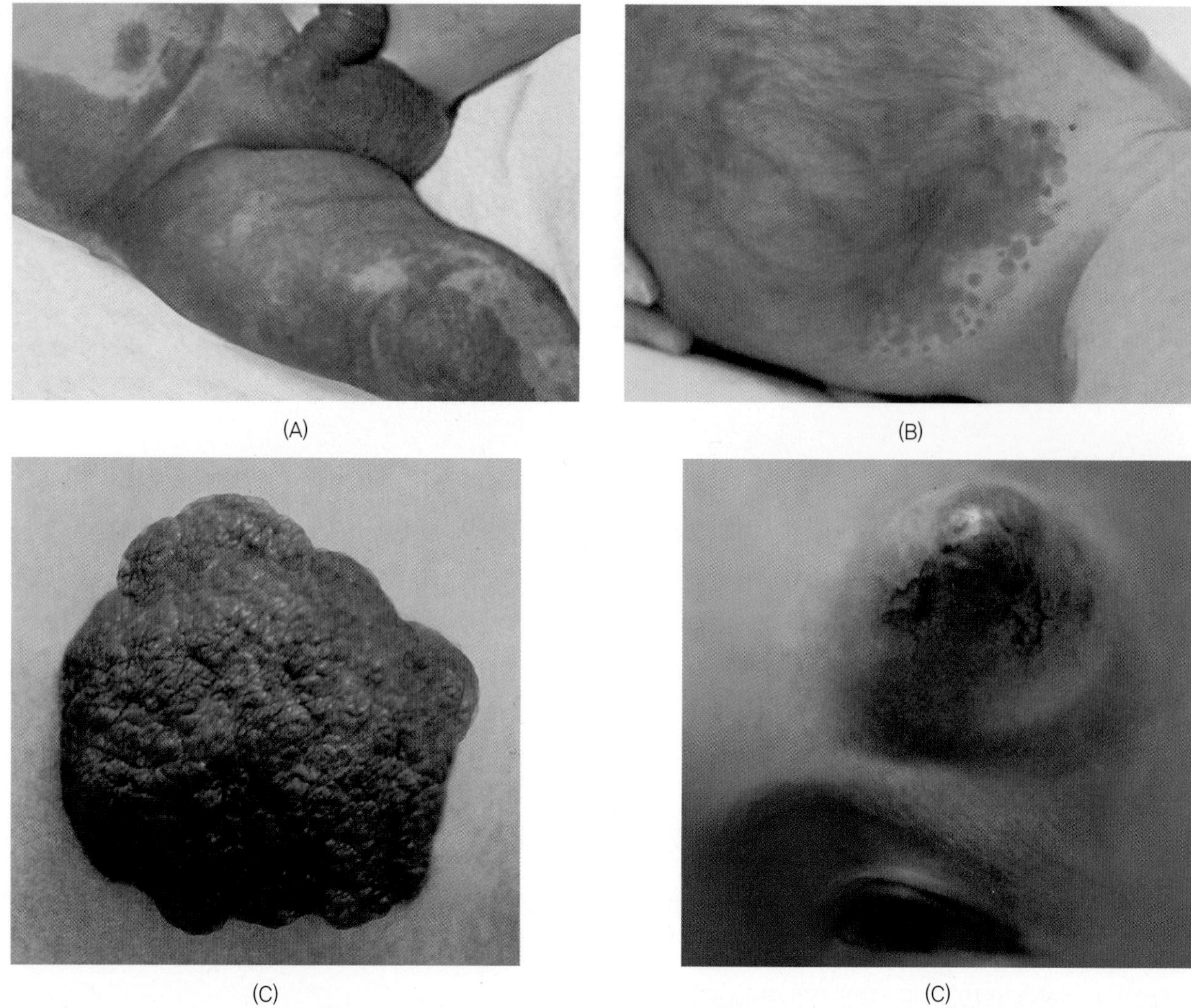

그림 5-7 신생아의 혈관종 종류

(A) 화염상모반(port–wine stain)은 진피층에서 새로 형성된 모세혈관층에 의해 생성된다. 진한 붉은색에서 자주색까지 띄며, 압박을 가해도 색이 변하지 않고, 나이가 들어도 사라지지 않는다.
(B) 연어반(salmon patch), 흔히 목덜미에 발생하고 압력을 가하면 색이 옅어진다.
(C) 딸기혈관종은 피내와 피하층 모두의 혈관 확장으로 생긴다. 출생 후에 더 커지지만, 10세 경에는 보통 사라진다.
(D) 해면상혈관종은 피하조직의 세정맥 교통망으로 형성된 경우 나이가 들어도 사라지지 않는다.

ⓐ 화염상모반 [그림 5-7(A)]

표피 바로 밑에 발생하는 모세혈관종으로 자줏빛 또는 검붉은 색의 반점성 병변이 출생 시부터 있다(어두운 색깔 때문에 포도주 반점이라고도 불린다). 화염상모반(nevus flammeus)은 일반적으로 얼굴에 나타난다. 콧등 위의 반점은 쉽게 사라지는 편이며 다른 부위는 덜 사라지는 편이다. 목덜미에 좀 더 밝은 색의 분홍색 점이 발생할 수 있는데(연어반, [그림 5-7(B)]), 머리카락에 가려서 보이지 않는다(여아에서 흔함).

ⓑ 딸기혈관종 [그림 5-7(C)]

진피와 피하조직에 확장된 모세혈관을 포함한다. 에스트로겐 수치 상승에 관련하는 내피 세포와 미숙한 모세 혈관에 의해 형성되며 볼록 튀어나와 있다. 일반적으로 1년 후에는 흡수되며 크기도 줄어든다. 50~75%는 10세 경이 되면 사라진다.

ⓒ 해면상혈관종[그림 5-7(D)]

확장된 혈관으로, 대개 크기가 커지며 딸기혈관종과 비슷하고, 시간이 지나도 사라지지 않아 수술로 제거할 수도 있다.

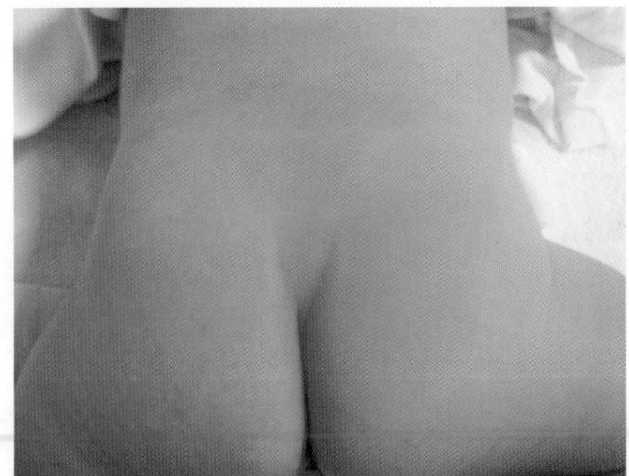

그림 5-8 등하부에 분포된 푸른 몽고반점

② 몽고반점

몽고반점 색소세포의 집합으로 천골이나 엉덩이를 가로질러 나타나는 검푸른 색깔의 점이다. 아시아, 남부 유럽, 아프리카 혈통의 아동에게서 흔히 보인다. 치료는 필요없으며 학령전기까지는 사라진다[그림 5-8].

③ 태지

태지(vernix caseosa)는 피지선과 상피세포의 분비물로 구성되었으며 하얀 크림치즈 같은 물로 피부 윤활제 역할을 하며, 피부가 겹쳐진 부위에서 흔히 발견된다. 태지 색깔은 양수 색을 반영한다. 태지를 너무 닦을 필요는 없다[그림 5-9].

④ 솜털

솜털(lanugo)은 미세하고 부드러운 털로 신생아의 어깨, 등, 상박을 덮고 있으며 이마와 귀에서도 발견된다. 재태기간 37~39주의 신생아는 40주된 신생아보다 솜털이 더 많다. 과숙아는 거의 솜털이 없다. 솜털은 침대나 옷의 마찰로 제거되며 생후 2주까지 솜털은 사라진다.

⑤ 피부박리

출생 후 24시간 이내 대부분의 신생아는 매우 심하게 피부가 건조해지며 특히 손바닥, 발바닥 및 콧등에서 심하다. 일광욕 후에 피부가 벗겨지는 것과 비슷하다. 이를 피부박리(desquamation)라고 하며 정상적 현상으로 특별한 치료는 필요하지 않다.

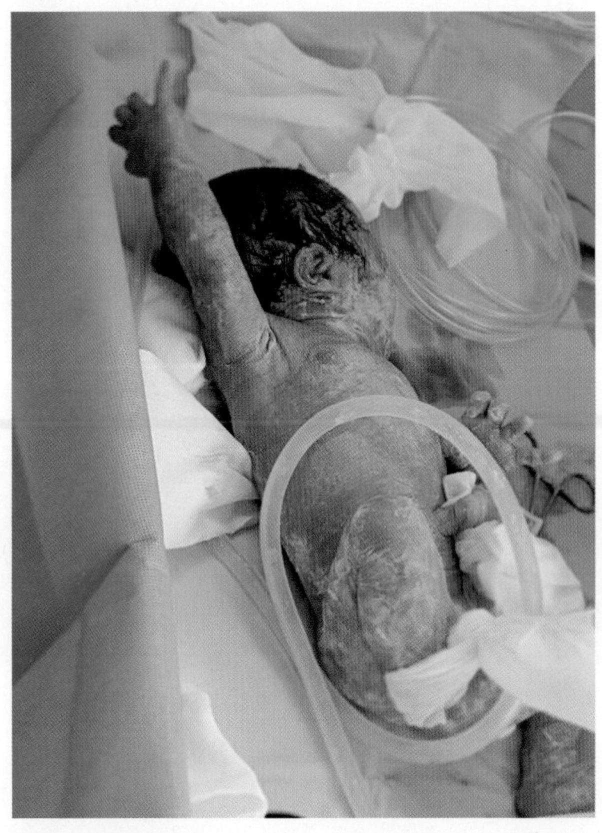

그림 5-9 태지

⑥ 패립종

패립종(구진milia)은 피지선이 막혀 뺨이나 콧잔등에서도 나타난다. 구진이라고 하며 피지선에서 피지가 배출됨에

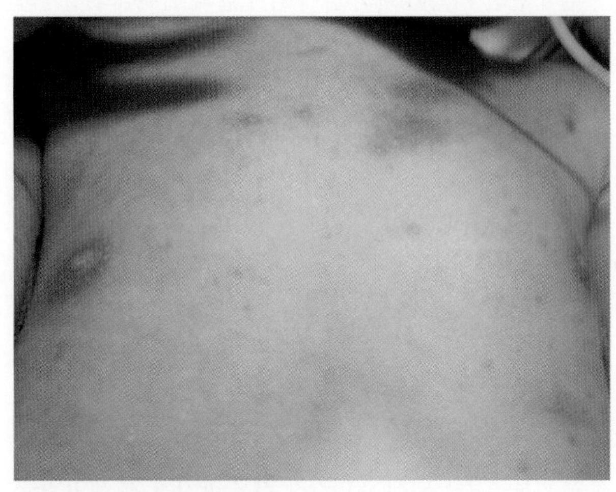

그림 5-10 중독성홍반

중독성 홍반은 거의 모든 신생아에서 나타난다. 붉은 반점으로 산재하며, 며칠 사이에 자연스럽게 없어진다.

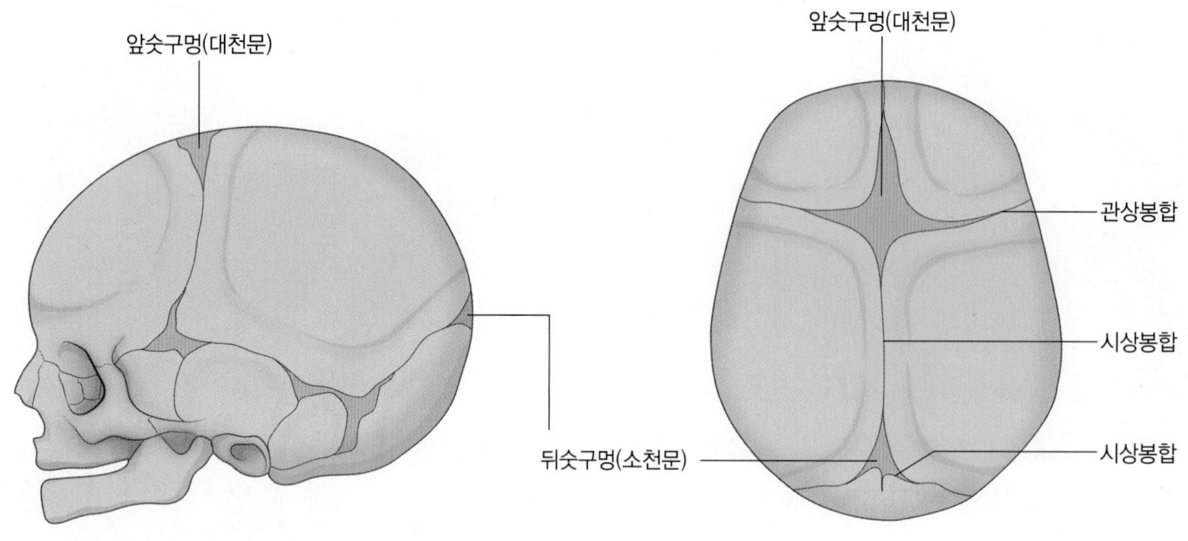

그림 5-11 천문과 봉합선

따라 생후 2~4주경에 사라진다. 2차 감염을 막기 위해 부모에게 구진을 짜거나 긁지 말라고 교육한다.

⑦ 중독성 홍반

대부분 신생아는 중독성 홍반(erythema toxicum) 이라고 하는 발진이 나타난다[그림 5-10]. 보통 1~4일에 생기며 늦게는 2주경에 나타나기도 한다. 구진으로 시작해서 2일째는 홍반이 될 정도로 심해졌다가 3일째 사라진다.

⑧ Forceps marks

겸자 분만 시 신생아의 뺨에 겸자 끝의 테두리와 일치하는 원이나 선형의 멍이 생길 수 있다. 1~2일 동안 부종과 함께 지속되다가 사라진다. 신생아가 잘 때와 울 때 추후 검사가 필요할 정도의 안면신경 압박 가능성 있는지 주의 깊게 관찰한다.

⑨ 피부 탄력성

신생아 피부는 피부 탄력성이 좋다. 피부주름을 손가락으로 잡아당겼을 때 탄력이 느껴져야 하고 잡았던 피부를 놓으면 부드러운 표면으로 되돌아 가야 한다. 탈수가 심할 경우 피부는 부드럽게 돌아가지 않고 융기된 채 남아있을 것이다.

2) 머리

신생아의 머리는 비례적으로 크게 보인다. 왜냐하면 머리길이가 신장의 1/4 정도가 되기 때문이다. 성인은 머리 비율이 1/8이다. 신생아의 이마는 크고 얼굴의 대부분을 차지하며 턱은 쏙 들어가 있다. 신생아가 놀라거나 울면 턱이 쉽게 떨린다.

(1) 천문(숫구멍)

천문(fontanelle)이란 두개골이 만나는 곳에 있는 공간 혹은 개구 부위이다. 대천문은 두개의 전두골과 두개의 두정골의 결합이다. 다이아몬드 형태로 넓이가 2~3㎝이고, 길이가 3~4㎝이다. 소천문은 두정골과 후두골의 결합이다. 삼각형 모양으로 길이가 1㎝이다. 대천문 부분은 부드러우나 소천문은 너무 작아 촉지 되지 않을 수도 있다. 대천문은 보통 12~18개월에 닫히고 소천문은 생후 2개월경에 닫힌다[그림 5-11].

(2) 봉합

아기 머리는 출생 시 질을 통과하면서 갑자기 가해진 압력 때문에 출생 시에 두개골의 분열된 선으로 두개골 봉합(sutures)이 겹쳐져 있을 수도 있다. 이것은 정상이며 일시적인 현상이다.

두정골 사이의 시상봉합이 겹쳐지면 대천문은 원래보다

표 5-7 신생아 머리형태

	변형(molding)	산류(caput succedaneum)	두혈종(cephalohematoma)
머리형태	신생아 머리가 좁은 산도에 맞추기 위해 봉합이 좁아지거나 겹쳐진 형태	머리 선진부의 부종	두개골과 골막 사이에 혈액이 고인 것
원인			
발생시기	출생 즉시	출생 즉시	생후 수시간 후
소실시기	생후 수일 이내	생후 수일 이내	생후 6주~8주
경계		불분명	확실함
기타		봉합선을 넘음	봉합선을 넘지 않음

작게 촉지된다. 신생아에서 봉합선이 넓게 벌어져 있어서는 안된다. 이는 비정상적인 뇌형성이나 뇌수종, 출생 시 손상으로 인한 경막하 출혈으로 인한 뇌압상승을 뜻한다. 융합된 봉합선 역시 비정상이며 X-ray와 추가검사로 확인해야 한다.

(3) 변형

머리변형(molding)은 신생아의 머리가 좁은 산도에 맞추기 위해 봉합이 좁아지거나 겹쳐지는 것으로 제왕절개 분만인 경우는 나타나지 않는다. 이 경우 머리 모양은 비대칭적으로 보인다.

머리는 출생 후 며칠 내 정상 모양으로 돌아온다[표 5-7].

(4) 산류

산류(caput succedaneum)[그림 5-12(A)]는 머리 윗부분의 부종이다. 두피와 골막 사이에 생긴 부종으로 봉합선을 넘어 넓게 분포한다. 이것은 자연분만 중 두개에 가해지는 압력 때문에 발생되며 생후 수일 내에 서서히 흡수되어 소실되므로 치료는 필요 없다[표 5-7].

(5) 두혈종

두혈종(cephalohematoma)은 두개골과 골막 사이에 파열된 혈관으로부터 혈액이 고인 것으로 혈종이 두개골 한 쪽으로 국한되므로 봉합선을 넘지 않는다. 출생 시 압력에 의해 골막의 모세혈관이 파열되어 발생한다[그림 5-12(B)].

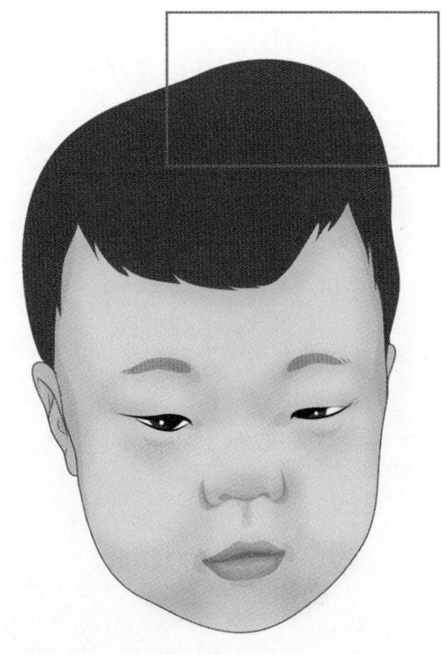

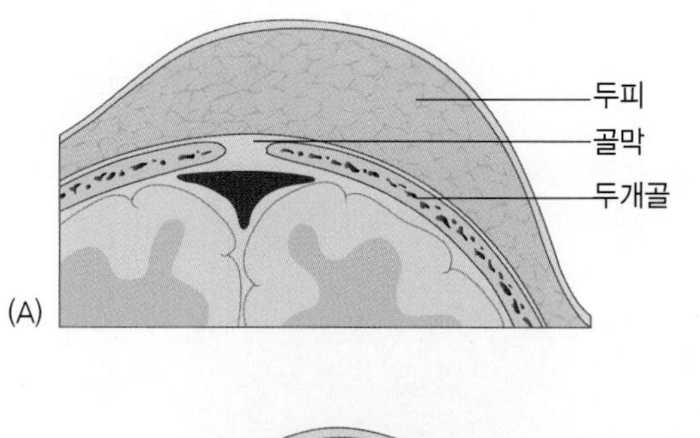

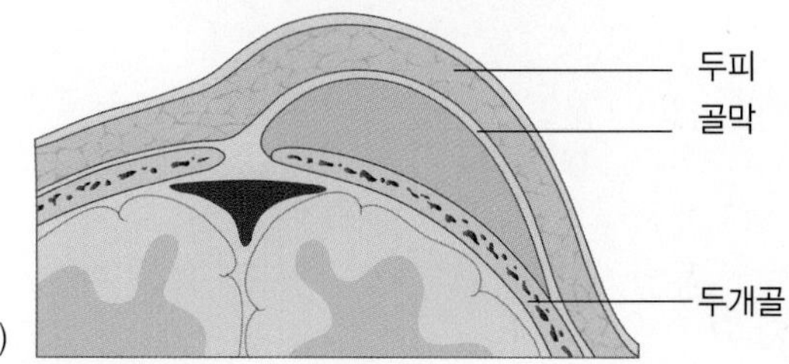

그림 5-12 신생아 머리

(A) 산류. 산도의 압력으로, 부종이 두피 아래에 존재한다. 두개의 중심을 넘어가는 것에 주의한다.
(B) 두혈종. 두개골막 밑의 모세혈관이 일부 파열되어 혈액이 골막아래에 고인다. 중앙선에 울혈(swelling)이 국한된 것에 주의한다. 혈액이 골막 밑에 포함되므로, 봉합선 내에 한정되게 된다.

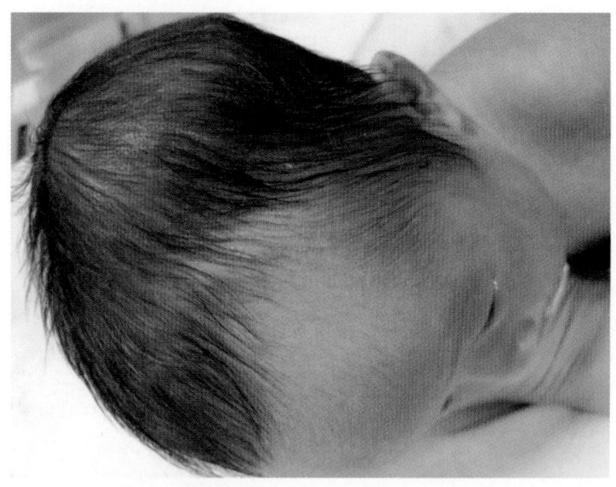

그림 5-13 **두혈종**

두혈종이 흡수되기까지는 몇 주가 걸린다[그림 5-13].

3) 눈

생후 3개월경에 누선이 성숙되므로 신생아는 울어도 눈물이 나오지 않는다. 신생아의 홍채는 거의 푸르거나 회색이고 공막은 얇아서 푸른색일 수 있다. 신생아의 눈 색깔이 결정 되는 것은 3~12개월 사이이다. 눈은 충혈이나 화농성 분비물이 없이 깨끗해야 한다.

출생 시 압력은 때로 결막의 모세혈관 파열을 일으키므로 안저를 검사했을 때 공막에 붉은 점으로 나타나는 결막하 출혈이 약간 생길 수도 있고 각막 주위에 붉은 링으로 나타날 수도 있으나, 치료는 필요 없고 보통 2~3주면 완전 흡수된다. 부종은 안구나 눈꺼풀 주위에 생기고 신생아의 신장이 체액을 효과적으로 배출할 때까지 2~3일간 남아 있다.

각막은 원형으로 성인의 각막과 크기에서 비례가 같으며 동공은 어두운 색이다.

4) 귀

귀의 위치, 크기, 모양, 기형 등을 관찰한다. 신생아의 외이는 아직 완전하게 형성되지 않았다. 귓바퀴는 쉽게 구부러진다. 귀의 윗부분은 눈의 외안각과 수평선을 이루지만 약간 높은 위치에 있는 것이 정상이며 염색체 이상이 있는 경우 귀가 쳐져 있다. 귓바퀴는 연골로 이루어져 부드럽고 쉽게 젖혀 진다. 깨어있는 상태에서 신생아는 일정한 소리를 들으면 눈을 깜박이거나 동작을 순간적으로 멈추며 큰 소리에 놀람반사를 나타낸다.

5) 코

신생아의 코는 얼굴에 비해 커 보일 수 있다. 아기가 성장함에 따라 나머지 얼굴 부분이 코보다 더 많이 성장해서 불균형이 사라진다.

6) 입

신생아의 입은 아기가 울 때 좌우가 대칭이어야 한다. 비대칭인 경우 뇌신경 손상을 의심할 수 있다. 신생아의 혀는 입에 비해 현저하게 커 보인다. 구개는 손상이 없어야

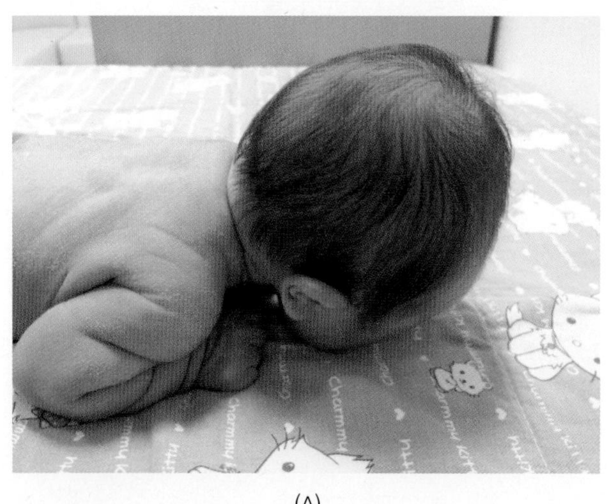

(A)

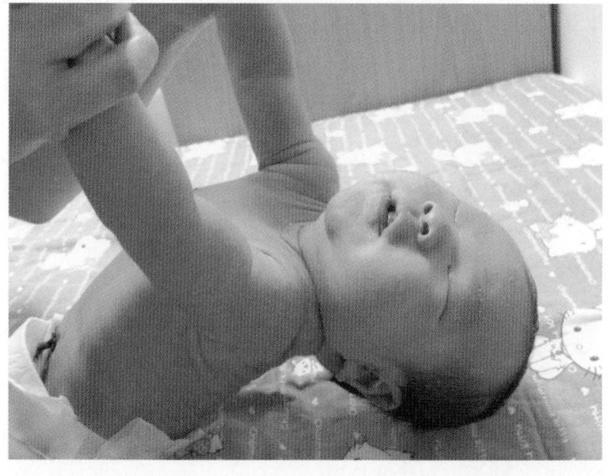

(B)

그림 5-14 **신생아 머리조절**

(A) 엎드린 자세 (B) 팔을 당긴 자세

한다. 한두 개의 작고 둥글며 반짝이는 진주낭포(Epstein's pearls)가 구개에 존재할 수 있는데 이는 자궁 내에서 축적된 칼슘이 많아 생긴 것으로 치료는 필요없으며 일주일 후에 자연적으로 사라진다. 그러나 잇몸이나 혀에 백색이나 회색반점이 있으면 캔디다 알비칸스(candidaalbicans)감염인 아구창(oral thrush)을 의심해야 한다.

모든 신생아는 입속에 약간씩 점액이 있으므로 측위로 눕혀놓으면 점액이 입에서 흘러내려서 기도유지에 도움을 준다. 그러나 입에 거품이나 점액이 너무 많으면 식도 기관루를 의심해본다.

조기치아(neonatal teeth)라고 불리는 한두 개의 치아가 있는 경우도 있다. 이가 흔들린다면 수유 시 삼킬 수 있으므로 빼 주어야 한다. 또한 잇몸에 덮여있지 않은 치아도 제거해야 한다. 나중에 흔들거려서 삼킬 위험이 있기 때문이다.

7) 목

신생아의 목은 짧고 토실토실하며 피부가 접혀서 주름이 잡혀있다. 머리는 자유롭게 회전이 가능하다. 목은 머리 무게를 충분히 받칠 만큼 강하지 못하다. 엎드려 놓으면 코를 들을 정도로는 머리를 약간 들어 올릴 수 있다[그림 5-14(A)]. 누워있는 아기를 앉히려고 팔을 잡아당기면, 머리를 완전히 뒤로 젖힌 채 끌려 올라온다[그림 5-14(B)]. 그러나 일어나 앉게 되면 머리를 조정하고 흔들리지 않게 하기 위해 노력하게 된다. 기도는 목의 앞쪽에 위치한다. 조직이 다른 신체조직에 비해 급속한 성장을 하므로 흉선이 커지게 된다.

8) 흉부

일반적으로 신생아의 흉부(chest)가 작아 보이는데 비율적으로 머리가 더 크기 때문이다. 아동이 2세 될 무렵에는 흉위가 두위보다 커진다. 흉부의 다른 검사 결과는 다음과 같다.

- 마유(witch's milk) 라고 흔히 불리는 흐리고 묽은 액이 분비되기도 하는 유방울혈(남아와 여아 모두)이 있을 수 있다.
- 흉곽의 모습은 전후방의 직경이 더 넓고 양측이 대칭적이다.
- 쇄골이 일직선이다.

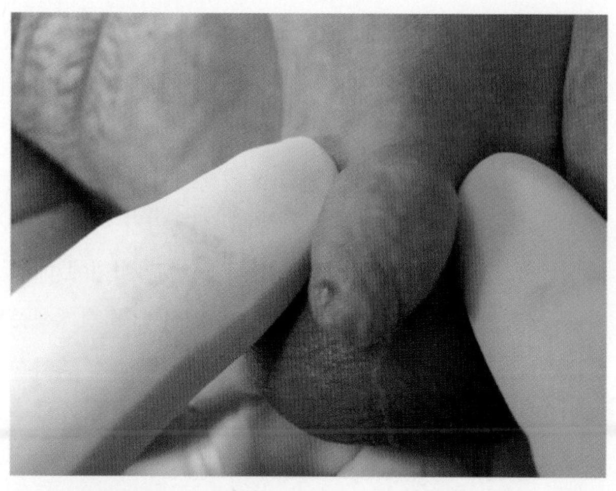

그림 5-15 고환촉진

고환을 촉진할 때 신생아의 서혜부 관을 막는다.

- 호흡은 정상범위 내에서 빠르고(1분에 30~60회), 호흡곤란 증상은 없다.
- 견축이 없다. 신생아의 폐포는 총 용적을 채우는데 24~48시간 이상에 걸쳐 천천히 열리고 신생아는 목뒤에 점액이 계속 있기 때문에 폐음을 들으면 때로 점액을 스쳐 지나는 쉰 듯한 소리가 난다. 신음소리(grunting)는 호흡곤란 증후군을 암시한다. 흡기 시 높고 큰 소리는 천명(stridor)이나 미숙한 기도 발달 상태를 암시한다.

9) 복부

다음은 만삭 복부에서 흔히 보이는 검사결과이다.

- 약간 돌출한 모습이다.
- 출생 후 한 시간 내에 장음이 들린다.
- 보통 오른쪽 늑골 끝의 하부 1~2㎝에서 간의 끝이 촉지된다.
- 신장이 촉지된다(우측 신장이 좌측 신장보다 더 잘 촉지된다).

생후 1시간 동안 제대는 제대정맥과 동맥은 붉고 푸른 줄이 특징인 하얗고 젤라틴 같은 구조로 보인다. 이후 제대는 건조해지고 수축되며 색깔이 변한다. 제대 끝에서 출혈이 없어야 하고 단면은 건조해져야 한다. 2~3일까지는 제대가 까맣게 변한다. 육아조직(granulation tissue) 몇 ㎝만 남기고 6~10일경에 떨어지며 그 다음 주에는 제대 부위가 깨끗해 진다.

10) 항문과 생식기

신생아에게 항문이 열려 있는지 점막으로 덮여져있는지(밀폐항문)를 검사해야 한다. 출생 후 신생아가 태변을 처음 본 시간을 기록한다. 신생아가 첫 24시간 이내에 배변을 하지 않으면 밀폐항문이나 태변으로 인한 태변 장폐색증(meconium ileus)을 의심해야 한다. 항문개폐 여부 검사를 하기 위해 장갑을 끼고 윤활제를 바른 후 손가락 끝을 부드럽게 삽입하도록 한다(항문 체온계로도 가능).

(1) 남아 생식기

대부분 남아의 음낭은 부종과 주름이 있다. 피부색이 검은 신생아는 진하게 착색되어 있을 수 있다. 음낭 내에는 고환이 두 개 다 있어야 한다. 한쪽 또는 양쪽 고환이 다 내려오지 않은 남아(잠복고환, cryptorchidism)는 검사가 필요하다. 고환을 촉진하기 전에 서혜부 한 손으로 눌러서, 고환 촉진 시 음낭 위쪽으로 올라가지 않게 한다[그림 5-15]. 고환거근반사(cremasteric reflex)는 허벅지 안쪽을 문지르면 나타난다. 피부를 문지르면 같은 쪽의 고환이 위쪽으로 움직이는 것이 느껴진다. 이는 척수신경 T8~T10의 통합성을 보는 검사이다. 반응은 생후 10일이 안된 신생아에서는 나타나지 않을 수도 있다. 신생아의 음경은 작고 2㎝ 정도며 요도 상부나 하부가 아닌 귀두의 끝에 요도 개구부가 있다. 포피가 협착되지 않았는지 확실히 하기 위해 검사한다.

(2) 여아 생식기

여아의 음순은 모체 호르몬의 효과 때문에 부종이 있으며 소음순이 대음순보다 더 크다. 일부 신생아는 점액성 질 분비물이나 혈액이 묻어 나오기도 하는데 이를 가성월경(pseudomenstruation)이라고 부른다. 이런 현상은 일과성이므로 자연적으로 사라진다.

11) 등과 사지

신생아의 척추는 요추와 천골에서는 편평해진다. 신생아를 복위로 눕힌 상태에서 등에 돌출이나 만곡이 있는지 척추의 결손이나 굴곡을 촉진하고 척추이분증을 의심할 수 있는 털이 있는지 관찰하며 체간굴곡반사(trunk incurvation reflex)를 검사한다.

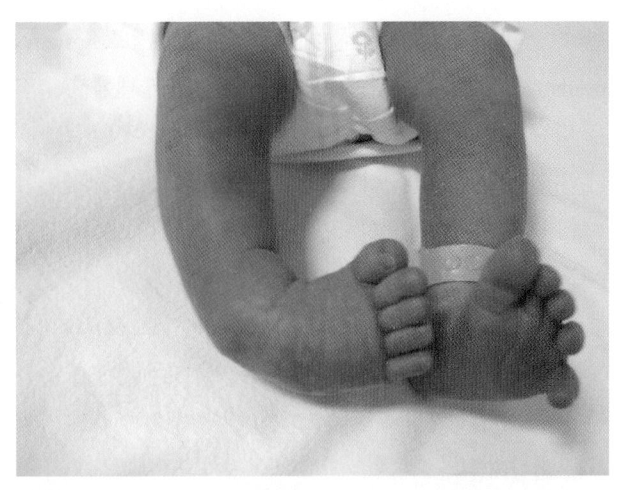

그림 5-16 **선천성 만곡족**

내번족인 신생아

사지는 모양과 움직임 대칭적이어야 하며 근육의 힘은 양측이 동일해야 한다. 신생아의 팔과 다리는 짧다. 손은 포동포동하고 손을 움켜쥐고 있다. 관절운동과 손·발가락의 수와 모양, 손바닥의 선을 검사한다. 손바닥의 선이 횡으로 된 원숭이 손금(simian crease)인 경우 다운증후군(Down syndrome)과 관련이 있다. 합지증(syndactyly)이나 다지증(polydactyly)이 있는 경우 손가락과 발가락 수뿐만 아니라 손톱, 발톱 수도 센다. 또한 양쪽 다리의 길이와 주름의 개수 및 대퇴관절 외전 시 소리가 들리 는지를 관찰하여 탈구 여부를 확인한다. 앙와위로 누운 신생아의 양쪽 다리를 굴곡시켜 외전시키면 다리가 침대에 닿거나 또는 거의 닿을 정도가 된다. 골반 관이 160° 정도의 각도가 안되게 벌어지면 고관절이형성증을 의심할 수도 있다. 다리는 짧고 굽어져 있고 여분의 지방층이 있어서 발바닥은 납작해 보인다. 만삭아는 열십자 모양의 선 발바닥의 약 2/3를 차지할 정도로 많이 있다. 만약 발금이 발바닥의 2/3 미만이거나 아예 없다면, 미숙아임을 추정할 수 있다. 발목은 자유롭게 움직여야 한다. 발을 배측굴곡(dorsiflexion)한 후 한두 번의 연속된 움직임을 보이는 것은 정상이다. 발과 발목의 기형인 선천성 만곡족 여부도 파악 해야 한다[그림 5-16]. 교대로 빠르게 나타나는 수축과 이완은 비정상이며 신경계와 관련이 있음을 암시한다.

확인문제

7. 대체로 출생 후 몇 시간 동안은 신생아의 손과 발이 푸르스름하다. 이것을 무엇이라고 부르는가?

8. 구진에는 어떤 치료가 필요한가?

9. 손가락이나 발가락의 수가 많은 것을 무엇이라고 부르는가?

04 / 재태기간 사정

1) Ballard사정척도

Dubowitz등은 광범위한 범주를 사용하는 재태기간 측정도구를 고안했다. 신생아를 관찰하고 검사한 후 성숙도를 측정하게 된다.

Dubowitz 성숙도는 1970년대에 Ballard에 의해 수정되었고, 1990년대 출생초기 3~4분 내에 완결할 수 있는 사정도구로 다시 수정되었다. 이 사정방법은 신체적 성숙과 신경 근육 성숙도의 2가지 부분을 사정한다[그림 5-17]. 신체적 성숙은 피부 감촉, 색깔, 솜털, 발금, 생식기 및 유방성숙도를 관찰하는 것이다. 신체를 검사해서 [그림 5-17(A)]에 서술된 대로 −1~5점까지 점수를 준다. 이 관찰 점수는 출생 후 즉시 이루어져야 하며 피부 사정은 24시간 후에 이뤄질 경우 신뢰도가 떨어진다. 이 검사의 두 번째 부분은 [그림 5-17(B)]에 제시된 대로 신생아를 관찰하고 자세를 취해본다. 이후 −1~5점의 점수를 부여한다. 신생아의 재태기간을 확인하기 위한 총점을 [그림 5-17(C)]의 측정표와 비교한다. 총점이 5인 신생아는 재태기간이 26주로 나타난다. 10점은 재태기간 28주를 뜻한다. 40은 만삭아나 40주인 신생아에서 나타난다. 성숙도 측정도구를 사용하는 것은 저체중아와 출산일을 잘못 계산해서 미숙아로 알려진 신생아를 구분하는데 도움이 된다. 35주 미만으로 나타난 경우는 세밀한 관찰이 필요하다.

05 / 행동능력의 사정

1) Brazelton 신생아 행동사정 척도

신생아 사정의 중요한 부분으로 행동의 관찰이 포함된다. 신생아의 주요 행동영역은 수면, 각성, 울음과 같은 활동이다. 신생아의 행동을 체계적으로 사정하는 방법 중 하나는 브레즐톤 신생아 행동사정 척도(Brazelton Neonatal Behavioral Assessment Scale, BNBAS)를 이용하는 것이다. 이 방법은 신생아의 습관화와 지남력, 운동수행, 상태의 범위, 상태의 조절, 자율신경계 안정성, 반사 항목에 대한 신경학적 행동반응을 평가하여 초기의 부모-신생아 관계 사정을 위한 상호작용적인 검사 방법으로 특별 훈련이 요구된다.

2) 신생아 애착행동 사정

신생아 사정은 신생아와 가족, 특히 엄마와의 정서적 유대감을 나타내는 행동을 포함한다. 결속(bonding)과 애착(attachment)은 간혹 분리된 현상으로 쓰이나 두 과정을 나타내기 위해서는 상호 교환하여 사용된다. 결속은 일반적으로 신생아에 대한 부모의 유대를 말하며 출생 후 즉시 일어나는 빠른 과정으로 부모로부터 아이에게 가는 일방향성 애정적 유대관계이다. 이에 반해 애착은 신생아가 부모에 대한 유대감이며 신생아기 동안 서서히 형성된다. 이후 엄마와 영아 서로 간에 양방향성으로 애착이 형성되어 상호작용하게 된다. 애착행동에는 부모와 신생아가 마주 보는 자세, 옷을 벗기고 만져보기, 미소짓기, 이야기하기, 안아주기, 흔들고 얼르기 등이 포함된다. 신생아의 신체사정과 더불어 신생아와 부모, 가족 애착과 결속관계에 대한 사정을 하여 신생아와 부모, 가족간의 유대를 증진하도록 도와야 한다. 어머니와 신생아의 첫 접촉은 분만실에서 이루어지며 생후 수 시간 내에 계속 접촉해야 한다. 부모-신생아 결합이 늦어지거나 정상적이지 못한 경우는 미숙아 또는 신생아나 어머니의 질병, 선천성 기형, 가족 내의 갈등 등이 원인일 수 있으며 아기의 발달이나 어머니의 양육능력에 지장을 줄 수 있다. 그러므로 출생 직후부터 부모가 신생아를 인정하고 애착을 가지며 지속적으로 유대관계가 증진될 수 있도록 돕는다. 출생 후 빠른 시간 내에 부모가 신생아를 만나서 안아볼 수 있도록 하며, 모아동

(A)

	-1	0	1	2	3	4	5
피부	끈끈하고, 손상받기 쉬우며, 투명하다.	빨갛고 젤리같으며, 반투명하다.	매끄럽고 분홍색이며, 세정맥이 잘 보인다.	표면의 박리, 정맥이 약간 보인다.	갈라지고, 창백하며, 정맥이 거의 안보인다.	양피지같고 깊은금이 있으며,정맥은 안보인다.	금이 있으며, 주름이 잡힌다.
솜털	없다.	드문드문 있다.	많다.	점차 줄어든다.	없어진 부위가 있다.	대부분 없다.	
발바닥 (발금)	발뒤꿈치→발가락 사이의 거리 40~50㎜: -1 〈40㎜:-2	>50㎜ 발금이 없다.	빨간 흔적만 관찰된다.	앞부분에 횡선만관찰 된다.	앞 2/3부분에 주름들이 관찰된다.	발바닥 전체에서 주름이 관찰된다.	
유방	없다.	거의 없다.	편평한 유륜, 젖꼭지(-)	융기되기 시작, 젖꼭지: 1~2㎜	융기된 유륜, 젖꼭지: 3~4㎜	정상 유륜, 젖꼭지: 5~10㎜	
눈, 귀	안검-융합 살짝 붙음(-1) 꽉 붙음(-2)	안검: 열려 있다. 편평한 귓바퀴, 접힌 상태의 귀	귓바퀴에 약간 굴곡이 생기며 부드럽다. 귀를 접으면 서서히 원상으로 돌아간다.	굴곡이 확실하게 있고 부드럽다. 접으면 쉽게 펴진다.	딱딱하고 형태가 뚜렷하다. 접은즉시 펴진다.	연골이 두꺼워지고, 귀가 딱딱해진다.	
생식기 (남)	음낭이 편평하고 표면이 매끈하다.	음낭이 비어 있고 주름이 거의 없다.	고환은 서혜부에 있고, 주름이 거의 없다.	고환이 내려오며 주름이 약간 생긴다.	고환이 완전히 내려오고, 주름이 확실히 생긴다.	고환이 음낭 아래부분에 있고, 주름이 깊게 생긴다.	
생식기 (여)	음핵이 크며, 소음순은 편평하다.	음핵이 크며, 작은 소음순이 관찰된다.	음핵이 크며, 소음순이 커진다.	소음순 및 대음순이 모두 관찰된다.	대음순이 더 크고 소음순은 작게 보인다.	음핵과 소음순은 대음순에 가려진다.	

(B)

	-1	0	1	2	3	4	5
자세							
각창: 손목 각도	>90°	90°	60°	45°	30°	0°	
팔의 되돌아오기 반응		180	140°~180°	110°~140°	90°~110°	>90°	
오금(슬와) 각도	180°	160°	140°	125°	100°	90°	>90°
스카프 징후							
발뒤꿈치 →귀 시행							

(C)

점수	주
-10	20
-5	22
0	24
5	26
10	28
15	30
20	32
25	34
30	36
35	38
40	40
45	42
50	44

Ballard 채점표의 설명

1. 신경학적 소견

1) 자세(posture)

0	팔과 허리가 뻗치고 있다.
1	엉덩이와 무릎이 약간 굴곡되어 있다.
2	엉덩이와 무릎이 많이 굴곡되어 있다.
3	다리가 굴곡되고 외전되어 있으며, 팔이 약간 굴곡되어 있다.
4	팔과 다리가 완전히 굴곡되어 있다.

2) 각창(square windows, 손목 각도) 팔목에서 손을 굴곡시킨다.

-1	0	1	2	3	4
>90°	90°	60°	45°	30°	0°

3) 팔의 되돌아오기 반응(arm recoil)

0	1	2	3	4
180°	140°~180°	110°~140°	90°~110°	30°

4) 오금(슬와) 각도(popliteal angle)

아기를 바로 눕히고 골반을 진찰대 위에 평평히 놓은 다음 다리를 고관절에서 충분히 굴곡시키고 다리를 펼쳐서 그 각도를 보고 점수를 매긴다.

-1	0	1	2	3	4	5
180°	160°	140°	120°	100°	90°	<90°

5) 스카프 증후(scarf sign)

아기를 반드시 눕히고 아기의 한 손을 다른 쪽 어깨로 가능한 대로 당긴다.

0	아무 저항이 없다.
1	팔꿈치가 다른쪽 전액와선에 도달한다.
2	팔꿈치가 다른쪽 전액와선과 중앙선 사이까지 온다.
3	팔꿈치가 중앙선까지 온다.
4	팔꿈치가 중앙선을 넘는다.

6) 발 뒤꿈치 → 귀(heel to ear)

아기를 바로 눕히고 아기의 다리를 머리쪽으로 너무 무리하지는 말고 가까이 가져간다. 그림에 나타난 것 같이 점수를 매긴다.

2. 진찰 소견

1) 피부: 초기에는 붉은 빛에 윤기가 나고 투명하여 복부에서 정맥을 잘 볼 수 있으나, 만기에 가까울수록 양피지같거나 또는 비늘같이 벗겨져 주름이 많이 잡혀진다.
2) 솜털(lanugo): 20주부터 몸 전체에 나기 시작하여 28주부터는 사라지기 시작하는데, 안면과 흉부의 상부에서부터 없어진다.
3) 발바닥 금(crease): 재태 기간이 증가할수록 많아지고 깊어진다.
4) 유방: 재태 기간이 증가할수록 윤곽이 두드러지고 크기가 커진다.
5) 눈, 귀: 안검이 처음에는 달라붙었다가 떨어진다. 재태기간이 증가할수록 귓바퀴의 모양이 더욱 뚜렷해지며 탄력성이 강해진다.
6) 생식기(♂): 만기에 가까울수록 고환이 음낭에서 만져지며, 음낭이 늘어지고 주름이 지게 된다.
7) 생식기(♀): 음핵과 소음순이 뚜렷하다가 만기에 가까워지면 대음순이 거의 덮게 된다.

그림 5-17 새로운 Ballard 척도(1991)

(A) 신체적 성숙도 (B) 신경근육 성숙도 (C) 점수에 따른 임신주수

실을 할 수 있도록 한다.

아기와 부모의 유대관계증진을 위한 중재는 다음과 같다.

- 출생 직후 간호수행을 한 다음 즉시 부모가 신생아를 보거나 접촉하게 한다.
- 출생 후 1시간 이내에 신생아와 부모가 첫 대면을 하도록 한다.
- 신생아의 행동 즉 기민성, 보는 능력, 강한 흡인, 포유 행동, 목소리에 대한 집중 등을 부모에게 확인시킨다.
- 부모에게 출생한 신생아에 대한 기대감을 표현하게 한다.
- 애착 발달단계를 확인하고 부모역할이 늦어지는지 긍정적 인지 여부를 평가한다.
- 부모와 신생아의 상호작용을 관찰하고 사정한다.
- 부모가 신생아에게 주의집중을 하고 그 중요성을 이해하도록 돕는다.
- 만일 부모와 신생아의 애착에 문제가 있다면 전문가에게 의뢰한다.

Ⅲ 출생 후 신생아 간호

신생아 간호는 열보온 침대나 따뜻하게 가온된 침대, 따뜻하고 부드러운 담요, 산소공급 도구, 소생술 도구, 흡인 도구, 눈간호 도구, 신분 확인용 물품, 신생아 체중계 등의 필요한 도구가 갖추어져 있는 분만실에서 제공된다. 신생아의 신분 확인과 소생술 기구 같은 안전 물품은 특히 중요하다.

01 / 호흡유지

1) 첫 울음 기록

아기가 운다는 것은 호흡을 한다는 것이다. 울음 소리는 후두 앞을 공기가 지나면서 만들어지기 때문이다. 울음이 격렬할수록 신생아는 더 깊고 힘차게 호흡하게 된다. 모든 신생아는 가벼운 산혈증이 있는데 극심하게 울면 이를 유발하는 CO_2를 제거하는 데 도움을 준다. 자궁 내에서 자궁 외 생활로 이환하는 신생아에게 가능한 한 자극을 주지 않기 위해 부드럽게 달래주는 것도 필요하지만 초기 신생아 울음을 완전히 그치도록 만들 필요는 없다. 신생아는 출생 후 무호흡 상태로 1~2분이 지나면 질식(asphyxia)의 위험이 있으므로 생후 30초 이내에 호흡이 이루어져야 한다. 출생 직후 신생아의 발바닥을 자극하거나 등을 문질러서 첫 울음과 동시에 호흡을 유도하며 몸을 싸고 있는 젖은 포를 제거하고 젖어 있는 신생아의 몸을 닦아준다. 울음이 활기차면 구형 주사기(bulb syringe)나 부드럽고 작은 카테터(10~12Fr)로 구강과 비강을 흡인하고, 울음이 약하면 인후 및 기관 흡인을 시행한다[그림 5-18].

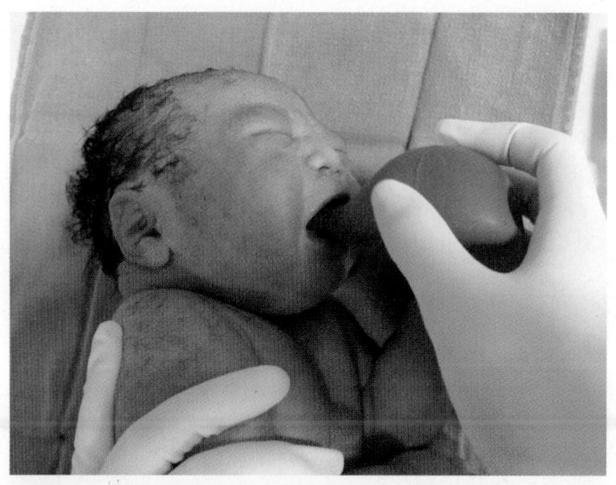

그림 5-18 **bulb suction**

신생아의 비인두로부터 점액을 제거하기 위해 bulb syringe로 흡인한다

02 / 체온유지

신생아의 호흡유지가 확립된 후에는 체온조절이 생존에 있어 가장 중요하다. 출생 시 신생아의 중심체온은 모체보다 0.5~1.0℃ 더 높으나, 출생 후 급격히 체온이 떨어질 수 있다. 주위 온도가 낮으면 체온이 떨어지고 이에 반응하여 기초대사와 산소 요구도가 증가될 수 있으므로 보온과 적정한 온도의 환경을 유지하는 것이 중요하다. 아기 몸은 마른 수건으로 부드럽게 닦아준다. 이는 증발로 인한 체온 손실을 최소화하기 위함이다. 그 후에는 산소 요구도가 증가되지 않도록 담요로 느슨하게 싼다. 열보존을 돕기 위해 몸을

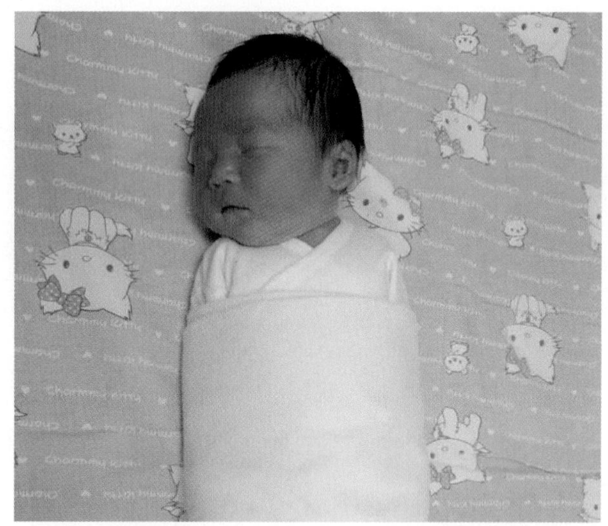

그림 5-19 보온을 위해 몸을 잘 감싼 신생아

잘 감싸고[그림 5-19], 간호행위를 가능한 한 빨리 마치며 찬 공기에 노출되지 않도록 한다.

소생술 같은 치료는 열손실 감소를 위해 열방사 침대 아래에서 수행한다. 신생아의 열손실은 이미 설명한 바와 같이 증발, 복사, 전도, 대류에 의해 발생되므로 이를 예방하는 간호 중재를 시행해야 한다. 특히 증발에 의한 열손실을 예방하기 위해서는 출생 후 젖은 몸을 따뜻한 수건으로 잘 닦아주고 정상 체온으로 유지될 때까지 2~4시간 동안은 목욕을 시키지 않으며 목욕을 시킬 때는 빠른 시간 내에 끝낸다. 또한 기저귀나 포가 젖으면 즉시 교환해 준다. 신생아실 습도는 50~60%를 유지한다.

03 / 목욕

출생 후 첫 목욕은 체온이 안정된 후에 한다. 그러나 출생 시 산모로부터 묻은 혈액과 혈액이 섞인 양수에 의한 HBV, HSV(Herpes simplex virus), HIV의 감염 가능성이 우려될 경우는 보온 환경 하에서 몸에 묻은 혈액과 분비물을 즉시 닦아준다. 다른 요인이 밝혀질 때까지는 잠재적인 오염원으로 간주하고 목욕 후 혈액과 양수가 제거되기 전까지 장갑을 착용한다. 목욕은 신체를 청결하게 할뿐 아니라 신생아의 전신상태 및 행동, 기면상태, 근육활동을 관찰할 수 있는 좋은 기회가 된다. 또한 혈액순환과 수면을 촉진하며 마사지와 운동의 기회를 가질 수 있어 성장 발달을 돕는다. 목욕 중 실내온도는 24~26℃가 적당하며 목욕물은 여름에는 38~40℃, 겨울은 40~42℃의 온도로 팔꿈치 안쪽을 담가봐서 따뜻한 정도로 준비한다. 신생아가 배가 고파 보챌 때나 수유 전후 1시간 동안은 피하도록 하고 체온 저하를 막기 위해 되도록 5~10분 이내에 목욕을 끝내도록 한다. 사용할 물품은 쉽게 사용할 수 있도록 모두 준비하고 기저귀를 확인하여 배변을 한 경우는 목욕물이 오염되지 않도록 미리 깨끗이 닦는다. 목욕은 얼굴, 머리, 상체, 하체 순서로 닦는다. 신생아의 눈은 물을 적신 수건으로 누선의 감염방지를 위해 눈의 안쪽에서 바깥쪽으로 향하여 닦고 생식기는 회음부의 감염 방지를 위해 여아는 생기의 앞쪽에서 뒤쪽으로 닦는다. 태지는 옷에 묻거나 건조되어 저절로 없어지므로 피부가 손상되지 않도록 한 번에 모두 닦지 않는다. 목욕 후 70% 알코올 솜으로 제대 및 제대 절단면과 제대가 닿는 주위까지 소독한다. 제대가 잘 건조되고 있는 상태에서는 소독하지 않아도 된다. 베이비 로션이나 오일, 파우더 등은 피부의 산도를 변화시켜 살균효과를 감소시킬 수 있으므로 꼭 필요한 경우가 아니면 사용하지 않는다.

04 / 영양공급

신생아기는 아기들의 빠른 성장으로 인해 영양학적 요구가 높은 시기이다. 부모는 대개 신생아가 출생하기 전 수유방법을 선택한다. 모유수유가 권장되지만 가족의 상황에 따라 다양한 수유방법이 선택된다.

1) 모유수유

모유수유는 신생아를 위한 최적의 열량원으로 널리 인식되고 있기 때문에 세계보건기구(WHO)와 UNICEF는 '아기에게 친근한 병원' 운동을 벌이고 있다. 이 운동은 모든 병원에 성공적인 모유수유에 도움이 되는 분위기를 형성할 수 있는 10단계를 제시하고 있다. WHO와 UNICEF가 제시하는 단계는 다음과 같다.

산모와 신생아를 관리하는 모든 시설은

1. 의료인을 위한 모유수유 지침을 갖는다 .
2. 모유수유 지침을 실행하기 위하여 의료인을 훈련 시

킨다.

3. 모든 임산부에게 모유수유의 장점과 관리에 관한 정보를 제공한다.
4. 산후 30분 이내에 산모가 수유를 시작할 수 있도록 도와 준다.
5. 아기와 떨어져 있어도 모유수유를 하는 방법과 수유를 유지할 수 있는 방법을 엄마에게 자세히 가르친다.
6. 신생아에게 의학적으로 꼭 필요하지 않는 한 모유 이외의 음식은 주지 않는다 .
7. 모아동실을 실행한다. 하루 24시간 내의 수유모와 신생아를 같이 있게 한다.
8. 아기가 원할 때마다 모유수유를 한다.
9. 모유수유를 하는 아기에게 노리개 젖꼭지, 우유병 등 다른 것은 물리지 않는다 .
10. 모유수유 모임을 만들어 퇴원 후 산모가 참여할 수 있도록 독려한다.

간호사는 모유수유의 이점에 관해 부모에게 교육하고 발생할 수 있는 문제에 대한 안내를 제공하는 중요한 역할을 하게 된다.

(1) 모유수유의 이점

모유수유는 신생아에게 여러 가지 생리적 이점을 제공한다.

- 모유는 면역글로불린 A(IgA, 바이러스와 박테리아를 포함해서 외부 단백의 분자들과 결합하여 신생아의 위장관에서 흡수되는 것을 막아줌)를 분비한다. 락토페린은 모유 내의 철과 결합한 단백질로 병리적인 박테리아의 성장을 방해한다.
- 모유의 라이소자임(lysozyme) 효소는 항체로서의 효과를 높이기 위해 세포막을 용해시킴으로써 박테리아를 매우 활발하게 파괴한다.
- 모유의 백혈구는 흔한 호흡기 감염에 대한 보호역할을 한다. 인터페론(interferon)을 형성하는 대식세포는 바이러스

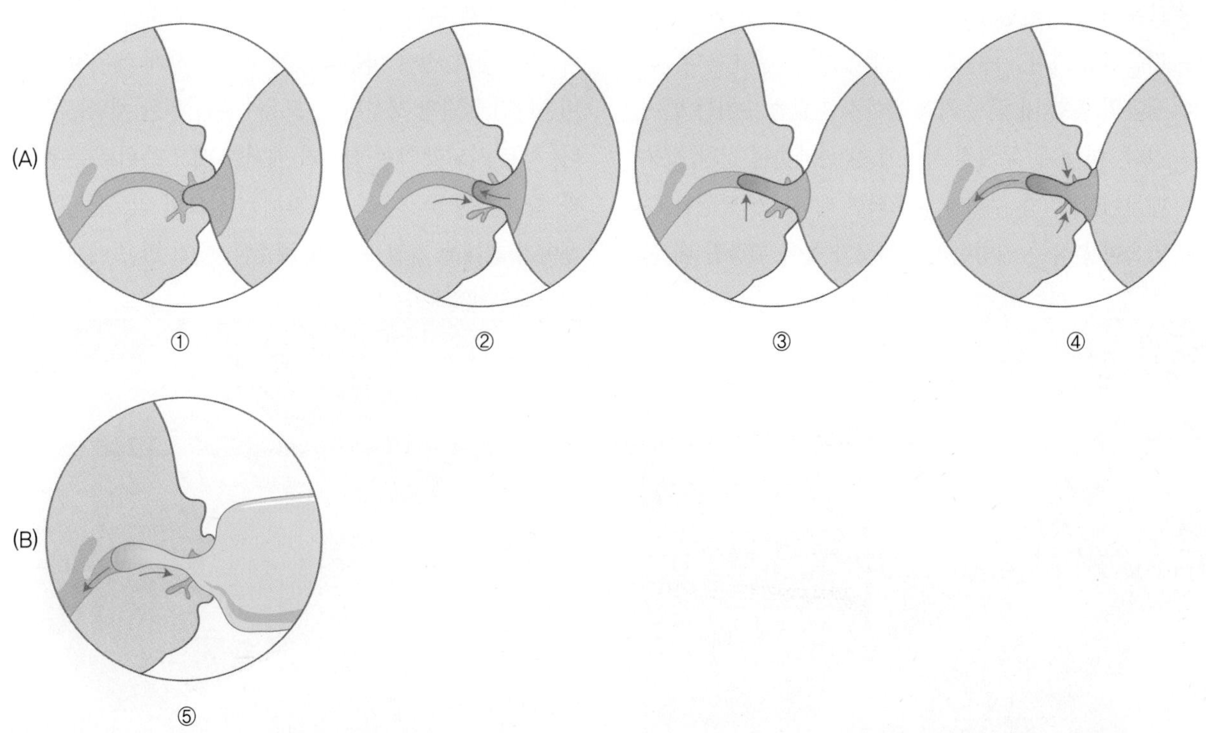

그림 5-20 빨기(sucking) 기전의 차이

(A) 유방. ① 신생아 입이 C 형태로 다물어진다. 뺨 근육이 수축된다. ② 유두와 유륜을 물기 위해 혀를 앞으로 내뻗는다. ③ 혀를 뒤로 잡아당겨 유륜을 입안으로 당기면 유두가 경구개 쪽으로 끌려온다. ④ 잇몸이 유륜을 압박하고, 목뒤로 우유를 짜 넣는다. (B) 젖병수유. 젖병의 큰 고무꼭지가 연구개를 부딪혀 혀의 움직임을 방해한다. 혀가 잇몸 앞으로 이동되어 식도로 과량의 분유가 넘어가지 않도록 조절한다.

성장을 방해한다. 모유 내 유산균은 위장관 내에 병리적 박테리아가 모이는 것을 억제해 설사를 감소시킨다.

- 이런 항감염성 성분 외에도 모유는 신생아 성장을 위한 이상적인 전해질과 무기질 성분을 포함한다. 빠른 뇌 성장을 위해 포도당으로 쉽게 소화되는 유당이 우유보다 모유에 더 많이 함유되어 있다.
- 시스티닌과 메티오닌의 비율(아미노산)도 출생초기의 빠른 뇌 성장에 기여하는 것으로 보인다. 비록 단백질 성분이 우유보다 적지만 모유는 더 쉽게 소화되므로 아기는 실제로 더 많은 단백질을 받게 된다. 모유에는 단백질 외에 다른 복합 성분인 질소가 포함되어 있어서 세포구성 시 도움을 받게 된다. 이로 인해 정신 발달이 더 증진될 수 있다.
- 모유에는 피부를 위한 필수 아미노산인 리놀렌산이 우유보다 더 많이 포함되어 있고 Na, K, Ca은 분유보다 더 적게 포함되어 있으나 신생아가 필요한 만큼의 양이다. 모유는 또한 분유보다 아연과 같은 소량 원소가 균형 있게 들어 있다.
- 모유를 먹는 신생아는 칼슘-인 수준을 조절하는데 어려움이 덜하다. 우유로 된 분유는 인 함량이 높다. 신생아의 혈청 내 인 수치가 높아지면 칼슘 수치는 떨어진다. 이는 두 무기질 사이에 항 존재하는 길항 작용 때문이다. 칼슘 수치가 감소되면 테타니가 발생할 수 있으며 분유는 지방산의 농축도가 높아 위장관 내 칼슘과 결합하여 테타니의 위험이 증가한다.
- 치아의 형성이라는 관점에서도 모유수유의 이점이 많이 논의되었다. 신생아가 모유를 먹을 때와 젖병을 빠는 방식은 다르다. 젖을 빨 때는 혀를 후방으로 잡아 당기고 고무 젖꼭지를 빨 때에는 혀가 전방으로 뻗어나가므로 치아궁 형성 장애가 생길 수 있다. 반면 모유 수유의 단점은 감염, 거대세포바이러스(cyto-megalovirus)와 같은 미세 병원균을 전달할 수 있다는 것이다. 갈락토스혈증 환아도 모유수유를 해서는 안된다.

(2) 모유수유의 시작

모유수유는 출생 후 가능한 빨리 시작해야 한다. 신생아가 분만실에 있고 첫 반응시기 동안에 시작하는 것이 이상적이다. 젖을 빨 때 신생아가 입을 넓게 벌려서 유두와 유륜 즉 유두 주변의 착색된 원형 부분을 무는 것이 중요하다[그림 5-20]. 그래야만 효과적인 빨기가 되며 축적된 양을 완전히 비우게 된다. 추가로 수유할 때는 이전 수유 시 나중에 빨았던 유방을 먼저 빨게 한다. 그러면 양쪽 젖이 수유 시마다 완전하게 비워지게 된다. 모유는 비워지는 만큼 생성된다. 유방을 완전히 비운다면 다시 완벽하게 채워지고 반만 비운다면 절반만 생성된다. 모유수유를 위한 체위는 다양하다. 처음 시도할 때는 산모가 베개를 베고 측위로 누운 자세가 좋다[그림 5-21(A)]. 이 자세는 산모의 피로를 줄고, 신생아가 침대에 기댈 수 있게 해준다. 아기 밑에 베개를 받쳐

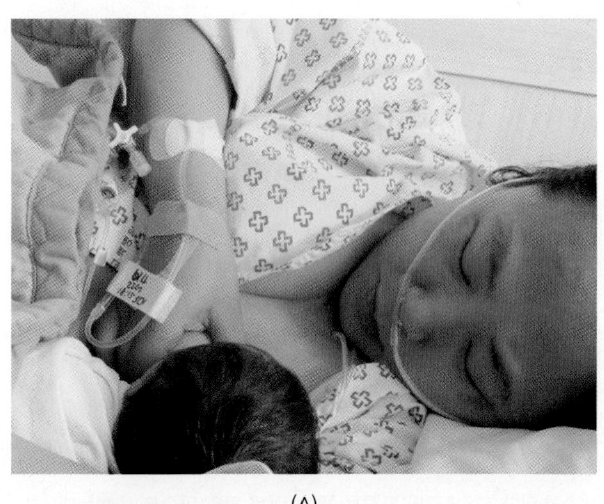

(A)

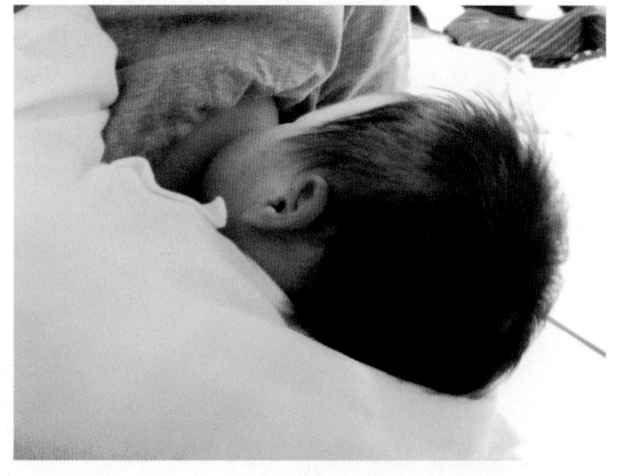

(B)

그림 5-21 수유자세

(A) 측위 자세로 수유하기 (B) 좌위로 수유하기

서 좌위를 취한 자세는[그림 5-21(B)] 베개로 신생아를 지지하여 축구공처럼 안는 것도 유용한 방법이다.

05 / 신생아 황달

신생아의 황달은 신생아가 태어나서 일주일 사이에 가장 많이 관찰되는 흔한 현상이다. 하지만 황달의 수치와 정도에 따라 제대로 치료하지 않으면 심각한 경우 신경계 손상과 관련된 합병증을 유발하기도 한다. 신생아에 있어 황달의 증상은 피부, 공막, 손톱이 노랗게 변하며 혈액 내 빌리루빈 수치가 증가하는 것이다. 빌리루빈 수가 증가함에 따라 황달은 얼굴에서 시작하여, 복부, 발까지 진행된다.

신생아 황달에 있어 생리적 황달, 모유수유 황달, 병리적 황달의 구분은 매우 중요하다. 생리적 황달은 출생 후 24시간 이후에 진행되며 미성숙한 간기능과 적혈구 용혈로 인한 빌리루빈의 증가로 인한 것이다. 그리하여 거의 모든 신생아가 빌리루빈 수치가 상승되지만, 단지 50~60% 정도에서 관찰 가능한 황달 증상을 볼 수 있다. 생리적 황달인 경우는 수유 빈도를 증가시키면서 황달의 진행정도를 살핀다. 이 중 빌리루빈 수치가 유의하게 상승할 경우에만 광선요법을 실시하게 된다.

모유수유 황달은 조기발생형과 후기발생형으로 나뉘게 된다. 조기발생형 모유수유 황달은 어머니가 모유분비가 충분해지기 전에 모유를 수유함으로써 충분한 칼로리가 충족되지 않을 경우 생기게 된다. 그러므로 보통 생후 2~4일 경에 관찰되며 모유수유아의 12~35% 정도에서 발생된다. 신생아는 모유 분비가 충분히 이루어지기 전에 수유함으로써 칼로리와 수분섭취가 부족한 공복상태가 되어 간의 빌리루빈 청소능력이 떨어지며 탈수와 함께 혈중 빌리루빈 농도가 올라가게 된다. 이러한 모유수유 황달은 모유수유의 횟수를 늘리도록 부모를 격려하며 모유수유의 중단은 권고되지 않는다. 조기발생형 모유수유 황달도 역시 빌리루빈 수치가 유의하게 상승되면 광선요법이 필요할 수도 있다. 후기발생형 모유수유 황달은 보통 생후 5~7일 쯤에 시작되어 길게는 3~12주간 지속될 수도 있다. 황달은 직접빌리루빈으로의 전환을 방해하거나 빌리루빈 배설을 감소시키는 모유의 성분(pregnandiol, 지방산, β-glucoruonidase) 때문에 발생된다고 생각된다. 이런 경우 원칙적으로 모유수유 중단은 권고되지 않으나 혈청에서 빌리루빈 수치가 유의하게 높을 경우 모유수유를 일시적(10~12시간)으로 끊고 광선요법을 실시하도록 한다.

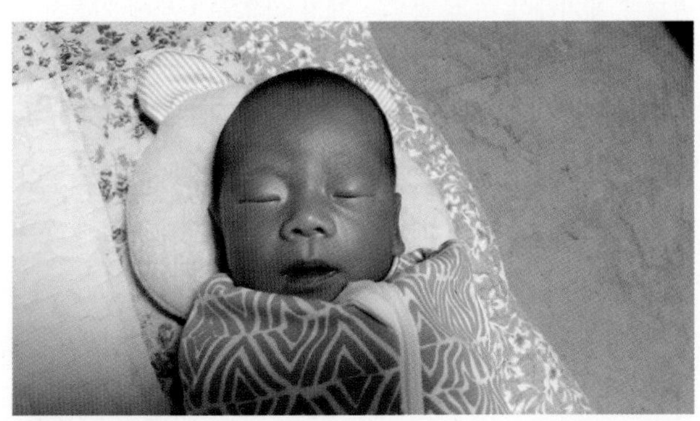

그림 5-22 **신생아 황달**

병리적 황달은 주로 용혈성 질환으로 인한 것이다. 병리적 황달의 특징은 신생아 출생 후 24시간 이내에 증상이 나타나는 것이다. 용혈성 질환으로 인한 병리적 황달은 비정상적으로 적혈구가 빠르게 파괴되는 Rh 부적합증과 ABO 부적합증이 있다. 치료의 목표는 빌리루빈의 수치를 감소시켜 핵황달로의 진행을 맞고 혈액형 부적합증인 경우 용혈과정을 중단시키는 것이다. 간접빌리루빈은 신경에 독성이 크기 때문에 빌리루빈 수치가 위험할 정도로 높아지면 뇌세포에 침착되어 심각한 뇌손상을 일으키는 핵황달(kernicterus)을 유발할 수 있다. 광선요법(phototherapy)이 빌리루빈 수치 감소를 위해 가장 널리 사용되며 교환 수혈은 용혈성 질환에서 매우 높은 수준의 빌리루빈을 감소시킬 때 사용된다[그림 5-22].

06 / 감염예방

1) 눈간호

출생 직후 1시간 이내 임균성 결막염을 예방하기 위해 멸균생리식염수 솜으로 양쪽 눈을 닦아준 후 0.5% erythromycin 또는 1% tetracycline 안용액이나 안연고를 양쪽 눈의 하안검 중앙에 점안한다. Erythromycin연고는 임질균뿐만 아니라 클라미디아균 제거에도 효과가 있다. 누선 감염이 되지 않도록 눈은 안쪽에서 바깥쪽으로 닦아주며 안약병의 입구가 눈에 닿지 않도록 주의한다. 또 교차감염 예방을 위해 가능하면 안

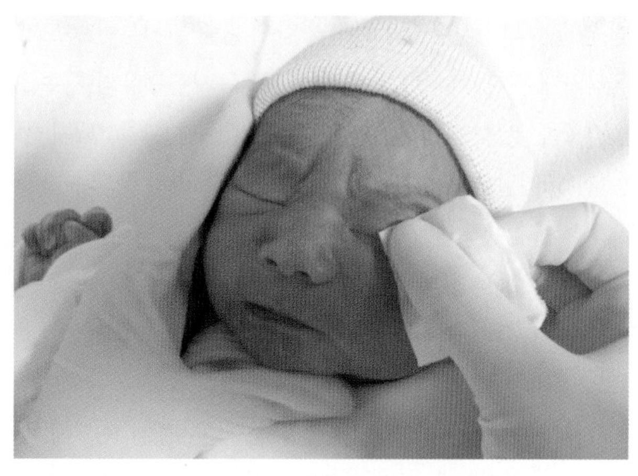

(A)

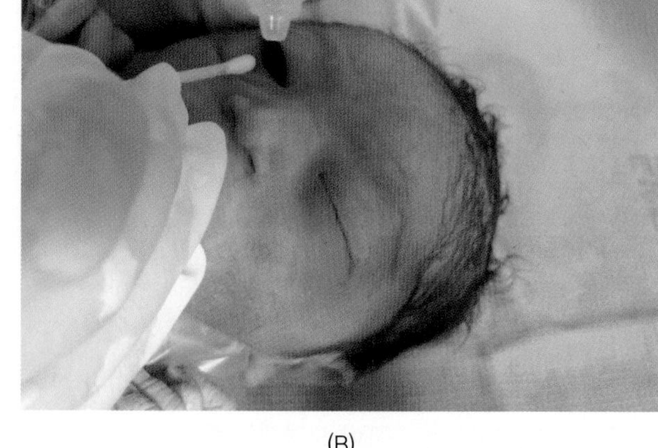

(B)

그림 5-23 눈간호
(A) 안쪽에서 바깥쪽으로 닦아준다. (B) 안약 점적

약병은 각각 개인 것을 사용하고 처치 전후에 반드시 손을 깨끗이 씻는다[그림 5-23].

2) 제대간호

제대는 신생아가 태어난 후에도 태반에서 신생아로의 마지막 혈액 흐름에 의해 잠시 맥박이 뛴다. 켈리 두 개로 신생아 복부에서 20㎝ 정도의 제대를 결찰하고 결찰 부위를 자른다. 신생아 제대는 클램프로 다시 묶어준다. 제대 절단 후 즉시 제대혈관의 수(2개의 제대동맥과 1개의 제대정맥)를 확인한다. 제대는 세균 성장에 좋은 배지가 되므로, 제대가 떨어지는 생후 7~10일경 까지 제대간호가 요구된다. 제대가 탈락되고 깨끗이 아물 때까지는 제대 주위를 깨끗하고 건조하게 유지시키며 출혈 및 감염 증상이 있는지 관찰한다. 제대가 떨어질 때까지 목욕대야에 담가 씻기는 것보다 스폰지 목욕을 해야 한다. 기저귀는 제대 아래쪽에서 접어서 채워주어 기저귀가 젖어도 제대는 젖지 않도록 한다. 제대가 잘 건조되지 않고 습하거나 제대감염의 우려가 있는 경우는 70% 알코올 솜으로 소독한 후 바시트라신(bacitracin) 연고를 바르고 가온기 아래에서 제대 부위를 개방하여 건조시킨다. 제대가 떨어진 후 직경이 약 0.5㎝ 정도 작고 분홍색 육아 부위가 남을 수 있으므로 깨끗하고 건조한 상태로 보존해야 한다. 제대 탈락 후 제대의 일부가 남아있거나 제대 주위에 출혈이나 발적, 부종, 냄새 나는 분비물 등의 감염 증상이 있으면 균 검사 및 처치를 한다[그림 5-24].

3) 일반적인 감염예방지침

신생아마다 각자의 침대가 있어야 한다. 침대 부분에는 기저귀, 저고리, 개인용 목욕용품과 체온계를 위한 저장 공간이 있어야 한다. 기구를 공동으로 사용하면 감염될 수 있기 때문이다. 신생아를 돌보는 직원, 부모, 형제는 아기를 다루기 전에 손과 팔까지 항생제 비누로 완전히 씻어야 한다. 직원은 대개 덧가운이나 신생아실 유니폼을 입어야 한다.

07 / 신생아 안전관리

신생아실의 안전을 위하여 신생아와 부모의 신원확인은 필수이다. 아기의 분만과 함께 간호사는 아기의 출생일, 출생시간, 성별, 엄마이름, 등록번호 등이 적힌 팔찌를 아기의 손목과 발목에 채워야 한다. 만약 주사나 피부손상 등의 이유로 팔찌를 제거해야 하는 경우는 제거 이유를 차트에 기록하고 제거한 팔찌는 차트에 붙여둔 후 새로운 팔찌를 채워야 한다. 팔찌는 방수가 되어 지워지거나 쉽게 찢어지지 않아야 하며 너무 헐겁게 매어 있어 분실되지 않도록 주의해야 한다. 항상 근무 시작 전과 간호 전에는 아기의 차트와 팔찌가 일치 하는지 확인해야 한다. 또한 아기의 유괴를 방지하기 위하여 산모 외에 다른 사람에게는 아기를 건네지 않는 것을 원칙으로 한다. 면회나 퇴원 시 항상 산모의 이름, 신분증을 확인하고 아기를 건네주도록 한다.

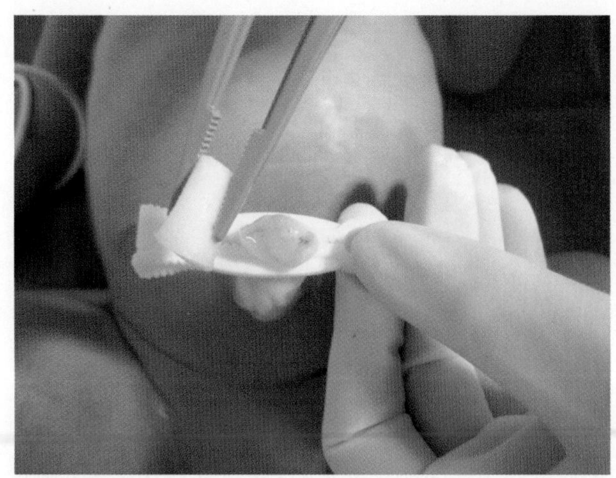

그림 5-24 제대간호

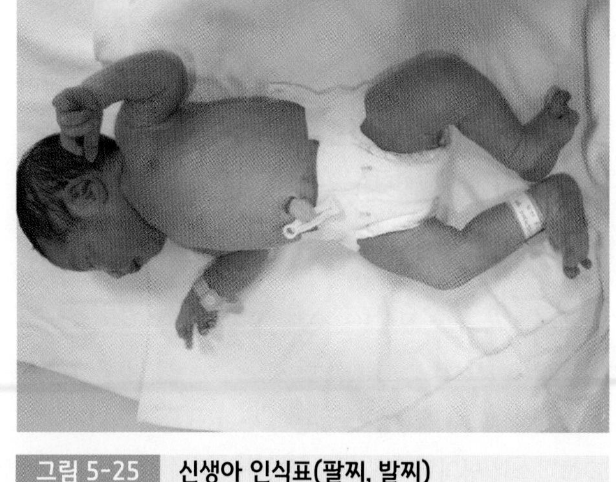

그림 5-25 신생아 인식표(팔찌, 발찌)

또한 신생아는 스스로 상황을 인식하여 움직일 수 없으므로 낙상에 주의해야 한다. 항상 보육기에 있는 아이를 만진 후 문을 닫고 바퀴는 잠궈서 보육기가 움직이지 않도록 한다. 또한 처치 중에 문을 열어 둔 채로 다른 곳으로 가지 않도록 한다. 체중 측정 시에는 되도록 보육기 내에서 실시하도록 하며 밖에서 실시할 경우에는 아기가 떨어지는 것을 막기 위해 한 손을 아기 몸 위에 가까이 올려 낙상을 예방한다. 검사나 목욕을 목적으로 아기를 옮길 경우에도 절대 안아서 옮기지 않고 crib이나 transport incubator로 옮기도록 한다.

그 외에 신생아의 피부 손상을 막기 위해 항상 보육기 온도를 적절하게 유지하며 열기구를 사용할 경우 자주 체온을 측정하고 열에 의한 피부상태를 관찰한다. 또한 목욕 시에도 목욕물의 온도가 41~42℃로 적정한지 확인 후 시행한다. 그리고 간호사의 손톱은 늘 짧게 유지하도록 하며 아기에게 상처를 줄 수 있는 반지, 시계와 같은 악세사리는 피하도록 한다. 피부에 뭔가를 부착할 때는 듀오덤 같은 피부보호 반창고를 사용하여 피부손상을 예방하도록 한다.

1) 신생아 확인과 등록

신생아 신분확인은 중요하다. 드물지만 병원에서도 아기가 유괴될 가능성이 있기 때문에 잠재적 가능성을 항상 인식해야 하며 이런 일이 발생하지 않도록 하고 부모에게도 경고를 해주어야 한다. 신분 확인용 발찌, 팔찌밴드 또는 플라스틱 밴드나 목걸이를 사용한다. 신분확인용 발찌를 부착한 후 동명이인을 구분하기 위해 등록번호와 이름을 확인한다. 출생 직후부터 퇴원할 때까지 신생아가 바뀌지 않도록 팔찌나 발찌를 채우는데 이름표에 기록된 어머니 이름과 출생일시, 성별, 체중, 분만형태 등의 내용이 출생기록지의 내용과 동일한지 확인한다. 이름표에 기록하는 신생아의 이름은 대개 엄마 이름으로 'ㅇㅇㅇ아기'로 기록하게 되는데 특히 동명이인이 있을 경우와 다태아일 경우 분명하게 구분 표기하고 의료인은 물론 부모에게도 알려 양측에서 확인을 잘 하도록 한다[그림 5-25].

08 / 신생아 선별검사

1) 대사이상검사

많은 유전성 질환이 신생아기에 감별될 수 있다. 따라서 치료가 늦으면 후에 치명적인 결과를 초래할 수 있는 여러 유전성, 대사성, 혈액학적 및 내분비질환에 대한 조기 선별검사(screening test)가 필수적이다. 선천성 대사이상 질환은 태어날 때부터 어떤 종류의 효소가 없어, 우유나 음식의 대사산물이 신체에 축척되어 유독작용을 일으켜서 대뇌, 간, 안구 등에 치명적인 손상을 초래하는 것이다. 이런 질환은 신생아기에는 증상이 나타나지 않기 때문에 잘 알 수 없으나 생후 약 6개월부터 여러 증상이 나타나기 시작한다. 그러나 이때부터 치료를 하더라도 손상 받은 뇌세포가 치유되지 않으므로 뇌

기능은 좋아지지 않는다. 생후 7일 이내에 검사를 통해 조기에 발견하여 치료하면 예방할 수 있다.

검사방법은 생후 48시간 이후부터 7일 이내에 발뒤꿈치 외측에서 채혈하여 1차 검사를 실시하고, 검사 결과 이상이 발견되면 다시 정밀검사를 한다. 선천성 대사이상으로 확인되면 질환에 따라 필요한 호르몬이나 특수 조제분유를 섭취하게 하여 정상적으로 성장할 수 있게 한다. 혈액검사를 퇴원 전에 하지 않았다면 부모에게 이 점을 알려주어 추후 외래 방문 시 검사를 받도록 한다. 신생아가 첫 건강검진을 받으러 왔을 때 이 검사를 받았는지 확인한다. 우리나라에서도 보건소와 병의원에서 모든 신생아에 대해 선천성 대사이상 검사 6종(페닐케톤뇨증, 선천성 갑상선 기능저하증, 갈락토즈 혈증, 단풍당뇨, 호모시스틴 뇨증, 선천성 부신 성기증후군)의 검사비가 지원되며, 검사결과 선천성 대사이상 질환으로 진단된 저소득층 가정에 대해 페닐 케톤뇨증의 경우는 특수 조제분유를, 갑상선 기능저하증의 경우는 치료비를 지원한다.

02) 청력 검사

신생아의 청력은 성인과 비슷한 수준이다. 그리하여 큰 소리에 놀라거나 엄마의 목소리를 구별하는 모습을 쉽게 관찰할 수 있다. 하지만 청력 장애가 조기에 발견되지 못하여 6개월 이내에 치료를 받지 못할 경우 언어, 사회적응, 행동 문제 발생이 20~40% 증가한다. 이러한 이유로 미국소아과학회에서는 모든 신생아가 청력검사를 하도록 권유하고 있다. 국내에서도 대한이과학회와 대한청각학회가 주관하여 2010년부터 모든 신생아는 생후 1개월 이내(미숙아의 경우 교정연령 1개월 이내) 청력검사를 받도록 권고하고 있다. 신생아 청력검사는 자동청성뇌간반응(automated auditory brainstem response, AABR), 자동이음향방사(automated evoked otoacoustic emissions, AOAE)가 있다. 청력검사의 결과는 통과(pass) 또는 재검(refer)으로 나타난다. 통과인 경우 검사 당시 신생아가 정상적인 청각능력을 가졌음을 의미한다. 하지만 이후 감염, 지연성 유전성 난청의 발현 등과 같은 여러 가지 요인에 의한 난청이 올 수 있다. 그러므로 통과 했음에도 불구하고 청력위험요인을 가지고 있다면, 적어도 24개월에서 36개월 사이에 청력의 재사정이 이루어져야 한다. 초기 선별검사에서 실패한 신생아의 경우는 다시 한 번 정밀청력검사를 시행하도록 한다.

09 / 비타민 K 투여

신생아는 출혈성 질환을 예방하기 위하여 출생 직후 비타민 K 0.5~1㎎을 외측광근에 근육 주사한다. 비타민 K는 장내 정상 세균에 의해 합성되는데 모유수유를 하게 되어 장에서 비타민 K를 합성하기까지 적어도 3~4일간은 무균 상태이므로 비타민 K가 생성되지 않는다. 비타민 K의 주요 기능은 간에서 프로트롬빈 합성 촉매작용을 하는 것이며 이는 혈액응고에 필수적 이다.

10 / B형 간염예방접종

아동기의 B형 간염 이환과 성인기에 더 심각한 간경화, 간암의 발생률을 감소시키기 위해 신생아는 출생 직후부터 생후 2일 이내에 1차 HBV 백신접종을 해야 한다. 어머니가 HBV 표면항원(HBsAg)이 양성인 경우는 출생 후 12시간 이내에 HBV 백신과 함께 HBIG(hepatitis B immune globulin)을 0.5mL씩 투여한다. 이때 주사 부위는 양쪽 대퇴부의 외측광근에 각각 근육주사한다. 대퇴근육이 둔근에 주사할 때보다 면역반응 효과가 더 우수하다. 어머니가 표면항원이 음성인 미숙아는 퇴원하기 직전에 HBV 백신접종을 하는데 체중이 2㎏ 이상이 되면 접종하고 2㎏ 미만일 경우에는 2개월 후로 연기한다.

11 / 부모-신생아 애착증진 간호

모아동실(rooming-in)은 신생아를 산모가 있는 방에 같이 있게하는 방법으로 장점은 아기와 부모 사이에 결속(bonding)을 좋게 하며 아기 양육에 대해 어머니와 아버지를 같이 교육시킬 수 있고 모유 영양을 하기 쉬우면서 신생아 사이의 교차 감염을 줄일 수 있다는 점이다. 감염의 위험이 있으므로 항상 주의를 요한다.

피부 대 피부 접촉(skin-to-skin contact)인 캥거루케어(kangaroo care)는 아기와의 애착형성에 도움을 준다[그림

5-26]. 부모는 가슴을 쉽게 열 수 있는 옷을 입고 기저귀만 찬 아기를 가슴 위에 올려 직접 피부와 피부가 닿게 하여 아기와의 피부 접촉, 눈 접촉을 유도하는 것이다. 부모와 아기의 피부와 피부가 접촉하게 하는 것은 부모와 아기의 애착형성을 위해 안전하고 효과적인 방법이며 고위험 신생아를 출생한 어머니를 위한 긍정적 효과도 있다. 캥거루케어를 통해 어머니들은 불안 및 산후우울의 감소와 모아 애착관계 증진을 경험한다. 피부접촉의 주요 장점으로는 사망위험 감소와 감염위험 감소, 재원기간 단축, 신생아의 산소포화도 및 체온 유지, 성장 개선의 장점이 있다. 또한 통증 중재의 한 방법으로도 사용된다. 신생아를 돌보는 의료인들은 캥거루케어의 중요성과 방법을 충분히 인지하여 보호자에게 적용해 줄 수 있어야 한다.

 신생아 퇴원교육

분만 후 입원기간이 짧아졌기 때문에 퇴원 시 부모교육은 매우 중요하다. 퇴원 전에 수유를 위한 계획을 점검하고 질문이 있으면 대답해주고 궁금한 사항이 생기면 문의할 수 있는 전화번호를 알려준다. 초산모뿐만 아니라 경산모도 수유나 아기와 가족 간의 통합, 형제 자매의 적응 등에서 지도와 지원이 도움이 된다. 이러한 요구를 사정하고 충족시키기 위해 교육은 분만 전부터 실시되어야 하며 계획은 입원 직후부터 시작해야 한다. 가족이 갖는 걱정은 주로 수유, 어머니의 피로와 우울 , 애착, 신생아 황달, 지나친 신생아의 울음 등이다. 따라서 이런 내용을 퇴원 교육 시 포함시키도록 하며 퇴원 전 부모에게 신생아의 수유양상과 배변횟수, 신생아 황달 정도, 울음 양상 등에 대한 정보를 제공해야한다. 새로운 가족을 위한 전문가의 지지와 지역사회 서비스기관을 통해 병원에서 가정까지 이어져야 한다. 가족중심간호 개념은 가족 예방적인 산전 간호에서부터 신생아의 건강 유지까지 이어지는 일관성 있는 포괄적 간호를 받을 때 달성된다.

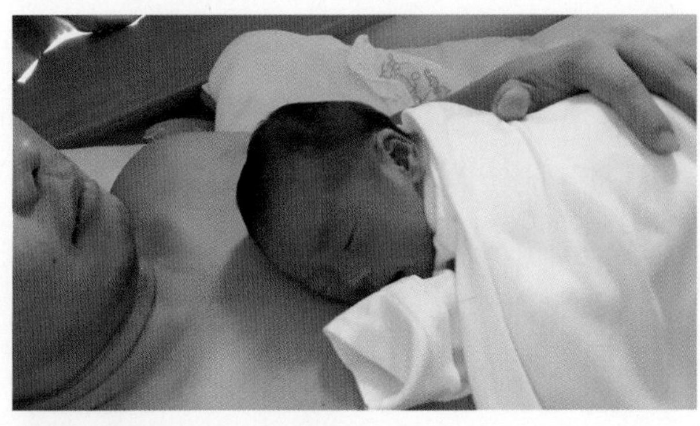

그림 5-26 캥거루 케어

01 / 일상 간호

부모는 자신과 아기를 위해서 가정에서 최적의 일상생활 방식을 결정해야 하지만 정해진 규칙은 없다. 신생아가 목욕을 정해진 시간이나 심지어 매일 목욕을 해야 한다는 원칙도 없다. 아버지가 저녁에 일을 한다면 아기가 한밤중에 깨어서 아버지와 시간을 보내는 것이 중요하기 때문이다. 부모가 신생아 돌보기 계획을 세울 때는 다음과 같은 사항을 지켜야 한다.

- 항상성을 제공한다.
- 신생아에게 만족감을 제공한다.
- 부모에게 아동에 대한 안녕과 만족감을 제공한다.

02 / 호흡양상

일부 부모는 신생아 수면 중에 코가 막힌 듯한 소리를 내며, 코를 골기도 하고 때로는 재채기를 한다고 걱정한다. 코고는 소리는 감기가 아니고 점액에 의한 것일 수 있다. 이는 대부분의 신생아는 생후 2주까지 호흡기 상부와 인두 후방에 점액이 계속 남아있을 수 있기 때문이다. 신생아는 약 한달 동안 호흡이 불규칙할 수 있다.

03 / 수면양상

신생아는 첫 주에 24시간 중 평균 16시간을 잠자며 한번에 평균 4시간을 잔다. 4개월까지 하루 평균 15시간을 자며 한번에 8시간을 자게 된다. 신생아 수유를 위해 한밤중에 일어나야 하는 것은 부모를 매우 지치게 하므로 4개월 전에 신생아가 밤 동안에 자도록 여러 방법을 시도해본다. 호흡기 분비물이나 점액이 한쪽 폐에 고이는 것을 방지하기 위해 수유 후 교대로 체위를 교환하도록 부모를 교육한다. 또한 신생아를 측위나 앙와위로 눕혀서 재우는 것이 중요하다는 것을 부모에게 강조한다. 영아 돌연 사망 증후군(SIDS)은 1세 미만의 신생아가 갑작스럽게 죽음에 이르는 것이다. SIDS의 특정 원인이 밝혀지지 않았지만 신생아를 앙와위로 눕히는 것은 이런 증후군의 발생률을 줄일 수 있다는 보고가 있다.

04 / 울음

대개 신생아는 첫 7주 동안 24시간마다 평균 약 2시간 정도 울며 빈도는 6~7주에 최고로 높아졌다가 점차 감소한다. 대부분의 신생아는 낮에 깨어있는 동안 계속해서 보채는 때가 있는데 초산 부부는 아기가 아픈 것이 아니라 정상이라고 인지할 필요가 있다. 부모는 이렇게 보채는 시기를 목욕이나 놀이 시간으로 이용할 수 있으나 계획을 변경할 수도 있다. 신생아의 신호를 익히고 달래는 방법을 배우는 것이 중요하다.

05 / 기저귀 발진 예방

기저귀 발진은 기저귀를 찬 부위가 빨개지면서 발진이 생기는 피부질환이다. 영아의 약 16% 정도가 경험하는 흔한 피부 질환이며 9~12개월에 가장 증세가 심하다. 일종의 자극 피부염인 기저귀 발진은 감염 또는 알레르기 피부염에 비하여 훨씬 빈번하게 발생하며, 소변과 대변의 지속적 접촉과 자극, 젖은 기저귀와 공기가 통하지 않는 환경, Candida albicans의 감염 등이 원인이다. 기저귀 발진이 생기면 기저귀를 찬 부위의 피부가 붉어지면서 거칠어지고 심하면 진물이 생기고 헐기도 하며 심하면 고름이 잡히기도 한다. 기저귀 발진이 생긴 부위에 곰팡이가 자라게 되면 잘 낫지 않고 오래가며 증상이 더 심해지게 된다.

기저귀 발진의 치료는 첫 번째 피부를 건조하게 유지시키는 것이다. 우선 적어도 2~4시간 간격으로 기저귀를 갈아주며 기저귀를 갈 때 10~15분 정도 피부를 공기에 노출시키는 것이 좋다[그림 5-27]. 천 기저귀 보다는 흡수력이 강한 기저귀가 권장된다. 물티슈를 사용할 경우에는 피부의 자극을 막기 위하여 알콜과 향이 함유되지 않는 것을 사용하는 것이 좋다. 그리고 기저귀 발진 부위를 중성세제나 물로 가볍게 씻는 것이 필요하다. 두 번째는 피부 보호를 위한 연고를 바르는 것이다. zinc oxide, 바셀린은 자극이나 재발성 기저귀 발진으로부터 보호해 준다. 연고를 바른 피부가 더러워지면 오염된 부분만 닦아 주고 가능한 많은 연고를 남겨두며 연고를 제거할 때 비누나 타월로 세게 문지르지 않는다. 기저귀 발진이 심한 경우는 1% hydrocortisone 연고와 같은 약한 스테로이드 제제를 발라준다. 스테로이드 연고는 하루에 한 번 혹은 두 번 정도만 발라줘 부작용을 막도록 한다. 만약 C. albicans로 인한 감염일 경우 국소적인 항진균제 치료가 필요할 수도 있다.

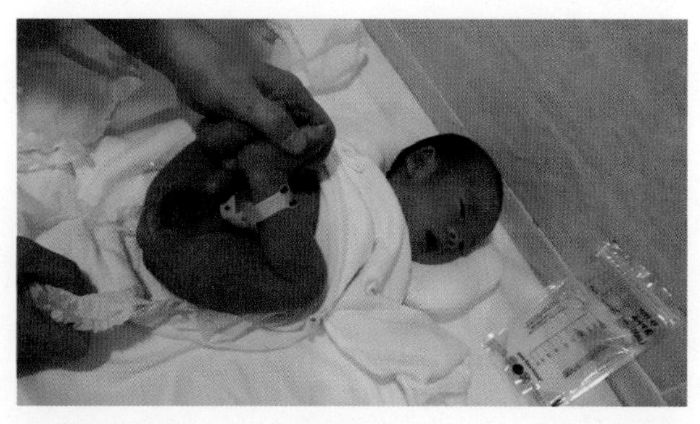

그림 5-27 **기저귀 발진 예방**

간호사례 / 신생아

출생 후 2주가 지난 신생아 김○○ 아기의 엄마는 아기의 엉덩이가 붉고 짓물러 걱정이 된다며 보건소를 방문하였다. 아기를 살펴본 간호사는 다음과 같이 간호진단을 수립하였다.

사 정 : SD:"엉덩이가 너무 붉은 것 같아요. 우리 아기 많이 아프지는 않을지 너무 염려가 되요(김○○ 아기 엄마)."
SD:"제가 뭘 잘못한 것은 아닐까요? 첫 아이라 너무 아는 것이 없어요(김○○ 아기 엄마)."
OD: 기저귀를 착용한 부위에 광범위하게 발진이 관찰됨. 아기의 엄마는 하루에 2번 정도 기저귀를 교환해 주었다고 함. 기저귀 발진 예방에 대한 전반적인 지식이 부족한 것으로 확인됨.

간호진단 : 보호자의 기저귀 발진 예방에 관한 정보 부족과 관련된 피부손상

간호목표 : 김○○ 아기는 일주일 이내 기저귀 발진 부위가 감소한다.

평 가 : 김○○ 아기의 기저귀 발진 부위가 감소하였다.

계획 및 중재
1. 아기의 기저귀 발진 부위를 사정한다. 2. 보호자의 기저귀 발진 예방에 관한 지식 정도를 사정한다. 3. 보호자에게 기저귀 발진의 정의에 대해 설명한다. 4. 보호자에게 기저귀 교환의 중요성에 대해 설명한다. 5. 보호자에게 기저귀 교환 시 엉덩이를 충분히 건조하도록 교육한다. 6. 대소변 흡수가 잘 되는 기저귀를 사용하도록 교육한다. 7. 기저귀 교환 방법에 대해 시범을 보인다. 8. 필요시 처방된 약물을 도포한다.

요 점

※ 신생아기란 신생아가 태어나서부터 생후 1개월까지의 기간으로 신생아가 모체 밖으로 나와 자궁 외 환경에 적응하는 시기로써 신체 각 기관마다 많은 생화화적, 생리적 변화가 일어난다.

※ 신생아의 생존에 필요한 중요한 생리적 변화는 호흡의 개시와 폐를 통한 혈류의 순환 변화, 체온조절 등이다.

※ 신생아의 혈액계, 위장관계, 비뇨기계, 골격계, 내분비계, 피부계, 신경계는 출생 시에 조직구조는 갖추어져 있으나 그 기능은 미숙하다.

※ 호흡을 성립하고 체온을 유지하기 위한 에너지가 필요하기 때문에 신생아는 생후 첫 몇 시간동안 저혈당으로 고생할 수 있다. 떨림(jitterness) 증상이 있고, 혈당이 40~45mg 이하이면 저혈당임을 알 수 있게 된다.

※ 신생아의 출생 후 적응 및 신체발달 상태를 평가하여 비정상적인 상태를 조기에 발견하고 적절한 치료 및 간호를 제공하기 위해 출생 초기와 후기에 신생아 사정을 한다.

※ 신생아기 동안 다양한 반사가 나타나는데 신경기능 상태 평가에 중요하다. 생후 초기에 보이는 비정상적인 징후가 사라졌다가 수개월이나 수년 후에 나타날 수 있으므로 반사의 결손이나 좌우 비대칭, 반사의 지속이나 미약함이 있는지 평가해야 한다.

※ 신생아의 건강증진을 위한 출생 직후 간호는 신생아의 건강사정 의한 우선순위에 따라 호흡 및 체온 유지, 영양 공급, 감염 및 상해 예방, 부모-신생아애착 증진 등을 중심으로 수행한다.

※ 대부분의 신생아 질환이 정상적인 적응과정에 문제가 있어 발생되는데 신생아 질식, 미숙아, 선천성 기형, 출생시 손상 등이 신생아 질환을 일으키는 주요 원인이다.

※ 모유는 항체와 영양분을 제공하기 때문에 모유수유는 신생아 수유로 선호하는 방법이다. 간호사는 부모에게 모유 수유의 장점에 대해 교육시키는 중요한 역할을 한다.

확인문제 정답

1. 심박수, 호흡 능력, 근육긴장도, 자극에 대한 반응, 피부색
2. 대류, 전도, 복사, 증발
3. 냉각수용체 자극, 증가된 $PaCO_2$ 감소된 PaO_2, 증가된 산혈증의 조합
4. 신생아를 앙와위로 안은 후 머리를 2~3cm정도 아래로 떨어뜨린 후 큰소리나 진동을 주어 놀라게 한다.
5. 체중의 5~10%
6. 34~35cm
7. 말단청색증
8. 생후 2~4주경 자연 소실되므로 특한 치료는 필요 없다.
9. 다지증

CHAPTER

06 영아

주요용어

1차 순환반응(primary circular reaction)
2차 계획의 조정(coordination of secondary schema)
2차 순환반응(secondary circular reaction)
8개월 불안(eight-month anxiety)
낙하산 반응(parachute reaction)
낯가림(stranger anxiety)
대상영속성(object permanence)
미세 운동발달(fine motor development)
밀어내는 반사(extrusion reflex)
분리불안(separation anxiety)
사회적 미소(social smile)
산통(colic pain)
신생아기 치아(neonatal teeth)
아기젖병증후군(baby-bottle syndrome)
엄지와 다른 손가락들을 함께 모으는 능력(thumb opposition)
영아돌연사 증후군(sudden infant death syndrome)
전체 운동발달(gross motor development)
출생 시 치아(natal teeth)

학습목표

01 성장 특성을 설명한다.
02 발달 특성을 설명한다.
03 활동과 휴식의 특성을 설명한다.
04 영양과 식습관(고형식이) 교육을 수행한다.
05 안전사고의 예방과 대처 교육을 수행한다.
06 영아기의 흔한 건강문제를 설명한다.
07 치아발달 및 관리에 대해 교육한다.
08 낯가림과 분리불안을 설명한다.
09 영아산통 아동에게 간호과정을 적용한다.
10 영아돌연사 증후군 아동에게 간호과정을 적용한다.

영아기는 출생 후 1개월부터 1년까지를 의미한다.

이 시기는 걷지 못하고 말하지 못하나, 운동 능력의 발달로 점차 독립하는 능력이 형성되며 새로운 환경을 탐색하고 이에 적응하는 시기이다. 영아기는 새로운 환경을 탐색하고 이에 적응하는 시기로, 부모의 입장에서는 아동의 성장발달에 대한 관심과 질문이 많아진다.

I 성장 특성

01 / 신체적 성장

1) 일반적 신체 성장

이 시기는 인간의 어느 시기보다 발달속도가 가장 빠르므로 제1급 성장기라고 불린다 하악골은 뼈가 성장함에 따라 더욱 두드러지게 된다[그림 6-1].

(1) 체중

대부분의 영아는 4~6개월 사이에 체중이 2배가 된다. 첫 6개월 동안 영아는 체중이 매달 0.9㎏증가되며, 이후의 6개월 동안에는 매달 약 0.5㎏정도 증가된다. 따라서 1세에는 체중이 남아는 10㎏, 여아는 9.5㎏ 정도이다.

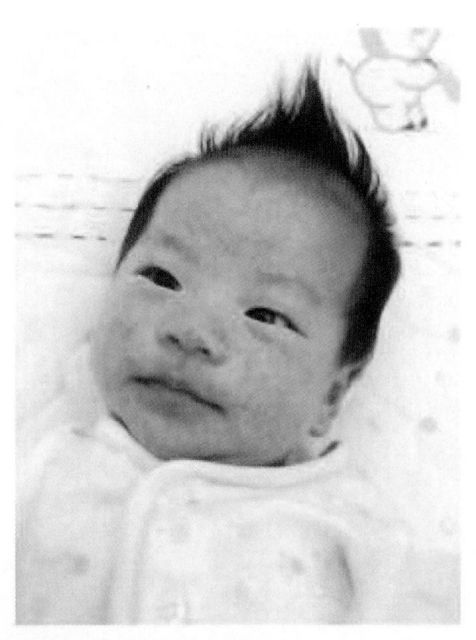

그림 6-1 영아기 초기의 모습

(2) 신장

신장은 영아기동안 약 50%가 증가되어 75㎝ 정도로 성장한다. 첫 1년 중 후기의 6개월동안 다리가 성장하는 것이 더욱 확실해진다. 신장을 정확하게 측정하기 위해서는 영아를 측정판에 앙와위로 눕혀서 구부러진 다리를 펴고 측정한다.

(3) 두위

영아기 동안에는 뇌의 빠른 성장으로 인해 두위도 빠르게 증가한다. 첫 1년에 뇌는 성인 크기의 2/3까지 도달한다.

수면 시 아동은 같은 자세를 유지하므로 옆부분의 두개골이 평편해질 수 있다. 그러므로 잘 때는 영아가 등을 대고 눕고, 놀 때는 복위를 취하도록 부모에게 제안한다.

(4) 흉위

보통 흉위는 출생 시 두위 보다 2㎝ 정도 작다. 배는 유아기까지 돌출된 상태로 남아 있다. 척추의 선은 영아가 머리를 지탱하며 앉아 있거나 걸어 다닐 때 발달된다.

2) 신체 계통

심장박동수는 120~160회/분에서 첫 1년 말에 100~120회/분까지 느려진다.

영아는 2~3개월에 생리적 빈혈이 생길 수 있는데, 이 시기는 많은 태아의 적혈구세포가 파괴되고(적혈구의 수명은 3개월), 새로운 세포가 적절히 교체되는 수만큼 생성되지 않기 때문이다.

영아의 호흡수는 처음 1년 동안 30~60회/분에서 20~30회/분까지 느려진다. 그러나 호흡기계의 내강(관강)은 작은 채로 남아있고, 점액생성이 여전히 비효율적이기 때문에 성인에 비해 호흡기계 감염이 쉽고 심해질 수 있다.

위장계는 점진적으로 성숙된다. 3~4개월까지 밀어내는 반사(extrusion reflex: 음식을 영아의 혀 위에 두면 앞쪽으로 밀어 놓고 입을 다문다)는 어떤 영아의 경우에는 먹는 것을 방해할 수 있다. 영아가 혼자 독립적으로 컵으로 마시는 것은 8~10개월에 할 수 있다.

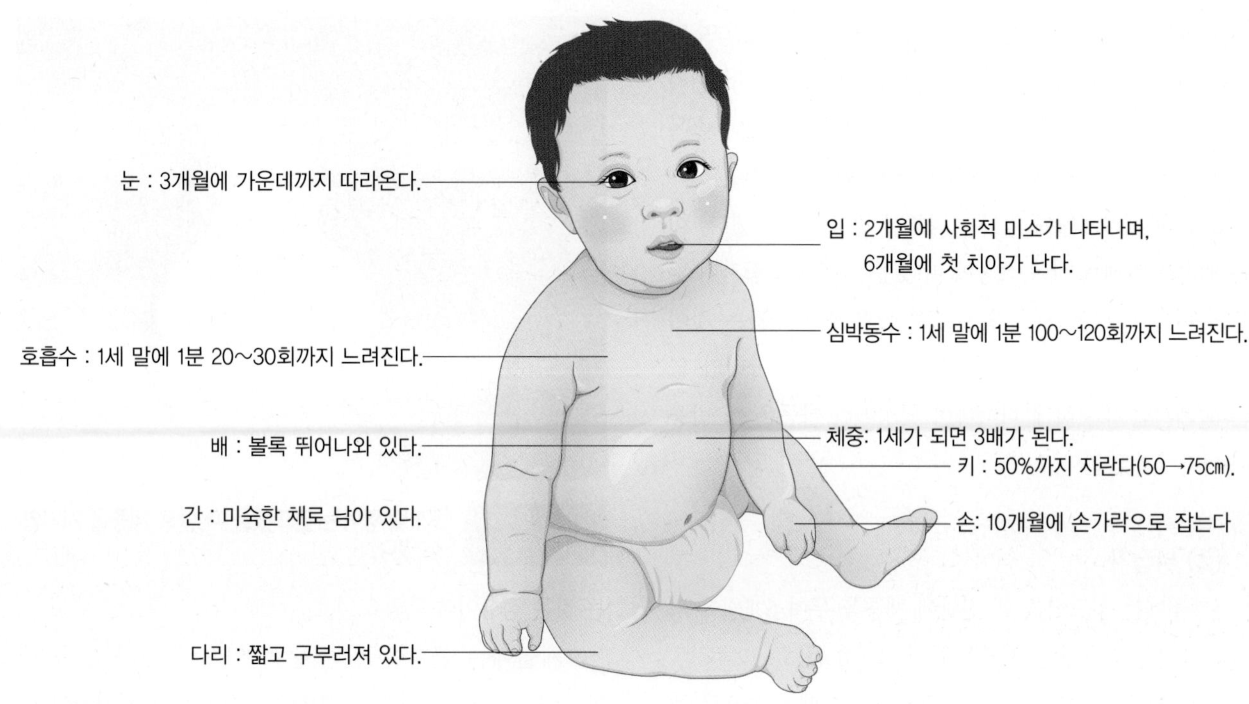

그림 6-2 **전반적인 신체적 특징**

면역체계는 최소한 2개월이면 기능할 수 있다. 영아는 1세 때까지 IgA와 IgM 둘 다를 생산할 수 있다. 다른 면역글로불린(IgA, IgE and IgD)의 수치는 학령전기까지는 높지 않다. 감기에 대한 저항력도 6개월이 되어야 성숙된다.

신장은 미성숙한 채로 남아 있고, 성인처럼 노폐물을 제거하는데 효과적이지 못하다.

체액은 생후 1년까지 세포외액은 영아 체중의 약 35%를 차지하고 세포내액은 대략 40%를 차지하는데, 이는 성인의 20%, 40%와 비교된다. 이러한 차이로 인해 설사나 구토 시 탈수의 가능성이 높아진다[그림 6-2].

확인문제

1. 첫 1년까지의 영아의 정상적인 심장 박동수의 범위는 얼마인가?
2. 영아가 질병으로 인한 탈수의 가능성이 더 높은 이유는 무엇인가?

Ⅱ 발달 특성

01 / 운동발달

보통 영아는 두미(cephalocaudal) 발달과 전체(gross)에서 미세(fine) 운동발달의 원칙을 나타낸다.

운동발달을 사정하기 위해서 영아에게 2가지 중요한 영역 즉, 전체 운동발달(큰 신체운동을 달성하는 능력)과 미세 운동발달을 사정한다. 전체 운동발달은 앉거나 가는 능력으로 판단할 수 있으며 미세 운동발달은 잡는 능력으로 시험해 볼 수 있다.

1) 전체 운동발달

전체 운동발달이란 자세, 균형, 움직임 등의 발달을 의미하며, 머리가누기, 뒤집기, 앉기, 기기, 서기의 순으로 발달한다.

(1) 머리가누기

엎드려 있을 때 신생아는 그 자세에서 고개를 잠시 들지만, 곧 다시 떨어진다. 2개월이 되면 머리를 들고 자세를 유지할 수 있으나 충분히 가슴을 높게 올릴 수 없으며 머리는 아래를 향한다. 4개월이 되면 엎드린 자세에서 머리를 90° 들 수 있으며[그림 6-3] 눕힌자세에서 손이나 손목을 잡고 서서히 일으킬 때 머리가 뒤로 처지지 않는다.

6개월에서 9개월에 영아는 낙하산 반응을 나타낸다. 이는 배쪽을 아래로 하여 공중에 떠 있는 자세에서 갑자기 낮추면 마치 자신을 보호하는 듯이 팔을 신전시키는 것이다. 이 반응은 편측마비가 있는 아동의 경우, 마비가 없는 쪽에서만 뚜렷하게 나타나며 뇌성마비 아동은 이 반응이 나타나지 않는다.

(2) 뒤집기

5개월에는 엎드렸을 때 전완에 체중을 두며 6개월에 영아는 신전된 팔로 손에 체중을 둔다[그림 6-4].

생후 2~3개월에는 몸을 옆으로 뉘였을 때 등쪽으로 뒤집을 수 있다. 4개월에는 앞쪽에서 뒤쪽으로 자세를 바꿀 수 있고 5~6개월이 되면 바닥에 등을 대고 누운 상태에서 엎드린 자세로 뒤집을 수 있다.

(3) 앉기

5개월에는 앉는 자세로 놓았을 때, 등을 곧게 펴는 것을 볼 수 있으며 6개월에는 지지없이 순간적으로 앉을 수 있다. 6개월에 독립적으로 앉는 능력에 한계가 있는 것은 정상이다[그림 6-5].

그림 6-3 4개월이 되면 엎드린 자세에서 머리를 들 수 있다.

그림 6-4 5개월 영아는 엎드렸을 때 팔로 체중을 지지할 수 있다.

7개월에는 균형을 위해 손이 앞으로 나와 있을 때만 혼자 앉을 수 있다. 8개월에는 부가적인 지지없이 안전하게 앉을 수 있는데 이것은 발달상의 큰 사건이다[그림 6-6]. 정신이나 운동 능력이 지체된 영아는 이 시기에 이를 성취할 수 없다. 10개월이 되면 엎드린 자세로 있다가 바로 앉을 수 있다.

(4) 기기

7~8개월에는 '배밀이'라 하여 배가 바닥에 닿은 상태에서 팔을 움직여 기다가 9개월에는 엎드린 자세로 길 수 있다. 몸통이 바닥에 닿지 않고 양손과 무릎을 사용하여 이동하는 것이다.

그림 6-5 영아는 6개월에 앉지만 이런자세를 유지하기 위해서는 지지가 필요하다.

그림 6-6 영아는 8개월에 아무런 지지없이 안전하게 앉을 수 있다

(5) 서기

걷기 반사는 생후 1개월 동안 나타날 수 있다. 선 자세는 영아의 무릎과 엉덩이를 구부러지게 하여 오히려 잘 지지된다.

2개월에도 걷기 반사는 존재하지만 3개월이 되면 걷기 반사는 사라지기 시작한다.

6개월이 되면 영아는 서 있을 때 거의 모든 체중을 지지할 수 있으며 7개월에는 선 자세에서 어른이 영아의 겨드랑이에 손을 넣어 잡고 위로 뛰어오르게 했다가 내려오는 것을 즐거워한다.

9개월이 되면 가구를 붙잡고 설 수 있으며 11개월이 되면 의자, 벽, 낮은 탁자같은 물체를 잡고 걸을 수 있으며 [그림 6-7], 12개월에는 순간적으로는 혼자 설 수 있다[그림 6-8]. 도움이 없이 잘 걷는 것은 13~15개월에야 가능해진다.

그림 6-7 11개월 정도 되면 물체를 잡고 잠시 설 수 있다.

그림 6-8 12개월이 지나면 아동은 혼자 걸을 수 있다.

확인문제

3. 전체적인 운동발달은 무엇으로 평가하는가?

4. 영아가 지지없이 안전하게 앉는 것은 몇 개월에 기대할 수 있는가?

2) 미세 운동발달

미세 운동이란 손이나 손가락등으로 물건을 쥐고 잡고 움직이며 음식을 먹는 운동으로서, 눈과 손의 조정이 요구된다.

1개월에는 파악반사로 강하게 움켜쥐기 때문에 손가락을 펴는 것이 어려우며 3개월에는 그들의 앞에 있는 눈길을 끄는 물체를 잡으려고 애쓰지만 대개 그것을 놓친다.

4개월이 되면 영아는 두 손을 함께 모을 수 있고 자신의 옷을 잡아당기기도 하며 딸랑이를 손에 쥐고 흔든다. Thumb opposition(엄지와 다른 손가락들을 함께 모으는 능력)이 시작되지만, 그 동작은 집어 올리는 것이 아니고, 퍼 올리거나 갈퀴로 긁는 모양이다.

5개월 된 영아는 손 전체로 물체를 움켜쥠으로써 물체를 받아들일 수 있다. 한쪽만 움켜쥐는 것은 그쪽의 반신마비나 운동불능을 암시한다.

6개월에는 움켜쥐는 것에서 두 손으로 물체를 잡을 수 있을 정도로 발전한다[그림 6-9]. 숟가락을 쥐고 스스로 먹기 시작하지만 많이 엎지른다. 모로반사, 파악반사 그리고 긴장성 목반사는 완전히 없어진다. 따라서 이 시기 이후에도 모로반사가 지속되는 것은 신경학적 질환을 암시한다.

7개월에는 장난감을 한 손에서 다른 손으로 옮길 수 있다. 10개월의 획기적인 사건은 엄지와 검지를 함께 사용하여 손가락으로 잡는 능력이다. 이것은 영아가 과자같은 작은 물체를 집을 수 있는 가능성을 보여준다.

12개월 된 영아는 색연필을 이용하여 직선에 가까운 선을 그릴 수 있다.

02 / 정서적 발달

출생 시에는 막연한 흥분 뿐이지만, 3개월에 불쾌와 만족으로 분화되며 6개월에는 불쾌정서가 분노, 혐오, 공포로 발달, 분화된다.

12개월이 되면 불쾌정서에서 분화된 애정과 의기양양이 나타난다. 2개월에는 "사회적 미소"가 나타나는데, 이는 흥미를 가진 사람이 영아에게 고개를 끄떡이고 미소를 지을 때, 영아가 답례로 미소를 짓는 것이다. 이는 사회화 과정의 획기적인 사건이다. 그러나 정신지체나 경련이 있는 아동은 훨씬 후까지도 사회적 미소를 보이지 못한다.

3개월에, 영아는 부모의 얼굴을 보면 쉽게 미소를 지으며 재미있는 얼굴을 보면 크게 웃는다.

4개월에는 자신과 놀아주거나 자신을 재미있게 해 주는 사람이 떠날 때, 영아는 운다. 이 연령에서는 돌봄제공자를 인식하고자 자신의 곁에 있어주는 것을 좋아한다. 5개월에는 자신에게서 물건을 빼앗을 때 불쾌함을 나타내며 6개월에는 주로 그들을 돌보아주는 사람과 낯선 사람 사이의 차이를 알아가며 익숙치 않은 사람에게는 가까이 가지 않으려고 한다.

7개월 영아는 낯선 사람에 대해 두려움을 나타낸다. 아동은 부모에서 떨어질 때 울고, 부모에게 달라붙어 안 떨어지려 하며, 그들 쪽으로 손을 내민다.

낯선 사람에 대한 두려움은 8개월에 절정에 이르는데, 이를 8개월 불안 혹은 낯가림(stranger anxiety)이라고 부른다.

9개월에는 목소리의 변화를 매우 잘 알아챈다. 따라서 꾸짖을 때 목소리를 통해서 자신을 혼낸다는 것을 알고 울음을 떠뜨린다.

12개월에는 대부분 낯선 사람에 대한 낯가림이 완화되어 친숙하지 않은 사람이 접근할 때 반응적이다[그림 6-10].

확인문제

5. 몇 개월이 되면 영아는 손가락을 이용하여 작은 물건을 집어올릴 수 있는가?

6. 영아가 사회적 미소를 보이는 것은 언제인가?

그림 6-9 6~7개월이 되면 영아는 큰 물체를 잡고 이를 조작할 수 있다.

그림 6_10 12개월이 되면 영아는 더이상 공포를 나타내지 않고 상대방에게 반응한다.

03 / 인지 발달

1) 감각운동기

피아제는 영아기를 감각운동기라고 하였는데, 이 시기에는 전체운동과 미세운동을 통한 움직임 및 감각에 의해 세상을 배우기 때문이다.

(1) 1차 순환반응

1~3개월까지로 의도나 목적이 없는 단순행동을 반복하는 것이 특징이다. 이 기간에 아동은 입을 통해 물체를 탐색한다. 이 시기에 영아는 자신이 야기한 행동이 무엇인지를 깨닫지 못한다. 예를 들어 만약 영아가 손으로 침대 위의 모빌을 치면 영아는 여러 색깔의 물체가 움직이는 것을 보고 웃는다. 그러나 손이 움직임의 원인이라는 것을 깨닫지 못하므로 그 모빌을 다시 치려고 시도하지 않는다.

(2) 2차 순환반응

4~6개월까지이며 의도적인 행동을 하는 시기이다. 이 기간에 영아는 자신의 행동이 즐거운 감각을 유발한다는 것을 깨닫는다. 영아는 침대 위의 모빌을 치고 그 움직임을 보고 자신의 손이 움직임을 유발한다는 것을 인식하고 또 다시 모빌을 친다.

그러나 아직 물체의 영구성을 인식하지 못한다. 예를 들어 만약 물체를 영아의 시야에서 담요안으로 숨기면 영아는 그것을 찾지 않는다.

(3) 2차 계획의 조정

8~12개월까지이며 간단한 문제해결이 가능하고 영아의 행동은 목표지향적이다. 장애물이 있을 경우, 목적한 바를 얻기 위해 장애물을 치울 수 있다.

10개월에는 대상 영속성이 발달하여 물체가 시야에서 없어졌다할지라도 여전히 그것이 존재한다는 것을 인식한다. 영아가 영구성의 개념을 인식하면 깍꿍놀이를 할 수 있다. 그들은 부모가 손이나 담요에 일부를 숨겼을 때조차 물체의 존재를 안다. 만약 영아가 높은 의자에서 어떠한 물체를 떨어뜨렸을 때 시야 밖이라 해도 아동은 그것의 존재를 알고 그것을 찾으려 한다. 피아제(1966)는 이러한 인지 발달단계를 2차 계획의 조정이라고 하였다.

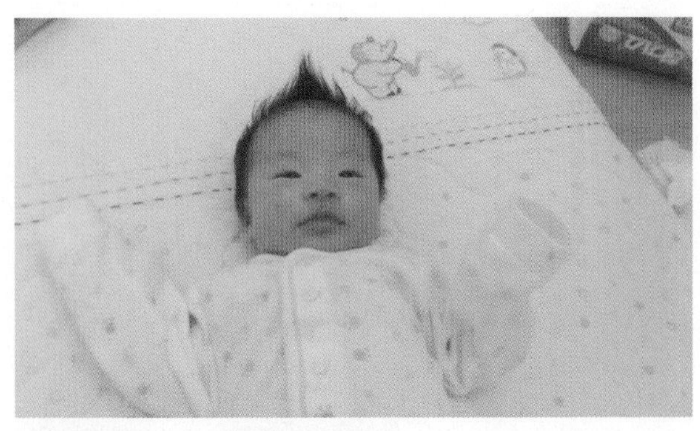

그림 6-11 **1개월의 영아는 물체를 응시할 수 있다.**

확인문제

7. 영아는 언제 전형적으로 낯선 사람에게 불안을 나타내는가?

8. 영아는 언제 까꿍놀이를 시작할 준비가 되는가?

04 / 감각 발달

1) 시각

1개월에는 90° 각도에서 물체를 따라 볼 수 있으며 2개월에는 180° 각도에서 물체를 바라본다[그림 6-11].

4개월에는 자주 보는 우유병 딸랑이나 동물 인형 같은 익숙한 물건을 인식하며 부모의 움직임을 눈으로 열심히 따라다닌다[그림 6-12]. 6개월까지, 아동은 눈을 조정하는데 정상적인 어려움을 경험할 수 있다. 생후 수 개월동안 일시적으로 눈동자가 코를 중심으로 모일 수 있는데(가성사시), 이는 정상으로 고려된다.

7개월 된 아동은 거울에 나타난 자신의 상을 보며 10개월이 되면 물건을 감추어 놓은 수건 밑이나 모퉁이 근처를 본다(물체의 영속성의 시작).

2) 청각

1개월에는 갑작스러운 소리에 대한 놀람반사를 나타냄으로써 청각이 증명된다.

3개월 정도가 되면 소리가 나는 쪽으로 머리를 돌리려고 시도하며, 4개월에는 소리가 나는 쪽으로 돌아서 그 방향을 본다.

그림 6-12 **4개월 정도의 영아는 물건을 인식하고 이를 바라본다.**

6개월에는 자신의 위에서 나는 소리에 집중할 수 있는 능력이 발달된다. 10개월에는 자신의 이름을 인식할 수 있고, 이름을 부르면 정확히 들을 수 있다. 12개월에, 영아는 어느 방향이든 소리가 나는 쪽으로 쉽게 향할 수 있고, 그것을 향해서 몸을 돌릴 수도 있다.

영아는 낯익은 목소리를 구별하고 조금 높은 고음으로 리듬감있게 말하는 소리를 좋아한다. 청력에 장애가 있으면 언어발달에 영향을 미치게 된다.

05 / 언어 발달

다른 발달특성에 부가하여 언어발달 또한 첫 1년 동안에 현저하게 발달한다.

영아는 전 언어의 형식을 취하고 있는데, 이는 언어가 발달되기 이전에 의사전달이나 언어의 연습형식으로 나타내는 행동으로 울음, 옹알이, 몸짓 등을 의미한다. 아동은 울음을 통해 의사소통을 시작하는데, 배가 고플때, 기저귀가 젖었을 때 각기 다른 울음소리를 나타낸다.

3개월에는 웃는 얼굴이나 친근한 목소리에 대해 기쁨으로 반응하며 4개월에는 크게 웃는다.

5개월에는 "오-오", "아-아"의 옹알이를 하며 6개월에는 "와!"같은 말을 모방한다.

9개월에는 대체로 다다, 바바같은 한 단어의 말을 하

며 10개월에는 "안녕" 또는 "안돼" 같은 다른 단어를 익히게 된다.

12개월에는 일반적으로 엄마, 아빠와 같은 두 개의 단어를 말할 수 있다.

언어발달은 개인차가 심하고 여아가 남아보다 빠르다. 영아의 울음이나 몸짓 말에 대해서는 말로 응답해 주면 언어발달이 촉진된다.

확인문제

9. 눈으로 물체를 따라다니고 초점을 맞출 수 있는 능력은 무엇인가?

10. 12개월 아동은 얼마나 많은 단어를 사용할 수 있는가?

06 / 감각자극 증진

1) 시각

아동 출생 후 눈맞춤을 시작하여 시각적으로 감각자극을 제공함으로써 사회화를 증진시킬 수 있다.

영아는 모빌을 즐기고, 침대의 거울을 즐긴다[그림 6-13]. 만약 시각적 자극의 양이 너무 많으면 부모에게 이를 어떻게 배열할지에 대해 고려하도록 한다.

영아가 입원하는 경우라면 병원환경에서 영아가 받는 시각적 자극이 무엇인지 사정하여 적절하게 물체의 종류를 늘리거나 감소시킨다. 아동의 움직임이 제한되면 일정한 시간마다 모빌의 위치를 이동한다. 집에서 가져온 가족사진이나 영아의 형제자매가 그린 그림을 아기침대 주위에 붙여 둘 수도 있다.

2) 청각

영아는 조용한 음악 또는 부드럽게 울리는 목소리를 좋아하는 것처럼 보인다. 그러나 너무 크게 덜그럭거리거나 두들기는 소리에 깜짝 놀라는 반응을 나타낸다. 어머니의 심장소리가 기록된 테이프는 어린 영아를 달랠 수 있으며 가족의 목소리가 담긴 오디오테이프는 그들이 주위에 없을 때 영아를 달랠 수도 있다[그림 6-14]. 부모에게 초기 영아기부터 학령기까지 매일 부모의 음성으로 책을 읽어 주도록 격려하면 아동은 안정감을 느낄뿐 아니라 언어 발달이 매우 촉진된다.

3) 접촉

영아에게는 피부 접촉이 필요하다. 옷은 까칠한 것보다는 부드러운 것이 좋으며 기저귀도 젖은 것보다는 마른 것이 편안하다. 부모에게 영아를 부드럽게 다루도록 교육한다.

미숙아는 보온이 유지되도록 해야 한다. 부모와 아기가 피부를 맞닿는 캥거루식 간호는 영아에게 효과적이다.

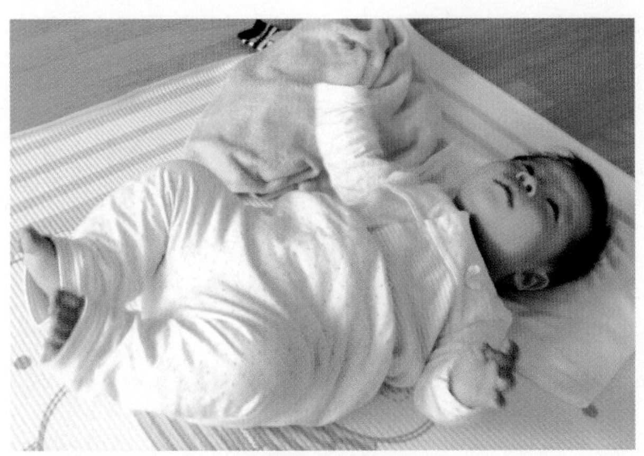

그림 6-13 영아는 모빌 보는 것을 즐긴다.

그림 6-14 영아는 소리가 나는 쪽으로 고개를 돌린다.

4) 맛

영아는 그들이 좋아하지 않는 것을 주었을 때 고개를 돌리거나 뱉음으로써 맛에 대한 감각에 반응한다. 가능한 한 부모에게 영양을 공급하고 신뢰를 촉진하기 위해 이 유식을 만들도록 격려한다.

5) 냄새

출생 후 1~2시간 정도가 되면 냄새를 맡을 수 있다. 영아는 기분 좋은 냄새를 즐기고, 모유의 친근한 냄새를 인생의 초기에 배운다.

확인문제

11. 부모는 아동에게 어떻게 신뢰를 가르쳐 줄 수 있는가?

12. 영아의 어떠한 행동이 영아의 맛에 대한 감각을 나타내는가?

07 / 발달과업의 성취: 신뢰감 대 불신감

Erikson(1986)은 영아기의 발달과업으로 신뢰감을 제시하였다. 영아가 배고픔, 불편함, 애정의 욕구가 있을 때 주 돌봄제공자가 이러한 요구를 즉각적으로 충족시켜 주면 신뢰감이 생기게 된다.

그러나 아동을 돌보는 사람이 아동의 요구를 무시하거나 거칠게 다루고 요구를 충족시켜주지 못한다면 영아는 만족감을 얻지 못하게 되고 불신감이 생기며 높은 자존감을 갖기도 어렵다.

아동의 발달은 순차적이기 때문에 첫 발달과업인 신뢰관계를 형성하는 것이 중요하다. 만약 첫 발달단계가 불충분하다면, 이는 그 이후의 발달단계에 부정적으로 영향을 미치기 때문이다.

아동의 신뢰감 형성에는 아동의 모든 활동 즉, 아침식사, 목욕, 노는 시간, 낮잠, 점심식사, 산책, 평온한 자유시간, 저녁식사, 이야기, 그리고 잠자는 시간이 포함된다.

그림 6-15 영아에게 따뜻한 돌봄은 안전감을 느끼게 한다.

영아기에 안전함을 느끼도록 배우는 것 또한 중요하다. 영아에게 규칙적인 돌봄을 받는 것과 마찬가지로 중요한 것은 한 사람으로부터 돌봄을 풍부하게 받는 것이다 [그림 6-15]. 돌봄을 주는 사람은 엄마, 아빠, 조부모, 친척이나 성실한 양육 제공자 등 어느 누구든 일관된 돌봄을 줄 수 있는 사람이면 된다. 아동이 영아기 동안 사회생활을 하는 어머니는 일관된 돌봄을 제공하는 보육기관이나 아동을 돌보는 사람을 구하려고 노력한다. 이때 어머니는 영아의 규칙적인 일상을 유지하기 위해 돌봄제공자와 아동을 돌보는 방법에 대해 검토해야 한다.

부모는 돌보는 사람이 신뢰감을 제공하기 위해 아동과 적극적이면서도 긍정적으로 상호작용하는 사람인지를 사정해야 한다. 수유하거나 기저귀를 교환하는 동안 아동에게 말을 하지 않거나, 만지거나 쓰다듬지 않는 냉정하고 무관심한 돌봄은 아이와 같이 있는 것이 아니다. 돌봄 제공자에게 아이가 반응하지 않아도 계속해서 자극을 주도록 격려한다. 아동을 돌보는 사람이 아동을 안전하게 돌보고 있는지 감시용 카메라를 장착하여 확인하는 부모가 증가하고 있다.

Ⅲ 활동과 휴식

01 / 놀이

1) 놀이활동

놀이는 모든 형태의 성장과 발달에 기여한다. 영아는 새로운 활동에 싫증이 날 때까지 또는 새로운 기술이 나타날 때까지 놀이를 계속한다.

1개월에는 모빌이 좋은데 모빌은 검정, 흰색이나 밝은 원색으로 아동을 향해 마주보게 있어야 하며 쉽게 움직일 수 있어야 한다. 1개월 된 아동은 대부분의 시간을 부모의 얼굴을 보면서 보내는데 이것은 아동에게 가장 좋은 장난감이 된다.

2개월에는 짧은 시간동안의 빛과 조그만 소리에도 관심을 보이며 영아는 주위 사람을 보는데 많은 시간을 보낸다.

3개월된 아동은 작은 블록을 다룰 수 있으며 5개월에는 플라스틱으로 된 원, 블록, 손으로 꼭 쥘 수 있는 장난감, 소리나는 것과 같은 다양한 물체를 다룰 준비가 되어있다. 그러나 사고 예방을 위해 아동이 삼키지 않을 정도로는 커야 한다.

6개월에는 안정적으로 앉을 수 있으므로 고무로 만든 오리나 플라스틱 배와 같은 목욕용 장난감을 가지고 놀 수 있으며 이가 나기 시작하므로 씹을 수 있는 치아링을 즐긴다[그림 6-16].

그림 6-16 **6개월의 영아는 목욕을 즐긴다.**

8개월에는 감촉의 차이에 민감하므로 그들에게 다른 느낌을 주는 벨벳, 털, 부드럽거나 거칠거칠한 물건 같은 장난감을 즐긴다.

9개월에는 기는 경험을 통해 아동이 방에 있는 물건들을 탐색하는 시기이다.

10개월에는 손이나 옷감으로 얼굴을 가렸다가 보여주는 놀이를 즐긴다. 11개월에는 돌아다니는 것을 배우며[그림 6-17] 12개월에는 용기에서 물건을 안에 넣고 꺼내는 것을 즐긴다.

놀이활동 역시 아동의 신뢰감발달에 도움을 주며 놀이의 형태는 아동의 인지능력의 정도에 의존한다.

2) 의복 착용

영아를 위한 의복은 부드럽고 넉넉하고 세탁하기 쉬우며 단순하게 구성되어 옷을 입고 벗기 쉬워야 한다. 의복으로 인해 아동의 활동에 제한이 있어서는 안되며 기어다니기 시작할 때는 무릎을 보호하기 위해 긴 바지가 필요하다. 걷기 시작하기 전까지는 발바닥이 부드러운 신발이 필요하다.

그림 6-17 **11~12개월의 아동은 돌아다니는 것을 배우게 된다.**

3) 외출

영아 또한 외출하는 것이 이로운데, 이는 신선한 공기를 접촉할 수 있는 기회가 되고 햇빛속의 자외선에 의해 비타민 D가 생성되기 때문이다. 외출시에는 처음에는 3~5분으로 시작하여 점점 시간을 늘려간다. 그러나 햇빛이 강한 오전 10시~오후3시까지는 가능한 외출을 삼가하는 것이 좋다.

외출을 통해 신선한 공기와 여유롭게 걷는 동안 물, 나무, 새, 강아지, 집, 이웃 등에게 이야기하는 것은 아동의 언어 발달에 도움이 된다.

02 / 휴식

1) 수면

수면의 요구와 습관은 영아에 따라 매우 다양하지만, 대개는 밤에 10~12시간을 자고 낮 동안 한 번 또는 여러 번의 낮잠을 잔다. 영아 질식의 위험성을 피하기 위해 영아의 잠자리에는 베개를 두지 않도록 주의를 한다. 또한 침요는 푹신거리지 않아야 하며 등이나 옆으로 눕혀 영아 돌연사증후군의 발생률을 감소시키는 자세를 취하도록 한다. [그림 6-18].

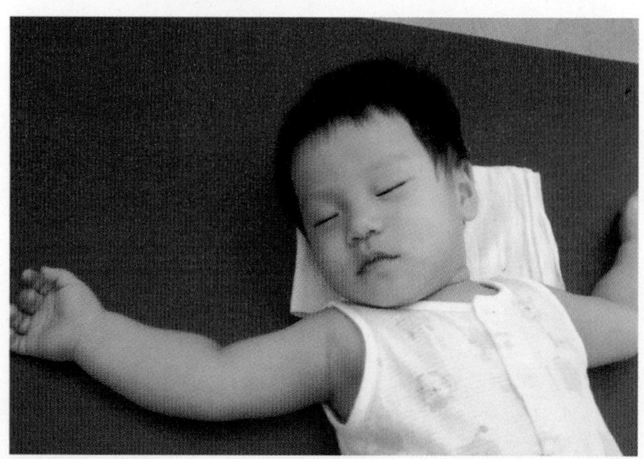

그림 6-18 **영아돌연사 증후군을 예방하기 위해 수면시 적절한 자세를 취한다.**

Ⅳ 영양과 식습관

01 / 영양관리

첫 12개월 동안 영아를 위한 최상의 음식은 모유이다. 모유수유 기간동안 어머니가 적절히 식이를 섭취하고 있다면 영아에게 부가적인 물질은 필요하지 않다.

모유수유는 1년 정도 하는 것이 바람직하다. 아동이 2~3세가 될 때까지 너무 오랫동안 모유수유를 하는 것은 영아에게 영양학적으로 아무런 이득이 되지 못한다.

1) 영아를 위해 추천되는 일일 식이

아동이 성장발달함에 따라 아동의 영양 요구량은 변화하고 다양해진다.

영아기는 제1급 성장기이므로 고단백질, 고칼로리가 요구된다. 칼로리는 출생 시 체중 ㎏당 120이며, 1년 말에는 ㎏당 100으로 감소된다. 계속적으로 칼로리를 과다하게 섭취 시키면 영아는 과체중이 될 수도 있으며, 이는 정상범주의 체중을 유지하는 아동보다 비만한 성인으로 될 가능성이 더 많다. 생의 초기에 과다한 영양은 지방세포의 수를 늘려 지방을 저장하므로 평생을 통해 체중조절이 어려울 수 있다.

가족지지 / 영아에게 개시를 돕는 방법

영아는 약 6개월에 고형식에 대한 준비가 된다.

- 새로운 음식은 한번에 한 개씩 소개하며 또 다른 추가를 위해서는 3~4일 후에 실시함
- 음식은 우유나 모유를 주기 전 영아가 배고플 때 제공함
- 한번에 새로운 음식은 적은 양(1~2수저)만 줌
- 영아의 음식 선호도를 존중한다 : 아동이 새로운 모든 맛을 똑같이 좋아할 것이라는 기대는 하지 않음
- 고형식에 소금과 설탕을 최소한으로 사용함
- 영아의 밀어내기 반사는 4~6개월까지 존재한다는 것을 기억함
- 흡인을 예방하기 위해 음식물을 우유병에 넣지 않음
- 음식을 만지도록 허용함
- 음식먹기를 중단하려고 할 때 중지를 허용함
- 서두르거나 구슬려 먹도록 하지 않음
- "너는 이것을 좋아하게 될거야"같이 긍정적으로 음식을 제공함

2) 밀어내기

밀어내기 반사(extrusion reflex)는 음식이 혀 앞 1/3쪽에 있을 때, 자동적으로 혀를 사용해 입 밖으로 밀어내거나 밀어내는 것이다. 그러므로 영아는 한 숟가락 분량의 음식이 혀에 놓여졌을 때 자동적으로 음식을 밀어낸다. 이 반사는 3~4개월에 사라지는데, 이때까지는 영아가 고형식을 섭취하기 어려울 수 있다.

3) 고형식

대부분의 부모는 영아에게 고형식을 빨리 시작하고 싶어한다.

영아가 4~6개월이 되면 혀의 밀어내기 반사가 감소하고, 젖병수유만으로는 배가 고프므로 반고형식이를 권장한다. 이 시기 전에 고형식이를 시작하면 음식이 완전히 소화되기 어려워 식품알레르기를 유발할 수 있고, 열량의 증가로 인한 영아 비만과 고형식이로 인한 질식의 위험이 있다.

만삭아로 태어난 정상 영아는 6개월까지는 어떤 고형 음식없이도 철분이 함유된 우유 혹은 모유에 의해 잘 성장할 수 있다.

이 시기까지 고형식의 지연은 비만을 예방하며 영아의 신장이 이것을 처리하게 된다. 또한 영아에서 음식 알레르기의 출현을 지연시킬 수 있다. 영아가 생리적으로 밀어내기 반사가 없고 삼키는 반사가 충분히 조절되어 고형식을 질식하지 않고 쉽게 삼킬 수 있을 때, 그리고 위장관이 충분히 성숙되어 알레르기를 유발할 위험이 없이 음식을 먹을 수 있게 되면 고형식을 먹을 준비가 된 것이다[그림 6-19].

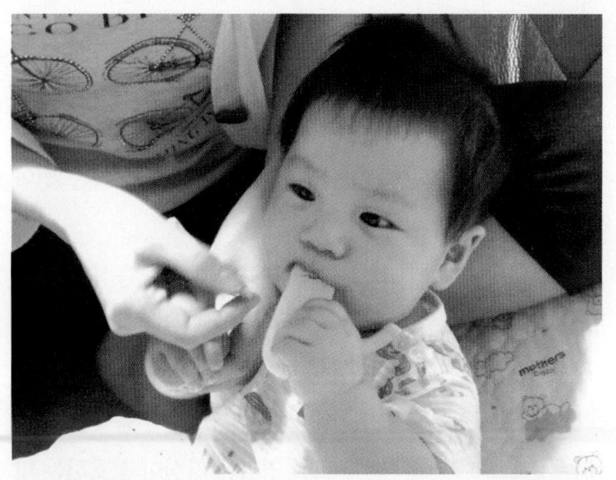

그림 6_19 영아는 6개월이 되면 고형음식을 먹을 준비가 된다.

4) 고형식을 섭취하기 위한 기술

[표 6-1]에서는 고형식이의 소개를 위한 적절한 시기와 방법을 알려주고 있다. 새로운 음식은 한 번에 하나씩 새로운 음식을 줄 것과 그 음식을 또 다른 새로운 음식을 소개하기 1주일 전에 먹도록 부모에게 교육한다. 이러한 방법은 부모에게 어떤 음식이 음식 알레르기를 유발하는지 파악하도록 돕는다. 예를 들어, 만약 토요일에 달걀을 먹기 시작해서 일요일 저녁까지 아동이 숨을 쉬거나 발진이 나타나면 달걀에 대한 알레르기가 있다고 의심할 수 있다. 그러나 2가지 새로운 음식을 토요일에 먹기 시작했다면, 어떤 것이 알레르기의 원인이 되는지 알아내는데 어려울 수 있기 때문이다.

고형식이를 처음 제공할 때는 수유 시와 같이 영아를 부모의 팔에 안겨 섭취하도록 하는 것이 좋다. 이는 생소한 경

표 6-1 고형식이의 소개를 위한 적절한 시기와 방법

연령(개월)	음식	합리적 근거
5~6개월	모유, 오렌지주스 또는 우유에 함유된 철분이 강화된 곡물	철 결핍성 빈혈을 예방: 최소한의 알레르기성 음식, 쉽게 소화되는 음식이다.
7개월	야채	비타민 A의 좋은 공급원이다. 음식에 새로운 맛과 향을 제공한다.
8개월	과일	비타민 C의 가장 좋은 공급원이다. 비타민 A의 좋은 공급원이다. 음식에 새로운 맛과 향을 제공한다.
9개월	고기	단백질, 철분과 비타민 B의 좋은 공급원이다.
10개월	계란 노른자	철분의 좋은 공급원이다.

험을 줄여 주고 고형식의 소개와 관련된 스트레스를 최소화시키기 때문이다. 만약 영아가 고형식을 쉽게 섭취하지 않는다면, 부모에게 며칠 더 기다려보고 다시 시도해 보라고 충고한다. 부모는 고형식을 섭취하는 주위의 다른 영아와 경쟁해서는 안 된다.

밀어내는 반사가 소실된 이후에도 영아는 음식을 뱉어낼지 모르는데, 이는 영아가 액체가 아닌 다른 것을 경험해본 적이 없기 때문이다. 영아는 수유 시와 같은 동작으로 혀로 고형식이를 섭취하려 하는데, 그것이 음식을 뱉어내는 것으로 보일 수 있다. 또한 영아는 자신이 선호하는 맛이 있고, 좋아하지 않는 맛이라면 뱉어낼 수도 있다. 그러한 영아의 신호를 아는 부모는 고형식이에서 아동이 선호하는 맛을 구별해 낼 수 있다.

5) 음식의 유형과 양

아동은 선호도와 욕구에 따라 섭취하는 음식량이 다르다. 영아는 고형 음식을 먹기 시작할 때, 거의 한번에 2TS(30mL) 이상은 섭취하지 않는다.

(1) 곡물

곡물은 영아에게 주는 첫 번째 음식으로 적합하다. 곡물식품을 오렌지주스에 혼합해서 주면 철분이 잘 흡수될 수 있다.

처음에는 주로 쌀로 된 곡물로 시작하는데, 쌀로 만든 음식이 밀이나 옥수수로 만든 것보다 과민반응을 덜 일으키기 때문이다. 곡물은 보통 하루에 2번 준다.

어떤 부모는 우유병에 곡물을 타서 우유와 함께 병 채로 주는데 이러한 행동은 피해야 한다. 그 이유는 첫째, 우유와 곡물식품의 혼합물이 우유병 꼭지로 잘 흘러가게 하려면 큰 구멍을 뚫어야 하는데, 구멍이 너무 클 경우 아동에게 흡인을 일으킬 수 있기 때문이다. 둘째, 이 젖병을 그 후에 곡물을 첨가하지 않은 유동식을 먹일 때 사용하면 흡인의 위험이 매우 크게 되며, 셋째, 이러한 행동은 아동이 숟가락으로 음식을 먹는 것과 다른 음식 맛을 식별하는 학습 기회를 빼앗기 때문이다.

영아 곡물은 적어도 첫 1년 동안 먹이도록 한다.

(2) 야채와 과일

야채는 철분 함유량이 과일보다 더 많기 때문에 두 번째로 첨가되는 음식이다(생후 7개월 무렵). 부모는 가정에서 분쇄기를 준비할 수 있는데 이때 버터나 소금, 설탕을 첨가하지 않는다. 왜냐하면 영아는 생후 1년까지 거의 지방을 소화하기 힘들며, 소금이나 설탕은 필요 없기 때문이다. 만약 준비한 이유식을 가정에서 보관한다면 냉동실의 얼음통을 이용하여 필요시마다 얼음조각을 해동시킬 수 있다. 얼음조각 1개는 약 30cc 혹은 영아 우유병의 1/4 정도의 양이다.

만들어서 파는 이유식을 먹인다면, 병 채로 제공하기보다는 덜어서 접시에 제공한다. 왜냐하면 숟가락이 침샘효소를 영아의 입에서 병 안에 남아있는 음식으로 운반하여 음식을 분해하고 영아의 입에서 병으로 박테리아(주로 연쇄구균)를 옮길 위험성도 갖고 있기 때문이다.

야채는 녹색 야채와 황색 야채를 같이 제공하는데, 야채를 제공할 때는 골고루 제공해야 한다. 부모가 특정야채에 대해 부정적으로 표현하면 아동 역시 그 느낌을 그대로 받아들인다.

과일은 보통 야채 식이를 시작한 한 달쯤 뒤에 제공한다

그림 6-20 야채와 과일을 제공하여 영아가 다양한 맛과 느낌에 노출되도록 돕는다.

(약 생후 8개월). 과일은 아침이나 저녁식사 때 곡물에 첨가해서 줄 수 있다. 야채와 과일을 먹음으로써 아동은 서로 다른 맛과 씹는 느낌에 노출된다[그림 6-20]

(3) 고기와 달걀

고기는 대개 생후 9개월, 달걀은 10개월 때에 먹이기 시작한다. 닭고기는 쇠고기나 돼지고기에 비해 철분이 더 적게 들어있기 때문에 3가지 중 닭고기를 가장 자주 먹이지 말아야 한다. 부모는 달걀 흰자와 노른자의 차이점을 확실히 이해하고 있어야 한다. 달걀에서 노른자는 철분을 함유하고 있고, 흰자는 단백질을 많이 함유하고 있다. 흰자에 있는 단백질은 영아에게 과민반응을 일으키거나, 영아가 소화하기 힘들기 때문에 처음에는 노른자만 주어야 한다. 달걀은 충분히 익혀야 하는데, 살짝 익힌 것은 달걀에 있는 살모넬라균이 완전히 죽지 않기 때문이다.

(4) 식탁 음식

고형음식의 시작과 함께 부모는 아동이 가족과 함께 식탁에서 먹을 수 있도록 준비한다.

어떤 영아는 너무 산만해서 식탁에서 음식을 먹을 수가 없는 경우가 있는데 부모는 이러한 아동은 먼저 먹이고 아동이 가족과 함께 식사하는 식탁에 함께 앉아 좀 더 먹도록 하든지 또는 앉아서 씹을 수 있는 크래커를 먹도록 할 수 있다.

부모는 높은 의자가 아동에게 낙상 사고를 유발할 수 있음을 기억하여 주의를 기울여야 하며, 아동을 혼자 놔두지 않아야 한다.

6) 건강한 식습관 확립하기

영아의 수유에 있어서 일정한 법칙이란 없으며 아동의 발달연령, 아동의 기질, 아동의 식욕에 따라서도 식습관은 달라진다.

대부분의 영아는 배가 고플 때 먹는다. 만약 영아가 먹기를 거부한다면 영아가 이미 많은 양을 먹은 경우일 수도 있다. 하루 동안에 아동이 먹은 음식의 종류와 양을 부모가 기록하도록 하면 영아가 충분한 양을 먹었는지, 부모의 기대가 아동의 연령에 맞지 않게 비현실적이었는지가 명백해진

그림 6-21 스스로 먹는 것은 항상 깨끗한 과정은 아니다.

다.

만약 섭취량이 부적합하면 아동이 까다로운 식습관을 가진 것이며 부모의 식이 제공방법, 시기에 대해 더 조사할 필요가 있다. 예를 들면 처음에 우유를 주고 그 후에 영아식을 주었는지를 물어본다. 영아는 대부분 배고플 때는 새로운 음식을 먹는 경험을 받아들이게 되지만, 배가 부를 때는 그렇지 않다. 아동이 피곤하거나 지나치게 자극을 받은 경우는 잘 먹지 않는다.

부모에게 아동을 강제로 먹이지 않도록 한다. 아동이 식사를 거부하는 것은 피곤하거나, 혼란스럽거나 아마도 아프기 때문이다. 강제로 먹이는 것은 구토를 유발하고 즐겁지 않은 경험이다. 잘 먹지만 잘 자라지 않는 아동은 그 이유를 알아보기 위해 검사를 시행해 보아야 한다.

7) 이유

이유는 영아가 젖병이나 젖으로 양육이 중단되고 컵으로 마시기 시작할 때이다. 이유는 영아가 빠는 것으로부터 오는 구강만족을 포기해야 하기 때문에 외상의 경험이 될 수 있다.

영아는 약 9개월경에 컵에 입을 대어 그 흐름을 적절히 조절할 수 있다. 컵의 사용으로 식사를 점진적으로 대치해 감으로써 이유를 만족하게 성취할 수 있다.

모유나 유동식으로부터 이유를 하기 위해서 하루에 1가지씩 선택해서 음식을 주어야 하는데 잘 적응하기 위해서 아동이 안정되어 있는 하루의 한 때를 선택한다.

8) 스스로 먹기

약 6개월에 영아는 스스로 먹는 데에 흥미를 갖기 시작한다.

그러나 아직 숟가락보다는 손가락으로 먹는데 더 익숙하다. 아동의 근육은 많이 흘리지 않고 숟가락을 사용하여 음식을 먹기에는 충분히 발달해 있지 않다[그림 6-21]. 그러므로 식탁 주위에 깔개를 이용할 수 있다.

만약 아동이 스스로 먹는 것으로 인해서 피곤해하거나 좌절할 때 부모는 즉시 도와주어야 한다.

영아가 더 이상 스스로 음식먹기를 시도하지 않고 음식을 가지고 장난만 친다면 아동이 충분히 먹었다는 것을 의미하므로 음식을 치워야 한다.

확인문제

13. 아동에게는 대부분 몇 개월에 고형식이를 첨가하는가?

14. 영아에게 첫 번째 고형식이로 가장 흔히 무엇을 주는가?

15. 모유수유는 얼마나 오랫동안 지속해야 하는가?

 안전사고 예방과 대처교육

사고는 1개월 이후 아동기 사망원인 1위를 차지한다. 이 시기에 발생하는 사고는 부모가 아동에 대한 감독을 소홀히 하거나 성장발달에 대한 지식이 미흡한 경우가 있으므로 부모가 영아의 발달과정에 민감하도록 하고 영아에 대한 지침을 제공해주어야 한다.

01 / 흡인

이 시기의 아동은 어떠한 물건이나 입에 넣고 빨거나 씹으면서 즐긴다. 모서리가 날카로운 물체보다 둥글거나 원통 모양의 물체가 더 위험하다.

부모에게 영아의 입 안에 들어가는 물건은 무엇이든지 안전하지 않다는 것과 아무 것도 영아 입에 들어가지 않도록 교육시킨다. 또한 부모에게 장식이나 단추가 없는 옷을 사주어야 하고, 장난감은 떨어뜨렸을 때 작은 부분으로 나누어지지 않은 것을 선택해야 한다고 교육시킨다. 만약 영아가 입안에 넣었을 때 장난감이 위험한지를 검사하기 위해서는 화장실 두루마리 휴지의 동그란 공간 안쪽에 물체가 들어가는지를 검사한다. 만약 공간 안쪽에 물체가 들어간다면, 흡인될 수 있는 것으로 해석한다. 고형식을 시작할 때 부모에게 핫도그의 작은 조각이나 치즈, 빵조각 등을 조심해야 한다는 것과 5세 이하 아동에게는 팝콘이나 땅콩을 주면 안된다는 것을 교육한다.

흡인의 위험을 예방하기 위해 영아에게 우유를 먹일 때는 우유병을 기대놓지 않도록 충고한다.

02 / 낙상

낙상은 영아가 구르고 혼자 서고 기어 돌아다님으로써 독립적으로 배회할 수 있는 4개월 이후부터 잘 발생한다. 영아는 침대 가장자리나 식탁 위에서 흔들릴 수 있다. 그러므로 영아가 떨어지지 않도록 주의 깊게 보살펴야 함을 교육한다. 만약 영아가 침대에서 잔다면, 매트리스를 낮게 유지하고 침대 옆의 난간을 올려주도록 한다. 만약 아동이 입원한다면 병원 환경도 안전해야 하므로 침대의 난간은 올려야 하며, 매트리스와 머리 사이에 넓은 공간이 있으면 안된다. 간호사를 호출하는 벨의 코드가 잘 연결되어 있는지도 확인한다.

03 / 차량 안전

가족 구성원 전체에게 영아의 차량 안전을 교육시키는 것이 중요한 예방법이다. 부모에게 자동차를 타고 있는 동안 그들의 무릎에 영아를 앉히지 말아야 한다는 것을 교육한다. 안전의자는 유아기까지 계속 사용해야 함을 강조하고 9㎏이 될 때까지 안전의자를 뒤쪽으로 향하

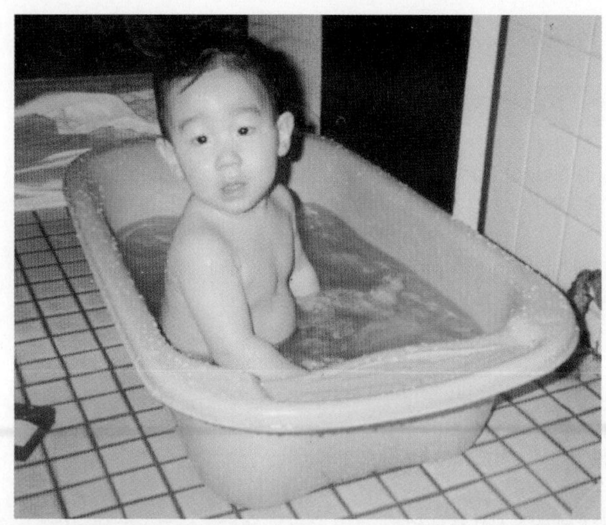

그림 6-22 아동 목욕시에는 항상 익사예방에 대해 주의해야 한다.

게 한다. 이는 안전의자가 운전석 옆에 있고 앞을 향해 있으면 교통사고 시 작동하는 에어백이 영아를 질식시킬 수 있기 때문이다.

04 / 질식

질식은 영아의 코와 입이 막혔을 때 호흡을 방해하므로 발생한다. 또한 빈 냉장고나 밀폐된 구조 안으로 들어가 발생할 수 있다. 침요는 단단한 것을 사용하여 얼굴이 침요에 묻히지 않도록 하며 비닐봉지는 장난감으로 이용하지 않도록 즉시 처리해야 한다.

05 / 익사

익사는 흔히 목욕탕에서 잘 일어나고 10~12개월에 흔하다[그림 6-22].

아동이 등을 잘 지지하게 됨에 따라 많은 부모는 아동을 성인용 욕조에서 목욕시킨다. 그러나 아동은 머리가 다른 신체부위에 비해 크고 무거우므로 아동은 물 표면 아래로 미끄러지기 쉽다. 링 모양의 목욕 의자는 아동이 욕조에서 똑바로 앉아 있도록 도울 수 있는데, 심지어 이러한 상황에서도 아동을 혼자 두어서는 안된다.

어린 영아를 위한 수영 프로그램이 있는데, 이런 경우에도 감독을 소홀히 해서는 안된다. 부모는 영아가 물에서 안전하게 움직이는 능력에 대해 과신한다. 또한 아동은 물에 대한 본능적인 두려움이 없을 수도 있기 때문에 물 주위에 있는 아동도 위험하다. 이러한 연령의 아동은 배변훈련이 잘 되어 있지 않기 때문에 아동 수영 프로그램이 열리는 수영장에는 A형 간염과 같은 바이러스가 퍼져 있을 수도 있다는 점을 기억한다.

06 / 중독

영아는 호기심을 가지고 탐색하고 입으로 빨기 때문에 아동이 독성물질에 노출되지 않도록 하는 것이 중요하다. 중독은 흔히 감독이 소홀한 경우 발생할 수 있으므로 아동의 주위에서 중독을 야기할 수 있는 물품을 치운다.

07 / 화상

영아의 피부는 손상을 받기 쉽지만 피부 온도변화를 민감하게 지각할 수 있는 능력이 없다. 따라서 주위의 뜨거운 물건에 의한 화상으로부터 보호를 하는 것이 중요하다. 끓는 주전자나 증기를 유의해야 하며 전기가 통하는 전선을 빨거나 씹음으로써 입에 화상을 입는 경우도 있다.

08 / 형제

약 3개월쯤 영아는 손위 형제나 자매들과 상호작용 하는 것에 흥미를 가지게 된다. 그러나 부모는 자신이 감독하지 않은 상태에서 손위 형제와 영아만 같이 있게 해서는 안된다. 5세 미만의 형제는 아직 판단력이 미숙하여 영아에게 안전하지 않은 장난감을 제공하거나 너무 거친 놀이에 참여시킬 수도 있기 때문이다. 때로는 몇몇 아동은 영아에 대해 질투하여 영아에게 신체적으로 해를 가할 수도 있다.

09 / 아동보호

약 6개월에 영아가 이가 나기 시작함에 따라 이들은 주위의 물건을 씹기를 원한다. 그러므로 아동장난감이나 아동이 쉽게 접할 수 있는 물건의 안전 여부를 확인해야 한다.

가족지지 / 영아에게 개시를 돕는 방법

잠재적 사고	예방법
흡인	영아가 집을 수 있고 입으로 가져갈 수 있는 물건은 먹기에 안전하던가 또는 입안으로 넣기에는 커야 함. 영아에게 팝콘, 땅콩같은 음식은 쉽게 흡인되기 때문에 먹이지 않아야 함. 파우더 같은 아기용품은 영아의 손이 닿지 않는 곳에 보관함. 파우더는 흡인의 위험이 매우 높다. 만약 부서졌을 때 흡인될 수 있는 작은 부품이 있는 장난감과 노리개 젖꼭지를 감시함
낙상	절대 영아를 침대 또는 쇼파에 혼자 두고 떠나지 않아야 함. 계단 아래나 맨 위에 출입문을 설치함. 영아가 넘어졌을 때 목구멍을 찌를 수 있는 날카로운 물건을 손에 들거나 입에 넣고 걷게 하지 않음 영아용 침대의 난간을 올리고 침대에서 떠나기 전에 난간이 잠겨있는지 확인함. 높은 의자에 둔 채로 아동을 두고 떠나지 않음. 영아용 보행기를 사용하는 것을 피함
자동차	9kg 이하의 영아는 뒷좌석에 영아용 안전 의자를 사용한다. 자동차가 에어백을 장착하고 있다면, 운전자의 옆에 영아용 안전장치를 설치하지 않음. 차량용 안전 의자에 영아를 위치시키는 적절한 기술을 숙지하고, 운전하는 동안 영아에 의해 산만해져서는 안됨. 주차시킨 차에 영아를 혼자 두고 떠나지 않음. 과도한 열로 인해 아동이 탈수되거나, 차의 기어가 움직이거나, 유괴될 수 있음
질식	영아의 근처에 비닐봉지를 두지 않음. 영아용 침대에서 베개를 사용하지 않음. 문이 제거된 냉장고 또는 난로와 같은 사용하지 않는 기구는 창고에 둠. 레일의 간격이 6㎝를 넘지 않는 안전이 승인된 영아용 침대를 구입함. 취침 전에 목에 있는 턱받이 같이 죄는 옷은 제거함
익사	영아를 혼자 욕조에 두거나 감시되지 않은 채로 물 근처(심지어 깨끗한 물이 있는 양동이일지라도)에 두지 않음
동물에게 물림	영아가 낯선 개에게 다가가지 않도록 함. 가정의 애완동물과 노는 것 역시 지켜봄
중독	절대 약물을 사탕이라고 하지 않음. 안전한 뚜껑이 있는 용기의 약물을 구입하고 사용 후 즉시 처리함. 절대 영아가 보는 앞에서 약물을 섭취하지 않음. 모든 약물과 독약은 잠겨진 캐비넷이나 높은 선반에 둠. 절대 약물을 주머니나 핸드백에 두지 않음. 집안의 어떤 곳에도 납이 들어있는 페인트를 사용하지 않음. 벽에 걸어 놓는 식물은 높은 곳에 둠
화상	이유식이나 음식을 먹이기 전에 온기를 시험해 봄(전자레인지로 데운 경우는 특별히 주의를 함). 아동을 돌보고 있는 동안은 흡연을 하거나 뜨거운 음료를 마시지 않음. 6개월 이상의 아동에게는 직접적이든 간접적이든 햇빛에 나갈 때는 썬크림을 사용함. 아동이 태양에 30분 이상 노출되는 것을 제한함. 냄비의 손잡이는 가스레인지에서 뒤로 향하도록 돌려놓음. 가습기는 찬 습기를 사용하며 아동이 가습기에 가까이 가지 않도록 지키며 불이 있는 곳이나 난로의 앞에 스크린을 설치함. 촛불 근처에 있는 영아는 주의 깊게 지킴. 뜨거운 물의 꼭지 근처에 영아를 혼자 두지 않음. 영아가 성냥을 긋게 허락하지 않음. 불이 재미있다는 것을 가르치지 않음. 전기선과 코드는 닿지 않게 유지함. 안전한 플러그가 있는 전기 콘센트로 덮어둠
일반적 사항	항상 영아의 소재를 알고 있어야 함. 사고의 빈도는 부모가 스트레스 상황에 있을 때 증가함을 숙지함. 이때에는 특별한 주의를 함. 영아를 돌보는 사람을 신중히 선택하고 모든 주의를 설명하고 강조함

만약 영아가 거실에서 놀기 시작하면, 부모는 콘센트가 있는 쪽으로 가구를 옮기거나 전기 출구를 막는 보호장구를 구입한다. 영아는 특히 구멍에 매력을 느끼고 그곳을(종종 젖은) 손으로 탐색한다. 계단의 위와 아래는 문을 설치한다.

부모는 바닥의 모든 잠재적인 독성 물질을 제거하고 영아의 손이 닿지 않는 곳에 보관해야 한다. 모든 연령의 영아는 높은 의자, 쇼핑 카트 혹은 유모차에 혼자 두어서는 안된다. 보행기는 매우 위험한데 이는 영아가 계단 가까이로 움직일 수 있기 때문이다. 영아가 기어다니기 시작할 때 부모는 안전을 위해 바닥과 계단을 다시 한 번 점검 한다. 잠재적으로 위험한 물건은 영아의 방에서 모두 치운다.

확인문제

16. 영아에서는 어떤 유형의 사고가 사망자 수를 많이 차지하는가?

17. 언제까지 영아가 요람에서 자는 것이 안전한가?

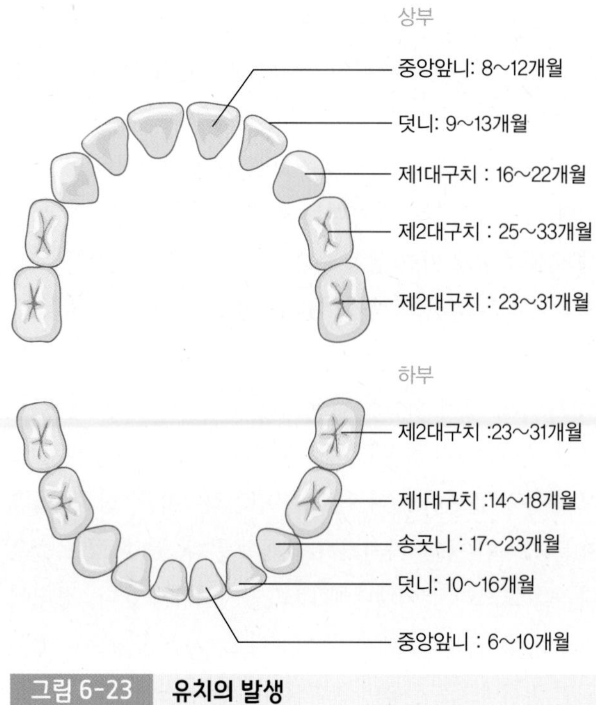

그림 6-23 **유치의 발생**

Ⅵ 영아기의 흔한 건강문제

01 / 치아 발달 및 관리

치아는 보통 6개월에 나기 시작하는데, 이가 나는 양상은 치아에 따라 다양할 수 있다[그림 6-23].

어떤 신생아들은 치아를 가지고 태어나기도 하고(출생 시 치아라고 부른다), 또는 태어나서 4주 안에 치아가 나기도 한다(신생아기 치아라고 부른다). 유치는 6~7세에 영구치가 나기 전까지는 영구치를 대신하기 위해 발달하기 때문에 단단하게 고정되고 없어지지 않는다. 그러나 만약 헐렁하게 붙어있다면 영아가 흡인하기 전에 제거해야 한다.

1) 이가 남

대부분의 아기들은 이가 나는 것에 대해 거의 어려움을 느끼지 않지만 어떤 경우의 아동은 매우 힘들어 한다. 일반적으로 잇몸은 이가 표면을 뚫고 나오기 전에 아프고 민감해지지만, 이가 나오자마자 민감함은 사라진다.

이가 나는 통증 때문에, 아기는 씹는 것을 거부할 수도 있으며 약간 까다로워질 수 있다. 모유수유를 하는 아기는 이가 날때의 통증 때문에 젖을 거부할 수도 있다.

이가 날 때의 통증을 덜어 주는 일반 의약품들이 많이 판매되고 있으나, 약물에는 국소마취제인 벤조카인이 포함되어 있고, 이로 인해 구개반사를 방해하기 때문에 일반적으로 약물 사용을 금지한다. 오히려 냉장고에 넣어둔 고리모양의 물리개는 민감한 잇몸을 진정시키고 시원함을 제공해준다.

이가 나는 아기는 항상 입안에 물건을 넣으려고 한다. 그러므로 부모는 아기 주위에 있는 물건이 먹을 수 있거나 씹기에 안전한 것인지 확인해야 한다.

2) 치아 간호

아동에게 불소를 주는 가장 중요한 시기는 6개월~12세로 0.6ppm의 불소 농도가 권유된다.

아직 발치되기 전이라도 목욕 시 부드러운 목욕수건으로 잇몸을 문지름으로써 양치질을 시작하도록 교육한다. 이를 통해 프라그가 제거되고, 박테리아 수가 감소된다. 치아가 나면, 모든 표면을 부드러운 솔이나 목욕수건으로 하루 1~2회 닦는다. 솔로 문지르면 프라그가 제거되기 때문에 영아에게 치약사용은 필요하지 않다.

첫 치아 검진은 2세반에 유치가 완성되는 시기까지는 해야 하며, 그 이후에는 매 6개월마다 시행한다.

02 / 낯가림과 분리불안

낯가림은 낯선 사람이 나타났을 때 일어나는 현상이며, 분리불안은 양육자와 떨어질 때 나타나는 현상이다.

낯가림(stranger anxiety)은 8개월에 절정에 이르며 분리불안(separation anxiety)은 약 12개월에 나타나는데, 이 시기는 대상영속성이 발달하기 때문이다. 분리불안은 15~18개월에 가장 심하며, 2세가 지나면 사라지기 시작한다.

분리불안은 영아가 양육자가 다시 돌아올 것이라는 것을 이해하지 못하기 때문에 나타난다. 그러나 시간이 지나고 분리가 반복되어 영아가 분리에 대처하는 인지능력이 생기게 되면 이 행동은 더 이상 일어나지 않는다. 8개월 영아는 다른 것을 구분하는 것, 특히 낯선 사람과 친숙한 사람이 같이 있을 때 구분하는 능력이 빨리 일어난다. 영아는 성장하므로 이 시점에서 양육자가 낯선 사람을 꼭 구별하게 할 필요는 없다.

전형적으로 영아는 위축되거나, 찌푸리거나, 울먹이거나, 울거나, 남에게 의존하는 것으로 낯가림과 분리불안을 표현한다. 분리불안은 영아가 익숙하지 않은 장소나, 익숙하지 않은 사람과 혼자 있을 경우 더 잘 나타난다. 낯가림은 낯선 사람의 접근방식이 영아의 반응에 영향을 미친다. 영아는 낯선 사람이 갑자기 손을 뻗거나, 영아를 안을 때 불안을 느낀다. 시간이 지남에 따라 영아가 낯선 사람에 대해 적응하면 보통 불안을 덜 느낀다. 양육자의 반응형태가 영아에게 확신을 줄 수도 있고, 불안을 더 증가시킬 수도 있다.

출생 후부터 계속된 어머니와의 상호작용을 통해, 어머니에 대해 신뢰감을 형성한 영아는 어머니가 떠나는 것에 대해 울음을 통해 불편함을 표현 하지만, 어머니가 사라진 후 다른 사람에 의해 어렵지 않게 달래진다. 따라서 안정적인 애착아가 경험하는 분리불안의 강도는 그리 크지 않다. 반면, 어머니와 애착 관계에서 신뢰감을 제대로 형성하지 못한 영아의 경우는 심한 분리불안을 나타내기 쉽다. 분리불안을 영아 애착의 질과 관련시켜 설명하기도 하는데 이 시기에 영아가 원하는 만큼 충분한 사랑과 관심을 어머니에게서 받지 못하면 어머니에 대신하여 담요나 헝겊인형 등에 집착하기도 한다. 물론, 분리불안을 어머니와의 신뢰감 형성이라는 차원에서만 설명하는 데는 무리가 있을 수도 있다. 낯가림의 경우와 마찬가지로, 부모와 거의 분리된 경험이 없었던 영아는 부모와 헤어지는 데 어려움을 겪을 수 밖에 없다. 따라서 영아 초기부터 부모는 잠시 동안이라도 자녀와 분리되는 경험을 가짐으로써, 영아가 지나치게 심한 분리불안을 갖지 않도록 할 수 있다.

03 / 산통

산통(Colic Pain)은 3개월 이하의 영아에서 일반적으로 나타나는 발작성 복통이다. 영아는 크게 울고 복부 쪽으로 다리를 끌어올린다. 영아의 얼굴은 붉어지고 홍조를 띄며 손을 꽉 쥐고 복부긴장을 보인다. 만약 우유병을 제공하면, 영아는 몇 분 동안 마치 굶은 것처럼 강하게 빨다가 장에 동통이 발생하면 멈추게 된다.

1) 원인

산통의 원인은 불명확하다. 그것은 과다 섭취의 경우, 수유 동안 너무 많은 공기를 삼켰을 경우 또는 탄수화물이 너무 많은 우유를 섭취했을 경우, 민감한 영아에게 일어날 수 있다. 인공수유아는 수유하는 동안 공기를 더 마시기 때문에 모유 수유로 자란 영아 보다 산통이 더 잘 발생된다.

산통은 너무 급하게 먹거나(rapid feeding), 과식, 수유할 때, 공기를 많이 삼켰을 때, 눕히는 자세와 트림기술의 부적절, 모아 간의 정신적 긴장 등으로 인해 초래될 수 있다. 또한 우유알러지 증상의 일부일 수도 있으며, 부모의 흡연도 산통과 관련이 있다. 울음은 간헐적이지만, 한 번 울면 30분~2시간 동안 자지러지게 계속 운다. 울 때의 모습은 다리를 오므려서 아랫배에 대고 자지러지게 운다. 장내에 가스가 축적되어 위에서 소리가 나고, 가스가 밖으로 배출되면 일시적으로 산통이 완화되기도 한다.

2) 사정

장 폐색이나 감염은 산통의 발작과 비슷할 수 있기 때문에 산통 증상을 보이는 영아의 완전한 건강력을 통해 사정해야 한다. 문제가 발생한 기간과 그것의 빈도(보통 3시간 동안 지속되고 매주 적어도 3일 일어났는가)를 질문한다. 발작(만약 그것이 수유 후에 일어났을 수도 있다)바로 전에 무슨 일이 있었는지 설명하고, 발작 모습과 증상과 연관이 있는지 질문한다.

산통에서 장 운동은 정상이기 때문에 장 운동의 형태와 횟수를 기록한다. 변비, 혈착, 리본모양의 대변, 그리고 대변 안에 혈액이나 점액의 존재는 복잡한 문제를 암시한다.

영아의 수유 양상을 파악한다(모유수유와 인공수유 여부). 만약 인공수유라면, 수유의 형태와 준비 방법에 대해 질문한다. 영아의 수유 방법과 수유 후 영아를 적절히 트림시키는지 여부를 알아보아야 한다. 영아를 흔들리지 않게 고정시키고 올바른 자세로 안고 있을 때 공기가 나오는가? 모유수유를 하는 아기는 어머니의 식이(가스를 형성하는 물질은 피한다)를 바꾸어 산통의 기간을 감소시키거나 제한할 수 있다. 그것은 모우수유를 하는 영아와 인공수유를 하는 영아에게 적은 양과 빈번한 수유를 하게 하여 팽만과 불편감을 감소시켜 도움을 줄 수 있다. 인공젖꼭지를 주어 편안하게 할 수 있다.

3) 치료적 관리

영아가 산통에도 불구하고 잘 자란다 할지라도 상태를 사소한 것으로 생각하면 안 된다. 그것은 영아가 단지 급성 통증을 나타내는 것뿐만 아니라 대부분 한밤중에 가족의 누구도 적절한 휴식을 취할 수 없는 두려운 고통의 시간을 주기 때문에 부모에게는 고통스럽고 두려운 문제이다.

이것은 아동-부모 관계의 시작을 어렵게 할 수 있으며, 부모로서의 역할을 즐기고 영아에게 간호를 제공하게 하는 것을 어렵게 할 수 있다.

몇몇 사람들은 영아를 편안하게 해 주기 위해 영아의 복부에 뜨거운 물주머니를 놓는다. 그러나 이것은 삼가야 한다. 복부의 불편 시 기본적인 원칙은 충수돌기염이 발견된 경우에 열을 피하는 것이다. 이것은 영아가 너무 어리기 때문에 일어나지 않을 것처럼 보인다. 그러나 부모는 일단 열요법을 사용하면 아동이 더 나이를 먹었을 때 다시 그러한 방법을 사용할 수 있음을 기억해야 한다. 뜨거운 물주머니와 열 패드는 영아의 예민한 피부에 화상을 입힐 수 있기 때문에 사용하지 않는다.

영아가 빨 때 비닐 백이 함몰되는 형태의 일회용 젖병으로 바꿔줌으로써 공기를 삼키는 양이 최소가 되도록 도와줄 수 있다. 차에 영아를 태우는 것은 아동의 산통을 줄이는데 도움을 준다고 종종 보고되고 있으며, 심장 소리와 유사한 소리를 내는 뮤직박스 제품 또한 도움을 줄 수 있다.

때때로 simethicone과 같은, 가스 생산 억제제는 발작을 경감 시키고 부모와 아동 둘 다에게 약간의 휴식을 제공한다. 부모에게 과용을 피하기 위해 어떤 약을 주기 전에 그들의 일차 건강관리 제공자에게 확인하도록 한다. 그것은 산통을 가족 문제나 그 밖에 위험한 순환이 서서히 시작될 것으로 생각하게 하기 때문에 중요하다. 영아는 울고 부모는 긴장되며 자신감이 없다. 영아는 긴장감을 느끼고 더 심한 산통으로 발전된다. 부모의 스트레스 수준을 낮추기 위해 영아를 돌보는 시간을 경감시킬 수 있도록 돕는다.

대부분의 영아에서, 산통은 약 3개월에 신기하게도 나타나지 않는다. 아마도 그것은 음식의 소화가 쉽게 되고, 이 시기에 가스 형성이 덜 되어 영아의 자세가 더 곧게 유지되기 때문이라고 생각된다.

04 / 영아돌연사 증후군

영아돌연사 증후군(Sudden infant death syndrome: SIDS)은 갑작스럽고 예상치 못한 영아와 신생아 사망이다. 청소년(10대) 어머니의 영아, 이전 임신과 간격이 짧은 신생아, 저체중아, 미숙아에서 더 많이 발생하는 경향이 있다. 또한 미숙아, 쌍둥이, 형제 중에 영아돌연사 증후군이 있는 영아, 경제수준이 낮은 가정의 흑인 아기, 약물 중독 어머니의 아기뿐만 아니라 기관지 폐이형성증(BPD) 영아 또한 영아 돌연사 증후군에 취약하다. 발생률이 가장 높은 시기는 생후 2주에서 1세 사이이다.

비록 영아돌연사 증후군의 원인이 불분명 하지만 원인에 대한 몇 가지 학설이 있다. 감염, 저산소증, 허혈, 유전자 이상과 같은 원인으로 뇌간부 특히 각성 중추가 출생 전부터 이상을 가지고 있다가 출생 후 저산소증, 고이산화탄소혈증을 일으키는 요인이 발생했을 때 충분히 반응하지 못하고, 무호흡이 계속되다가 심정지가 일어난다. 또한 엎드려 재우는 체위와 관련이 있다는 보고가 있다 엎드려 재우는 체위는 구강인두 폐쇄를 일으킬 위험이 있고, 머리를 옆으로 돌리기 어려우며, 질식 위험과 이산화탄소를 재호흡할 위험이 증가되어 영아돌연사의 원인이 될 수 있다. 원인은 분명하지 않지만, 부검 결과에서 폐부종, 흉곽 내 출혈, 상기도와 폐의 염증성 침윤 등과 같은 병리적 소견이 나타난다. 부적절한 산전간호, 임신 전후나 출산 후 흡연에 노출되었던 영아가 그렇지 않은 경우보다 영아돌연사 위험이 4배나 높다. 그 외에는 낮은 경제수준, 저체중아, 쌍둥이, 나이 어린 산모의 아기, 남아에게서 더 자주 발생하고, 겨울에 많이 발생한다.

원인을 알 수 없는 지속되는 무호흡 외에도 몇가지 가능한 관련요인을 정리하면 다음과 같다.

- 바이러스성 호흡기계 감염이나 보툴리즘(botulism) 감염
- 유전성 호흡양상
- 폐포의 계면활성제 부족의 가능성
- 수면 시 측위나 앙와위 보다는 복위 체위

대개 영향을 받은 영아(SIDS 영아)의 영양 상태는 양호하다. 부모는 영아가 약간의 코감기 증상이 있었다고 보고한다. 밤에 혹은 낮잠을 자기 위해 침대에 눕힌 뒤 몇 시간 후에 사망이 발견되며 부검결과 침대보에 출혈이 발견되지만, 이는 사망으로 인해 발생한 것으로 사망의 원인은 아닌 것으로 생각된다. 부검결과 폐의 점상 출혈과 호흡기계에 약간의 염증과 울혈을 보인다. 그러나 이런 증상이 갑작스런 사망을 야기시킬 만큼 심각하지는 않다.

미국 소아과 학회가 아기를 앙와위나 측위로 재우도록 권장한 후로, 영아돌연사 증후군의 발생률이 현저히 감소되었다.

영아돌연사 증후군은 생후 1년동안의 주된 사망 원인으로, 생후 1개월 미만에서는 드물고, 2~4개월에 증가하였다가 그 이후 감소한다. 95%에서 6개월 미만 영아에게서 발생한다.

갑자기 발생한 상황으로 인하여 부모는 아기의 죽음을 받아 들이는데 힘든 시간을 보낸다. 아동에 관한 이야기를 할 때, 부모들이 마치 죽음을 인지하지 못한 듯이 종종 과거와 현재 시제로 말을 한다.

영아돌연사 증후군으로 영아를 상실한 부모는 여러 가지 위기에 대처해야 한다. 모든 가족 구성원은 영아의 예상하지 못한 갑작스러운 죽음으로 심한 스트레스를 경험하므로 지지적 간호를 제공한다. 아동의 죽음에 대한 초기 반응은 극심한 쇼크반응으로 인한 혼돈을 포함한다. 심한 분노가 나타나기도 하며, 많은 부모가 강렬한 슬픔과 함께 오심, 복통, 현기증과 같은 신체 증상을 경험한다. 가족 구성원은 죄책감을 느끼고, 자기를 비난하거나 다른 가족 구성원의 탓으로 책임을 전가하기도 한다.

표 6-2 영아돌연사 증후군 예방 간호

- 복위로 재우지 않는다. (엎드려 자는 아기가 바로 누워 자는 아기보다 3배 이상 돌연사 빈도가 높은 것으로 알려져 영아를 똑바로 눕혀서 재우도록 권장하고 있다.)
- 너무 부드럽고 푹신한 침구를 사용하지 않는다.
- 아기를 너무 덥게 감싸지 않는다.
- 임신 중 또는 출산 후에 흡연하지 않는다.
- 아기가 잘 때 방에서 떠나지 않는다.
- 무호흡 모니터 부착 시 심폐소생술을 배운다.
- 지역사회와 가정간호센터와 연계해서 도움을 받는다

영아돌연사 증후군 모임을 통하여 부모를 지지하고, 부모가 경험하는 느낌이 혼자만의 것이 아님을 이해하도록 도와준다. 영아돌연사 증후군 모임은 원인을 규명할지도 모른다는 희망에 SIDS로 사망한 모든 아기들은 의무적으로 부검을 해야 한다고 제안한다. 부검보고서는 가능한 한 빨리 부모에게도 보내져야 한다(만약 약물중독 검사가 부검에 포함되어 있다면, 수 주 후에야 결과가 나올 수 있다).

아동이 원인을 알 수 없는 이유로 사망했다는 결과를 통해 부모는 자신의 잘못으로 아동이 죽은 것이 아니라고 스스로 위안할 수 있다.

다른 아기를 가질 계획이 있고 사망한 아동에게 형이나 언니같은 윗형제가 있다면 부모에게는 둘째 아이가 사망한 후 몇 개월 동안 큰 아동을 돌보아 줄 도움이 필요하다. 자주 SIDS 신생아의 형제는 생후 2주 내에 예방차원에서 수면검사로 미리 감별을 한다. 부모의 불안 정도에 따라 퇴원 전에 검사할 수도 있다. 더욱이 수면 검사 결과에 따라 무호흡 모니터를 부착할 수도 있다[표 6-2].

확인문제

18. 산통의 원인은 무엇인가?

19. 영아돌연사 증후군이 가장 많이 발생하는 시기는 언제인가?

05 / 엄지손가락 빨기

엄지손가락을 빠는 것은 출생 전 초음파를 통해서도 확인 할 수 있다. 생후 몇 년 동안 그 습관이 계속되기도 한다.

엄지손가락을 빠는 것은 18개월에 절정에 이른다[그림 6-24].

부모에게 엄지손가락 빨기는 정상이며 그것이 학령기 때 멈춰지는 한, 턱선을 변형시키지 않는다는 사실을 알려준다. 또한 이로 인해 언어적인 문제를 일으키지 않는다는 것도 알려준다.

부모의 가장 좋은 접근법은 아동이 엄지손가락 빠는 것

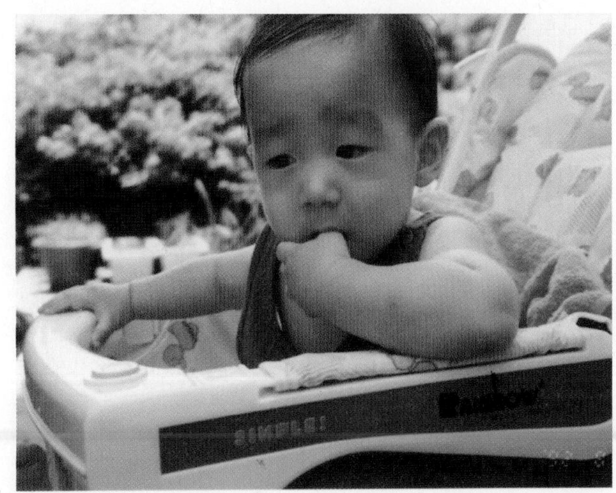

그림 6-24 **영아기의 엄지손가락 빨기는 정상이다.**

을 무시하는 것이다. 오히려 그것을 문제시하면 엄지손가락 빨기를 강화시키고 연장시킬 수도 있다.

06 / 노리개 젖꼭지의 사용

노리개 젖꼭지의 사용은 부모의 노리개 젖꼭지 사용에 대한 인식과 영아의 요구에 의존한다.

수유를 마치고도 여전히 만족스러워하지 않고, 입에 무엇인가 열심히 찾는 아기, 옷과 손을 빠는 영아는 노리개 젖꼭지가 필요할 수도 있다. 산통을 가진 아기는 노리개 젖꼭지를 즐기는데, 이는 아동이 산통을 배가 고픈 감각으로 해석하기 때문이다.

노리개 젖꼭지의 커다란 단점은 위생문제로, 청결하지 못한 장소에 떨어졌을 때 이것이 아기의 입으로 다시 들어갈 수 있기 때문이다. 만약 잘 만들어져 있지 않으면, 분리되어 흡인될 수 있으며 아기의 목에 노리개 젖꼭지가 연결된 줄을 거는 것은 질식을 유발할 수 있다.

부모는 생후 3개월 후 어느 시기에라도 노리개 젖꼭지를 떼려는 시도를 해야 한다. 생후 6~9개월 이후에 노리개 젖꼭지를 떼는 것은 어려운데, 왜냐하면 노리개 젖꼭지가 아기들이 애착을 갖는 담요나 장난감처럼 안락함을 주기 때문이다.

07 / 머리 부딪히기

몇몇 영아는 잠이 들기 전에 침대의 난간에 머리를 부딪히기도 한다. 그런 영아의 행동으로 부모는 자신의 아기가 장애아가 될까봐 걱정한다.

머리 부딪히기는 주로 잠을 잘 때 나타난다. 이런 경우 아기침대에 솜을 대어 상처를 입지 않도록 부모에게 충고한다. 어떠한 치료도 필요하지 않으나 정상적인 발달이나 활동에서 벗어난 과도한 머리 부딪히기나 학령전기를 지나도 계속하는 것은 병리적인 것을 암시한다. 그런 아동은 상담을 하거나 더 자세한 평가를 해야 한다.

08 / 수면장애

수면장애는 초기 영아기에 발생하는 산통으로 나타날 수도 있다. 모유수유하는 아기는 더 자주 깨는 경향이 있다. 모유가 훨씬 더 쉽게 소화되기 때문에 후기 영아기에 밤에 깨는 문제와 한시간 혹은 그 이상 깨어있는 문제는 흔하게 일어난다. 비록 아기가 이때 만족하거나 울지 않을지라도 아동이 깨어있는 동안, 부모는 쉽게 잠들지 못해서 극도로 피곤해한다. 이것은 오늘날 점점 더 많은 가족들이 맞벌이 부모이기 때문에 문제가 된다.

09 / 변비

모유수유를 하는 1세 이하의 영아에게 변비는 드물다. 변비는 주로 인공영양을 하는 경우, 부적절한 음식의 섭취로 인해 발생되며, 더 많은 수분을 첨가함으로써 교정될 수 있다.

배변할 때 영아의 얼굴은 붉게 변하고 얼굴을 찌푸리므로 어떤 부모는 영아의 정상적인 밀기 운동이 변비라고 오해한다. 변이 딱딱하지 않고 신선한 혈액(항문의 찢어짐으로 인해 발생)이 없는 한, 이것은 정상적인 영아의 행동이다. 만약 변비가 5~6개월까지 계속되면 과일이나 채소 또는 수분섭취량을 증가시켜 문제를 경감시킬 수 있다.

선천성 갑상선기능저하증이 있는 아동의 경우 변비가 발생할 수 있다. 그러므로, 변비가 있는 영아에게 늘어짐, 앞으로 내민 혀, 발육지연과 같은 갑상선기능저하증의 특징적 증상을 주의 깊게 관찰해야 한다.

10 / 묽은 변

처음 부모가 된 사람은 정상 신생아의 대변의 색깔이나 묽기에 대해 생소하므로 정상적인 대변을 설사로 보고한다. 모유수유를 하는 영아는 정상적으로 인공영양아에 비해 부드러운 변을 본다. 만약 어머니가 모유수유를 하는 동안 완화제를 섭취하면 그 영향은 매우 묽은 영아의 변으로 나타난다. 인공영양아는 우유의 농도가 적절하지 않으면 설사를 한다.

이 문제에 대해 부모에게 말할 때 묽은 대변의 기간, 1일 대변의 횟수, 색깔과 단단함, 그리고 대변에 혈액과 어떤 점액이 있는지 아닌지에 대해 질문한다.

만약 영아가 열, 경련, 구토, 식욕 감소, 배뇨의 감소, 체중의 감소와 같은 증상을 나타내면 이것이 감염과정을 암시하기 때문에 병원을 방문하도록 한다.

11 / 역류와 구토

구토는 식이섭취 후 음식을 내놓는 것으로 모유수유아보다 인공수유아에서 더 잘 나타난다. 초기 영아기의 구토현상은 하루에 두세 번(또는 때때로 매 식사 후마다) 소량의 우유를 게워내는(턱을 타고 흘러내리는) 정상적인 경험을 하는 것이다. 아기가 구토한지는 얼마나 오래 되었는지, 얼마나 자주 하는지, 토해낸 우유에 무엇이 섞였는지를 알아야 한다. 대부분 토해낸 우유에서는 시큼한 냄새가 난다. 그러나 혈액이나 담즙은 포함되지 않는다.

만약 구토 시 설사, 복통, 열, 기침, 활동저하가 나타난다면 이는 질병을 의심할 수도 있다. 또한 투사성 구토(우유가 90~120㎝ 사출되는)는 유문협착(위와 십이지장 사이의 밸브가 비정상적으로 조임)일 수도 있다. 그러나 매 수유시 많은 양의 구토 시 부모는 위식도 역류에 대한 설명을 듣게 된다. 이는 분문괄약근이 이완되고, 위 속의 내용물이 식도 내로 역류하는 증상으로 의학적 치료를 요구한다.

구토 예방을 위해 수유 후에는 충분히 트림을 시키도록 한다. 부모에게 수유 후 30분에서 1시간 동안 아기를 아기 의자에 앉혀 놓도록 한다. 아기가 성장함에 따라(분문 괄약근의 발달로) 구토는 감소하므로 안심할 수 있다.

12 / 기저귀 발진

영아의 피부는 매우 민감하여 기저귀 발진이 생기게 되는데 이것은 여러 원인에 의한다.

부모가 아동의 기저귀를 자주 갈아주지 않을 때, 대변이 남아서 피부와 접촉하게 되고 항문주위를 자극한 결과 발생하게 된다. 기저귀에 소변이 너무 오래 남아있으면 암모니아로 변하고 이 화학물질은 영아의 피부를 심하게 자극한다.

이러한 문제를 해결하기 위해 잦은 기저귀 교환, 바셀린 · A&D 또는 Desitin 연고 바르기, 기저귀 차는 부위를 공기 중에 노출시키는 것이 도움이 된다. 때로는 밤에 기저귀를 하지 않고 잠을 자게 할 수도 있다.

기저귀 차는 부위가 전체적으로 홍반성이고, 피부 위에 기저귀 윤곽선을 따라 자극이 나타날 경우 기저귀에 의한 알레르기를 의심해 볼 수 있다. 이때에는 집에서 세탁하는 헝겊 기저귀를 사용한다. 또한 기저귀 회사나 종류를 바꾸고, 세탁용액을 바꾸어 문제를 경감시킬 수 있다.

만약 기저귀 부위가 밝은 적색의 병소로 되고, 분비물은 있거나 없을 수 있으며, 최소 3일 이상 계속되는 붉은색 병소가 나타나면 진균(모닐리아균, 캔디다균) 감염이 의심된다.

13 / 땀띠

땀띠는 너무 더운 환경에서 발생할 수 있다. 날씨가 너무 덥거나 아기가 옷을 너무 많이 입고 있을 때, 너무 뜨거운 방에서 잘 때 발생한다. 증상은 붉은 반점과 같은 작은 것들이 무리지어 나타난다. 대개 처음에는 목 주변에 나타나고 귀와 얼굴이나 몸통을 따라 주변에 넓게 퍼지게 되며 가려움증이 나타난다.

영아 목욕은 더운 날씨에는 하루에 두 번, 특히 이 때 목욕물에 소량의 베이킹 소다를 첨가한다면 발진이 제거될 수도 있다.

아기가 입고 있는 옷을 얇게 바꾸어 주고 땀을 제거하거나, 방의 온도를 낮추는 것은 부스럼을 예방하고 즉각적인 효과를 가져올 수 있다.

14 / 아기젖병증후군

아기젖병증후군이란 아기가 젖병을 문 채로 잠을 잠으로써 발생한다. 이는 아기가 자는 동안 젖병이 앞니나 아랫니를 계속 젖게 하는 것이 원인이 되어 이가 썩고 후방의 치아가 뒤로 밀려지게 된다. 이로 인해 흡인의 가능성도 발생할 수 있다. 이러한 문제는 젖병이 설탕물이나 이유식, 우유, 과일주스로 가득 차 있을 때 가장 심각하다.

이를 예방하기 위하여 아기를 젖병을 문 채 놔두지 않도록 부모에게 충고한다. 만약 부모가 젖병이 필요하다고 주장하면 그것을 우유나 주스대신 물로 채우고 젖꼭지에 구멍을 작게 뚫어 놓아 아기가 많은 양의 액체를 섭취하는 것에서 보호할 수 있게 해 준다. 만약 아기가 우유를 제외한 다른 액체를 거절한다면, 부모는 우유를 물로 희석해 주고 점차 물로 바꾸어 간다.

15 / 영아 비만

영아 비만은 체중이 표준 키/체중 지표에서 95백분위수(percentile) 이상일 때 정의된다. 비만은 과도한 칼로리 섭취에 의해 지방의 수가 증가함으로써 발생된다. 영아에게 비만을 예방해야 하는 중요한 이유는 이 시기에 형성된 지방세포는 성인기까지 유지될 수 있기 때문이다. 만약 어린 아동이 비만이라면 그것은 우유의 과도한 섭취 때문이다. 일단 영아가 비만이 시작되면 교정하기 어렵기 때문에 예방이 최선책이다.

영아의 과식은 부모가 아동에게 제공된 식사를 모두 먹도록 가르침으로서도 발생한다.

어떤 부모의 경우 영아가 울 때, 무조건적으로 우유병을 먼저 물리기도 한다. 이런 경우 영아는 우유병을 빨고 결과적으로 과식을 하게 된다. 영아는 하루에 960cc 이상의 우유를 먹어서는 안된다.

비만을 예방하는 다른 방법으로는 영아 식이에 전체적으로 곡물과 생과일과 같은 섬유소를 더하는 것이다. 이것은 위가 채워진 시간을 연장시켜 음식의 섭취를 감소시킬 수 있다. 부모에게 균형 식이에 대한 정보를 제공한다.

확인문제

20. 영아에게 엄지손가락 빨기는 문제가 되는가?

21. 아기젖병증후군이란 무엇인가?

요 점

※ 영아기는 생후 1~12개월까지이다. 아동은 전형적으로 생후 4~6개월 후에 체중이 2배로 증가하고 10개월~1년에 3배가 된다.

※ 영아는 생후 6개월이 되면, 첫 치아가 나고 12개월이 되면 약 6개의 치아가 있다.

※ 1년의 영아기 동안 주요한 전체 근육운동의 획기적인 일은 생후 2개월에 침대에서 가슴을 든 다음, 4~5개월에 뒤집고 6~8개월에 앉고, 9개월에 기어 10~11개월에 붙잡고 서서 12개월에 걷는 것이다.

※ 근육운동 성취의 주요 발전은 한 손에서 다른 손으로 물건을 옮기는 것과(7개월) 집게손가락으로 잡는(10개월) 능력이다.

※ 출생 후 첫해 동안 언어발달의 주요 획기적 사건은 옹알이를 하고(5개월), 12개월에 단순한 모음이나 엄마와 아빠 이외에 2단어 정도를 말한다.

※ 영아에게 놀기 위한 적절한 장난감의 제공은 성장을 돕는다. 그러나 장난감 선택에서 항상 안전을 고려해야 한다.

※ Erickson에 따르면 영아기의 발달과업은 신뢰감 대 불신감의 발달이다.

※ 고형식은 일반적으로 생후 5~6개월에 영아식이로 소개된다. 영아가 고형식을 효과적으로 먹을 수 있기 전에 구토 반사가 소실되어야 한다.

※ 영아의 성장과 관련되는 일반적인 문제는 이가 나는 것, 엄지손가락을 빠는 것, 인공젖꼭지의 사용, 수면장애, 변비, 복통, 기저귀 피부염, 분리불안, 아기젖병증후군과 비만이다. 간호사는 이 문제와 대책에 관한 부모 교육에서 중요한 역할을 한다.

※ 부모–영아의 애착이 정신건강에 중요하다는 것을 기억하고 중요한 관계를 위해 부모를 격려한다.

※ 산통은 3개월 이하의 영아에서 일반적으로 나타나는 발작성 복통이다.

※ 영아돌연사 증후군은 갑작스럽고 예상치 못한 영아와 신생아의 사망이다.

확인문제 정답

1. 100~120회/분
2. 영아는 세포외액의 비율(체중의 35%)이 성인(20%)보다 더 크기 때문이다.
3. 머리 가누기, 뒤집기, 앉기, 기기, 서기
4. 약 7개월
5. 10개월
6. 2개월
7. 약 8개월
8. 10개월 정도
9. 양안시
10. 2개의 단어나 엄마와 아빠
11. 같은 돌봄제공자가 일관성 있는 활동계획을 수립한다.
12. 그들이 좋아하지 않는 맛은 고개를 돌리거나 뱉는다.
13. 약 6개월
14. 영아용 곡물
15. 약 12개월
16. 흡인
17. 약 2개월까지
18. 불확실하다. 그러나 과다섭취, 너무 많은 공기를 삼켰거나 탄수화물이 많은 우유의 섭취와 관련이 있을 것으로 예측한다
19. 생후 2주~1세 사이
20. 엄지손가락 빨기는 18개월에 절정에 이르며, 이는 정상으로 간주된다. 이로 인해 언어적 문제를 일으키지도 않는다.
21. 영아를 설탕물, 이유식, 우유 또는 과일주스가 든 젖병을 문채로 잠들게 했을 때 이것이 충치를 야기시킨다.

CHAPTER

07 유아

주요용어

거부증(negativism)
대소변 훈련(toilet training)
동화(assimilation)
분노발작(temper tantrum)
생리적 식욕감소(physiologic anorexia)
자율성(autonomy)
전조작적 사고(preoperational thought)
척추전만(lordosis)
퇴행(regression)
평행놀이(parallel play)
형제간의 경쟁(sibling rivalry)

학습목표

01 유아기 성장 특성을 설명한다.
02 유아기 발달 특성을 설명한다.
03 유아기 활동과 휴식의 특성을 설명한다.
04 유아기 영양과 식습관 교육을 수행한다.
05 유아기 성교육을 수행한다.
06 유아기 안전사고 예방과 대처교육을 수행한다.
07 대소변 가리기 훈련을 설명한다.
08 분노발작을 설명한다.
09 거부증을 설명한다.
10 퇴행을 설명한다.

걸음마 시기, 보행기(toddlerhood)라고도 하는 유아기는 보통 1~3세에 해당되며 아동과 가족에서 커다란 변화가 있는 시기이다. 이 기간동안 아동은 대부분의 요구를 돌봄제공자에게 의지하여 충족하는 의존적인 존재에서 운동능력이 향상되어 이동능력과 활동성이 두드러지게 증진된 아동으로 변모한다. 또한 자율성이 증가됨으로 인해 고집 센 행동과 자기주장을 하며 여러 도전적인 면을 보이기 때문에 '미운 세 살'이라고 불리기도 하며, 부모들은 아직 미성숙한 언어능력으로 의사소통이 원활하지 못한 유아를 돌볼 때 다양한 어려움과 자녀의 양육에 관련된 특별한 요구를 갖게된다. 간호사는 유아기 아동 부모에게 자녀가 자율적 욕구를 가지고 보다 적극적으로 주변을 탐색하면서 경험하는 좌절을 극복하고 안전하게 성장 · 발달할 수 있도록 돕는 양육방법을 교육할 수 있어야 한다. 이 장에서는 유아기 아동의 정상적인 성장 발달과 가족의 건강유지 증진을 위한 간호내용을 다루었다.

I 성장 특성

01 / 일반적 신체성장

유아기는 영아기에 비해 빠른 성장속도를 보이지 않지만 신체성장은 꾸준히 이루어진다. 체중은 일 년에 평균 1.8~2.5kg, 신장은 평균 5~7㎝씩 증가하여 3세된 유아의 평균 체중은 14~15kg이며, 평균 신장은 104㎝ 정도이다. 두위는 6개월에서 1년 사이에 흉위와 같아지며 2세 말경 흉위는 두위보다 커진다. 뇌의 성장은 유아기까지 약 75%가 이루어지기 때문에 의료기관 정규방문 시 3세까지는 체중 및 신장과 함께 두위도 측정하여 두뇌발달 이상을 조기에 확인하도록 한다. 유아기의 식욕은 감소하지만, 유아기의 에너지 요구량을 충족시키기 위해 균형진 영양섭취는 필수적이다.

매 방문 시마다 성장 정도를 확인하기 위해 표준 성장 차트에 기록하도록 한다. 피하조직 또는 지방의 비율이 18개월 이후 감소되기 시작하고 몸통보다는 사지의 성장이 빠르

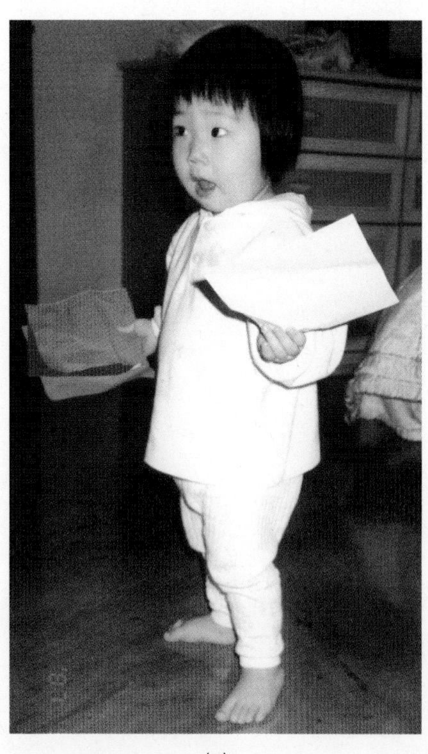

(A)

(B)

그림 7-1 유아의 전형적 외형

(A) 돌출된 복부 (B) 넓은 보행, 불안정한 걸음걸이

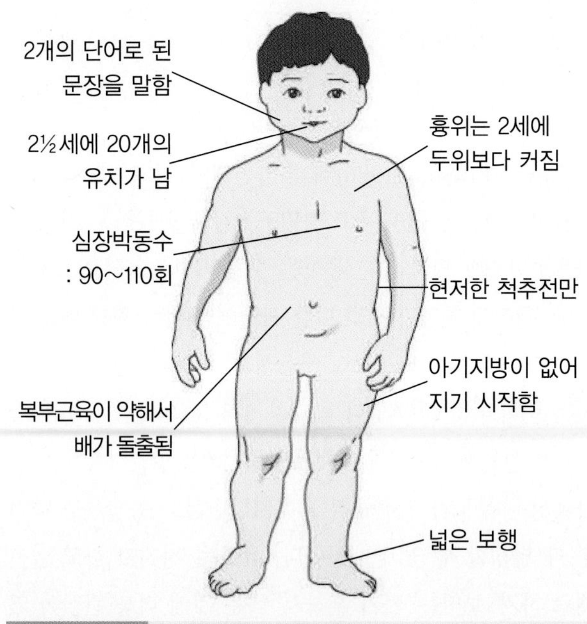

그림 7-2 전반적인 신체적 특징

게 이루어져 포동포동한 아이에서 여윈 아이로 변하게 되고 영아기에 비해 보다 근육이 발달한 아동이 된다. 그러나 아직 복부를 만족스럽게 지지할 만큼 복근이 충분히 발달되지 못하여 유아는 배가 돌출되는 경향이 있다[그림 7-1(A)]. 천골 부위의 척추는 앞으로 휘어 척추전만증의 외형을 보이나 걷는 능력이 증가할수록 점차로 균형진 외형을 갖추게 된다. 또한 유아는 발목을 가지런히 붙이지 못하여 다리를 벌리고 걷는다[그림 7-1(B)].

02 / 신체계통

유아 신체체계의 특성은 다음과 같다.

- 영아기에 비해 유아기는 폐 용량이 상대적으로 증가하여 호흡수는 분당 25~30회 정도로 감소되고 주로 복식 호흡을 한다. 호흡기계 혈관의 관강은 점차적으로 증가하여 하부 호흡기계 감염이 감소한다.
- 심박수는 110회/분에서 90회/분까지 느려진다. 혈압은 약 99/64㎜Hg까지 증가한다.
- 신경계는 계속적으로 성장하여 3세경까지 두뇌성장의 약 75%가 완성된다. 지속적인 수초형성과 피질의 발달로 미세운동 발달은 좀 더 정교화되고 전체운동 기술은 좀 더 자연스럽게 조정할 수 있게 되며 감각기능은 더욱 능숙해진다. 유아가 걸을 수 있다는 것은 척수가 수초화되었음을 의미한다.
- 골화작용과 장골성장에 의해 뼈 길이가 길어진다. 뼈의 길이성장과 근육발달은 유아의 자율성 발달을 돕는다. 신장은 2세가 되면 출생 시의 두배가 된다.
- 유치가 나오는 시기는 개인차가 있지만 일반적으로 약 30개월 전후에 20개의 유치가 모두 나온다.
- 위의 용적은 아동이 하루에 3끼의 식사를 먹을수 있을 만큼 증가한다. 위액은 더욱 산성화되어 위장 내 감염률이 감소된다. 18개월 유아의 성장지체는 식욕감소와 에너지 소비 감소를 겪는 현상인 생리적 식욕감소(physiologic anorexia)를 가져온다. 에너지 섭취량이 감소하더라도 단백질, 비타민과 무기질, 특히 칼슘, 인, 철분은 뼈와 근육성장에 절대적으로 필요하다.
- 척수의 수초화로 인해 소변과 항문괄약근의 통제가 가능하므로 대소변가리기 훈련이 가능하다. 방광용적은 소변을 2~4시간 정도 참을 수 있을 만큼 늘어난다. 2세가 되면 하루 소변량이 500~600mL가 되고 3세가 되면 600~750mL로 증가한다.
- 면역글로부린 IgG와 IgM의 항체생산은 2세까지 성인 수준에 이르게 되고 IgA도 점차 증가한다[그림 7-2].

확인문제

1. 2세된 아동에서 척추전만증 증상이 있는가? 이것은 예측된 현상인가?
2. 유아는 왜 복부가 돌출되어 있는가?

Ⅱ 발달 특성

01 / 운동능력

유아의 운동발달능력은 영아기보다 극적이지는 않다. 이

표 7-1 유아의 전체운동과 미세운동 발달이정표

개월	전체운동	미세운동
15개월	• 혼자서 잘 걷는다. • 의자에 혼자 앉을 수 있다. • 2층으로 기어갈 수 있다.	• 2개의 블록을 쌓는다. • 작은 공을 작은 주머니 안에 넣는다. • 연필이나 크레용으로 자유롭고 서투르게 쓴다. • 숟가락은 잘 잡지만 입으로 가져오는 중에 뒤집힌다.
18개월	• 공은 서투르게 던진다. • 뛰고 점프할 수 있다. • 사람의 손이나 난간을 잡고 계단을 오르내릴 수 있다. • 대체로 한계단에 양쪽 발이 다 올라간다.	• 양말을 벗을 수 있다. • 4개의 블록을 쌓는다. • 숟가락을 입으로 가져올 때 더 이상 뒤집히지 않는다.
24개월	• 계단을 혼자 오를 수 있지만 여전히 한 계단에 양쪽 발을 모두 올린다. • 머리 위로 던진다. • 잘 뛴다. • 공을 찬다.	• 7개의 블록을 쌓는다. • 원형을 그릴 수 있다. • 문 손잡이를 돌려서 문을 열 수 있다. • 뚜껑을 돌려서 물건을 꺼낼 수 있다. • 커다란 단추를 풀거나 지퍼를 연다.
30개월	• 의자에서 뛰어내릴 수 있다. • 양발로 땅을 깡충뛴다. • 세발자전거를 탄다. • 한 발로 잠깐 동안(1~2초) 서 있는다.	• 9개의 블록을 쌓는다. • 원을 따라 그린다. • 커다란 단추를 채운다. • 연필을 가지고 간단한 교차선을 긋는다.

는 영아기에 비해 느리고 점진적인 성장을 하는 시기이기 때문이다. 유아의 발달은 사회적인 접촉의 양과 아동이 독립적으로 새로운 일을 경험한 횟수에 의해 어느 정도 영향을 받게 된다.

전체운동은 골격의 성장과 대근육 사용과 관련이 있다. 유아기는 걷기가 완성되어 유아기 후반이 되면 달리고 뛰는 완전한 이동능력을 갖추게 되는 시기이다. 미세운동은 손과 손가락의 성장과 입의 운동발달을 포함한다. 대근육 운동 뿐 아니라 소근육 운동기능도 발달하여 숟가락 사용하기, 연필로 그리기, 단추 채우기, 블록 쌓기 등의 미세운동도 점차 가능해진다. 유아기의 전체운동과 미세운동 발달의 구체적인 내용은 [표 7-1]에 요약하였다.

02 / 심리사회적 발달

1) 발달과업: 자율성 대 수치심 또는 의심

에릭슨(Erikson, 1986)에 의하면 유아기의 발달과업은 자율성과 독립심을 배우고 자기조절감을 습득하는 것이다. 자율성이 발달되지 않은 유아는 수치심이나 의심을 느끼게 된다. 영아기 동안 자신과 다른 사람에 대한 신뢰를 배운 아동은 그렇지 못한 아동보다 자율성과 독립심을 발달시킬 수 있는 준비가 잘 되어 있다.

자율성을 발달시키기 위해서는 독립심을 발달시켜야 한다. 자율성은 부모가 안전규칙을 유지하면서도 독립심을 격려할 때 달성할 수 있기 때문이다. 유아는 '자기가 하고 싶은 대로 하기' 보다는 '자기 혼자서' 하는 것에 더욱 관심이 있기 때문에 적절한 한계와 제한을 설정하고 혼자서 스스로 성취할 수 있는 기회를 주도록 한다.

유아기에 들어서면 아동은 자신의 신체와 다른 것을 구별하기 시작한다. 분리된 개인이라는 것을 인식함에 따라 그들은 다른 사람이 원하는 것을 항상 해야 하는 것은 아니라고 생각하게 된다. 또한 2~3세에 자아의식이 강해지면서 순응성이 적어지고 고집이 세며 저항하는 경향을 보인다. 이러한 인식으로 인해 유아는 부정적이고 고집이 세며 다루기 어렵다는 평판을 듣게 된다. 예를들면, 아동이 신발 신는 것을 부모가 도와주려고 할 때 거절하는 것을 부모는 반항하는 것으로 볼 수 있으나 아동은 자신이 스스로 할 수 있음을 주장하는 것이다. 이것은 유아기의 대표적인 거부증(negativism)으로 자율성의 표현이다. 거부증은 '싫어', '필요없어', '아니야' 와 같은 양상으로 표현된다.

또한 유아는 자신의 신체를 탐색하며, 특정부위를 만지는 것이 어떤 기쁨을 가져온다는 것을 알게되면서 허벅지를 꽉 죄이거나, 여아의 경우 치골상부를 단단한 바닥이나 엄마의 배위에 복위로 누워서 치골결합 위에 밀착하기도 하고, 남아의 경우 성기를 만지는 행동을 하게된다. 그외에도 부모가 안고 부드럽게 껴안거나 흔들어주고, 인형을 안아주는 것을 좋아한다.

2) 사회화

유아는 그들 시간의 대부분을 뛰어다니고 말하고 그리고

가족활동에 참여하면서 보낸다. 유아기는 사랑, 행복감, 분노감, 좌절감, 공격성, 그리고 질투심과 애정을 나누고, 주고, 받는 사회적 기술에 관해 배우는 시기이다. 유아는 자신의 감정을 표현하는 단어를 지도와 적절한 행동으로 배운다. 15개월된 아동은 서로 상호작용하는 것을 매우 좋아하며 부모가 어디를 가든지 따라다닌다. 18개월의 유아는 '공부하기', '자는 것', '빨래하는 것' 등 형제나 부모의 행동양상을 주의 깊게 관찰하여 그 행동을 따라한다. 이를 통해 자유로운 모방행동이 가능하고 모방은 자율적인 학습수단이 되며 부모 및 주변환경과 활발한 상호작용을 하게된다.

2세 이상의 아동은 성별이 다름을 인식하게 되고 '남자', '여자'로 다른 아동의 성을 구별한다. 유아기 신체상 개념은 인지발달과 밀접한 관련이 있다. 유아는 대상을 지칭하는 단어의 의미를 정확히 이해할 수 없으므로 단순히 반복해서 어떤 대상을 명명하는 단어는 유아 자신의 신체에 대한 생각에 영향을 미친다. 예를 들어, 임산부를 '뚱뚱하다'라고 하는 소리를 들으면 모든 뚱뚱한 여자는 임신을 했다고 생각하며, '예쁘다', '잘 생겼다', '코가 못 생겼다', '눈이 작다' 등 신체의 외모에 대한 표현들은 유아의 신체상 개념형성에 영향을 미친다.

3) 놀이

놀이는 아동에게 있어서 '일'이다. 놀이를 통해서 아동은 그들의 세계와 환경에서 대상물과 시간, 공간, 구조, 사람을 대하는 방법을 배우며, 자신이 무엇을 할 수 있으며 사물과 상황의 관계가 어떠하며 사회의 요구에 어떻게 적응하는지 배운다. 놀이를 통해 아동은 감각운동 및 지적발달, 자아인식과 사회화 증진, 도덕성 발달 및 다양한 치료적 유익을 얻을 수 있다.

유아기 동안 아동은 다른 아동 곁에서 놀이를 하지만 그들과 같이 협동해서 하지는 않는다. 이러한 평행놀이는 비우호적인 것이 아니라, 이 기간에 나타나는 정상적인 놀이 특성이다[그림 7-3(A)]. 만약에 두 명의 유아가 나란히 놀이를 하고 있을 때는 똑같은 장난감을 제공한다. 그렇지 않으

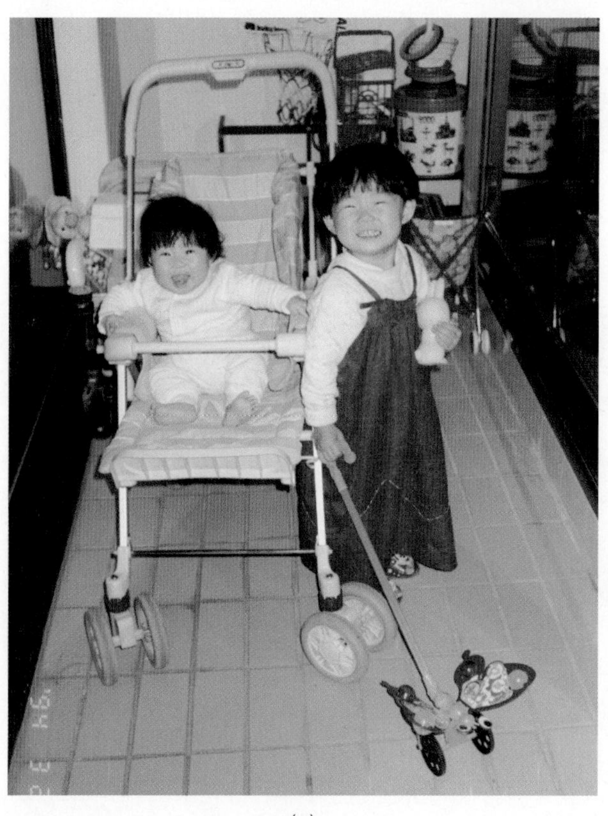

(A)

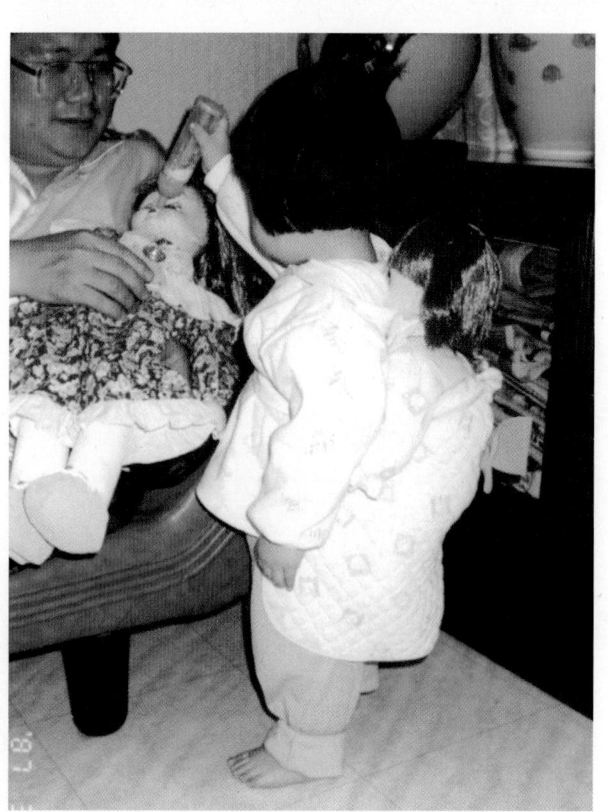

(B)

그림 7-3 **유아에게 적합한 장난감**

(A) 끌고 다니는 장난감 (B) 인형놀이

표 7-2 유아의 심리사회적 발달특성과 놀이

개월	전체운동	미세운동
15개월	• 자율성 대 수치심, 죄의식 : 독립성과 자율성, 자기 조절의 습득, 간단한 문제해결 방법을 배운다.	• 2개의 블록을 쌓을 수 있다. • 읽는 것을 즐긴다. • 찾기 위해 어른에게 장난감을 떨어뜨린다(영속성에 대한 감각).
18개월		• 가사일을 따라한다. • 평행놀이를 한다.
24개월		• 평행놀이의 경향이 우세하다.
30개월		• 집에서 노는데 시간을 보내고 부모의 행동을 따라한다. • 야외활동을 좋아한다.

면 1가지 장난감으로 인해 싸움이 생길 수 있다.

유아가 가장 좋아하는 장난감은 움직이는 트럭과 꼭 쥐면 소리를 내는 개구리, 끌고 다니는 오리, 타는 말, 두들길 수 있는 못, 쌓을 수 있는 블록, 말할 수 있는 장난감 전화, 인형놀이감(우유병, 인형) 등 그들 스스로 조작할 수 있고 행동을 할 수 있는 것이다. 이러한 유형의 장난감은 아동이 조절할 수 있고 조작을 통해 승리감을 주며 자율성을 표현할 수있다[그림 7-3(B)].

어떤 부모는 아동 놀이 습관의 변화에 대해 방에서 조용히 놀곤 하던 아동이 왜 지금은 소리나는 트럭을 가지고 더 흥미 있어 하는지 이해하지 못한다. 이때 부모는 유아가 가지고 노는 장난감이 잘 기능하는지를 관찰하고, 아동이 장난감을 조작하는데 있어서 성취감을 느끼는지를 관찰하도록 한다.

15개월된 아동은 상자 쌓기나 상자 안에 들어가는 공을 가지고 놀기를 좋아한다. 또한 아동은 장난감을 집어 던지거나 높은 의자에서 접시를 떨어뜨려서 누군가가 그들에게 다시 주워주는 행위를 반복하는 것을 좋아한다.

18개월된 아동은 끌어당기는 장난감을 좋아한다. 장난감은 유아가 함부로 사용해도 괜찮을 만큼 충분히 강해야 한다. 왜냐하면 아동은 장난감을 본래의 목적보다 다른 방법으로 이용하는 경우가 많기 때문이다(영아는 고양이 인형을 앉아서 부드럽게 쓰다듬는 반면, 유아는 인형의 꼬리나 날개를 잡고 두들기고 잡아당긴다). 만약 부모가 아동이 장난감을 올바르게 사용하지 않아 장난감이 망가진 것을 발견하면 아동을 꾸짖지 말고 아동에게 장난감의 올바른 사용법을 보여주도록 한다.

2세 정도가 되면 유아는 성인의 행동을 모방하며 논다. 예를 들면, 인형에게 옷을 입혀서 침대에 놓고, 식탁을 차리거나 운전하는 행동을 따라한다. 그들은 부모가 하는 행동을 보고 흉내내는 데 이전보다 더 적은 양의 장난감을 이용한다. 유아는 적극적인 활동을 더 좋아하는데 매일의 일과에서 매우 적극적이고 활동적인 유형의 놀이를 하는 데 많은 시간을 보낸다. 이러한 놀이의 유형[그림 7-4]은 야외에서 하도록 계획하도록 한다. 왜냐하면 거친 활동 때문에 대부분 유아는 의자나 현관으로 너무 빠르게 달리거나, 뛰어오르거나 충돌하면서 다리에 최소한 한 개씩 검고 푸른 멍을 갖게 된다. 활동적 놀이에 대해 욕구를 느끼는 아동은 앉아서 먹거나 잠에 빠지거나 조용한 게임을 할 수 없다.

(A)

(B)

(C)

그림 7-4 유아의 야외활동
(A) 공원산책 (B) 그네타기 (C) 장난감 자동차 타기

표 7-3 **유아의 인지발달**

개월	인지발달	
	단계	과업
12~18개월	• 감각운동기 • 삼차순환반응기	• 아동은 시행착오를 경험한다. • 대상의 영속성의 개념이 발달된다. • 외부세계에 대해 실험적이며 탐색적인 접근을 하게 된다.
18~24개월	• 정신적 표상	• 흉내내거나 모방을 이용한다. • 상징놀이나 모방놀이를 좋아한다. • 자기중심적인 말과 놀이를 한다.
24~36개월	• 전조작기	• 동화를 사용하거나 생각에 맞추기 위해 상황을 변화시킬 수 있다.

매일 아동이 하는 많은 야외 활동이나 적극적인 행동은 부모와 함께 하는 것이 좋다. 유모차를 타고 움직이는 것은 이러한 종류의 활동이 아니다. 유모차로 이동하는 것은 신선한 공기와 햇빛을 제공하여 좋지만 적극적인 활동에 참여할 기회를 주어야 한다. 유아의 놀이특성에 대해 [표 7-2]에 요약하였다.

03 / 인지발달

유아는 피아제(Piaget)의 인지발달단계의 감각운동기 5~6단계에 접어든다[표 7-3]. 피아제는 5단계(12~18개월)를 3차 순환반응 단계로 명명했는데, 이 시기에 유아는 물체를 다루는 새로운 방법의 발견을 시도하거나 각기 다른 행동으로 나타나는 새로운 결과에 흥미를 가지기 때문에 "작은 과학자"로서 이 단계를 설명했다. 예를 들면 시행착오를 통해 유아는 고양이가 목욕하는 것을 좋아 하지 않는다는 것과 테이블 위로 올라가거나 테이블보를 잡아당김으로써 테이블 가운데 있는 과자에 가까이 갈 수 있다는 것을 발견한다. 분명히 이 방법은 실수나 손상을 야기할 수 있다. 유아는 또한 물체가 떨어지는 순간에 어디로 굴러 가는지 봄으로써 자신이 할 수 있는 것을 느낄 수 있다. 유아기에 의자 아래로 굴러간 물건을 되찾기 위해 물체가 지나간 자리를 따라 의자 아래로 기어간다. 15개월 된 아동은 물체를 찾기 위해 다른 방법(의자 뒤로 걸어감)을 이용할 수 있다. 즉 물체는 영구적이고 한쪽에서 다른 쪽으로도 갈 수 있다는 지각력이 증가되었다는 것을 의미한다.

6단계(18~24개월)에 유아는 실제로 문제해결 실마리나

표 7-4 **유아의 언어발달**

개월	언어발달
15개월	• 4~6개의 단어
18개월	• 뜻을 알 수 없는 말을 한다. • 1개의 신체 부위의 이름을 댄다.
24개월	• 300개의 단어 • 대명사를 사용한다. • "아빠 가자", "나 간다"와 같은 2단어(명사–대명사와 동사)로 된 문장을 말할 수 있다.
30개월	• 말이 꾸준히 는다. • 자신을 자신의 이름으로 표현한다. • 1개의 색깔 이름을 알고 나이를 손가락으로 보여준다.

상징적 사고를 수행하고 좀더 지능적으로 다양한 행동을 시도할 수 있다. 이 단계의 아동은 행동을 기억하고 후에 그것을 모방할 수 있다. 아동은 자동차를 운전하는 것과 아기를 재우기 위해 눕히는 것을 흉내낼 수 있다. 또한 대상의 실체가 존재하지 않더라도 스스로 상징을 만들어 그것에 대해 생각할 수 있다.

유아기의 마지막 단계에서 아동은 인지발달의 두 번째 중요한 시기인 전조작적 사고에 들어선다. 이 시기동안, 아동의 인지능력은 감각운동기에 행했던 것보다 더 상징적이고 추상적이 된다. 아동은 동화(assimilation)라고 명명되는 과정을 사용하기 시작한다. 동화란 자신이 이미 가지고 있는 도식에 맞게 새로운 대상들을 받아들이는 인지과정을 말한다. 즉, 외부환경을 기존의 구조에 맞게 변형시킴으로써 새로운 자극을 이해하는 것을 의미한다. 예를 들어, 만약 아동에게 망치가 주어진다면 망치로 두들기는 대신 아동은 기존에 놀던 방법으로 장난감을 이용하며 소리를 내는지 알아보기 위해 망치를 흔들어 볼지도 모른다(아동은 자신의 생각을 확인하기 위

해 장난감 사용을 변화시킨다, 동화의 사용).

04 / 언어발달

유아기는 언어발달이 급진적인 시기이다[표 7-4]. 언어를 숙달하기 위한 가장 좋은 방법으로 아동은 말하는 것을 연습해야 한다. 2세가 된 아동이 두단어 정도나 명사와 동사로 연결된 단순한 문장을 말하지 못한다면 원인을 찾기 위해 검사를 해야 한다. 이것은 정상적인 언어발달에서 가장 중요시되는 것이다.

유아가 흔히 사용하는 자율을 나타내는 표현의 단어는 "아니", "싫어"이다. 유아는 과업에 대한 거절의 의미나 못 알아 듣는다는 의미, 소리를 연습하기 위한 것으로 이러한 단어를 사용할 수 있다.

말을 많이 하는 부모, 자녀에게 책을 많이 읽어 주어 자녀로부터 보다 많은 언어를 유도해내는 부모[표 7-5], 그리고 자녀의 언어에 즉각적으로 반응하는 부모를 둔 아동의 경우는 그렇지 않은 아동보다 언어발달이 비교적 빠른 경향을 보인다. 아동의 질문에 답하는 것은 언어발달을 촉진시키는 지름길이라 할 수 있다.

대답은 아동이 집중하는 기간이 짧기 때문에 간단하고 간결하게 한다.

부모는 아동과 함께 놀 때(공, 블록, 인형)나 아동에게 무언가를 주면서("여기 네가 마실 물이 있다.", "잠옷을 올려 놓자." 등) 사물의 이름을 분명히 말해줌으로써 언어 발달을 효과적으로 촉진시킬 수 있다. 이것은 아동이 의미있는 단어를 터득하는데 도움이 된다. 부모가 언어 발달을 격려하는지를 평가하고, 아동이 무언가를 원할 때 무엇을 하는 것인지 물어보도록한다. 아동에게 어떤 것을 제공하기 전에 그것에 대해 물어 볼 기회를 주도록 한다. 유아기 초기에 아동의 어휘는 10개나 혹은 그 미만으로 매우 한정되어 있다. 아동은 경험하기 전에는 사물의 이름을 습득할 수 없기 때문에 "너는 공을 원하니?"와 같은 질문을 되풀이하면서 언어발달을 촉진시킬 수 있다.

큰 소리로 책을 읽어주는 것 또한 어휘를 강화시키는 방법이다. 유아에게 책에 있는 정확한 단어를 읽어 주는 것보

표 7-5 언어발달을 위한 대화사례

언어발달을 위한 바람직한 대화		바람직하지 못한 대화	
하은	(조용히 앉아서 그림동화책을 보고 있다)	하은	(조용히 앉아서 그림동화책을 보고 있다)
아빠	(아이 옆에 조용히 앉아 다정한 얼굴로 동화책을 같이 보며 아이의 반응을 살핀다)	아빠	우리 하은이가 얼마나 말을 잘 할 수있는지 아빠가 한번 알아볼까?
하은	(강아지 그림을 가리키며 신나서 말한다) 멍멍이!	하은	(아빠 얼굴을 보며 그림동화책을 준다)
아빠	아! '강아지' 구나!	아빠	음! 여기에 강아지가 있군! 자 따라해볼까? 강아지!
하은	'강아지', '강아지'! 여기, 새! (강아지 옆에 있는 새를 가리킨다)	하은	강아지!
아빠	새가 나무 위에 있네!	아빠	참 잘했구나! 강아지 옆에 나무가 보이지?
하은	새, 나무! (아빠 얼굴을 보며 그림책의 나무를 지적한다)	하은	(고개를 끄덕한다)
아빠	(다른 새가 날아가는 그림을 가리키면서) 새가 난다!	아빠	그럼 하은이가 '나무'를 제대로 알고 있는지 확인해볼까? 나무가 어디있는지 짚어보렴.
하은	(아이가 양 팔을 펴고 나는 시늉을 하면서) 나-다!	하은	(아이가 나무를 지적한다)
아빠	(아빠도 같이 양팔을 저으면서) 아빠도 난다!	아빠	아주 잘했구나. 그러면 나무 옆에 있는 새가 무엇을 하고 있는지 말해보렴!
하은	(웃으며 아빠를 바라보면서) 나도!	하은	(아이가 머뭇거리며 다른 곳을 본다)
아빠	(온화한 미소로 웃으면서 아이를 안아준다) 아빠도!	아빠	대답을 못하는군! 자! 따라해보렴. 새가 난다!
		하은	난다!
		아빠	내일 다시 연습하자꾸나!

다 그것을 동반한 그림을 지적하는 것이 중요하다. 예를 들면, 영수가 공을 던지거나("영수가 던지는 공을 보니? ") 개가 공을 가지고 도망간다("봐라, 저 개가 공을 가져갔어! ").

아동은 들은 것을 모방함으로써 언어를 배우기 때문에 자신의 주위 사람들처럼 말한다. 나쁜 문법을 들으면 좋은 문법을 사용할 수 없는 것이다. 아동이 2세 반 혹은 3세에도 상당히 초보적인 문장을 사용한다고 해서 너무 걱정할 필요는 없다. 부모는 그러한 염려 대신 아동이 표현하는 말, 즉 우스꽝스럽거나 실수투성이의 말들을 기꺼이 기쁜 마음으로 들어주는 태도가 필요하며, 만일 아동이 어린 아기의 말투로 말한다면, 가능한 단어를 분명하고 정확하게 발음해주어야 한다. 부모는 유아기 아동이 대명사를 바르게 사용하기는 어렵다는 것을 기억해야 한다.

확인문제

3. 2세된 아동이 숙달하는 문장 유형은 무엇인가?

4. 유아가 즐기는 놀이의 전형적 유형은 무엇인가?

Ⅲ 활동과 휴식

유아가 옷입기, 먹기, 그 외 자가간호에 대한 독립적인 요구를 표출하게 될 때 유아의 이러한 독립심의 표현은 부모에게는 하나의 특별한 도전이 된다. 안전하고 건강한 환경을 유지하면서 유아의 자율성을 증진하는 방법을 배우는 일이 부모에게 매우 중요하다.

부모를 신뢰하는 것을 배우는 것은 유아기 아동양육의 일차적인 목표이다. 이러한 이유 때문에 영아기 때와 같이 유아가 자율성과 독립에 대한 요구를 표출할 때 부모는 그들의 양육목표와 권위가 도전받는다는 것을 느낄 수 있다. 아동이 건강하게 발달하는데 독립에 대한 유아의 반응은 중요하다는 것을 부모가 이해하도록 돕는다. 이때 아동의 안전을 위한 제한은 필요하며 간호사는 이러한 문제에서 중요한 정보를 제공할 수 있다.

만약 부모가 유아의 독립된 행동에 대해 과도하게 벌을 준다면, 아동은 자신의 독립적 반응에 대해 죄책감을 느낀다.

1) 옷 입기

유아기 말까지, 대부분의 아동은 스스로 양말과 내의를 입을 수 있다. 어떤 아동은 바지, 머리부터 뒤집어써서 입는 셔츠 또는 간단한 옷을 입을 수도 있다. 부모는 아동이 그들 스스로 옷을 입는 것을 마음 내켜하지 않을 수도 있는데, 이는 부모가 입히는 것이 옷을 훨씬 쉽고 빠르게 입을 수 있고, 올바른 방법으로 옷을 입을 수 있기 때문이다. 아동이 스스로 옷을 입을 때, 양말을 잘못신고 셔츠와 바지의 앞과 뒤를 바꾸어서 입을 수 있지만, 부모에게 아동의 자율성이 발달될 수 있는 기회를 제한하지 않도록 한다. 아동은 내의의 앞과 뒤가 바뀐 채로 옷을 입어도 스스로 그것을 잘 느끼지 못한다. 만약 부모가 아동의 옷을 다시 입혀주고 싶다면, 옷을 바꿔주기 전에 "너 참 잘했구나"와 같은 긍정적인 말과 함께 시작해야 한다.

건강사정을 하는 동안, 부모에게 아동 스스로 어떠한 옷을 입을 수 있는지를 물어본다. 아동이 혼자서 옷 입는 것을 허용하는 부모는 아동이 조절할 수 있다고 말한다. 스스로 옷 입는 것을 내켜하지 않는 부모는 자녀가 옷 입는 것에 대해서 "옷 입히기가 매우 힘들어요. 나는 우리 아이가 스스로 옷 입는 것은 못 할 거라고 생각해요."라고 말할 수 있다. 이러한 부모에게는 상황을 이해하기 위해서 도움이 필요하다. 아동은 스스로 옷 입기를 원하기 때문에 부모의 도움에 저항할 수도 있다.

신발은 아동기 동안 계속 논의되는 문제이다. 아동이 서고 걷게 되자마자 거친 땅으로부터 발을 보호할 수 있는 견고한 신발이 필요하다. 그러나 딱딱하거나 발목까지 올라오는 신발을 신을 필요는 없다. 왜냐하면 아동의 발바닥 궁은 여전히 발달 과정에 있기 때문이다. 운동화는 거친 바닥에 충분할 만큼 견고하고, 발바닥 궁을 부분적으로 지지할 수 있어 유아에게 이상적인 신발이다.

2) 수면과 휴식

아동의 수면 요구량은 성장함에 따라 점차 감소한다. 유아기에는 낮잠을 하루 2번 자고 밤에는 12시간을 잔다. 그리고 유아기 말에는 하루에 한 번 낮잠을 자고, 밤에는 8시간 정도 잔다. 만약 아동이 밤에 잠을 잘 수 없다면 낮잠을 줄이도록 한다.

유아는 자연적으로 지치면 잠이 든다. 그러나 어떤 때는 하던 것을 계속해서 하려 하기 때문에 낮잠, 밤잠 모두 자지 않으려고 할 수도 있다. 부모는 아동이 "낮잠자고 난 후에 할 게요."라고 할 때 그렇게 하도록 해 주어야 한다. 그렇지 않으면 원하는 활동을 못할까봐 다음날 낮잠을 자지 않으려 할 수도 있다. 또한 부모는 연상의 형제가 유아가 낮잠을 자는 동안 하지 못한 흥미로운 일을 말하지 않도록 해야 한다.

몇몇 유아는 거부증의 발달로 낮잠을 거부하며 유아기말에는 많은 아동이 낮잠을 자지 않으려고 한다. 부모는 낮잠을 분리된 활동이 아닌 오후 일과의 한 부분으로 포함시킴으로써 유아의 거부증을 최소화할 수 있다. 부모는 단순히 "낮잠 잘 시간이다."라고 말하면서 그런 다음에 "곰인형이랑 잘거니? 아니면 토끼인형과 잘거니? "라는 이차적 선택을 준다.

유아는 잠자리에 드는 일상적인 것 즉, 목욕, 잠옷 입기, 이야기, 양치, 담요를 끌어올리는 것, 함께 잘 인형을 고르는 것, 불을 끄는 것을 좋아한다. 그러나 부모는 아동이 과거 처음에 수행했던 것처럼 잠자리 준비가 길어지지 않도록 주의해야 한다. 아동이 독립적이 될 필요가 있더라도 부모는 아동에게 엄격하고 일관성이 있으며 신뢰할 수 있는 대상이라는 확신을 주도록 해야한다.

아동이 성장함에 따라 아기침대가 비좁게 되면 안전한 침상 난간이 있는 아동침대에서 자도록 하여 유아가 침대에서 떨어지거나 침상 난간을 기어오르는 것을 방지하도록 한다.

침상 난간이 없는 침대에서 처음 잠을 잘 때는 아침에 방바닥에서 자고 있는 아동을 자주 발견할 수 있다. 방이 너무 춥지 않다면, 아동이 바닥에서 자는 것은 해가 없다. 아동에게 따뜻한 파자마를 입히거나 바닥에 담요를 깔아 주도록 한다.

낮잠 또는 피곤한 어떤 시간에 잠을 잘 때, 부모의 무릎에 앉혀 흔들어주고 움직여주면 유아는 더욱 좋아한다. 부모는 이것이 아기 같은 행동이나 퇴행의 신호가 아니라 유아의 자연스런 욕구라는 것을 이해해야한다.

3) 목욕

유아의 목욕시간은 부모와 아동의 요구와 일상 계획에 따라 다르다. 어떤 부모는 아동을 저녁식사 전에 목욕시키는 것을 선호하는데, 왜냐하면 아동을 안정시키는 효과가 있고 식사에 대해 아동이 준비할 수 있기 때문이다. 또 다른 부모는 이완 효과가 있고 쉽게 잠이 들기 때문에 잠잘 무렵을 선호한다. 유아의 목욕계획은 아동이 매일 규칙적으로 정해진 시간에 목욕하지 않으면 잠들지 못할 정도로 엄격해서는 안된다.

부모는 비록 유아가 욕조에 잘 앉을 수 있지만 감독하지 않고 혼자 있게 두는 것은 위험하다는 것을 명심해야 한다. 아동은 미끄러지고 머리가 물 속으로 들어가거나 뜨거운 물을 틀고 화상을 입을 수 있다. 유아는 보통 목욕을 즐긴다. 그리고 부모는 고무오리, 플라스틱 배 같은 장난감을 제공함으로써 아동의 목욕시간이 즐거운 시간이 되도록 해준다. 목욕시간은 부모가 아동에게 재미있게 해줄 것이 없는 비오는 날에 오락 활동으로 사용함으로써 아동에게 즐거운 시간이 되게 할 수 있다.

4) 치아관리

간식은 성장하는 아동에게 중요하다. 부모에게 고탄수화물 식이보다는 과일(바나나, 사과, 오렌지)이나 단백질(치즈, 치킨조각)을 제공하도록 한다. 이런 음식은 영양을 줄 뿐만 아니라 탄수화물에 아동 치아가 노출되는 것을 제한함으로써 치아부식을 감소시킨다. 칼슘(우유와 치즈, 요구르트에 풍부함)은 특히 치아를 강화시키고 발달시키는 데 중요하다. 게다가 불소는 새 치아에 공동형성을 방해하는 에나멜을 형성시켜 주기 때문에 가능하다면 아동은 불소가 포함된 물을 마시도록 한다.

아동은 자신의 칫솔을 따로 사용하도록한다. 유아기는 감독 하에 스스로 양치질을 시작할 수 있다(약 8세 경까지는 약간의 감독이 필요하다). 양치질을 하루에 여러 번을 대강하는 것 보다는 잠들기 전쯤에 하루에 한 번 완벽하게 하는 것이 아동의 치아부식 예방에 더 효과적이다. 양치질 후에 치실을 사용하고 플라그를 제거하도록 한다.

부모에게 아동의 치아 상태를 점검하기 위해 2세 반까지는 치과를 방문하도록 한다. 부모는 아동이 정규적인 치과 방문에 대한 긍정적인 생각을 가질 수 있도록 하기 위해 치과 방문에 대한 책읽기, 긍정적 태도 유지하기, 드릴이나 치과기구 같은 두려운 단어의 사용 피하기, 너무 많은 상세한 정보 없이도 아동의 질문에 정직하게 대답하는 것 등을 시도할 수 있다.

 영양과 식습관

유아는 상기도와 중이염 발병으로 의료기관을 자주 방문하게 된다. 이때 간호사는 해당질병에 대한 건강사정 외에 유아의 정상적인 성장발달을 측정하고 발달 지연을 조기에 발견할 수 있는 기회를 가질 수 있다. [표 7-6]에 유아의 의료기관 방문 시 사정해야 할 세부사항을 제시하였다. 정규 건강검진 시에 간호사는 유아기의 정상적인 발달적 위기를 극복할 수 있는 기회를 부모에게 제공할 수 있다. 유아기의 건강한 발달증진을 위해 부모를 격려하는 방법으로 그들의 걱정을 주의깊게 경청하는 것이 필요하며 세부적인 문제에 어떻게 대처하는지에 대한 지침을 제공할 수 있다.

01 / 영양관리

1세가 지나서는 성장이 갑작스럽게 느려지기 때문에 유아의 식욕은 영아기에 비해 현저히 줄어든다. 매일 먹는 음식의 실제 양은 아동마다 다양하며 18개월이 되면 생리적 식욕감소가 나타나서 맛을 가리고, 식성이 까다로워진다. 부모가 접시에 적은 양의 음식을 놓고 먹게 한 뒤에 더 먹을 것인지를 묻는 것이, 아동이 먹지 못할 많은 양을 주는 것보다 훨씬 현명한 방법이다. 아동이 접시를 깨끗하게 비우는 것은 독립적인 기능에 대한 느낌을 주는 반면, 음식을 먹지 않고 남길 경우 부모가 아동에게 더 많은 것을 기대한다는 부담을 줄 수 있다. 부모가 아동의 식욕이 감소하고 음식소비가 줄어든 것을 인식하지 못할 때, 종종 음식섭취로 인한 문제가 발생한다. 아동의 음식섭취가 감소될 수 있다는 것을 부모에게 교육함으로서 부모가 그러한 일이 발생했을 때 걱정하지 않도록한다.

유아는 스스로 음식 먹기를 고집하고, 부모가 먹여주려 하는 것을 거절한다. 아동은 모든 음식을 거절하는 시도를 반복적으로 할 수도 있다. 스스로 먹는 것은 유아에게 독립심을 강화시키는 중요한 방법이다. 같은 시기에 아동은 반복적으로 같은 유형의 음식을 고집할지도 모르는데, 이는 안전감을 불러일으키기 때문이다. 손가락으로 먹을 수 있는 음식과 2가지 유형의 음식 중 1가지를 선택하도록 하는 것은 독립심 증진을 도와준다. 유아가 즐기는, 들고 다니면서 먹을 수 있는 음식은 다음과 같다.

- 치킨조각
- 치즈
- 크래커

유아는 보통 냄비요리(스파게티 제외)와 같은 뒤범벅된 음식을 좋아하지 않는다. 아동은 친숙하지 않은 음식에는 손대지 않으며 다른 음식이 제공 되기 전에 1가지 음식을 모두 먹어버리는 경향이 있다. 또한 아동은 온화한 색 보다는 밝고 화려한 색으로 만들어진 음식을 선호한다.

02 / 일일 섭취권장량

유아의 다양하고 예측할 수 없는 식욕과 편식 때문에 부모는 적절한 영양의 음식을 제공하는 데 어려움을 겪을 수 있다. 1~3세의 아동은 매일 1,200Cal가 추천된다. 비록 아동의 매일 음식 소비량은 크게 다를 수 있지만, 일반적으로 에너지 요구량은 긍정적인 환경 내에서 충분한 음식이 제공될 때 충족된다. 설탕이 많이 함유된 식사는 피하도록 한다. 일반적으로 2세 이하의 어린 아동에게는 지방을 제한하지 않는다. 그러나 2세 이상의 아동은 지방을 총 칼로리의 30% 이상 섭취하지 않도록 한다. 유아기에 부족하기 쉬운 영양 성분은 칼슘, 철분, 아연이다. 곡류, 고기, 달걀, 미역, 생선, 시금치 등은 철분의 주요 공급원이며 우유는 칼슘과 인의 주요 공급 식품으로 하루 평균 2~3컵 정도 섭취하게 한다.

표 7-6 유아기 건강증진을 위한 사정내용

초점분야	방법	빈도
발달 이정표	건강력, 관찰 Denver Development Screening Test(DDST)	매 방문 시 18개월 방문 시
성장 이정표	표준성장도표에 표시된 신장, 체중: 신체검진	매 방문 시
영양	건강력, 관찰: 신장/체중 정보	매 방문 시
부모-아동관계	건강력, 관찰	매 방문 시
행동문제	건강력, 관찰	매 방문 시
시각과 청각 장애	건강력, 관찰	매 방문 시
치아 건강	건강력, 신체검진: 첫 번째 치과 방문	매 방문 시 24개월 시 첫 사정
빈혈	Hb	24개월
납 검진	전혈에서의 납 수준	18개월 방문 시
결핵	Tine test	사회의 일반적인 경향에 의거하여
소변검사	깨끗한 소변 채취(2번째 소변)	24개월 방문 시
예방접종 홍역, 유행성 이하선염, 매독 Hemophilus influenza 디프테리아, 파상풍, 백일해 소아마비	과거력과 건강력을 확인: 돌봄제공자에게 위험이나 부작용에 대해 알린다. 건강간호 정책에 맞추어 예방접종을 시행한다.	15개월 방문 시 15개월 방문 시 18개월 방문 시
수두백신	건강력과 과거력 확인. 만약 아동이 수두를 앓지 않은 경우 예방접종 시행	12~18개월 방문 시
지침 유아보호 다음 방문 시까지 예상되는 성장과 발달 이정표	적극적 경청과 건강 지도	매 방문 시
중독과 사고예방	중독의 경우 사용되는 토근시럽을 제공한다: 상담	매 방문 시
문제해결		매 방문 시
방문기간동안 돌봄 제공자에 의해 표현되는 문제들	분노 발작과 거부반응, 대소변 훈련에 관해 적극적 경청과 건강교육	매 방문 시

성교육

01 / 아동기 성 발달

성 발달은 생물학적, 사회문화적, 심리적 요인 등 다차원적인 영향을 받으며, 일정기간에 걸쳐 이루어진다. 성 발달에는 성 정체성(gender identity), 성 역할(gender role), 성 고정관념(gender stereotype), 성 항상성(gender constancy)의 개념이 있다.

성 정체성은 2~3세경 발달되는 개념으로 자신과 타인을 남성이나 여성으로 구분하여 표현할 수 있는 능력이다.

성 역할은 4세경 발달되는 개념으로 성(예: "아빠" 또는 "엄마")을 토대로 문화적으로 수용된 행동을 하는 것이다. 4세경부터 남자 또는 여자인 특성과 관련된 행동을 해야 한다는 사실을 알게 된다.

성 고정관념은 4세경 발달되는 개념으로 남자나 여자와 연관된 특징이나 행동에 관해 집단이 지니고 있는 신념이다.

성 항상성은 5~6세경 발달되는 개념으로 자신의 성이 영구적으로 변하지 않는다는 것을 인식하는 것을 의미한다.

아동들은 의복이나 머리 모양 등이 바뀌어도 남성과 여성이라는 성 정체성은 변하지 않는다는 사실을 인지하게 된다.

02 / 유아 성교육

아동이 태어날 때부터 부모들은 자녀의 성별에 따라 남아와 여아를 다르게 반응하고 상호작용을 하며 양육한다. 2~3세 사이의 유아기는 자신이나 타인을 남자와 여자로 구분하여 인식할 수 있는 성 정체성이 성립되는 시기이다. 예를 들어, 여아의 경우 엄마와 자신은 생식기 모양이 같고 여자라고 알게 되고, 생식기 모양이 자신과 다른 남동생은 남자라고 인식한다. 또한 2~3세경 유아들은 낯선 사람에 대해서 그들이 입고 있는 옷에 관계없이 언니, 오빠 또는 엄마, 아빠라고 구분하여 말할 수 있게 된다.

남성과 여성이 다름을 알게 되면서 생식기에 호기심이 많은 유아기에 사회가 수용할 수 있는 방식으로 성 차이의 개념을 습득하는 것은 유아기 성 발달에 매우 중요하다. 유아기에 배변훈련을 하면서 표상적 사고와 언어발달의 진행과 함께 아동들은 신체의 일부나 기능에 대해 명명할 수 있고, 자신의 신체적 충동을 부모에게 표현할 수 있게 된다.

배변훈련과정을 하는 동안 유아는 생식기에 관심과 호기심이 증가한다. 자신의 생식기와 부모와 형제자매의 생식기를 탐색하는 행동을 볼 때 간호사는 부모에게 이러한 행동을 정상적인 발달과정으로 인식하도록 교육해야 한다. 자신의 몸에 호기심을 갖는 유아기는 신체와 특히 생식기의 소중함을 교육하여 긍정적인 신체상을 정립할 수 있는 기회가 될 수 있다. 신체 부위를 말할 때 유아의 표현을 사용하기보다는 부모에게 정확한 해부학적 단어를 사용하도록 교육하는 것은 유아가 올바른 성 지식을 갖도록 돕고 만약 다른 사람이 유아의 신체를 부적절하게 접촉할 경우, 효과적으로 의사소통하는 데 도움이 된다.

그림 7-5 **유아용 차량 안전의자**

VI 안전사고 예방과 대처교육

1) 사고예방

사고는 아동기 사망의 주요원인이다. 유아는 우발적인 섭취로 중독의 위험이 높은 시기이다. 중독은 종종 세척제, 처방약물 등의 섭취로 인해 발생한다. 시계, 건전지, 연필 지우개, 또는 크레용과 같은 작은 물체의 섭취나 흡인 역시 이 연령의 아동에게 주요한 위험요인이다. 모든 독성 물질과 약, 그리고 작은 물체는 아동의 손이 닿지 않게 하여 안전하게 보관한다. 유아에게 흔한 다른 사고는 교통사고, 화상, 낙상 그리고 놀이터에서의 상해를 포함한다. 이것은 유아의 운동 능력이 자신의 판단을 능가하기 때문에 일어난다. 물론 유아는 걸을 수 있을뿐만 아니라, 만약 놀기 위해 야외에 있을 때 매우 빠르게 골목을 달려 갈 수 있을 만큼 신속하다. 그러나 움직이는 차에 대해 전혀 신경을 쓰지 않기 때문에 아동을 절대 바깥에 혼자 방치해서는 안된다. 심

표 7-7 유아기 흔한 사고의 종류 및 예방법

잠재적 사고	예방법
자동차	• 아동이 안전의자에 앉도록 한다. 차 안의 아동에 의해 안전운전이 방해를 받지 않아야 한다. • 아동이 사람이 없는 실외에서 노는 것을 금한다. 아동이 전기로 작동하는 차고 문에서 노는 것을 금한다. • 세발자전거를 혼자 타는 아동을 감독한다. 시범인형을 통해 안전을 가르치되(도로를 건너기 전에 둘러보기 등), 유아가 언제나 이 규칙을 지킬거라고 기대는 하지 않아야 하며 아동 가까이에 머물러 살펴보아야 한다(다시 말하면 아동 가까이에 머물기).
낙상	• 집 창문을 닫거나 안전한 방충망을 설치한다. • 계단의 맨 위와 아래에 문을 설치한다. • 놀이공간을 관리한다. • 아동이 손이나 입에 날카로운 물건을 갖고 걷는 것을 금한다. • 아기침대의 난간을 올리고 제대로 잠궈져 있는지 확인한다.
흡인	• 흡인될 수 있는 작은 부속이 있는 인형은 가지고 놀지 않도록 한다. • 유아가 팝콘, 땅콩 등을 먹지 않도록 한다. • 뛰는 동안 아동이 음식 먹는 것을 재촉하지 않는다. • 풍선을 가진 채로 아동을 혼자 두지 않는다.
미끄러짐	• 유아를 욕조에 혼자 두거나 물 근처에 두지 않는다.
동물에게 물림	• 유아가 낯선 개에게 접근하는 것을 금한다. • 유아가 애완동물과 놀 때 감시한다.
중독	• 절대로 사탕처럼 약물을 보관하지 않는다. • 아동이 열 수 없는 병에 든 약물을 산다. 사용한 즉시 아동의 손이 닿지 않는 곳에 둔다. • 아동 앞에서 절대 약물을 복용하지 않는다. • 모든 약물과 독물은 잠긴 캐비닛에 놓거나, 아동이 닿을 수 없는 키 높이의 선반에 두고 잠근다. • 절대 약물을 아동의 손이 닿을 수 있는 지갑이나 주머니 안에 두지 않는다. • 항상 음식물이나 물건은 원래 넣어두는 용기나 상자에 둔다. • 집 안에 있는 식물의 이름을 알아두고, 독이 있는 식물인지를 알아본다. • 전화기 옆에 가장 가까운 응급센터의 전화번호를 붙여 놓는다.
화상	• 가능하면 오븐의 뒷쪽 화구에서 요리하고, 아동이 냄비의 손잡이를 잡고 그것을 잡아당기는 일을 막기 위해서 오븐의 뒤쪽으로 냄비의 손잡이를 돌려놓는다. • 가습기 사용 시 뜨거운 스팀 증기장치보다는 차가운 습기 증기장치를 사용한다. 불이 있는 곳이나 가열장치 앞에는 스크린을 쳐 둔다. • 아동이 양초 가까이에 있을 때는 주의 깊게 살펴본다. • 뜨거운 물이 나오는 손잡이 옆에 아동을 혼자 두지 않는다. • 뜨거운 물 가열장치의 온도 조절을 확인하고, 만약 온도 조절이 52℃ 이상이면 온도를 낮춘다. • 아동의 손이 닿을 수 있는 탁자 위에 커피 혹은 차의 용기를 두지 않는다. • 아동이 닿을 수 있는 범위 안에서 놀고 있을 때나, 아동이 무릎에 앉아 있을 때 뜨거운 음료는 절대 마시지 않는다. • 아동이 성냥불을 켜지 못하게 한다. 불로 장난치면 안된다고 가르쳐 준다. • 전기선이나 전기코드를 아동이 닿을 수 없는 곳에 둔다. 전기 플러그를 안전한 장치로 덮어둔다.
일반적	• 아동이 항상 어디 있는지를 살핀다. • 아동은 전에는 할 수 없었던 의자, 걸상의 위에 오를 수 있고, 전에는 갈 수 없었던 곳에 갈 수 있으며 손잡이를 돌릴 수도 있다. • 가족들이 스트레스를 받는 상황시에 아동에게 관심이 적어지면 사고의 위험이 증가한다는 것을 인지한다. • 어떤 아동은 더욱 활발하며 호기심이 많고 충동적이어서 다른 아동보다 더 사고의 위험이 높고 상처받기 쉽다는 것을 인식한다.

각한 상해를 방지하기 위해서는 반드시 경계하고 조심해야 하며, 매시간 무엇을 하는지 알아야 한다. 아동의 체중이 18kg이 될 때까지, 자동차 안에서 안전을 위해 유아용 안전 의자가 필요하다. 만약 차의 조수석에 에어백이 있다면 뒷좌석에 앉혀야 한다[그림 7-5]. 세발자전거를 탈 때 아동은 헬멧을 써야 한다.

자신의 침대난간을 오를 수 있는 15개월 가량의 아동은 다른 사람이 일어나기 전, 이른 아침에 집안을 돌아다니기를 좋아한다. 부모는 아동이 아기침대에 올라가 낙상하는 것을 예방하기 위해 15개월 이전에 난간이 있는 보통의 침대로 아동을 옮겨야 한다. 방문에 안전문을 설치하여 손가락 상해를 예방하도록 한다.

유아가 집안 일을 따라하거나 차를 수리하려 할 때, 세제나 날카로운 도구를 사용하지 못하도록 교육한다. 가족에게 사고예방법을 교육함으로써 유아를 잘 돌보도록 한다[표 7-7].

확인문제

5. 2세 이하 아동의 식이에서 지방은 제한되어야 하는가?

Ⅶ 유아기의 흔한 건강문제

01 / 대소변 가리기 훈련

대소변 훈련은 유아기에 성취해야 할 가장 큰 과업 중의 하나이다. 유아기 부모는 대소변 훈련과 관련된 이론과 절차를 이해하는 것이 중요하다. 부모들은 대소변 훈련을 언제 시작해야 하는지, 언제까지 마쳐야 하는지, 어떻게 하는 것이 좋은지 궁금해한다. 유아의 대소변 훈련은 보통 18~24개월 사이에 시작할 수 있다. 그러나 아동에 따라 각기 다른 개인적인 과업으로서 정해진 계획에 의해서가 아니라 성취할 수 있는 아동의 능력에 따라 시작하고 끝나야 한다.

아동이 대소변 훈련을 시작할 수 있기 전에 3가지 발달 수준(생리적 수준 1개, 인지적 수준 2개)에 도달해야 한다.

- 직장과 요도의 괄약근을 조절할 수 있어야 한다.
- 괄약근을 정해진 장소와 적절한 시간에 이완시킬 수 있을 때까지 소변과 대변을 보유하고 있는 의미에 대한 인지적 이해가 있어야 한다.
- 좀 더 사회적으로 수용되는 행동을 위해 즉각적인 만족을 연장시킬 수 있는 욕구를 가져야 한다.

생리적 발달은 대뇌에서 하는 일이기 때문에 대부분의 아동은 직장과 요도 괄약근의 발달수준이 1세 후반까지는 통제할 수 있을 만큼 충분히 성숙되어 있지 않다. 아동이 독립적으로 잘 걸을 수 있게 되면 괄약근을 통제할 수 있는 생리적 성숙이 되었다고 볼 수 있다.

그러나 대소변 훈련은 너무 이른 시기에 시작하지 않도록 한다. 많은 아동이 인지적으로나 사회적으로 2세나 3세가 될 때까지 그들에게 무엇을 요구하는지 이해하지 못하기 때문이다. 준비가 되어있다는 표시는 미묘하다. 그러나 일반적으로 부모가 대소변 가리는 것을 원하고 있다는 것을 아동이 이해하거나, 젖은 기저귀가 불편하기 시작 할 때 대소변 훈련이 준비되는 것이다. 그들은 기저귀를 당기기 시작하며 기저귀를 갈기 위해 깨끗한 기저귀를 부모에게 가져간다[표 7-8].

간호사의 가장 중요한 책임 중의 하나는 유아의 준비상태를 부모가 알 수 있도록 도와주는 것이다. 1일 1회 정도 보는 대변은 배뇨보다 먼저 훈련시키는 것이 좋고, 대변 가리기는 소변 가리기보다 규칙적이고 예측하기가 쉬워 일찍 조절된다. 그리고 배변하는 느낌이 소변보는 느낌보다 크기 때문에 유아는 더 주의를 기울일 수 있다. 배뇨훈련은 식사 전이나 잠을 깬 후에 규칙적으로 일정한 시간에 배뇨기를 대어주고 성공하면 칭찬해 준다. 만약 실패한 경우에도 꾸짖거나 벌을 주면 안 되고, 부드럽게 위로와 격려를 해준다.

몇몇 유아는 대소변 훈련을 시작할 때 자신의 배설물을 가지고 논다. 아동은 이것이 신체 배설물인 것을 알지만, 배설물에 대해 성인이 가지는 가치와는 다르게 생각한다(대변은 그들이 가지고 노는 장난감 반죽과 조금 다른 것일 뿐

표 7-8 유아의 대소변 훈련방법

1	아동의 대소변 훈련은 성장을 위한 단계이므로 훈련을 도울 수 있는 1~2주의 준비활동 기간을 계획한다. 만약 아동이 대소변 훈련이 유아만 하는 것이라고 느낀다면 극심한 거부증을 나타낼 수 있다. 준비활동은 다른 가족 구성원이 화장실을 사용하는 것을 보여주는 것, 대소변이 더럽거나 혐오스러운 것이 아니라, 어른들이 화장실에서 습관적으로 대소변을 깨끗이 누는 것을 보는 것, 훈련용 바지를 소개하는 것, 어른들이 속옷을 입은 모습을 보여주는 것이 포함된다.
2	훈련용 바지를 손쉽게 내릴 수 있는지, 늘어진 부분에 복잡한 단추나 대형 스냅단추가 없는지 확인한다. 그렇지 않으면 아동이 빨리 벗지 못해 실수할 수 있다.
3	바닥에 놓을 수 있는 유아용 변기의자나 일반 변기위에 놓을 수 있는 유아의자를 구입한다. 유아용 변기의자는 낮은 것을 사용하여 아동을 놀라게 하지 않는다. 그러나 매 사용 후 비우고 씻어야 한다. 만약 변기위에 놓는 유아의자를 선택한다면, 아동이 올라갈 수 있도록 변기 바로 앞에 휴대용 발판을 준비한다.
4	주기적으로 아동을 유아용 변기의자나 변기에 데리고 간다(즉 아동이 아침에 일어났을 때, 아침식사 후, 오전의 중간, 점심식사 전, 점심식사 후 등).
5	아동이 소변이나 대변을 보면 칭찬한다.
6	아동이 변기에 앉아 있는 동안, 물이 내려가지 않게 조심한다. 2세 된 아동은 물을 내릴 수 있는 것을 알지 못하여 놀랄 수 있다. 아동을 씻겨주고 옷 입는 것을 도운 후 독립적으로 변기의 물을 내리도록 격려한다.
7	아동이 10분 이상 유아용 변기 의자에 앉아 있지 않도록 한다(아동이 저항한다면 더 짧은 시간만 있도록 한다. 또한 아동이 용도를 혼동할 수 있으므로 간식용 의자로 사용하거나 놀이용 탁자로는 사용하지 않는다).
8	만약 아동이 변기를 지속적으로 사용할 준비가 되어있지 않거나, 성공적으로 사용하지 못하면 일시적으로 기저귀를 다시 사용한다. 그러나 아동이 이것이 실패를 상징하는 것이라고 느끼지 않도록 조심한다. 건조한 것이 좋은 것이고 축축한 것이 나쁜 것이라고 동일시하지 않도록 조심한다. 준비활동을 계속하고 아동이 더 준비되었을 때 대소변 훈련을 시도한다.
9	일부 유아는 3~4세까지 밤에 대소변 조절을 어려워한다. 아동이 야간에 대소변 조절을 성공하도록 압력을 주지말고, 아동이 할 수 있는 한 최선을 다한 것이라고 생각한다. 야간에 대소변 조절이 어렵다는 것을 설명하고 밤에 기저귀를 사용하도록 한다. 약 1달 동안 야간에 대소변 조절을 성공하면 훈련용 바지만 착용시킨다.
10	밤에 깨워서 대소변을 누도록 하기 위해 화장실에 보내지 않도록한다. 이 방법은 밤 동안에 대소변 조절을 할 수는 있지만, 오랜 시간동안 대소변 조절을 유지시키는 데는 도움이 되지 않는다 .

이다). 이 행동은 유아에게 비슷한 감촉으로 된 장난감을 주거나 즉시 기저귀를 교환해 주면 최소화할 수 있다. 부모에게 이러한 행동이 의미하는 것 즉, 신체와 자신의 즐거움, 새로운 물체를 발견해서 이것이 무엇인지 알기 위한 시도임을 이해시킨다. 아동이 충분히 대소변 훈련이 되면, 이러한 행동은 거의 지속되지 않는다.

확인문제

6. 유아는 욕조에 혼자 남아 있어도 되는가?

7. 아동이 대변 훈련을 위한 신체적 준비가 되었다는 것을 알리는 신체적 징후는 무엇인가?

02 / 분노발작

거의 모든 유아는 한 번 이상 분노 발작(temper tantrum)의 경험을 가지고 있다. 발로 찰 수도 있고, 비명을 지를 수도 있으며 "싫어, 싫어"라며 마루 위에 누워 팔과 다리를 휘두르고 마루에 머리를 대고 부딪힐 수도 있다. 아동은 심지어 청색증이 나타날 때까지 숨을 멈추고 마루에 쓰러지기까지 한다. 이것은 흉부가 팽창되고(흡기 후에 정지하여) 종종 볼에 공기를 채우고 있으며, 아동의 신체는 산소부족으로 피로가 증가하게 된다. 이것은 해롭지 않은 숨 참기로 분노 발작의 증상이며 무시하면 아동은 포기하게 된다. 실제적인 숨참기는 보통 분노의 최고점에서 아동이 숨쉬는 것을 잊어버리거나 호기 후에 멈추는 것으로 나타난다. 이것은 신경학적으로 문제가 있는 경우이다. 발작은 아무런 자극이 없이 호흡정지가 되면서 청색증이 온다. 이러한 행동을 구분하는 방법은 [표 7-9]에 요약되어 있다.

분노 발작은 유아의 독립심과 자율성에 대한 표현으로 유아 발달의 자연적인 결과이다. 분노발작은 유아가 자신이 원하는 것이 무엇인지 충분히 알 만큼 독립적이나, 자신의 감정을 좀 더 사회적으로 수용될 수 있는 방법으로 표현하는 어휘나 지혜를 가지고 있지 못하기 때문에 나타난다. 또한 분노 발작은 종종 유아의 시각에서 볼 때 부모가 비현실적인 요구를 한다고 생각할 때 나타날 수 있다.

예를 들어, 할 수 있을 만큼 충분히 협응되기 전에 자신의 머리를 빗도록 요구하는 것, 아동이 책임감을 느끼기 전에 장난감을 정리하도록 하는 것이나 원하는 것이 무엇인지를 이해할 수 있기 전에 공유하도록 하는 것 등이다. 또한 만약 부모가 탁자를 만지고 더럽히며, 숟가락을 사용하거나 뛰고 뛰어내리는 이런 것들을 너무 자주 안 된다고 말하면 아동은 끊임없이 방해하는 것으로 느껴서 분노 발작을 일으킬 수도 있다. 분노 발작은 대소변 훈련과 같이 어려운 결심이나 선택에 대한 반응일 수도 있다.

느낌을 표현하고자 하는 아동의 이런 요구는 분노 발작으로 나타나는 것이다. 이러한 사건으로 부모들은 당황하게 되고 아동 또한 과도한 에너지를 소비하게 되는 것이다.

간호진단 및 목표

간호진단 : 유아의 행동과 관련된 가족 대처의 위험성
간호목표 : 가족은 분노 발작에 대처하는 보다 나은 방법을 실천한다.
예상되는 결과 : 가족은 분노 발작이 매일 두 번 이하로 감소하였다고 말한다.

간호사는 가족이 분노 발작을 관리하는 방법을 찾도록 도와주기 위해, 먼저 유아의 분노 발작과 부모의 반응을 사정하도록 한다[표 7-10]. 최상의 접근은 부모가 아동에게 발작을 허락하지 않는다는 것을 간단히 말하고, 그 다음 그것을 모른 체 하는 것이다. 부모는 다음과 같이 말하도록 한다. "나는 침실에 있을 거야. 네가 발로 차는 것을 다 했을 때 너도 침실로 가게 되는 거야." 부엌에 혼자 남게 된 아동은 보통 발작을 계속 하지 않고, 1~2분 후에 멈출 것이며 부모에게 다시 오게 될 것이다. 그러면 부모는 마치 아동이 분노 발작을 일으키지 않았던 것처럼 따뜻하게 받아들여야만 한다.

부모가 일찍 문제를 바로잡도록 도와주는 것은 자녀의 분노발작의 횟수를 감소시킨다. 부모를 포함하여 아동을 가까이서 돌보는 모든 사람이 아동과 설정한 규칙을 지키고 일관성을 유지하도록 하며 아동의 발달 수준에 맞는 행동을 하도록 도와줌으로써 분노발작 행동을 다룰 수 있다.

아동이 성숙함에 따라 어휘도 늘고 스트레스를 받는 상황에서 사회적으로 수용될 수 있는 행동을 이해하게 되면서 분노 발작은 저절로 사라지게 된다.

확인문제

8. 어떻게 하면 부모가 유아의 심한 거부증을 최소화 시킬 수 있는가?

03 / 거부증

분리된 개인으로서 정체성을 확립함에 따라 유아는 전형적으로 극심한 거부증 시기를 거친다. 부모가 유아에게 하기를 원하는 것을 하고 싶어하지 않는다. 모든 질문에 대한 대답은 일정하게 "싫어, 안돼."이다.

이때 부모는 그들의 권위에 대해서 의문이 생기고, 아동이 버릇이 없어져 세상을 살아가는 데 어려움이 생긴다고 믿기 쉽다.

부모는 영아기 시절 자신들을 기쁘게 해주었던 행복하고 협조적인 자녀가 유아기에 들어서면서 불안정하고 비협조적인 반응을 하는 극심한 변화를 보일 때 당황해할 수도 있다. 간호사는 부모가 이것이 유아기의 정상적인 현상일뿐만 아니라 발달에서의 긍정적인 과정이라는 것을 깨닫도록 도와주어야 한다. 이 변화는 유아가 자율성에 대한 욕구와 함께 독립적인 개별성을 배우고 있다는 것을 나타내는 징후이다. 유아가 거부증을 경험하는 것은 독립적이고 자신의 욕구와 욕망을 처리할 수 있는 사람으로 성장하는 데 중요하다.

부모의 과거를 돌이켜 볼 때 처음으로 대학이나 캠프를 가려고 집을 떠났던 자신도 자녀와 비슷하게 행동했다는 것을 기억할 수 있다. 만약 부모가 그런 상황을 상기시킨다면, 자녀의 이러한 행동이 또래에서 특별한 것이 아니라 독

표 7-9 분노발작, 숨 참기, 발작의 차이점

사정	분노발작	숨 참기	발작
자극원	부모는 아동의 분노발작의 원인을 알고 있다(예: 부모가 유아에게 저녁을 먹어야 한다고 말하지만, 아동은 하고 있던 활동을 마치기를 원하는 상황)	아동이 매우 화난 상태 아동은 숨을 내쉰 뒤에(호기 후) 다시 들이마시는 것(흡기)을 잊어버린다.	자극시키는 요인이 없다.
청색증의 출현	아동은 흡기 후 숨을 참고, 얼굴에 청색증이 나타나며, 다음에 바닥에 쓰러진다.	아동은 호기 후 얼굴에 청색증이 나타나며, 다음에 바닥에 쓰러진다.	아동이 먼저 바닥에 쓰러지고 청색증이 나타난다.

간호사례 / 분노 발작을 하는 유아

2세된 남아의 어머니는 아동의 건강유지를 위해서 아동을 데리고 왔다. 그녀는 아동의 분노 발작을 어떻게 다루어야 할지 모르겠다고 말했다.

사　정: 2세된 남아의 어머니는 신체검진에서는 정상범위에 속했다. 어머니는 아동이 하루에 적어도 20번 정도 분노 발작을 한다고 말한다. "아동은 바닥에 몸을 던지고 머리와 주먹을 부딪힌다." 어머니는 분노 발작을 야기하는 어떤 요인에 대해 설명할 수 없다. 어머니는 "내가 무엇을 시작하려고 할 때 짜증을 내는 듯 해요. 내가 아동과 놀다가 전화를 받으려고 하거나, 저녁준비를 하려는 등 무엇을 하려고 일어서면 아동의 짜증이 시작되죠." 어머니는 아동이 스스로 다치게 할까 두려워 즉시 아동을 안아 일으킨다고 한다. "난 더 이상 어떻게 해야 할지 모르겠어요".

간호진단: 짜증의 횟수를 줄이고, 짜증을 다루는 방법과 관련된 건강 추구 행위

간호목표: 2주 이내에 어머니는 짜증을 조절하는 방법을 설명한다.

평　가: 아동은 하루 4회 이하로 짜증의 횟수가 줄었음을 보여준다. 어머니는 짜증 조절 방법을 확인하고, 마지막 1주까지 짜증 횟수가 줄었음을 보고한다.

계획 및 중재

1. 분노발작과 관련된 주변 상황을 검토한다. 어머니에게 분노 발작 전, 중간, 후의 사건에 대해 물어보고 그러한 행위가 가능한 이유를 검토한다.
2. 아동의 잠재적인 신경학적, 인지적 문제를 사정한다. 만약 문제가 존재한다면 적절한 의료기관에 의뢰한다.
3. 정상적인 유아의 성장과 발달을 살펴보고, 이 시기동안의 분노 발작이 정상적인 것임을 설명한다.
4. 어머니에게 분노 발작 동안에 아동이 자해를 하는 것은 거의 없으며, 분노 발작은 자신의 요구와 감정을 표현하는 방법임을 알린다.
5. 아동에게 2차적 선택을 제공하는 방법을 어머니와 함께 상의한다.
6. 발전적 행동을 위한 시도를 어머니와 함께 생각해본다. 아동에게 상해의 위험이 있는 경우를 제외하고 어머니가 아동을 안아 일으키지 않도록 한다.
7. 어머니가 아동과 함께 매일 규칙적으로 일정한 시간에 재미있는 활동을 계획할 수 있도록 돕는다.
8. 아동의 행동을 매일 기록하고, 한 주동안의 행동을 평가하도록 교육한다. 어머니가 기록한 것에 대해 검토하고 아동의 행동에 대해 토의하는 시간을 가진다.

립성의 표현이라는 것을 깨달을 수 있다. 또한 부모는 그들의 행동이 악의가 없었다는 것을 기억한다면, 자녀도 악의가 없다는 것을 알 수 있다. 전체적 시각으로써 이런 이해는 아동의 "아니오"를 이해할 수 있게 한다.

유아가 보이는 부정은 성장과정에서 자연히 겪는 것이다. 많은 부모는 아동이 그들에게 복종하기를 바라며 아동은 더 강하게 저항하려고 한다. 부모-아동 상호작용 문제는 유아기에 시작되는데, 이는 부모는 자녀가 자신들에게 전적으로 복종하기를 바라고 아동은 부모의 접근방식에 따르려고 하지 않기 때문이다.

부모들은 유아와 같은 수준에서 행하지 않도록 주의해야 한다. 유아의 거절에 대해 "네가 이러면 나도 너를 도울 수 없어. 나는 너를 위해 아무 것도 하지 않을 거야."는 부모가 쉽게 보일 수 있는 반응이다. 도움을 받아들이는 것을 거절하는 것이 사랑을 받아들이는 것을 거절하는 것이 아니라는 것을 부모에게 알려준다. 어머니가 신발을 신겨 주는 것을 거절하는 것은 어머니가 신발을 신겨주는 것만을 거절하는 것이지 그 이상은 아니다.

유아의 "아니오" 현상은 아동의 의향을 묻는 질문을 피함으로서 감소될 수 있다. 예를 들어 아버지가 "저녁 먹을 준비가 됐니?"라고 묻기 보다는 "탁자에 와라. 저녁 먹을 시간이다."라고 말할 수 있다. 또한, 어머니가 "너 지금 욕실에 갈 수 있겠니?" 보다는 "욕실에 가서 씻을 시간이다."와 같이 질문을 하는 대신에 진술하는 방식을 선택하면 많은 부정적인 반응을 피할 수 있다.

유아는 선택을 결정하는 경험이 필요하다. 이러한 기회를 제공하기 위해서 부모는 이차적인 선택을 제공 할 수 있다. 즉, "예", "아니오" 라는 반응을 피하고 선택을 할 수 있는 대화를 하는 것이다. 부모는 "지금은 욕실에 갈 시간이다."라고 말한다.

그런 다음 "너는 욕조에 어떤 장난감을 가지고 가기를 원하니? 오리 아니면 물고기?"라고 질문한다. 다른 예는 "점심시간이다. 너 큰 접시를 사용하기 원하니 아니면 작은 접시를 사용하기를 원하니?" 또는 "쇼핑하러 갈 시간이다. 너는 재킷을 원하니 아니면 스웨터 사기를 원하니?"라고 물어보는 것이다. 명령보다는 제안을 하는 것이 좋으며, 부드러운 미소나 포옹을 하면서 요구하되, 비난하거나 위협적인 언행은 피하도록 한다. 이러한 대화방법은 거부증을 감소시

표 7-10 유아의 분노발작 관리

행동의 이유를 부모와 함께 확인한다.
• 항상 분노 발작이 취침시간 바로 전에 일어나는가? 만약 그렇다면, 부모는 취침시간을 더 일찍 계획하거나 오후의 낮잠을 계획할 수 있다. • 부모가 쇼핑을 갈 때마다 분노 발작이 일어나는가? 만약 그렇다면, 매주 1번의 긴 쇼핑시간을 갖는 것보다 두 번의 짧은 쇼핑 시간을 갖도록 하는 것이 도움이 될 것이다. • 분노 발작이 부모가 아동에게 무언가를 하도록 요구할 때마다 일어나는가? 만약 그렇다면, 아동이 연령에 적절한 과제를 수행할 수 있는지, 없는지를 조사한다. • 의사결정을 하는 반응으로 분노 발작이 일어나는가? 만약 그렇다면, 부모는 아동에게 요구하는 수를 제한해야 한다.
아동의 분노발작에 대한 부모의 이해정도를 말하도록 한다.
• 단순한 분노 발작으로 생각하는가 아니면 그 이상인가? • 부모가 분노 발작을 발작으로 오해할 가능성이 있는가? • 부모가 분노 발작으로 숨을 참는 것을 신경학적인 문제로 인한 숨 참기로 잘못 이해하고 있는가?
아동이 분노 발작을 일으켰을 때 부모의 행동을 사정한다.
• 부모가 물질적 또는 감정적으로 보상을 준다(예를 들어, "와서 과자 먹자"또는"그만하거라, 뽀뽀해 줄게"). 이 방법은 효과가 거의 없다. 만약 부모가 아동이 원하는 것에 응한다면, 아동은 자신이 그렇게 해서 성공했기 때문에 더 많은 발작을 하는 데 용기를 얻게 된다. • 부모가 아동에게 벌을 준다. 이것은 적절한 방법이 아니다. 유아는 의견을 표현하는 권리를 가지고 있다. 아동이 자신의 의견을 표현하는데 좀 더 통제적이고 성숙한 방법을 배우도록 이끌어 주는 것이 필요하다. • 부모가 유아의 분노 발작을 관리할 때 어른의 행동을 설명한다. 예를 들어, 만약 아동이 소리지르거나 발로 찬다면, 부모가 "나도 너만큼 크게 소리지를 수 있어. 나는 너보다 더 세게 발로 찰 수 있어."와 같이 반응하는 것은 적절한 대응 방법이 아니며, 대신에 아동이 자신의 느낌을 표현할 수 있는 더 나은 방법을 보여주도록 한다.

킬 수 있는 방법일뿐만 아니라 유아의 자율성을 존중해주는 방법이기도 하다.

04 / 퇴행

동생의 출생과 관련된 퇴행은 독점하던 부모의 관심을 빼앗긴 것을 경험한 첫째 아동에서 현저하게 나타난다. 아직 동생에게 모든 것을 양보할 준비가 되어 있지 않은 유아의 퇴행적인 행동인 질투심을 심하게 꾸짖으면 마음의 상처를 줄 우려가 있다.

동생이 태어난 후 유아는 스트레스로 인해 이전에 해결되었던 다음과 같은 행동으로 돌아간다.

- 엄지손가락 빨기
- 거부증
- 방광조절의 상실
- 부모로부터의 분리 불가능

이것을 야기하는 스트레스는 다양하지만, 보통 다음과 같은 것으로 인해 발생된다.

- 가족 내에 새 아기의 탄생
- 새로운 놀이방이나 유치원 경험
- 부모의 결혼생활 어려움
- 병원 입원으로 인한 분리

만약 부모가 이런 상황에서의 퇴행은 정상적일 수 있고, 아동의 엄지손가락 빨기는 스트레스에 대한 부모의 반응(많은 흡연, 과식)과 다를 게 없다는 것을 이해한다면, 아동의 행동을 수용하고 받아들이기 쉽다. 아동의 이런 행동을 중단하는 최선의 방법은 스트레스를 없애는 것이다. 그러나 언급했던 스트레스는 쉽게 제거할 수 없는 것이다. 새 아기 출산은 되돌릴 수 없고 파탄이 난 결혼생활은 서로 수습할 수 없으며 입원 상황은 꼭 생긴다.

이때 엄지손가락 빨기나 스트레스의 다른 징후를 무시하고 아동에게 주의를 주는 것은 부모가 기분이 좋지 않다는 것을 아동에게 알리는 것이 되기 때문에 1차적인 스트레스 경험 외에 추가적인 부담을 가중시킬 뿐이다. 아동의 퇴행현상을 줄이기 위해서는 비록 상황이 변한다 해도, 누군가 여전히 아동을 사랑하고 계속 그들을 돌보아 주는 것처럼 삶의 중요한 면이 변하지 않는다는 것을 아동이 느끼게 해주어야 한다. 이를 아동이 확인하게 되면 심한 스트레스는 많이 경감된다.

표 7-11 형제간의 경쟁을 최소화하도록 돕는 방법

- 병원에서 집으로 돌아온 후에 유아에게 관심을 집중하고 아기가 잠든 후에 유아와 특별한 시간을 함께 한다.
- 친구와 가족이 방문할 때 그들이 아기뿐만 아니라 유아와 시간을 함께 보내도록 격려한다.
- 유아는 선물을 기대하지 않기 때문에(형제간의 경쟁을 증가시킨다) 유아에게 아기의 선물을 여는 것을 돕도록 하고, 이것이 아기의 생일이라는 것을 설명한다. 또한 유아 역시 생일에는 선물을 받는다는 것도 설명한다.
- 유아에게 "너는 아기가 예쁘니?"라는 질문을 하지 않는다. 오히려 "새 아기는 너무 많이 운다. 아기가 너무 많이 울어서 힘들다. 그렇지 않니?"라는 느낌을 표현하는 것이 훨씬 더 낫다.
- 매일 유아를 위한 특별한 시간을 제공한다. "어머니와 아버지는 너도 똑같이 사랑한다."라고 말해 주도록 한다.
- 부모가 아기를 수유하거나 목욕시킬 때, 유아는 옆에서 인형에게 수유하거나 목욕시키도록 한다.

어머니가 임신했을 때부터 동생이 미리 태어날 것을 알려주고 주변의 아기들이나 아기 사진을 보여준다. 분만을 위한 입원으로 어머니와 분리되어야 하므로 미리 분리를 경험하게 해주고 잘 수행했을 때 조금 더 어른스러워졌음을 칭찬해준다. 동생은 부모의 사랑을 빼앗아 가는 존재가 아니라 아동과 서로 사랑을 주고 받을 수 있는 존재로 인식시키고 모든 준비과정에 아동을 동참시켜 새로운 동생이 태어나는 데 대한 행복감을 기대하게 한다.

또한 유아가 어렸을 때 사용했던 아기용 침대를 사용하고 있다면, 부모는 "너는 자랐으니까 이제 새 침대에서 자야 할 거야."라고 설명한다. 앞으로 태어난 남동생이나 여동생이 사용해야 하니까 새 침대로 옮겨야 한다고 말할 경우 새로 태어난 동생에 대해 질투심을 유발할 수 있으므로 새 침대의 사용이 아동의 성장과 관련이 있다는 점을 강조하도록 한다.

만일 아동이 놀이방이나 유치원에 가게 된다면, 가능하면 동생이 태어나기 전이나 출생 2~3개월 후에 보내는 것이 좋다. 이러한 방법은 동생이 태어남으로 인해 집 밖으로 내쫓기는 것이 아니라 성장의 결과로 놀이방이나 유치원에

간다는 것을 스스로 인식할 수 있기 때문이다.

어머니가 분만으로 병원에 입원할 예정이라면, 이러한 분리를 미리 준비시켜야 한다. 만일 어머니가 밤에 병원에 간다면 아동은 어머니가 가고 없는 아침에 일어날 것이며 아동은 새로운 형제가 생기는 것에 대한 기대감을 갖게된다. 어머니는 출산을 위해 병원에 있는 짧은 시간 동안 이라도 아동과의 관계를 유지하기 위해 노력해야한다. 일부 유아는 어머니에게 고개를 돌리고 며칠간의 분리로 인해 자신에게 어머니가 가까이 오는 것을 거절하는 냉소적인 반응을 보이기도 한다. 이러한 행동은 새로운 아기때문이 아니라 분리로 인한 반응이며, 이런 현상은 퇴원 후 아기가 집으로 올 때 발생하기도 한다.

임신한 어머니나 부부에게 그들이 하는 준비가 어떤 것인지를 물어보고 어머니가 이 모든 문제를 어떻게 해결하고 있는지 물어본다. 대부분의 부모는 질투심으로 인한 문제가 예상하고 있었던 것보다 더 크다는 것을 발견하게 되며, 특별히 간호사가 부모에게 유아가 즐기는 어떤 활동이나 낮시간에 좀 더 많은 시간을 제공할 수 있는 방법에 대해 제안해 주기를 원한다[표 7-11].

부모는 아동의 행동에 대해서 일관성 있는 반응을 보이고 동생이 태어나면 동생을 돌보는 일에 아동의 역할을 부여한다. 예를 들면 갈아줄 기저귀를 가져오게 하거나 휴지를 뽑아 오게 하는 등 아동이 할 수 있는 일을 했을 때 아낌없는 칭찬을 해준다. 그래도 일부 아동들은 퇴행적인 행동을 보일 수 있다. 퇴행적인 행동을 보인다면 아동이 스트레스를 경험하고 있는 것이므로 더욱 관심과 사랑을 표현해 준다. 그러나 동생을 해치거나 위험한 행동을 했을 때는 분명하게 꾸중을 해서 재발을 막아야 한다.

요 점

※ 발달상으로 볼 때 유아는 많이 발전하지만 신체적 성장은 느리다.

※ 유아의 발달상 중요한 사건은 2세가 될 때까지 두 단어로 된 문장을 만들 수 있다는 것이다.

※ 유아기에서 에릭슨의 발달 과업은 자율성 또는 독립성 대 수치심 또는 의심을 형성하는 것이다.

※ 영아기에 비해 유아는 전조작적 사고를 하는 것이 가능하고 상징물을 가지고 더 많은 해석을 할 수 있는 능력을 가진다.

※ 유아의 식욕이 영아에 비해 감소하므로 영아기에 비해서 더 적게 먹는다.

※ 유아기동안 부모의 공통적인 관심은 대소변 훈련, 거부증, 분노 발작, 퇴행 등이다.

확인문제 정답

1. 예측된 현상으로, 천골부위의 척추가 앞쪽으로 휜 척추전만증이 현저하다.
2. 복부를 충분히 지지할 만큼 복근이 강하지 못하기 때문이다.
3. 약 300개의 단어를 사용하며, 2개의 단어로 된 문장을 사용한다.
4. 평행놀이
5. 2세 이하 아동에게는 지방을 제한하지 않는다.
6. 혼자 두지 않는다.
7. 젖은 기저귀를 당기거나 깨끗한 기저귀를 부모에게 가져간다.
8. "아니요"라고 대답할 수 있는 질문을 하지 않는다.

CHAPTER

08 학령전기 아동

주요용어

남근기(phallic stage)
말더듬(stulfering)
야경증(night terror)
엘렉트라 콤플렉스(Elactra complex)
오이디푸스 콤플렉스(Oedipus complex)
전조작기(preoperational period)
직관적 사고(intuitive thinking)

학습목표

01 성장의 특성을 설명한다.
02 발달의 특성을 설명한다.
03 활동과 휴식의 특성을 설명한다.
04 영양과 식습관 교육을 수행한다.
05 성교육을 수행한다.
06 안전사고의 예방과 대처 교육을 수행한다.
07 학령전기의 흔한 건강문제를 설명한다.
08 말더듬을 설명한다.
09 공포를 설명한다.
10 수면장애를 설명한다.

I 성장 특성

학령전기는 3세 이후 6세 이전까지의 기간으로 취학전기 또는 유치원 시기이며 초등학교 교육전으로 학령기를 준비하는 시기로 아동의 생활양식에 큰 변화를 가져오는 시기이다.

3세까지는 성장과 발육이 왕성하지만 학령전기에는 신체 성장률은 감소하여 안정기를 유지하며, 운동능력, 인지능력, 언어 능력, 사회성 등이 발달한다.

전반적으로 신체기관도 훨씬 성숙되고 안정되어 긴장이나 환경 변화에 적응하는 능력이 증가한다. 또한 처음 부모와 분리되어 유치원과 같은 보육시설에서 다른 아동 및 교사와 상호 작용을 시작한다. 신체 기능을 조절하고, 일정 시간을 부모와 떨어질 수 있으며 다른 사람과 협력할 줄 알게 된다. 언어 사용 능력과 지적 능력이 향상되어 의사표현이 가능하고, 집중력과 기억력이 증가한다. 상상력이 풍부하여 흥미 위주로 활동을 하며 주변 환경을 탐색한다. 이런 특징으로 볼 때 인간의 기본 특성이 결정되는 시기 또는 인간행동의 형성기라고 할 수 있다.

01 / 신체적 성장

학령전기 아동은 유아에 비하여 신체 성장률이 저하되며 비교적 완만한 편으로 키가 크고 말라 보인다. 몸무게는 연간 약 2.31㎏이 증가하여 평균 몸무게가 3세에 14.6㎏, 4세에 16.7㎏, 5세에 18.7㎏이다. 키는 1년에 약 6.75~7.5㎝가 증가하여 평균 키가 3세에 95㎝ 4세에 103㎝, 5세에 110㎝이다.

이 시기에는 다리가 몸통보다 빨리 성장하기 때문에 다리가 많이 길어진다. 4세에는 키가 출생 시의 2배가 되고, 6세에는 하지가 전체키의 약 45%가 된다

유아기보다 신체가 균형이 잡혀 안정되어 보이고 더 민첩하다. 머리둘레는 6세 경에 출생시의 약 1.5배인 49.5~52.1㎝로 성인의 약 90%이며, 뇌무게는 1,250g 정도로 이전 시기와 비교해 볼 때 키에 대한 머리의 비율이 감소하며 학령전기 동안에는 몸무게와 키가 성별에 따라 차이를 보이지 않는다.

활력징후는 맥박이 분당 90~100회이고, 혈압이 평균 100/60㎜hg이다. 신체가 균형 있게 발달하며 지방 조직이 근육 조직으로 대치되고, 복부 근육이 발달되어 골반이 바르게 펴진다. 이에 따라 유아기의 올챙이배 모습과 쪼그리고 앉는 자세가 없어지고, 허리선이 나타나 자세가 바르게 보인다. 그러나 각 신체 부분이 성장하는 비율이 다르기 때문에 신체가 아직 균형이 잡혀 있지 않다.

체중이 증가하면서 단단해져 아동의 외양이 더 튼튼하게 보이며 내부기관도 더 잘 보호된다. 그러나 뼈는 아직 완전 화골화되지 않아 미성숙하고 과도한 운동을 하거나 힘을 줄 때 손상을 받기 쉬우며, 뼈가 유연하기 때문에 골절이 일어나도 영구적인 손상은 남기지 않으나 모양이 쉽게 변형된다. 남아는 여아보다 근육이 더 발달되어 또래 여아보다 힘이 세다. 그러나 옷이나 머리 모양을 다르게 하지 않는다면 몸무게나 키와 같은 신체적 특성에 성별의 차이는 나타나지 않는다.

신체기관도 훨씬 성숙되고 안정되어서 긴장이나 환경의 변화에 적응하는 능력이 증진된다. 운동을 담당하는 근육이 발달되어 걷기, 달리기, 뛰기와 같은 운동 능력이 향상된다.

학령전기 아동의 연령별 신체성장은 [표 8-1]과 같다.

아동은 대부분 유아기 후기나 학령전기 초기까지 20개의 젖니가 모두 나며 학령전기 말에 제1 유치인 아래 앞니(하악중절치, Mandibular central incisor)부터 빠지기 시작하여 학령전기 말이나 학령기 초에 첫 영구치인 첫 번째 큰 어금니(제1대구치, first molar)가 올라온다.

여아는 남아보다 6개월 정도 첫 번째 큰 어금니가 빨리 나는 경향이 있으며 이가 나면서 턱뼈가 커지고, 뇌가 빠르게 성장하면서 얼굴의 아랫 부분이 많이 성장한다. 이로 인해 얼굴이 길어져 아동의 얼굴형으로 변하지만, 젖니가 영구치로 대치될 때까지 얼굴은 여전히 작다.

몸통은 길이뿐만 아니라 너비도 성장하여 6세에는 몸통의 길이와 너비가 출생 시의 2배가 된다. 학령전기 말에는 팔의 길이가 2세에 비해 50%가 증가하여 팔에 비해 손이 작아 보인다. 다리는 팔보다 성장이 늦지만, 무릎이 곧게 펴지고 홀쭉하기 때문에 실제보다 더 길어 보인다.

4~5세 아동은 대부분 여전히 평발이지만 성장하면서 발바닥의 지방이 소실되어 족저궁이 형성된다.

표 8-1 학령전기 아동의 연령에 따른 신체성장

연령	신체성장	
3세	• 평균 키 : 95㎝ • 평균 몸무게 : 14.6㎏ • 밤에 대소변을 가린다.	
4세	• 평균 몸무게 : 16.7㎏ • 출생 시 키의 2배이다. • 약시가 나타날 수 있다.	• 평균 키 : 103㎝ • 성장률은 3세 정도이다.
5세	• 평균 몸무게 : 18.7㎏ • 몸무게는 생후 1년의 2배 정도이다. • 90% 정도가 왼손보다 오른손을 더 많이 사용한다.	• 평균 키 : 110㎝ • 머리둘레는 출생시의 약 1.5배이며 성인의 90% 정도이다. • 영구치가 돌출되기 시작한다.

Ⅱ 발달 특성

01 / 운동 발달

1) 전체 운동 발달영역

뇌의 크기가 증가하고 신경근육이 성숙함에 따라 운동기능이 빠르게 발달한다. 특히 다리 운동과 손의 조작 운동, 조정력의 정확성과 조정속도가 발달함으로 놀이 장소가 야외로 유치원이나 놀이터에서 친구들과 어울리게 된다. 걷기와 달리기, 기어 오르기, 계단 오르내리기, 장애물 넘기, 공 던지기 등의 활동이 정확하며, 빨라진다.

3세에는 눈과 손의 협응과 근육 조절이 발달되며 발가락으로 딛고 서고, 발끝으로 걸을 수 있으며, 몇 초간 한 발로 서서 균형을 잡고, 멀리뛰기를 하며, 세발자전거를 탈 수 있다.

4세에는 쉽게 달리고, 3-4초 정도 한발로 서서 균형을 잡는다. 한쪽 발로 깡충거리며 뛸 수 있고, 서툴지만 줄넘기를 할 수 있다. 난간을 잡지 않고 혼자 계단을 한 발씩 오르내리고, 사다리와 나무를 올라갈 수 있으며 모서리를 잘 돌고, 밀거나 당기면서 달릴 수 있다. 자전거를 더 잘 타고 쉽게 회전한다. 공 던지기나 잡기, 차기 등의 공놀이 기술이 더욱 발달한다. 5세에는 빠르고 민첩하게 달리고, 조정력이 증가되어 가는 선을 따라 걸으며 균형을 잘 잡고, 발끝만으로도 쉽게 달리며 한 발씩 교대로 뛴다. 줄넘기, 스

그림 8-1 자전거 타기(3세)

학령전기 아동은 세발자전거를 탈 수 있다.

그림 8-2 미끄럼 타기

학령전기 아동은 미끄럼을 원활히 탈 수 있다.

케이트, 수영 등을 하고 미끄럼을 원활히 탈 수 있으며[그림 8-1][그림 8-2] 음악에 따라 다양하게 춤을 추며 공놀이를 더 정교하고 능숙하게 한다.

2) 미세운동 발달 영역

눈과 손의 협응력과 근육조절이 발달하고 조작 능력이 증가하며 미세운동이 크게 발달한다.

아동은 성장해 가면서 객관적이고 사실적인 그림을 그릴 수 있으며 아동의 정서적 · 심리적 요인은 그리기에 매우 밀접한 관계를 가져 무의식적 정신세계를 드러낸다. 특히 그림 그리기는 미세운동 조절 정도와 형태에 대한 인지능력을 나타낸다. 같은 사물 대상으로 표현하는 방법은 서로 다를 수 있으며 자신만의 의미를 창출하는 독창적인 사고를 표출시킨다. 또한, 자신이 생각한 것을 말이나 글로 표현하기에 앞서 그림으로 더욱 쉽게 표현한다[그림 8-3].

3세 아동은 십자모양과 원을 보고 따라 그리며 큰 구슬을 한 줄로 늘어놓으며 블록을 8개 쌓을 수 있으며 4세에는 네모를 그리고, 십자 모양과 마름모를 따라 그리며 손가락으로 연필을 쥐어 사용하고, 사람을 머리, 몸통, 다리의 세 부분으로 나누어 그린다. 그림을 오릴 수 있으며, 블록으로 10개 이상의 탑을 쌓으며 퍼즐을 맞출 수 있다[그림 8-4]. 핀이나 실과 같은 매우 작은 물건을 잡고 놓으며, 바늘에 실을 꿰어 구슬목걸이를 만들 수 있다. 옷의 앞뒤를 구분하고, 혼자서 옷을 입고 단추를 잠근다. 5세에는 마름모와 삼각형을 보고 그리고, 사람을 여섯 부분 즉 머리, 팔, 다리, 몸통, 얼굴, 눈, 코, 입으로 나누어 그릴 수 있다. 또 연필을 잘 쥐고 사용하며, 자신이 인지한 물체를 그릴 수 있다.

타인의 도움이 없이 옷을 입으며, 신발 끈을 묶는 등 조작능력이 증가하고 미세운동이 크게 증가한다. 학령전기 아동의 연령별 운동발달은 [표 8-2]와 같다.

확인문제

1. 학령전기 아동은 키와 체중의 변화가 어떠한가?

2. 학령전기 아동의 미세운동 발달은 어떠한가?

02 / 심리사회적 발달

1) 솔선감과 죄책감

에릭슨(Erikson)에 의하면 학령전기는 유아기에 성취된 자율감을 바탕으로 솔선감(sense of initiative)이 발달하는 시

그림 8-3 그림 그리기

학령전기 아동의 그림그리기는 미세운동 조절정도와 형태에 대한 인지능력을 나타낸다.

그림 8-4 퍼즐 맞추기

학령전기 아동은 퍼즐 맞추기를 통해 조작능력이 증가하고 미세운동이 발달된다.

표 8-2 학령전기 아동의 연령별 운동발달

연령	전체운동 성장발달	미세운동 성장발달
3세	• 손을 씻을 수 있다. • 양말과 신발을 신을 수 있다. • 한쪽 발로 잠깐 설 수 있다. • 발끝으로 걸을 수 있다. • 뒤로 걸을 수 있다. • 계단을 오르거나 내려올 수있다 • 세발자전거를 탈 수 있다.	• 윗옷은 혼자 벗을 수 있다. • 가위로 선을 따라 그림을 오릴 수 있다. • 9~10개의 적목을 쌓을 수 있다. • 블럭으로 3개로 다리 모양을 만들 수 있다. • 입구가 좁은 병에 작은 물체를 넣을 수 있다. • 원모양을 그릴 수 있다.
4세	• 양치질을 할 수 있다. • 세수를 할 수 있다. • 한쪽 발로 깡총거리며 뛸 수 있다. • 발뒤꿈치나 발끝으로 걸을 수 있다. • 3~4초 정도 한발로 설 수 있다. • 난간을 잡지 않고 계단을 한발씩 오르내릴 수 있다. • 서툴지만 줄넘기를 할 수 있다. • 공놀이를 잘할 수 있다.	• 네모, 십사모양, 마름모 모양을 따라 그릴 수 있다. • 사람을 세부분(머리, 상지, 하지)으로 그릴 수 있다. • 간단한 손잡이를 사용할 수 있다.
5세	• 한 발씩 교대로 잘 뛸 수 있다. • 잘 달릴 수 있다. • 좁은 선을 따라 걸을 수 있다. • 줄넘기, 스케이트, 수영 등을 할 수 있다. • 공놀이를 다양하게 할 수 있다. • 음악에 따라 춤을 출 수 있다. • 혼자 옷을 입고 벗을 수 있다. • 줄넘기를 할 수 있다.	• 가위, 연필 등 간단한 연장을 잘 사용할 수 있다. • 사람을 7~9부분으로 그릴 수 있다. • 신발 끈을 맬 수 있다. • 몇 개의 숫자나 글자를 쓸 수 있다.

기이다. 솔선감은 환경과 자신과의 관계를 이해하는 데 중추적인 역할을 한다. 솔선감이란 어떤 일을 능동적으로 하기 원하는 것으로 이 시기의 아동은 환경에 대한 왕성한 호기심으로 마음껏 놀고 새로운 것을 배우며 생활하고, 새로운 활동과 경험에 대해 진정한 성취감, 창의성, 만족감을 느낀다. 학령전기의 아동에게 있어서 성취되어야 할 주된 심리사회적 과업은 솔선감을 습득하는 것이다.

그러나 사회적으로 금지된 것이나 자신의 신체적, 정신적 능력과 한계를 넘어서는 일을 할 때는 갈등, 죄책감(sense of guilt), 초조감 또는 공포감을 경험한다. 자신이 기대했던 행동과 다르다고 느낄 때나 받아들여지지 않는 행동에 대해 부모에게 벌을 받을 때에도 이런 느낌을 갖는다. 때때로 부모가 없어지면 좋겠다는 생각을 하고 이에 따라 스트레스를 경험한다. 동성 부모에 대해 적대감이나 경쟁심을 느끼며 경험하는 갈등은 죄책감을 갖게 된다. 이는 학령기에 이르러 동성의 부모나 또래를 동일시하면서 해결된다.

학령전기는 양심이 발달하는 시기이다. 아동은 숨겨놓은 비밀에 대해서도 심한 죄의식을 느끼고, 질병이나 입원, 잘못된 일에 대한 벌로 생각하여 상처를 받기 쉽다. 죄의식이 증가하면 호기심이나 주변 탐색 기능이 감소되어 건강한 사회성 발달에 영향을 미친다. 그러므로 질병이나 입원이 벌을 받는 것이 아님을 확인시키고, 질병의 원인에 대해 아동이 이해할 수 있도록 설명해주어야 한다. 아동이 잘못했을 때에는 아동 자신이 아닌 잘못된 행동에 초점을 두고 훈육하는 것이 중요하다.

아동의 행동이 사회적으로 바람직하지 못할 때는 일관적이면서 부드럽게 타일러서 아동이 죄책감을 갖지 않도록 지도한다.

아동들은 주로 벌이나 상을 통해서 옳은 행동인지를 깨닫게 되고, 윤리적 판단기준을 세우는데 있어서 부모의 가치판단 기준과 가르침에 거의 전적으로 의존한다.

예를 들면, 학령전기 아동들은 위험을 더 잘 인식하고 부모의 말을 잘 듣고 따른다. 따라서, 말로써 기준을 명확히 제시해 주는 것이 효과적이다.

2) 사회성 발달

학령전기는 유아기보다 사교적이 되어 자신의 요구를 말로 표현하게 된다. 가족 내에서 자신의 위치와 역할을 알게 되고, 다른 사람의 관심을 얻기 위해 행동하기도 한다. 배우려는 욕구가 증가하고, 활발하며 적극적이 된다. 또한 분리불안과 낯가림이 감소되며 친숙하지 않은 사람과 좀 더 쉽게 이야기하고, 따라서 부모와 잠시 동안 떨어질 수 있어 유치원이나 어린이집에 무리 없이 다닌다. 그러나 유치원에서 오랜 시간을 보내거나 병원에 입원하면 낯선 환경에 대한 분리감을 느낀다.

그러나 아동은 예상하였거나 준비된 상황이나 구체적인 설명을 들었을 때는 잘 적응한다. 부모와 떨어지거나 입원을 하게 될 경우 가족사진, 장난감, 인형 같은 친숙한 물건을 주어 안정감과 위안을 느끼고, 사전 설명이나 교육 및 놀이요법을 통해 어려움을 극복하도록 돕는다[그림 8-5].

또한 공포, 환상, 불안은 놀이를 통해 극복할 수 있다. 주위 인물이 등장하는 인형놀이나 인형극을 통해 많은 도움을 받을 수 있다. 학령전기 말에는 부모의 의미에 대해 질문하고, 친구의 부모나 다른 권위자와 부모를 비교한다.

학령전기 아동의 연령의 사회성 발달은 [표 8-3][표 8-4]와 같다.

그림 8-5 **가족사진**

부모와 떨어지거나 입원을 하게 될 경우 가족사진을 통해 안정감과 위안을 느낀다.

3) 기질

기질(Temperament)이란 성격적 특징의 결과물로 아동의 사회성 발달과 상호작용에 영향을 미치고, 단체생활에 적응하는 데에 중요한 역할을 한다. 아동의 타고난 기질적 성향을 빨리 파악하여 그 기질에 따라 양육환경을 조절한다면 보다 나은 최적의 발달과 적응을 도울수 있을 것이다. 특히 학령전기 아동은 공동체 생활에 얼마나 잘 적응하는지 아동의 반응 정도, 주의력 산만 정도, 고집, 기분, 활동수준의 행동양식을 부모 및 보육교사가 정확히 파악하여 아동의 적응을 도와야 한다. 아동의 기질을 측정하기 위해 공영숙(2012)의 기질측정 도구를 이용할 수 있다[표 8-5]. Thomas와 Chess(1977)는 뉴욕종단연구에 근거하여 순한 기질의 단일 차원으로 점수가 높을수록 식사, 수면, 생활습관이 규칙적이고 기분이 긍정적이며 철회하지 않고 적응적인 기질을 의미하는 결과를 나타내었다.

4) 성적발달

Freud에 의하면 학령전기는 남근기(phallic stage)에 해당되며 생식기를 통해 쾌감을 얻는다. 성 개념은 단순히 자신의 성별을 알던 유아기에서 발전하여, 일생 동안의 성정체감과 이성에 대한 믿음에 중요한 영향을 미친다. 주된 관심사는 자신의 성별과 사회관계에서 성별이 주는 의미이다. 아동은 동성 부모를 동일시하면서 이성 부모에게 특별히 애착을 느낀다. 성별에 따라 옷을 입고 활동하며 성 역할을 모방하고, 주변 사람이 자신에게 기대하는 성 역할을 인지한다.

문화에 따라 아동의 성 역할에 대한 기대가 다르다. 우리나라에서 남아는 씩씩해야 한다고 강조하며, 어느 정도 과격하고 폭력적인 것을 용납한다. 반면 여아는 싸우면 안되고 순종적이기를 바라고, 눈물을 흘리는 감정적인 부분은 수용한다. 이런 성 역할이 과거보다는 많이 강요되지는 않지만, 여전히 여아에게는 인형, 남아에게는 전쟁 놀이감을 장난감으로 훈육되는 경향이다.

남아는 어머니의 관심을 독차지하기 위해 특별히 관심을 보이면서 아버지가 자신보다 육체적, 정신적으로 훨씬 강하다는 것을 깨닫으며 자신이 아버지처럼 크고 강해서 자신의 힘으로 어머니와 집안을 보살필 수 있다고 생각하고, 아버지에게 경쟁의식과 동시에 양가감정을 느낀다.

표 8-3 학령전기 아동의 사회성 발달

연령	사회성
3세	• 옷의 뒷단추 끼우는 것을 도와주고 신발의 왼쪽, 오른쪽을 가르켜 주면 완벽하게 옷차림을 할 수 있다. • 식탁 준비를 도울 수 있고 그릇을 깨지 않고 나를 수 있다. • 집중시간이 길어질 수 있다. • 스스로 식사할 수 있다. • 자기와 다른 사람의 성별을 알 수 있다. • 놀이는 평행놀이 및 연합놀이 단계이고, 간단한 게임과 규칙을 배우기 시작하나 자기 나름대로의 규칙에 따른다. : 분배하기 시작할 수 있다. • 찬 이유식이나 우유와 같은 간단한 음식을 준비할 수 있다. • 어둠과 취침에 대한 공포를 가질 수 있다.
4세	• 기분(mood)의 동요가 있을 수 있다. • 거리낌 없이 가족 이야기를 남에게 해줄 수 있다. • 아직 많은 공포를 가질 수 있다. • "의사" 및 "간호사"역할놀이를 통해 성적 탐색과 호기심을 보일 수 있다. • 매우 독립적일 수 있다. • 이기적이고 참을성이 없는 편일 수 있다. • 언행이 공격적일 수 있다. • 성취에 대한 자긍심을 가진다. • 극적으로 자기를 과시하고 다른 사람을 즐겁게 하는 것을 즐길 수 있다. • 놀이형태는 연합놀이이다. 상상놀이 친구가 많다. 창의적이고, 상상적이고 모방적인 기구를 사용할 수 있다.
5세	• 4세 때보다 반항심과 말다툼이 적어질 수 있다. • 이전만큼 생각과 행위에 있어 개방적이고 접근 가능한 편이 아니다. • 더욱 안정되고 과업에 열심이다. • 연합놀이 : 규칙을 따르려고 하나 잃는 것을 피하기 위해 속일 수도 있다. • 공포는 적고 세상을 조정하기 위해서 외부 권위에 의존할 수 있다. • 예의를 좀 더 잘 지킬 수 있다. • 옷 입기, 개인위생, 치아 관리 시 약간의 감독이 요구 될 수 있다. • 약간 원시이고 아직도 눈과 손의 협응이 잘 안되어 집중해서 쓰거나 작은 글씨를 보기 어려울 수 있다. • 독립적이나 믿을 만하고 무모하지 않으며 책임감이 있다. • 일을 올바르게 하고 남을 즐겁게 하려고 애쓰며 규칙을 지키며 생활하려고 노력할 수 있다.

표 8-4 학령전기 아동의 가족관계

연령	사회성
3세	• 부모를 즐겁게 하고 그들의 기대에 부응하려고 한다. • 남아는 아버지 혹은 다른 남성을 동일시한다. • 자기보다 어린 동생에게는 질투를 덜하여 동생 출산의 좋은 기회이다. • 단기간 동안 부모로부터 쉽게, 그리고 편안하게 떨어질 수 있는 능력이 증가한다 • 가족관계와 성역할 기능을 잘 안다.
4세	• 형제 자매에게 경쟁의식을 가지며 형의 특권과 동생의 영역 침범에 대하여 잘 다룬다. • 부모가 많은 것을 기대하면 반항한다. • 집을 나갈지도 모른다. • 부모나 형제에 대해 공격성과 좌절감을 가진다. • 이성부모를 강하게 동일시한다. • 집 밖으로 심부름을 갈 수 있다.
5세	• 부모와 잘 지낸다. • 동성의 부모와 운동, 요리, 쇼핑과 같은 활동을 즐겨한다. • 같은 성의 부모와 특히 남아의 경우 그의 아버지와 강하게 동일시한다. • 학교에 입학할 때 안심과 안전감을 위해 4세 때 보다 자주 부모를 찾는다. • 부모의 생각과 방침을 묻기 시작한다.

표 8-5 아동의 기질 측정 도구

각 문항에 대해서 귀댁의 아동의 행동과 가장 유사하다과 생각되시는 숫자 칸에 V표 해 주시기 바랍니다.						
1 = 전혀 그렇지 않다 2 = 그렇지 않은 편이다 3 = 보통이다 4 = 대체로 그런 편이다 5 = 거의 항상 그렇다		1	2	3	4	5
1	우리 아이는 모르는 성인을 보면 부끄럼을 탄다.	1	2	3	4	5
2	우리 아이는 좋아하는 음식은 무척 반가워하나, 싫어하는 음식은 몹시 강한 거부감을 보인다.	1	2	3	4	5
3	우리 아이는 모르는 아이를 만나면 수줍어 한다.	1	2	3	4	5
4	우리 아이는 매일 거의 같은 시간에 간식을 달라고 하거나 먹는다.	1	2	3	4	5
5	우리 아이는 하루 동안 일어난 일에대해 즐겁게 이야기 하는 편이다.	1	2	3	4	5
6	우리 아이는 다른 사람의 집을 서너 번 방문하고는 이내 친숙함을 느낀다.	1	2	3	4	5
7	우리 아이는 과제를 하는 것 때문에 화내거나 괴로우면, 집어던지고, 울고, 소리 지르거나,혹은 문을 꽝 닫는 등의 행동을 한다.	1	2	3	4	5
8	우리 아이는 밤에 잠자리에 든 후에 매일 거의 같은 시간에 잠이 든다.	1	2	3	4	5
9	우리 아이가 정말 좋아하는 놀이를 못하게 막을 때에, 약간 떼를 쓰거나 약간 징징 거리는 정도로 그치는 편이다.	1	2	3	4	5
10	우리 아이는 다른 아이들과 놀면서 자주 다툰다.	1	2	3	4	5
11	우리 아이는 공원이나 낯선 곳에 갔을 때 처음 보는 아이들에게 가까이 가서 그 애들이 노는 놀이에 참여한다.	1	2	3	4	5
12	우리 아이는 매일 자는 시간이 불규칙적이어서 어떤 날은 많이 자고 어떤 날은 적게 잔다.	1	2	3	4	5
13	우리 아이는 낯선 어른 앞에서 잠시 부끄러워하다가도 곧 (대략 30분 이내에) 친숙해 진다.	1	2	3	4	5
14	우리 아이는 배고파하는 시간이 매일 불규칙적이다.	1	2	3	4	5
15	우리 아이는 가족과 여행을 가면 즉시 새로운 환경에 적응한다.	1	2	3	4	5
16	우리 아이는 엄마와 함께 쇼핑을 갔을 때, 자기가 원하는 사탕, 장난감, 옷들을 사주지 않으면 크게 울고 떼를 쓴다.	1	2	3	4	5
17	우리 아이는 우리 집을 방문한 낯선 어른들에게 접근하며 쉽게 친해진다.	1	2	3	4	5
18	우리 아이는 매일 먹는 음식의 양이 같지 않아서 어떤 날은 많이 먹고 어떤 날은 거의 먹지 않는다.	1	2	3	4	5
19	우리 아이는 자기가 좋아하는 장난감이나 게임이 망가지면 많이 속상해한다.	1	2	3	4	5
20	우리 아이는 어린이집이나 유치원에 처음 가는 것과 같은 새로운 상황에 처하면 며칠이 지나도 불안해한다.	1	2	3	4	5
21	우리 아이는 자기가 싫어하는 옷을 입히려 하면 심하게 반항하고 소리 지르고 울어 댄다.	1	2	3	4	5
22	우리 아이는 주말과 휴일에 깨워주지 않아도 다른 날과 거의 같은 시간에 일어난다.	1	2	3	4	5
23	우리 아이는 게임에 졌을 때 쉽게 화 낸다.	1	2	3	4	5
24	우리 아이는 우리 집과 규칙이 다른 가정의 규칙에 적응하는 것을 어려워한다.	1	2	3	4	5

프로이드(Freud)는 학령전기를 오이디푸스 콤플렉스기(Oedipal complex) 혹은 남근기(Phalic stage)로 정의하였다. 남아는 여아가 잘못된 행동을 해서 남근이 없다고 생각하며, 자신도 아버지의 보복으로 거세될 것이라는 불안(거세불안, castration anxiety) 느낀다. 아동은 점차 가족 내에서 자신의 위치를 받아들이고, 어머니의 관계나 아버지의 관계가 부모 간의 관계와는 다르다는 것을 인식한다. 어머니에 대한 성적 감정을 억제하고 아버지와 동일시하는 감정을 발달시킴으로써 적대감을 해소한다. 여아는 엘렉트라 콤플렉스(Electra complex)로 어머니를 제거하고 아버지와 결혼하고 싶다는 생각을 하게 된다. 여아는 거세불안을 나타내지는 않으나, 음경이 없는 것에 대해 어머니에게 책임을 묻고 남근에 대해 부러움과 질투를 느낀다(남근 선망, penis envy). 이런 동성 부모와의 경쟁과 긴장은 학령기에 접어들면서 자연히 해소된다. 이성 부모는 물론 동성 부모의 역할은 아동이 성정체감을 형성하고 사회적인 존재로 성장하는데 중요한 역할을 한다. 3세가 되면 남녀 성의 해부학적 차이를 정확히 인식한다. 부모나 형제 및 친구의 성기를 보면서 차이점을 인식하고 의문을 가진다. 남아는 여아가 음경 없이 어떻게 소변을 볼 수 있는지 궁금해 한다. 상대방 성에

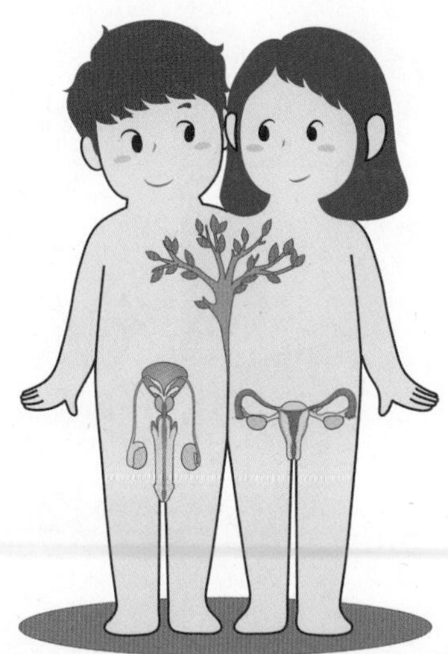

그림 8-6 **성적이해**

학령전기는 남녀 성의 해부학적 차이를 정확히 인식한다.

대한 관심은 생식기능보다 배설 기능에 대한 것이다.

학령전기는 수음(masturbation) 행동, 거세불안으로 인해 음경이 무사한지 확인하는 과정이다. 이는 성적 호기심과 탐색의 과정으로 불안과 지루함이 해결되지 않는 갈등의 표현이며, 수음은 대개 일시적인 현상이지만 습관이 될 수도 있다. 지나치지 않으면 정상행위로 생각해야 하지만 어른의 적절한 지도가 필요하다. 자연스러운 행동으로 받아들이고 일방적으로 벌을 주거나 죄의식을 느끼게 하지 말며 즐거운 활동에 참여할 기회를 많이 주어 관심을 다른 곳으로 유도하는 것이 좋다. 경우에 따라 적절하게 제지하는 것도 필요하다.

형제자매나 친구와의 성 놀이, 병원놀이를 통해 탐색 행동을 계속하고, 목욕이나 샤워를 할 때 자신의 성기와 친구의 성기에 관심을 갖고 만져보려고 한다. 이는 호기심 만족

확인문제

3. Freud에 의하면 학령전기 아동의 성적발달 (sexual stage) 단계는?

4. 학령전기 아동이 수음을 할 경우 부모는 어떻게 행동할 것인가?

을 위한 수단으로 자기의 몸에 대해 알어가게 된다. 아동이 3~4세가 되면 자신의 나이와 성별을 표현하고 장래에 성인이 된다는 것을 알게된다[그림 8-6].

이에 따라 남성다움과 여성다움을 이해하고, 주위의 성인 중에서 본받을 만한 사람을 찾는다. 부모는 자녀의 성적 호기심에 대해 무시, 비난, 비판 없이 긍정적으로 대처해 주어야 한다. 이 시기는 적절한 성교육이 필요하다.

03 / 인지발달

1) 전조작기

Piaget에 의하면 학령전기는 전조작기(preoperational period)에 속하는 시기로 전반의 전개념기(preconceptual phase, 2~4세)와 후반의 직관적 사고기(intuitive thinking, 4~7세)에 해당한다. 이 시기의 특징은 자기중심적 사고에서 벗어나 다른사람의 입장을 고려하는 능력이 생기는 것의 변화이다. 그러나, 여전히 자기중심적 경향이 여전히 남아있다. 즉 다른 사람의 생각이 자신과 다르다는 것을 이해하

표 8-6 **학령전기 아동의 연령별 인지발달**

연령	인지영역	
3세	• 전개념기에 속한다. • 시간에 대한 이해가 발달한다. • 공간을 이해하는 능력이 발달한다.	• 자기중심적인 행동을 한다. • 명령을 이해하는 능력이 발달한다. • 성취한 것에 대해서 인정받고자 한다.
4세	• 자기중심적 성향은 감소하고 사회적 인식으로 발전된다. • 직관적인 사고 단계에 속한다. • 부모가 정해놓은 기준에 따라 옳고 그른 것을 구분한다.	• 사건과 관련하여 인과관계를 생각한다. • 하루 일과를 시간의 흐름에 따라 배열한다. • 수에 대한 개념이 부족하다.
5세	• 다른 사람의 견해를 볼 수 있는 능력이 생긴다. • 이름과 주소를 안다. • 오늘, 내일, 오후의 같은 시간을 지칭하는 낱말을 사용한다.	• 문화적 차이를 안다. • 외부세계의 편견을 안다. • 외부 환경에 대한 관심이 증가한다.

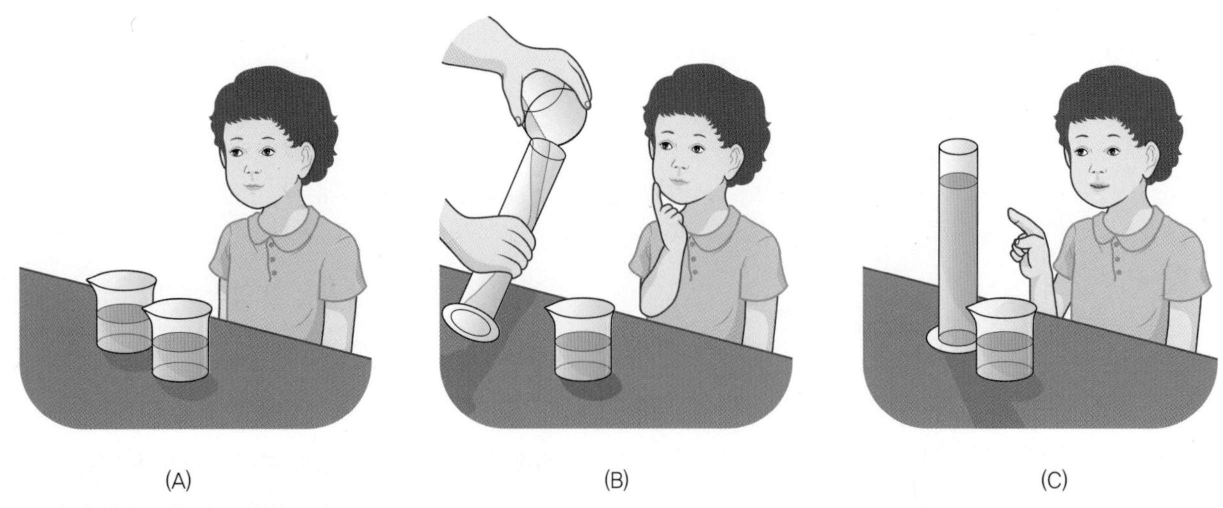

(A) (B) (C)

그림 8-7 보존개념의 미확립
(A) 두 컵에 같은 양의 물이 있다. (B) 한 컵을 가늘고 높은 컵으로 옮긴다. (C) 가늘고 높은 컵의 물이 많다고 생각한다. 학령전기 아동은 사물의 크기나 모양이 변하면 속성도 변한다고 생각한다.

지 못하고 자신이 생각하는 대로 행하는 경향을 보인다. 사고력이 증가함에 따라 행동보다 언어로 자신의 생각을 표현한다. 그러나 한 번에 여러 가지를 총체적으로 생각하기는 어렵다.

개념과 사물 및 상황을 이해할 때 사건의 특징적인 측면을 강조하는 직관에 의해 판단하므로 전체보다 부분에 집중하고, 상호관계를 충분히 이해하지 못한다. 또한 보존개념(concept of conservation)이 아직 확립되지 않아서 사물의 크기나 모양이 변하면 속성도 변한다고 생각하며 사물의 외적 형태가 변해도 사물의 수, 양, 무게 등은 변하지 않는다는 것을 알지 못한다. 예를 들어, 같은 개수의 동전을 길게 늘어놓으면 짧게 늘어놓은 것보다 많다고 생각하고, 같은 양의 우유라도 가늘고 높은 컵의 우유가 낮고 넓적한 컵의 우유보다 많다고 생각한다. 또한 물체를 분류하는 능력이 부족하여 여러 가지 물건을 분류할 때 1가지 특성으로만 분류하는 경향이 있다[그림 8-7].

2) 기억능력

기억된 정보를 인출하는 과정에는 인식능력(recognition ability, 즉 힌트를 보고 기억하는 것이고, 회상은 힌트가 없이 정보를 기억하는 것)과 회상능력(recall ability, 회상은 재인보다 복잡한 기억능력으로 영아기 말쯤에 나타나기 시작하여 청소년기까지 계속 발달)이 있다.

기억이 재현되는 능력, 즉 과거의 경험을 기초로 앞으로의 행동을 생각하는 표상능력(representative ability)과 함께 기억능력이 발달한다. 또한 이 시기는 논리적인 사고가 부족한 전조작기로 장기기억(long-term memory)보다 단기기억(short-term memory)이 발달되어 있다. 즉 보고 들은 것을 그 당시에는 잘 기억하지만, 성인이 되어서는 거의 기억하지 못한다.

아동은 회상능력보다 재인능력이 먼저 발달한다. 재인은 초보적인 기억능력으로 영아기 초기에 나타나기 시작하여 유아기와 학령전기를 거치면서 현저히 증가한다. 주위 사람과 장난하거나 장난감을 가지고 노는 횟수가 줄어들지만, 특정 자극에 선택적으로 주의를 집중하는 능력이 증가하여 TV를 볼 때 유아보다 더 집중한다. 그러나 학령기 아동보다 주의집중 시간이 짧기 때문에 학습능력은 아직 낮다.

04 / 언어발달

학령전기의 언어는 유아기에 비해 훨씬 정교하고 복잡하게 발달된다. 이 시기에 어휘수가 많이 증가하는데, 2세에 300개 정도, 5세 말에는 2,100개 정도를 사용한다. 또한 문장의 구조와 문법, 뜻을 이해하는 능력이 거의 성인에 가까운 수준으로 매우 발달한다. 아동은 자신을 표현하는 방법뿐 아니라 사회적인 의사소통을 위해 언어를 사용하기 시작

표 8-7 학령전기 아동의 연령별 언어발달

연령	언어발달	
3세	• 동물, 사람의 이름, 신체 부위를 지적하며 말할 수 있다. • 900개의 단어를 사용할 수 있다. • 숫자를 3까지 셀 수 있다.	• 명사, 대명사, 복수, 동사의 과거형을 사용할 수 있다. • 3~4개의 단어로 된 문장을 사용할 수 있다. • 계속 질문을 한다.
4세	• 1,500개의 단어를 사용한다. • 수식어를 사용할 수 있다. • 생각대로 말을 할 수 있다. • 원하는 대답을 들을 때까지 질문할 수 있다. • 5까지 셀 수 있다.	• 자세하게 질문을 한다. • 4~5개로 된 문장을 사용할 수 있다. • 하나 이상의 색깔을 알 수 있다. • 질문을 가장많이 하는 시기이다. • 반대말을 알 수 있다.
5세	• 2,100개의 단어를 사용할 수 있다. • 10까지 셀 수 있다. • 물체의 특징을 설명할 수 있다. • 노래를 부를 수 있다. • 환상을 섞어 이야기할 수 있다.	• 기본 어법에서 벗어나지 않는 문장을 적절히 사용할 수 있다. • 단어의 의미를 물어본다. • 기본색을 알 수 있다. • 반대말을 알 수 있다.

한다.

언어발달의 가장 결정적인 시기는 2~4세이다. 학령전기 아동은 표현할 수 있는 언어보다 이해하는 언어가 훨씬 많다. 사회적인 언어보다 자기중심적 언어를 많이 사용하며 모음과 자음을 점차 익숙하게 사용하나, 말하는 것이 부드럽고 유창하지는 않다. 대화 중에 질문을 많이 하고, 질문을 통해 정보를 얻는다. 아동의 질문에는 어른이 대답하는 정도에 따라 언어 발달이 달라진다.

3~4세에는 900개 정도의 단어를 사용하며 3~4개의 기본적인 단어로 구성된 문장을 사용한다. '어떻게', '왜'와 같은 질문을 많이 하고, 간단한 노래를 부르며 말하는 장난감이나 인형을 가지고 놀면서 언어능력이 발달한다. 명사와 대명사를 쓰고, 복수형과 동사의 과거형을 사용한다. 동물이나 아는 사람의 이름, 신체 부위를 말하고 다른 사람을 상관하지 않고 계속 혼자 말을 한다.

아동이 4~5세는 질문을 가장 많이 하는 시기로 원하는 대답을 들을 때까지 계속 질문하고, 자세한 설명을 듣고 싶어한다.

1,500개 정도의 단어를 알고, 4~5개로 된 문장을 사용한다. 1가지 이상의 색깔을 알고, 수식어와 형용사 등을 사용하여 자신의 뜻을 상대방에게 구체적으로 전할 수 있다. '내가'라는 말을 잘 쓰고, 과장해서 말하고 남의 말을 고자질하며 집 밖에서 가족의 문제를 이야기한다. 5세 말이 되면 2,100개 정도의 단어를 쓰고, 기본 어법에서 벗어나지 않는 문장을 적절하게 사용한다.

낱말의 뜻과 반대말을 이해하고 물체의 모양, 기능 등의 특징을 설명한다. 이야기를 정확하게 하고, 과장할 줄도 알고 이야기를 흥미롭게 표현한다. 노래를 잘 부르고, 10까지 셀 수 있으며 색을 구분할 수 있다. 학령전기 아동의 연령별 언어발달은 [표 8-6]과 같다.

05 / 영성 발달

학령전기 영성(spirituality) 발달의 특징은 상상, 지각, 감정, 환상 등이다. 아동은 신을 이해하기 보다 부모나 주위의 권위 있는 사람의 이야기와 설명에 따라 신앙과 종교에 대한지식을 얻고 아동의 인식 수준은 영성의 이해 정도에 영향을 주며, 주위에 있는 어른의 생활 모습을 관찰하면서 신에 대한 개념을 형성하고 발달시킨다.

Fowler는 유아기와 학령전기를 직관적–투사적 단계(intuitiveprojective faith)로 설명하였으며 아동은 종교의 참뜻을 이해하기보다 선과 악을 구별하는 기준으로 삼고, 신을 영적 친구나 가상적 친구와 같은 개념으로 받아들인다. 종교적 상징과 습관 및 행위에 더욱 의미를 부여 하지만, 악마가 자신을 지배한다는 생각으로 놀라기도 한다.

아동은 간단한 성경이야기를 알고 부모가 하는 대로 기

확인문제

5. 3세 아동이 일반적으로 사용하는 단어는 몇개나 되는가?

6. Piaget에 의한 학령전기의 인지발달 단계는?

도할 수 있지만, 신에 대한 개념은 초보단계이다. 입원과 같은 긴장 상태에서는 신에게 기도함으로써 안정을 찾기도 한다.

06 / 도덕성 발달

유아기 말에 초자아(superego), 즉 양심이 발달하기 시작한다. 양심의 발달은 영적 발달과 관련이 있고, 학령전기의 주요한 발달과업인 도덕성 발달의 기초가 된다. 그러나 아동은 좋고 나쁨은 알지만 어떤 일은 용납되고 어떤 일은 용납이 안 되는지를 이해하는 능력이 부족하며, 무엇이 왜 나쁜지를 이해하는 정도의 도덕 수준에 있다. 아동은 권위자의 상이나 벌을 통해 행동의 옳고 그름을 판단하고 규칙을 준수한다. 따라서 부모의 훈육 방침에 의해 정해진 규칙은 도덕적 판단의 기준이 되고, 이 기준에 거의 절대적으로 의지한다. 나쁜 짓에 대해 신이나 부모가 벌을 내려 불운이 온다고 생각하고, 나쁜 짓을 했을 때는 벌 받는 것을 당연하게 여긴다. 아동이 4~7세가 되면 자신의 욕구를 충족시키기 위해, 때로는 타인의 욕구를 충족시키기 행동의 보상지향(native instrumental orientation)적으로 행동하는 단계이다.

Kohlberg의 도덕발달 단계에 의하면 인습이전의 도덕수준(preconventional level)이 특징이다[그림 8-8].

07 / 신체상

학령전기는 신체상(body image) 발달에 중요한 시기이다. 언어로 표현하고 이해하는 능력이 발달하면서 자기 몸을 친구와 비교하고, 다른 사람이 말하는 것에 영향을 받아 자신의 외모를 평가한다. 신체 손상에 대해 막연한 불안을

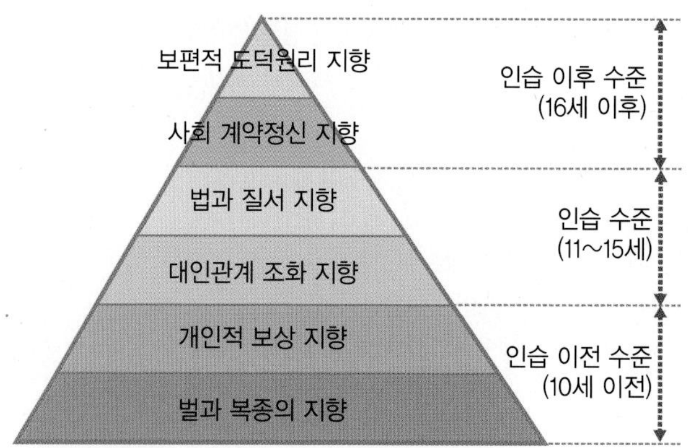

그림 8-8 **Kohlberg의 도덕성 발달 단계**

학령전기 아동은 인습 이전의 도덕수준 단계이다.

느끼므로 침습적인 경험을 두려워한다. 예를 들면, 주사나 수술 같이 피부 손상을 일으키는 시술을 받은 후에, 신체 내부의 장기나 혈액이 손상 부위를 통해 모두 밖으로 나갈 것이라고 생각하면서 공포를 느끼는데, 반창고를 붙이는 것으로 공포를 해결할 수 있다. 5세에는 자기 몸집을 친구와 비교하고, '예쁘다'와 '밉다'라는 개념을 알며, 피부색이나 인종의 차이를 인식한다.

학령전기 아동의 연령별 인지 발달은 [표 8-7]과 같다.

Ⅲ 활동과 휴식

01 / 놀이

아동은 놀이를 통하여 즐거움을 느끼고, 세상을 배우고 친구 관계를 형성해가므로 아동의 정서발달을 도우며 다양한 놀이경험을 통해 즐거움과 정서적 안정, 건전한 인격이 형성된다[표 8-8].

학령전기의 특징적인 놀이는 연합놀이(associative play)로, 같은 활동을 하고 놀이감을 공유하지만 역할분담을 하거나 엄격한 조직이나 규칙이 없는 집단놀이이다. 상상력이 풍부한 놀이를 통해 자기표현의 기회를 갖는다. 상징적 놀이(imitrative, dramatic play)는 인형 옷 입히기, 소꿉놀이, 상점놀이, 학교놀이, 병원놀이 등으로 주변에서 관찰한 어른의 행위를 모방하여 놀이에 적용한 것이다. 가상적인 놀

표 8-8 **Parten의 놀이발달 분류**

비사회적 놀이 (unoccupied play)	혼자놀이/방관자놀이 (solitary play / onlooker play)	• 2~3세 유아는 또래와 함께 있기는 하지만 각자 다른 장난감을 가지고 놀음 • 놀이공간만을 함께 할 뿐 친구와 친해지기 위한 어떠한 노력도 기하지 않음
제한 사회적 놀이 (limited social play)	병행놀이 (parallel play)	• 3~4세 유아는 옆에 있는 또래가 가지고 노는 장난감과 동일한 장난감을 가지고 각자 독립적으로 놀음 • 같은 활동을 하기는 하지만 또래 간의 교류는 없음
사회적 놀이 (social play)	연합놀이 (associative play)	• 또래와 함께 공유된 목표는 없고, 또래의 기분이나 욕구를 고려하지 못해 자신의 뜻대로 놀이를 하려고 함 • 4~5세 유아는 장난감을 서로 나누어 가지면서 대화하며 놀음
	협동놀이 (cooperative play)	• 5세 이후 유아는 단일한 놀이과제를 가지고 함께 놀며 서로 협력하고 역할을 나눠 목표를 향해 나감

이친구(imaginary playmate)는 상상 속의 친구로 쓸쓸할 때, 무엇인가 하고자 할 때, 잊거나 기억하고자 할 때 도움이 된다. 아동은 혼자 중얼거리기도 하고, 가상적인 놀이 친구와 이야기도 하나 학령기가 되면 없어진다.

학령전기 말에는 물건을 가지고 노는 것보다 요리, 목공일 같은 실제 활동을 더 좋아하며 활동범위가 넓어지므로 더 넓은 놀이 공간이 필요하고, 신체적, 정신적 발달을 도울 수 있는 놀이 기구가 좋다. 신체성장과 근육운동 조정을 위한 놀이에는 뛰기, 달리기, 기어오르기, 세발자전거, 스케이트, 체육 도구, 모래상자, 수영, 물놀이, 눈썰매 등이 있고, 미세운동을 발달시키고 자기 표현력을 기르는 놀이에는 블럭, 물감, 계산기, 공구, 손으로 조작하는퍼즐, 숫자카드, 목공구, 진흙놀이 등이 있다[그림 8-9].

그림 8-9 **물놀이**

학령전기는 놀이를 통하여 관계맺기, 즐거움, 정서적 안정을 형성하고, 외부환경을 익힌다.

02 / 치아 건강

유치는 학령전기 초에 완전히 나는데, 치아 우식증이 발생하면 영구치까지 손상될 수 있으므로 규칙적인 치아검진과 관리가 필요하다. 칫솔질 교육이 가장 중요한데 칫솔질을 가르칠 때 부모가 하는 모습을 먼저 보게 한 후 스스로 하도록 한다[그림 8-10]. 가정과 유치원에서 충치 예방을 위해 적절한 칫솔질과 치실 사용 등의 치아관리 방법, 충치를 유발하는 음식섭취 후의 관리 방법에 대해 교육한다. 충치를 유발하는 음식 섭취를 제한시키며 간식 후의 칫솔질의 중요성에 대해서도 교육한다. 충치 발생을 확인하기 위해 6개월마다 정기 구강검진을 받게 한다.

그림 8-10 **부모가 직접 칫솔질 해주는 모습**

03 / 수면

학령전기 아동의 수면 양상은 다양하다. 평균 12시간 정도 자고 낮잠을 한두 시간 자기도 하며 5세에는 낮잠을 거의 자지 않고, 밤에 의식적으로 늦게 자려고 한다. 아동은 하루 밤에 5번 정도 꿈을 꾸는데, 생활경험이나 환경에 관한 내용이다. 건강이 좋지 않거나 가족 내에 스트레스가 있을 때에는 부정적인 꿈을 꾼다.

Ⅳ 영양과 식습관

학령전기의 영양요구량은 유아기와 비슷한데, 성장률이 감소되어 식욕이 떨어지기 때문이다. 열량은 약 90~100칼로리/㎏, 단백질은 2~3g/㎏, 수분은 100~125mL/㎏이 필요하고, 섭취량은 성인의 1/2 정도이다. 학령전기 아동은 주변의 일에 호기심이 많아서 먹는 것에 대한 흥미가 줄고, 편식하는 경향이 있다. 이는 가족의 식습관에 영향을 받거나, 아직 정서가 불안정하기 때문이다. 일부 아동은 유아기 식습관을 그대로 유지하여 한 가지 음식만 먹거나 특정한 맛을 좋아하고, 맛에 대한 선호도가 분명하며 선명하고 밝은 음식을 좋아한다. 4세에는 반항적이고 뚜렷한 자기주장 때문에 까다로운 식습관이 나타나고, 음식 준비를 할 때 맛을 보게 하거나 상 차리는 것을 돕게 하면 새로운 음식을 받아들이는 데에 도움이 된다. 5세 아동은 식사 예절을 갖추려고 한다. 부모는 규칙적인 식사를 하도록 준비하고, 식사 전에 과격한 놀이나 운동을 하지 않도록 하여 안정된 식사 시간이 되게 한다. 음식의 질이 중요하므로, 아동에게 적은 양을 주고 스스로 더 먹게 하는 것이 좋다. 식습관은 교육, TV 등의 대중매체 광고의 영향을 많이 받으므로 가정과 어린이집, 유치원에서 올바른 식습관 교육이 필요하고, 좋은 식사 분위기에서 식사예절을 교육한다.

아동 비만은 증가하는 추세이며 심각한 건강문제로 성인 비만은 4세 때의 비만과 관계가 있다. 어린 시절에 확립한 식사습관은 일생동안 지속되는데, 부모의 영양에 대한 지식, 식습관, 부모의 가치관, 가족의 경제 상태에 영향을 받으므로 가정의 건강한 식문화에 익숙해질 수 있도록 한다[그림 8-11].

확인문제

7. 비만한 아동에게 영향을 줄 수 있는 요소는 무엇인가?

Ⅴ 성교육

성 발달은 생물학적, 사회문화적, 심리적 요인 등 다차원적인 영향을 받으며, 일정 기간에 걸쳐 이루어진다. 성 발달에는 성 정체성, 성 역할, 성 고정관념, 성 항상성의 개념이 있다.

성 정체성은 2~3세경 발달되는 개념으로 자신과 타인을 남성이나 여성으로 구분하여 표현할 수 있는 능력이다.

성 역할은 4세경 발달되는 개념으로 성(아빠 또는 엄마)을 토대로 문화적으로 수용된 행동을 하는 것이다. 4세경부터 남자 또는 여자인 특성과 관련된 행동을 해야 한다는 사

그림 8-11 **소아비만**

소아비만은 가정의 식습관과 활동을 통해 조절하도록 한다.

실을 알게 된다.

성 고정관념은 4세경 발달되는 개념으로 남자나 여자와 연관된 특징이나 행동에 관한 집단이 지니고 있는 신념이다.

성 항상성은 5~6세경 발달되는 개념으로 자신의 성이 영구적으로 변하지 않는다는 것을 인식하는 것을 의미한다. 아동들은 의복이나 머리 모양 등이 바뀌어도 남성과 여성이라는 성 정체성은 변하지 않는다는 사실을 인지하게 된다.

학령전기에는 수음행동과 자신의 성기와 친구의 성기에 관심을 갖고 만져보려고 한다. 이는 호기심 만족을 위한 수단으로 자기의 몸에 대해 알아가게 된다. 따라서 적절한 성교육이 필요하다.

그림 8-12 어린이 사고

학령전기는 위험을 인지하는 능력이 부족하여 낙상사고가 일어난다.

Ⅵ 안전사고 예방과 대처교육

학령전기 아동은 활동 영역이 넓어지면서 주변 환경을 탐색할 기회가 많아진다. 운동과 조정능력이 향상되어 낙상의 위험은 줄어드나, 위험을 인지하는 능력이 아직 부족하고, 자신의 능력을 시험하고 또래에게 보여주기 위해 무모한 시도를 하여 손상을 일으키기도 한다. 자동차 사고, 익사, 화상, 중독, 낙상, 동물에 의한 손상 등이 흔하다[그림 8-12]. 1세 이상 아동의 사망사고 중 가장 큰 원인은 자동차사고로, 길을 건널 때의 사고 위험을 인식하지 못하기 때문이다. 보행자 사고는 길을 건너려고 차도로 뛰어들다가 사고가 많이 나므로 보호자의 관심과 교육이 필요하다[표 8-9].

특히 4세 이하는 주의를 필요로 하며, 안전의자나 안전벨트 등 소아의 움직임이 덜 하게 하는 장치가 사망률을 감

표 8-9 각 연령에 따른 사고의 예방대책

연령	운동 기능 발달	사고 종류	예방 대책
2~3세	• 호기심이 많다. • 계단을 오르내린다. • 세발자전거를 탈 수 있다.	교통사고,추락, 익수,화상, 중독, 외상	• 보행 시 자동차에 주의하도록 가르치고, 차도에 뛰어들지 않도록 시범을 보이며 지도한다 • 큰길에서 굴러가는 공을 잡으려고 쫓아가는 것은 위험하다고 가르친다.(영상 매체 교육 등) • 약품이나 세척제 같은 것을 어린이의 손이 닿지 못하는 곳에 높이 둔다. • 모든 화기는 잠가두고, 가스레인지는 밸브까지 잠그도록 교육한다. • 과도, 전열 기구, 버너, 약품, 성냥, 동전, 핀, 구슬 등은 손이 닿지 않는 곳으로 치우고, 위험하다는것을 교육한다. • 자동차에 태울 때는 어린이용 의자를 필히 사용한다.
5~9세	• 대담하고 모험적이다. • 또래들과 경쟁적놀이를 한다.	교통사고, 자전거 사고, 익수, 외상, 낙상	• 교통 법규를 시범을 보이며 가르친다. • 안전하게 자전거를 타는 법을 가르친다.(안전한 장소) • 자전거 및 롤라 스케이트를 탈 때에는 헬멧을 쓰도록 한다. • 자동차 안전벨트 매는법을 가르친다. • 수영 및 물속에서의 위험성을 가르친다. • 성냥, 폭죽의 위험성과 안전사용법을 가르친다.

간호사례 / 공포가 있는 학령전기 아동

4세된 여아가 어머니와 함께 방문했는데, 어머니는 자신의 딸이 놀이방에서 우는 것에 대해 염려하고 있다.

사　　정 : 신장, 체중, 발달 면에서 정상 범위에 있는 4세 여아가 있다. 아동과 이야기를 하는 동안 아동은 "엄마가 놀이방에서 떠났고 나는 외로웠어요. 엄마가 다시 올 것 같지 않아요." 아동은 어머니가 직장이 끝난 후 데리러 올 때까지 남아서 돌봄을 받는 아침반 프로그램에 등록되어 있다.

간호진단 : 학령전기의 분리와 위탁에 관련된 두려움

간호목표 : 아동은 1개월까지 놀이방에서 우는 횟수가 감소된다.

평　　가 : 아동은 두려움을 언어화한다. 아버지는 아동의 두려움을 최소화하기 위한 방법을 강구한다. 놀이방에서 우는 시간이 2주에 걸쳐 감소됨을 보고한다.

계획 및 중재
1. 아동과 함께 아동의 감정에 대해서 탐색한다. 2. 학령전기 분리와 위탁에 대한 감정을 포함하여 학령전기 아동이 경험하는 전형적인 공포에 대해 검토한다. 3. 아버지가 아동의 공포를 암시하는 행동을 확인할 수 있도록 돕는다. 아동과 함께 아버지가 돌아오는 시간을 지키는 등의 아동의 공포를 경감시키는데 도움이 되는 방법을 교육한다. 4. 아동의 공포를 감소시킬 수 있는 방법에 대해서 놀이방 직원과 이야기하도록 아버지를 격려한다. 5. 아버지가 아동을 매일 데리러 올 것이며 늦으면 전화를 한다고 아동을 안심시키도록 한다. 아동이 가능한 한 느끼도록 격려한다. 6. 저녁이나 주말에 딸과 특별한 시간을 가지도록 아버지를 격려한다. 그리고 이 시간을 지속적으로 지키도록 격려한다. 7. 2주 내에 전화로 확인한다.

소시키므로 안전장치에 대한 지도가 필요하다. 아동은 성인의 행동을 모방하므로 어른이 안전생활에 모범이 되고, 가정과 유치원에서 적절한 안전교육을 하는 것이 좋다.

확인문제

8. 만일 학령전기 아동이 상상속의 친구가 있다면, 이것은 정상적인 발달인가?

9. 학령전기 아동의 사고예방을 위한 안전 교육은 어떤 것이 있는가?

VII 학령전기의 흔한 건강문제

01 / 공격성

공격성(aggression)은 자신이 원하는 것을 얻고자 할 때 다른 사람으로 부터의 위협에 방어하기 위한 수단으로 나타나는 행동이다. 집단에서 공격성이 높은 아동은 다른 아동에게 피해를 줄 수 있으며 문제 아동이나 비행 청소년이 되는 경향이 높다. 일반적으로 12~15개월 영아들은 물건을 서로 가지려고 다투지만, 물건이 초점이며 공격적인 의도성은 없다. 2~3세 유아들은 주로 때리고 밀치는 등의 물리적 공격성을 보이는 반면, 3~6세는 놀리고 흉보고 욕하고 상대방을 위협하는 언어적 공격성을 보인다[표 8-10].

02 / 언어문제

학령전기 아동은 사회적 언어를 사용하지만 언어가 정신적 능력이나 이해 정도를 따라가지 못하는 것이 특징이다. 즉 생각하고 있는 단어를 말하려 해도 말하는 능력이 부족하여 말을 더듬거나 주저하고, 유창하지 못하더라도 이는 언어발달상 정상적인 특성이다. 또한 아기같이 말하기, 어눌한 말 등도 언어 발달 과정에서 나타날 수 있는데 언어의 유창성을 지나치게 강조하면 언어가 비정상적으로 발달될 수 있다. 언어 문제를 해결하는 가장 좋은 방법은 예방과 조기발견이다.

표 8-10 학령전기 아동의 공격성

공격성	2~4세	4~8세
신체적 공격성 빈도	가장 높다.	점차 감소한다.
언어적 공격성 빈도	2세에는 거의 없다. 언어발달에 따라 증가한다.	언어적 공격성이 보다 빈번해진다.
공격성 형태	도구적인 공격성	적대적 공격성
발생 시기	부모와의 갈등 후에	또래와의 갈등 후에
원 인	장난감, 놀이기구	역할경쟁(골목대장, 반장 등)

1) 말더듬

말더듬(stuttering)은 유창성 장애(fluency disorder) 중 하나로 자신의 의지와 관계없이 말을 하는 중에 리듬이 끊기거나 반복하고, 갑자기 말문이 막히는 언어장애이다. 아동의 약 50%에서 나타나고, 남아가 여아보다 4배 정도 많다. 말더듬이가 가장 많이 발생하는 시기는 2~4세이고, 빠르면 언어발달이 왕성해지기 시작하는 1.5~2세에도 나타난다. 가족력이 있고 성장하면서 자연히 없어지는 경향이 있다. 없어지는 비율은 여아가 더 높으며, 대개 7세까지 교정된다. 치료가 가능한 경우에는 대개 16세 이전에 완치되나 1/5 정도는 성인기까지 지속된다.

말더듬의 원인은 아동의 정신적 발달과 이해 정도가 언어 발달보다 빠르기 때문으로 즉 알아듣는 어휘수가 말하는 수보다 많고, 한정된 언어로 말을 하면서 정서적으로 긴장하기 때문인데 유전적, 심리적, 환경적 요인이 영향을 미친다. 첫째, 유전적 요인으로 부모가 아동기에 말더듬이었던 경우, 이란성 쌍둥이보다 일란성 쌍둥이인 경우에 더 많이 발생한다. 둘째, 심리적 요인으로 자신이 더듬는 낱말의 95% 이상을 알고 있지만, 그 낱말을 발음하는 데에 어려움을 겪었던 경험이 있다. 특히 권위자 앞이나 빨리 말해야 하는 상황에서 많이 나타난다. 셋째, 환경적 요인으로는 아동에게 중요한 사람, 특히 부모가 아동을 말더듬으로 인식하는 것이다. 아동에게 너무 강압적이고 간섭을 잘 하며 지나친 관심을 보이는 것이 주요인이 되며, 부모의 부정적 평가가 부담을 준다. 외동이거나 나이가 비슷한 형제자매가 없는 아동에게 말더듬이가 많은 것도 이런 이유이다.

말더듬은 주로 문장을 시작할 때나 단어 첫 소리의 자음, 비교적 긴 단어 또는 명사를 말할 때에 많이 나타난다. 말문이 막혀 말을 더듬는 정상 아동에게 너무 많은 관심을 기울이는 것이 오히려 나쁜 영향을 준다. 말더듬이 심해지면 말을 기피하는 경향이 나타나고, 심리적으로 위축되어 자신을 비하하는 열등의식까지 갖게 된다. 외향적이고 활달한 아동이 점차 말더듬으로 진행되면서 내성적이고 소극적으로 변한다.

아동에게 말더듬 나타날 수 있는 위험신호는 다음과 같다.

- 반복 : 2회 이상의 반복, 소리 또는 음절의 반복을 보일 때
- 연장과 막힘: 말소리를 길게 끌거나 말이 막혀 시작이 안 될 때
- 횟수 : 100개 낱말 중 10회 이상 보일 때
- 부수적 행동 : 말이 잘 나오게 하려고 눈 깜빡임이나 고갯짓 등을 보일때
- 회피와 두려움: 말을 안 해 버리거나 , 말이 막힐 때 아동이 두려움을 보이는 경우
- 불규칙한 말의 고저와 크기: 갑자기 억양이 올라가거나 말소리가 커지는 경우
- 긴장 : 말이 안 나올 때 주먹을 쥐거나, 특정 신체부위에 힘이 들어갈때

표 8-11 유창성 장애의 평가과정

1. 유창성 장애 의뢰(전화 또는 방문 상담)
2. 사례정보 수집(사례면담지, 질문지, 아동언어 샘플테이프)
3. 면담 : 사례정보의 보충(부모 또는 본인상담, 관계자 상담)
4. 유창성 평가
   - 상황별 유창성 평가
   - 유창성 및 관련요소 분석
   - 심리 및 태도 검사
   - 포괄적 유창성 분석
5. 말, 언어 선별 평가
6. 결과 면담(부모 상담, 결과 해석과 향후 계획 면담), 보고서

파라다이스-유창성 검사(Paradise-fluency assessment, P-FA)는 취학 전 아동부터 중학생 이상까지 말의 유창성 문제를 평가하는 도구이다. 사례 면담지, 구어 평가, 의사소통 태도 평가로 구성되고, 말더듬이의 형태와 심각도, 아동의 심리 상태를 파악한다. 유창성 장애의 평가는 [표 8-11]과 같다.

말더듬의 80% 정도는 치료를 하지 않아도 사춘기나 성인기에 저절로 없어지는데, 성장하면서 자아의식이 확립되어 심리적인 부담이 줄어들기 때문이다. 네 가지 접근법이 권장되는데 심리적 접근법, 말더듬 수정법(유창하게 더듬기), 유창성 완성법(유창하게 말하기), 통합적 접근법 등이다. 말더듬 수정법은 말을 더듬는 상황을 피하지 않고 오히려 적극적으로 더듬게 하는 것이고, 유창성 완성법은 천천히 자연스럽게 말하도록 연습하는 것으로 말더듬에 대한 공포를 없애는 것이 목적이다.

성인과 달리 아동은 자신이 말을 더듬는다는 것을 알지 못하기 때문에 별 문제 없이 이 과정을 지나간다. 부모는 충분한 시간과 인내를 가지고 아동을 대하여 아동이 당황하지 않고 본인의 의사를 잘 표현할 수 있도록 부드러운 분위기를 만들어 주어야 한다. 아동이 원하지 않을 경우 말하도록 강요하지 말고, 발음을 잘 못하거나 더듬거릴 때 고쳐주거나 다시 하라고 강요하지 않아야 한다. 아동에게 말더듬이라고 하지 말고, 말을 더듬지 않으면 보상할 것이라고 부담을 주어서는 안된다. 천천히 말할 수 있도록 충분히 기다리고, 아동의 말에 반응해 주며 지지하고 격려하여 자신감과 성취감을 느끼게 하는 것이 중요하다. 부모가 정확한 발음으로 아동에게 모범을 보이는 것이 가장 중요하며, 책을 읽어주거나 동요를 부르는 것도 좋은 방법이다. 발성기관이나 자율신경계 이상과 같은 신경계 장애로 언어문제가 나타나는지 확인하기 위해서는 의료기관의 정밀검사를 받도록 권유한다.

확인문제

10. 학령전기 아동이 말을 더듬을 때 주위에서 해줄 수 있는 방안은?

2) 언어지연

언어지연(delayed speech)은 만 2세가 되어도 의미 있는 말을 하지 못하는 경우이다. 만 3세가 되어도 의사표시를 하기 위해 문장을 말하지 못할 때는 언어발달 이상을 의심해야 한다. 언어 발달은 개인차가 많고 지능발달과 밀접한 관계가 있다. 언어지연이 되면 두뇌활동이 감소되어 아동은 자신의 욕구를 잘 표현하지 못하여 성격형성과 학습활동에 부정적 영향을 미친다. 나이가 어릴수록 단순히 언어발달지연인지 지능발달 지연인지를 판단하기 어려운 경우가 많다. 원인으로 지적장애, 발달장애, 뇌성마비, 청력 저하, 정서장애, 교육 부족 등이 있다.

3) 발음부전

아동은 자신의 발달 수준보다 앞서 말을 하도록 강요받으면 발음이 정확하지 않은 말을 할 수 있다. 예로 음절이 앞뒤로 뒤바뀐 말을 하는 '아기 같이 말하기', 입술이나 혀, 턱을 제대로 움직이지 않고 발음하는 '어눌한 말'을 한다. 이를 예방하기 위해 아동기에 성취되는 일상적인 언어 발달을 부모에게 교육하는 것이 바람직하다.

03 / 공포

학령전기가 되면 유아기에 자주 나타나는 낯선 사람과 낯선 행동에 대한 공포는 많이 감소하나, 상상력이 증가하면서 다른 공포가 나타난다. 학령전기 아동은 현실과 환상, 공포와 불안을 잘 구분하지 못하여 실제적인 것뿐만 아니라 상상물에 대해서도 공포를 느낀다. 공포대상은 주로 비현실적인 것이지만 자연현상에도 공포를 느낀다. 특정한 상황 즉 학교 가기, 어두움, 혼자자는 것, 귀신, 폭풍우, 벌레, 큰 개나 뱀과 같은 동물, 신체 상해, 거세, 통증과 관련된 물체나 사람 등이 원인이 된다[그림 8-13].

유아의 자기중심적 사고는 상상의 공포로부터 자신을 보호하는 역할을 하고, 학령기 아동의 논리적인 사고는 잠재된 공포에 대해 설명을 하여 그 공포를 쫓아낼 수 있다. 그러나 학령전기 아동은 사건이나 상황에 대해 비합리적인 사고를 하고, 공포가 죄의식을 표출하는 도구가 된다.

아동은 부모를 모방하는 특성이 있기 때문에 부모가 공

그림 8-13 어린이 공포

학령전기 아동은 실제적이거나 상징적인 공포를 경험한다.

포를 느끼는 대상을 같이 느끼는 경우가 있으며 이런 공포는 쉽게 없어지지 않는다.

확실한 원인은 밝혀지지 않았지만 Freud는 손상이나 절단에 대한 거세불안이 공포를 유발한다고 하였다. 아동은 직접 경험하지 않고 상상하는 것만으로도 공포를 느낄 수 있다. 즉 다른 사람이 다쳤거나 주사를 맞는 것을 보고 자신이 다치는 것처럼 신체 손상에 대한 공포를 느낀다.

어두움에 공포를 느낄 때 무서운 것이 아니라고 논리적으로 설명하고 설득하여도 아동은 받아들이기 어렵다. 공포에 대처하는 가장 좋은 방법은 아동이 스스로 이겨낼 수 있도록 행동에 적극적으로 참여시키는 것이다. 예를 들어, 잠들 때 침실에 야간등을 켜 놓아 어둠 속에 아무도 없음을 확인하도록 하며 또 공포를 느끼는 상황에 점차 노출시켜 안전한 환경에서 두려워하는 물체에 서서히 다가가도록 하여 공포에 익숙해지도록 하는 방법이다. 아동이 동물을 무서워하면, 처음에는 멀리서 동물을 바라만 보게 하다가 조금씩 가까이 접근하는 방법이다.

공포나 호기심은 학습동기를 유발하기도 하지만, 쉽게 해결되지 않기도 한다. 5~6세 정도가 되면 공포는 대부분 사라지지만 성인기까지 계속되는 경우도 있다. 성장하면서 공포가 사라질 것이라고 부모에게 설명한다. 공포가 사회적 기능이나 대인 관계에 지장을 가져올 정도로 심하며 질병으로 간주하고 아동이 견딜 수 없을 정도로 큰 공포를 경험했을 때는 전문가의 상담을 받도록 한다.

04 / 수면장애

학령전기는 수면장애를 흔히 경험하는 시기로, 이 시기의 까다로운 성격 때문이다. 낮에 과하게 활동을 하였거나 큰 자극을 받은 후에는 잠들기가 어렵고 악몽, 야경증 등이 나타나기도 한다. 잠들기를 미루면서 주위를 끌려고 할 때는 잘 설득하여 잠자리에 들도록 격려한다. 자기 전에 과한 행동을 피하게 하고 장난감을 주거나, 책을 읽어주거나, 기도하거나, 이야기를 해주거나, 목욕으로 이완시켜 쉽게 잠들도록 도와준다.

1) 악몽

악몽(nightmare)은 무서운 꿈으로 인해 잠을 깨는 장애로, 3~5세 아동의 10~50%는 부모를 힘들게 할 정도로 심각한 악몽을 경험한다. REM(rapid eye movement)수면의 후반부인 새벽녘에 흔히 나타난다. 야경증에 비해 나이든 아동과 여아에서 빈도가 높고, 10세가 되기 전에 발생한다. 꿈의 내용은 자신의 안전이나 생존과 관련된 주로 추격, 공격, 손상 등의 절박한 신체적 위험과 같은 것이다. 일상생활의 스트레스, 불안, 우울, 죄책감이 표출되는 것이다.

악몽을 꾸고 있을 때 깨우면 금방 잠에서 깨어나고, 꿈의 내용을 분명하게 기억한다. 아동은 얼굴을 찌푸리고, 불안하게 움직이며, 훌쩍거리거나 큰 소리로 울고, 공포감을 나타낸다. 이때는 과잉반응을 보이지 말고, 단지 꿈이었다는 사실을 확인시키며 다시 잠자리에 들도록 도와준다. 악몽을 꾸지 않도록 무서운 내용의 비디오나 TV 프로그램을 보지 않게 한다. 아동기에 나타나는 악몽은 성장하면서 좋아지기 때문에 대부분 없어지게 된다.

2) 야경증

야경증(night terror)은 NREM(non-rapid eye movement) 수면에서 나타나고, 1~5세에 처음 시작되어 학령전기에 많이 나타나고, 가족력이 있으며 남아에서 더 많이 발생한다. 잠이 든 후 1~2시간쯤에 시작되어 10~30분 정도 지속된다. 갑자기 큰 소리와 큰 동작을 하고, 고도의 자율신경 반응을 동반하며, 심한 공포와 공황상태를 보인다. 대개 성장하면서 저절로 좋아지며 일과성인 경우가 많다.

야경증은 미숙한 중추신경계 기능으로 나타나고, 갈등이나 환경적 스트레스가 원인이 되기도 한다. 자다가 갑자기 일어나서 울고 소리를 지르며, 부모를 알아보지 못하며 식은 땀을 흘리며 흔들어 깨워도 정신을 차리지 못하며, 잠에서 완전히 깨어나지 못한 상태로 눈을 크게 뜨고 무엇인가를 주시하는 듯이 보인다. 자율신경계 자극으로 맥박과 호흡이 증가하고, 동공이 확대되며 땀이 난다. 잠시 후에 슬그머니 쓰러져 다시 잠들고, 아침에 그 일을 기억하지 못한다. 야경증으로 인해 놀란 상태로 있을 때는 손을 잡아주거나 안아주는 것이 좋다. 부모를 알아보지 못하더라도 안심시키고 조용히 자도록 도와준다.

아동을 깨우려고 소리를 지르거나 신체를 자극하는 일은 피하고, 큰 움직임으로 인해 다치는 일이 없도록 주의한다. 심할 때는 야경증이 나타나는 시간을 관찰하여, 야경증이 나타나기 15분쯤 전에 아동을 깨운다. 중추신경계가 성숙되면 완전히 없어지므로 환경적, 심리적 스트레스를 없애고 부모를 안심시킨다. 낮동안 너무 피곤하지 않게 하고, 무서운 내용의 비디오나 TV 프로그램을 가능한 한 보지 않게 한다. 야경증이 자주 나타날 때는 병원의 진료를 받으며 diazepam(Valium)과 같은 benzodiazepine계 약물을 투여할 수 있다.

확인문제

11. 학령전기 아동이 악몽, 야경증 등으로 수면장애가 있을시 식구들은 어떻게 도와주어야 하는가?

요 점

※ 학령전기 아동은 키와 체중이 꾸준히 균형있게 발달한다.

※ 뇌의 크기가 증가하고 신경근육이 성숙함에 따라 운동기 능이 빠르게 발달하며, 미세운동도 크게 발달한다.

※ 학령전기의 인지발달은 Piaget에 의하면 학령전기는 전조작기에 속하는 시기이다. 언어발달은 3~4세에 900개 정도의 단어를 사용한다.

※ 도덕성발달은 Kohlberg에 의하면 이는 전인습적 도덕수준이 특징이다. 심리성적 발달은 Freud에 의하면 학령전기는 생식기를 통해 쾌감을 얻는 남근기 과정이고, 불안과 지루함 및 해결되지 않는 갈등의 표현이기도 하다.

※ 학령전기의 특징적인 놀이는 연합놀이와 상징적인 놀이, 가상적인 놀이친구 등이 있다.

※ 말더듬은 자신의 의지와 관계없이 말을 하는 중에 리듬이 끊기거나 반복하고, 갑자기 말문이 막히는 언어장애로 부모는 충분한 시간과 인내를 가지고 아동을 대해야 한다.

※ 악몽은 무서운 꿈으로 인해 잠을 깨는 수면장애로 가족들은 과잉반응을 보이지 말고, 단지 꿈이었다는 사실을 확인시키며 다시 편안히 자도록 도와준다.

※ 학령전기 아동의 공포는 상상력이 증가하면서 현실과 환상, 공포와 불안을 잘 구분하지 못하여 실제적인 것뿐만 아니라 상상들물에 대해서도 공포를 느낀다.

확인문제 정답

1. 학령전기 동안 키와 체중의 증가는 미약하다.
2. 미세운동이 크게 발달한다. 특히 미세운동 조절 정도가 정교하게 발달한다.
3. 생식기를 통해 쾌감을 얻는 남근기(phallic stage)이다.
4. 일반적으로 벌을 주거나, 죄의식을 느끼게 하지 말고 자연스런 행동으로 유도하도록 한다.
5. 3세 아동은 약 900개의 단어를 사용한다.
6. 전조작기에 해당한다.
7. 아동의 식사습관, 영양에 대한 지식, 부모의 가치관, 가정의 건강한 식문화 등이다.
8. 상상 속의 친구가 다른 관계를 방해하지 않는 한 정상이다.
9. 건널목을 건널 때는 주위를 살펴본 후 손을 들고 건넌다. 4세 이하 아동은 안전의자나 안전벨트를 사용한다. 교통법규를 지킨다.
10. 천천히 말할 수 있도록 충분한 시간과 인내를 가지고 아동을 대하며, 아동의 말에 반응하고, 격려하며 성취감을 준다.
11. 자기 전에 과한 행동을 하지 않게 하고 장난감을 주거나, 기도하기, 이야기해 주기, 목욕 등으로 심리적으로 편안하게 한 후 잠들게 한다.

CHAPTER 09

학령기 아동

주요용어

또래집단(gang group)
반복성 복통(recurrent abdorninal pain)
부정교합(malocclusion)
주의력 결핍 과잉행동 장애
(attenfion deficit hyperactivity disorder)
학교 공포증(school phobia)
보존(conservation)

학습목표

01 성장의 특성을 설명한다.
02 발달의 특성을 설명한다.
03 활동과 휴식의 특성을 설명한다.
04 영양과 식습관 교육을 수행한다.
05 성교육을 수행한다.
06 안전사고의 예방과 대처 교육을 수행한다.
07 학령기의 흔한 건강문제를 설명한다.
08 또래관계를 설명한다.
09 학교 공포증을 설명한다.
10 성장통을 설명한다.

학령기란 6~12세까지의 아동을 의미 하며, 아동 중기로서 성장 속도가 빠른 아동 초기와 급성장(growth spurt)이 시작되는 사춘기 전기 사이에 해당한다. 사춘기의 시작이 빨라져 10세까지로 학령기와 청소년기의 경계선을 명확히 하기는 어렵다. 보통 남아와 여아의 사춘기의 시작, 즉 학령기 종결의 차이는 여아가 2년 정도 빠르다.

신체발육은 학령전기보다 서서히 이루어지며 완만한 신체성장을 보이나, 인지발달에서는 빠른 진보를 볼 수 있다. 간호사는 아동 각각의 독특한 발달적 특성과 그에 따른 요구를 사정하기 위해서 그들 개개인의 발달 수준에 기초를 두어 접근을 해야 한다. 이 시기는 학교생활을 통하여 대인관계의 폭이 넓어지는 시기이며, 가족 외에 선생님과 또래집단의 접촉을 통하여 아동의 개성, 성격 및 사회성 발달에 영향을 받는다.

학령기는 학령전기와는 다르게 기분의 변화가 많고 새로운 능력이나 기술들을 습득하며, 또래집단의 태도에 많은 영향을 받아 자신의 행동이 친구들의 견해에 따라 좌우되기도 한다.

I 성장 특성

01 / 신체적 성장

학령기 동안 신체성장은 일반적으로 키는 평균 5~6㎝/년 정도 증가하고, 체중의 증가량은 매년 약 3~4㎏씩 증가하여 학령기 말에는 처음에 비해 2배 정도의 체중 증가를 보이고 신장의 경우 매년 4.3㎝ 정도 증가한다. 6세 아동의 평균 체중은 약 21㎏이고 신장은 116㎝이다. 12세 아동의 경우 체중 약 45kg, 신장 약 151㎝이다(2017년 소아 · 청소년 표준 성장도표, 질병관리본부, 대한소아과학회, 소아 · 청소년 신체발육표준치 제정위원회). 학령초기에는 남아가 여아보다 성장이 우세하나 학령후기에는 여아가 남아보다 약 2년 정도 빠르게 성장한다.

키에 비하여 머리둘레와 허리둘레가 줄고 하지의 성장속도가 빨라 다리가 길어지고 무게 중심점이 아래로 내려가 이전보다 자세가 좀 더 바르고 날씬하게 보인다. 유아기의 안짱다리와 요추전만이 대개 이 시기에 사라지게 된다.

이 시기에 뇌의 성장은 완성되며, 지방은 점점 감소하고 근육이 비율적으로 증가하면서 근육운동 조절이 더 향상된다. 시력은 성인과 비슷해지며 치아의 경우 유치가 모두 빠지고 영구치가 나게 된다. 새로 올라오는 영구치의 크기와 턱의 성장이 조화를 이루지 못하면 부정교합이 생길 수 있다. 이전에 비하여 위장 기능이 발달하여 소화를 잘 시킬 수 있으며 따라서 혈당 수준이 잘 유지된다.

면역 글로불린이 성인 수준에 도달하면서 감염을 국소화하는 능력이 더욱 강해진다. 림프조직이 급격하게 성장하여 성인의 크기보다 커지게 되는데, 정상적으로 줄어들기 전까지 일시적으로 유스타키오관이 폐쇄되어 전도성 난청이 일어날 수 있고, 림프조직의 부종으로 충수돌기염이나 대변의 흐름을 방해하는 일이 발생할 수 있다.

호흡기계의 성숙으로 교환 작용이 증가하여 호흡률이 감소하고, 심장의 경우 심실의 기능이 한층 강화되어 심박동수가 감소 하나 판막을 지나는 혈액량이 증가하여 비질환성 심잡음이 들릴 수도 있다.

골격의 성장이 꾸준하기 때문에 성장 과정 동안 변형을 막기 위하여 발이 바닥에 닿을 수 있는 의자에 엉덩이가 의자 뒷면에 맞아 바른 자세를 유지하게 해주고, 한쪽으로 매는 가방도 양쪽 어깨로 번갈아 맬 수 있도록 교육시켜 주어야 한다.

1) 성적 성숙

발달에 따른 성적 성숙의 기전은 안드로겐과 에스트로겐에 대한 감수성의 변화로 뇌하수체에서 성선자극호르몬(gonadotropic hormones)이 분비되어 근골결계와 생식기관을 자극하여 발달되는 것으로 알려져 있다.

학령기 말 성장이 빠른 여아에서부터 이러한 성적변화가 시작된다. 음모가 나고 유방이 커지는 이러한 이차성징(secondary sexual character)에 대한 자세한 내용은 [표 9-1]에 나와 있다.

2) 성적 관심

많은 아동들의 경우 청소년기 이전 단순한 호기심으로

표 9-1 2차 성징의 발달

연령	남아	여아
9~11세	• 사춘기 전기의 체중이 증가한다.	• 유방: 유방모양이 생기면서 유두가 융기함, 유륜의 직경이 커진다.
11~12세	• 음경 밑에 밝은 색깔의 곧고 아래로 향한 음모가 조금씩 나기 시작한다. • 음낭, 음경, 고환이 성장한다. • 피지선의 분비 증가한다. • 땀 분비가 증가한다.	• 음순을 따라 음모가 난다. • 질 상피조직이 단단해진다. • 산성의 질 분비액 : 약간 점성을 띤 질 분비물 • 피지선의 분비가 증가한다. • 땀 분비 증가한다. • 극적인 급성장한다.
12~13세	• 치골을 가로질러 음모가 발생한다. • 음경이 길어진다. • 극적인 급성장 곡선을 나타낸다. • 유방이 커진다.	• 음모가 검게 자란다: 치골 전체를 덮는다. • 유방이 커짐, 유두는 아직 돌출되지 않는다. • 액와모(axillary hair) 발달한다. • 초경이 시작된다.

성적인 놀이를 하는 경우가 있다. 이때 부모나 보호자가 이러한 행위를 어떻게 받아들이느냐에 따라 아동들의 죄의식이나 심리 상태가 결정된다. 또한 신체적 성숙과 외모의 변화에 대처 할 수 있도록 부모는 이 시기에 신체에 대한 주도권이 아동 스스로에게 있으며 타인이 함부로 할 수 없게 해야 한다고 교육해야 한다.

윗니
중앙절치(7~8세)
외측절치(8~9세)
견치(11~12세)
제1소구치(10~11세)
제2소구치(10~12세)
제1대구치(6~7세)
제2대구치(12~13세)
제3대구치(17~21세)
아랫니
제3대구치(17~21세)
제2대구치(12~13세)
제1대구치(6~7세)
제2소구치(10~12세)
제1소구치(10~11세)
견치(11~12세)
외측절치(8~9세)
중앙절치(7~8세)

그림 9-1 영구치의 발생

3) 치아

6세의 아동은 일반적으로 모든 유치가 다 나있는 상태로, 유치가 빠지고 첫 영구치가 나는 시기이며, 또한 치주모형이 기본이 되는 제1영구 대구치가 나고 영구치가 턱과 조화를 이루어 자리를 잡는 시기이므로 올바른 칫솔질 교육과 치실 사용법, 충치 예방법에 대한 교육이 충분하게 이루어져야 한다. 영구치는 대구치가 처음 나기 시작하며, 다른 것들은 유치가 빠지고 난 후에 유치가 처음 난 순서대로 난다[그림 9-1][그림 9-2].

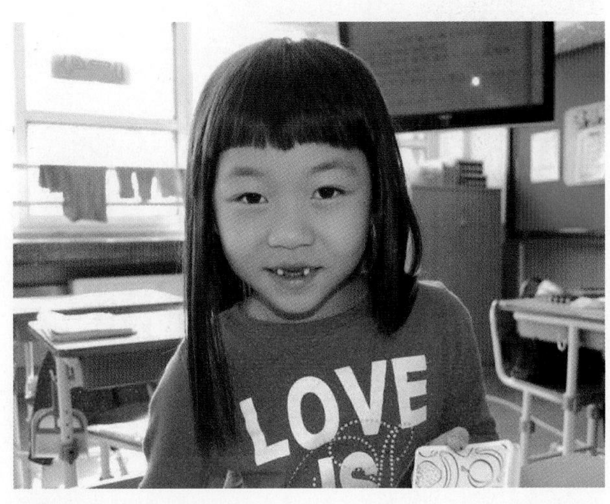

그림 9-2 영구치

6세 아동은 유치가 빠지고 영구치가 나는 시기이다.

그림 9-3 **기구놀이**

학령기 아동은 기구를 능숙하게 다루며 놀이를 한다.

Ⅱ 발달 특성

01 / 운동 발달

학령기 아동의 발달은 [표 9-2]에 요약되어 있다. 6세의 아동은 깡충깡충 뛰고, 건너뛰며, 뛰어 오르고, 곧바르게 걸을 수 있다. 또한, 2륜 자전거를 탈 수 있으며 줄넘기도 할 수 있다. 아동은 쉽게 자신의 구두끈을 맬 수 있고, 손의 기능이 발달하여 가위로 자르거나 종이를 풀로 붙이기도 하며, 사람도 상세히 그릴 수 있다. 7세 아동은 비교적 조용하며 돌차기 놀이를 위한 점프나 줄넘기를 좀 더 정확하게 잘 할 수 있다. 또한 더욱 미세한 운동기술에 집중할 수 있다. 놀이는 성별에 따라 다른 양상을 보이는데, 여아는 인형 옷 입히기 같은 놀이를 하고, 남아는 해적놀이를 한다. 또한 더욱 미세한 운동 기술에 집중할 수 있다. 이 연령의 아이들은 자신이 한 것을 완전하게 기억 속에 담아두지 못하므로 '지우개의 해'(eraser year)라고도 한다.

이 시기에 시력이 충분히 발달하여 보통 크기의 글씨를 읽을 수 있으므로 읽기를 즐기게 해 주어 학교생활을 좀 더 즐겁게 할 수 있게 된다.

8세 아동은 좀 더 활발하여 기구놀이를 하거나[그림 9-3], 자전거를 잘 타고, 축구, 체조 같은 운동을 좋아하고 읽고 쓰기를 더 잘 하게 되어 카드나 편지 쓰기를 할 수 있다.

9세 아동은 야구나 농구를 잘 할 수 있을 만큼 눈과 손의 조화가 잘 발달되고 쓰는 능력 또한 더욱 능숙해진다.

10세 아동은 좀 더 발달된 운동 기술에 흥미를 갖고 있으며, 11세 아동은 신체적 급성장으로 인한 자신의 변화된 모습에 만족하지 못하기 때문에 운동을 하지 않으려 한다. 이는 자존심이나 인기를 끄는 방법으로 운동을 생각하는 아동에게는 더욱 불편감을 느끼게 되어 운동에 참여하지 않고 그냥 관람하게 된다. 또한 에너지는 손가락 두드리기, 연필을 돌리기, 발을 구르기 같은 일정한 동작을 한다.

12세 아동은 좀 더 집중을 요하는 활동에 몰입하게 되며, 주어진 과제를 완성하고 주변 사람들과 협조적이다.

그림 9-4 **과학캠프**

7세 이후 아동은 간단한 과학 프로그램에 참여하여 탐구심을 기른다.

그림 9-5 **카드놀이**

학령기 아동은 카드놀이와 같은 규칙을 정한 놀이에 참여한다.

표 9-2 **학령기 발달의 요약**

연령	신체적 발달	정신·사회·인지적 발달
6세	• 제1대구치의 발현이 있다. • 일정한 동작과 뛰어오르기 시작한다.	• 하루종일의 학교 생활이 힘들다. • 손톱 깨물기 같은 정서 반응을 보인다. • 교사가 권위적으로 비춰진다. • 자신이 사용하는 단어를 정의할 수 있다.
7세	• 놀이에 있어서 성별 차이를 보인다. • 조용한 놀이로 시간을 보낸다. • 중앙 절치의 발현이 있다.	• 보존(conservation)의 개념이 형성된다.(같은 양의 물을 긴 통에서 넓은 통으로 바꿔 넣어도 동일한 양이라고 인식함) • 조용한 시기이다. • 지우개의 해(eraser year)라고 불린다.
8세	• 집단 놀이에 참여한다. • 협응 능력이 향상된다. • 눈의 완전한 성장이 이루어진다.	• 가장 친한 친구가 생긴다. • 과거, 현재, 미래의 개념을 이해한다. • 속삭이거나 낄낄거린다.
9세	• 모든 활동을 집단으로 한다.	• 집단은 쉽게 깨어지고 곧 다시 만들기도 한다. • Gang age : 남아나 여아에게 볼 수 있는 현상으로, 같은 또래끼리 집단을 형성하여 어떠한 상대에게 대항하거나 암호를 만든다.
10세	• 협응 능력이 향상된다.	• 동갑끼리, 같은 역할끼리 모인다. 경쟁적인 놀이를 한다. • 집에서 멀리 떨어져 캠프도 갈 수 있다.
11세	• 활동적이나 아직은 서툴고 다루기 힘들다.	• 이성에 대해 불신하고 단순한 농담을 반복한다.
12세	• 협응 능력이 향상된다.	• 사회화되고 협조적이다. • 유머 감각이 나타난다.

학령기 후기 아동은 그들을 가르치는 교사의 능력을 평가하고, 교사의 기대에 의하여 다양한 수준을 보인다.

02 / 놀이

새로운 발달단계를 반영해 주는 놀이는 신체적, 정신적 능력의 함양 뿐 아니라 동아리 및 집단에 대한 소속감을 느끼게 해준다. 이 시기에 아동들은 경쟁의식을 갖게 하는 활동적인 놀이뿐 아니라 책과 함께 조용한 시간을 갖기도 한다.

7세 아동은 이전보다 놀이에 맞는 좀 더 많은 놀이도구가 필요하다. 그러나 아동이 적절한 자극을 받지 못하고 상상만 하게 될 경우 계속 상상놀이에만 빠져 있게 된다.

7살 여아는 바비인형 등 자신의 또래와 비슷한 인형을 갖기를 원하며, 협응 능력이 충분히 발달하여 조그마한 신발도 신을 수 있고, 인형 옷의 단추도 잠글 수 있다.

7세 전후에는 카드나 인형, 조각 같은 것을 수집하기 좋아하여 나름대로 정리하기도 하고, 분류 노트를 만들기도 한다. 또한, 이 시기의 대부분 여아나 남아는 부엌에서 과자나 음식을 만드는 일을 좋아하며, 간단한 과학 프로그램에 참여하기도 한다[그림 9-4].

8세 아동은 책상에 앉아 카드나 은행놀이 하는 것을 좋아하지만 지는 것은 좋아하지 않아 경쟁적인 놀이를 싫어하는 경향이 있으며, 때로는 지지 않기 위하여 놀이 도중 규칙을 바꾸기도 한다[그림 9-5].

8~9세의 많은 아동은 만화책 읽기를 시작하며 만약 부모가 만화책 읽는 것을 야단치면, 이들은 친구 집에 가서 읽거나 밤에 몰래 읽기도 한다. 이 시기의 아동은 글을 빨리 읽어 내려갈 수 있기 때문에 학령기 아동의 발달 과제인 근면성을 키울 수 있다.

9세 아동의 장난은 비교적 심한 편으로 아침에 일어나 학교가기 전에도 뭔가 놀이를 하려고 하고, 집에 돌아오는 길에도 무슨 놀이를 할 것인지를 궁리한다. 놀이는 거칠고, 완벽한 기술을 익히는 데는 흥미가 없어 부모나 교사가 이 시기의 아동에게 완벽한 기술을 기대할 경우 잦은 갈등을 경험하게 된다.

음악이나 예술에 대한 재능이 점점 분명해지고, 여기에 새로운 관심을 갖고 반응한다[그림 9-6].

대부분의 10세 아동은 손으로 하는 놀이나 전자오락을

그림 9-6 연극 발표회

학령기 아동은 음악이나 예술에 관심이 많고 즐거워 한다.

좋아한다. 아직 이성에 대한 관심이 뚜렷하지는 않지만, 남아들 사이를 여아가 지나가거나 여아가 놀고 있을 때 남아가 지나가면 더 큰소리로 떠들거나 소근거린다. 여아들은 점점 자신의 겉모습이나 옷에 신경을 쓴다. 또한 규칙이나 공정함을 좋아하여 모임을 만들어 회장이나 임원을 정하고, 규칙을 만들어 준수한다.

11~12세 아동은 테이블 게임을 좋아하며, 어린 동생들을 데리고 놀이를 할 수 있을 만큼 충분히 유순해진다. 친구와 대화하는 것으로 시간을 보내기도 한다. 학령기 후기 아동은 점차 유행가를 좋아하게 되고, 그것에 맞추어 춤추는 것에 흥미를 갖는다.

03 / 언어 발달

학령기의 아동들은 이전에 비해서 효율적으로 말을 잘 할 수 있으며 많은 언어 발달을 성취하게 된다. 이전에 비해 좀 더 정교한 문법의 형태를 알고 미묘한 차이를 깨닫게 되며, 가상적이고 추론적인 단어와 문장구조를 이해하여 사용할 수 있고, 농담, 수수께기, 이중 의미를 이해한다. 6세 아동은 쉬운 말을 사용하고 의미 있는 문장을 말한다. 적절한 말은 아니더라도 훈련된 말을 한다.

대부분의 7세 아동은 몇 시 30분 전이나 몇 시 15분 전과 같은 개념은 어려워 하지만, 시계를 보고 몇 시 몇 분이라고는 말할 수 있다. 또한 지금이 일 년 중 어느 달이라는 등의 개념을 가지고 있고, 휴일이나 명절이 있는 달들의 이름을 안다. 그들은 더하고 빼거나 거스름돈을 계산할 수 있기 때문에 간단한 심부름을 하러 가게에 갈 수 있다. 아동이 사용하는 언어는 친구나 가족들이 사용하는 언어와 관련되어 있다.

9세에는 거친 농담을 배워 친구들에게 말하거나, 어른들이 쓰는 말들을 이해하려고 노력한다. 그들은 자신이 성숙하다는 것을 다른 아동에게 보여주거나 혹은 분노를 표현하기 위하여 은어를 사용한다. 그러므로 부모들은 거친 농담이나 은어가 용납되지 않는다는 것을 알려 주고, 자신들도 아동 앞에서 바람직하지 않은 언어 사용을 자제하여 올바른 언어 사용에 대해 교육할 필요가 있다.

10~12세의 아동들은 '생각하다, 느끼다, 깨닫다' 등의 가상적 단어들을 사용 할 수 있다.

12세에는 유머 감각이 나타나며 경험이 부족하여 대화내용의 한계는 있지만, 어른들의 대화 내용을 옮길 수는 있다.

확인문제

1. 학령기의 놀이는 어떠한 형태인가?

2. 학령기의 언어발달 특징은?

04 / 정서 발달

학령기는 타인에 대한 신뢰감과 자존감이 형성되기 시작하는 시기이며 독립적이고 독자적으로 작은 일들을 이루어낼 수 있다. 또한 유치원이나 다른 사회적 환경으로부터 어른들의 역할을 흉내 내거나 탐구한다. 무언가를 배우는 것은 재미이자 모험이며, 직접 해 보는 것이 중요하다는 것을 발견하게 된다.

1) 발달과업 : 근면성 대 열등감

인지적 발달이 중요하게 이루어지는 학령기에 아동 발달과업은 근면성(a sense of industry)과 성취감이며, 만약 발달과업이 성취되지 않으면 열등감(inferiority)이 생긴다. 이 시기는 학령전기 아동에 비해 일상생활에서의 기술적, 사회적 능력이 향상되어 있으므로 이 능력을 발달시키고 활용하여,

자신의 근면성과 개별성을 획득하고 대인관계 능력을 발전시켜야 한다.

열등감을 가지게 되는 원인은 다양하다. 아동이 학습장애나 발육부전 등의 문제가 있거나 만성적인 질환이나 장애가 있는 경우에도 또래 아동들에 비하여 성취가 낮아 생길 수 있지만, 아동 개인의 기질이나 선천적 재능, 흥미에 따라서 분야별로 열등감을 가질 수 있다. 그리고 또래와의 비교나 아동 개인이 가지고 있는 성공에 대한 기준에 따라서도 달라질 수 있다.

또한 이 시기에는 생활의 장소가 가정 뿐만이 아니라 학교로 옮겨진다. 따라서, 모든 것에 긍정적인 아동조차도 자신이 못하는 한두 가지 분야에서 열등감을 가질 수 있다.

이렇게 근면성이나 성취감을 얻지 못한 경우, 자신이 할 수 있는 일에 대해서도 소극적이 되는 경우가 있다. 이러한 아동은 새로운 일에 대한 시도를 꺼리게 되어 새로운 상황에 부딪혔을 때, 그것들을 어떻게 처리해야 할지 생각할 수 없어 어려움을 겪게 되며, 학교나 일에서 갈등을 경험할 수 있다.

이 시기의 성취감과 근면성은 외부의 인정, 적절한 보상 등에 따라 이루어지며, 이러한 발달과업의 성취는 아동에게 목표성취의 즐거움을 알게 하고 또한 향후 발달과정에 중요한 기초가 된다.

(1) 일상생활에서의 근면성 개발

학령 전기 아동의 질문은 대개 '어떻게', '왜', '무엇을'과 같은 호기심을 반영하는 것들이다. 초등학교 저학년 아동의 질문은 '이렇게 하면 되나요?', '제대로 하고 있나요?', '잘 되었나요?' 등과 같이 과제를 어떻게 하는가에 집중된다. 가끔 그들의 과제물이 기대에 미치지 못하거나, 완벽해 보이지 않으면 '난 아무 것도 제대로 못해요.'라고 말한다. 학령기 아동에게는 그들이 정확하게 잘하고 있다는 확신을 자주 주어 안심시킬 필요가 있다.

학령기 아동을 위한 책은 내용이 많은 경우 아동이 책을 끝까지 읽기에는 지루해 하므로 짧은 내용의 책을 많이 읽게 하여 성취감을 느낄 수 있게 해주는 것이 좋다. 또한 놀고 난 후 스스로 정리하여 성취감을 느끼게 한다.

(2) 근면성을 배울 수 있는 곳으로서의 가정

학령기 아동의 부모는 아동의 발달 단계에 따라 앞서가야 한다. 학령 초기 아동은 자신의 권위주장을 위해 부모의 말을 수용하지 않으며, 학교에서 배운 새로운 개념이나 방법에 대해 부모가 대답하기 어려운 질문을 하기도 한다.

이 시기에는 상상력의 향상보다는 올바르게 행동하는 법과 규칙을 배우고 순응하는 기질이 생성되어 그들 세계의 규칙을 좀 더 배울 수 있도록 한다.

8세나 9세 아동은 또래들과 보내는 시간이 많아지고, 가족과 보내는 시간은 점차 줄어든다. 이는 부모로부터 독립하여 좀 더 넓은 세계로 나아가는 단계이며 이 발달과업은 정서적 성숙을 가져오며 청소년기를 위해 시도해야 하는 것들 발달과업 중의 하나이다.

(3) 근면성을 배우는 곳으로서의 학교

학교생활의 적응은 이 시기에 이루어야 할 발달 과업의 하나로써 교사는 아동이 학습하는 것을 즐거워하도록 돕고 새로운 경험을 할 수 있도록 격려해야 한다.

학교는 성과 안전에 관한 교육, 가정에서의 생활, 위험물질을 접하지 않도록 해야 할 책임이 있다. 또한 부모가 가르치기 어려운 분야에 있어서는 다른 사람으로부터 교육을 받고 배울 수 있게 된다. 만약, 건강전문가가 건강관리에 대한 교육을 시킨다면 많은 부모들이 자녀의 건강을 위해 교육해야 할 책임이 줄어들고 쉬워질 수 있다.

(4) 조직활동

컵스카우트 혹은 클럽 등은 아동의 자율성을 키울 수 있고, 조직적인 활동 시간을 보낼 수 있다. 학교 활동에 대하여 부모는 그들의 아동을 위하여 각 조직의 가치를 평가해야 할 책임이 있다.

또래들과 비교될 수 있는 운동경기는 주의 깊게 평가해야 한다. 운동경기에서 질 경우 열등감이 생기지 않도록 세심한 주의가 필요하다. 부모는 팀의 이기고 진것의 결과에 연연하지 않고 운동으로 인한 외상 위험성과 아동의 신체적 성숙정도를 고려해 보아야 한다.

(5) 문제 해결

근면성 발달에 있어 중요한 부분은 문제해결 방법을 배우는 것이다. 부모와 교사는 아동이 기술을 개발할 수 있도록 도와주어야 한다. 간혹 아동이 '이렇게 하는 것이 제대로 하는 방법인가요?'라고 물을 때 그것을 해결할 수 있는 가능한 방법에 대해 얘기해 보자고 말할 수 있어야 한다.

예를 들면 야외놀이에 문제가 생겼을 경우 다른 해결 방법은 날씨가 너무 춥거나 비가 와서 장난감을 집안으로 가지고 들어와 노는 방법이다. 이러한 태도는 그들의 능력과 환경을 조절할 수 있기 때문에 자신을 '난 할 수 있어.'라는 긍정적인 성향을 가지며 자신감과 긍지를 가진 성인으로 만들어 주기 때문에 매우 중요하다.

(6) 다른 사람과 함께 하는 법 배우기

학령기 아동은 신체적 활동과 발달과업은 흥미로워 하면서도 그들의 목표를 달성하기 위해 다른 사람들과 함께 일해야 하는 것은 곧잘 잊어버린다. 많은 친구들과 처음으로 어울리게 되는 학령기 초기에는 다른 사람들에 대해 사려 깊고 동정적인 마음을 배우게 되는 좋은 시기이다. 감사 편지를 쓰는 것이나 이웃집 일을 도와주는 것은 아동이 다른 사람과 공감하는 것을 배울 수 있도록 도와주는 좋은 기회이다.

6세가 될 때까지는 다른 사람의 일을 자신의 경험으로 인지하기는 어렵다. 그러므로 이 시기에는 친구의 별명을 불러 놀리는 것이 나쁜 일이라고 교육하는 것은 비효과적이다. 따라서 그 놀림 받는 친구도 뭐든 할 수 있는 능력을 갖고 있다는 것을 느껴야만 하며 가장 좋은 방법은 '만약 자신이 그 친구였다면 어떤 기분이 들까.'하는 상상을 하게 하거나, 잠시라도 친구의 입장에 처하도록 해주는 것이다. 이렇게 간접적인 경험을 하도록 교육하면 별명을 부르는 것이 친구의 마음에 상처를 주고 자신이 거절당한다고 느끼게 된다는 것을 이해할 수 있다. 이후에는 '친구의 별명을 부르면 기분이 나쁘지 않을까? '라는 간단한 말 한 마디면 충분하다.

2) 사회화

6세 아동은 집단놀이가 주를 이루지만, 신체적으로 힘들어 하는 경우에는 1 : 1놀이가 더 적합하다.

7세에는 가족의 역할과 책임에 대한 인식이 강화되며 정확하고 확실한 행동을 하려고 하기 때문에 약속을 잘 지킨다.

8세에는 또래집단을 형성하는데 대개 동일한 성끼리 어울리고, 특히 여아들은 수군거리기를 좋아하며, 이 시기의 아동은 부모에게 학교에서 있었던 활동에 대해 그날 밤 잠들기 전에 모두 얘기한다.

9세에는 또래집단의 중요성이 한층 강화되어 부모가 권하는 유형의 옷보다는 또래 친구의 옷 입는 방식을 더 좋아한다. 이 시기의 특징은 따돌림이다. 따돌림은 당하는 이유는 대개 청결하지 않거나 만성질환아, 다른 아동보다 돈이 없거나 혹은 더 많이 가지고 있는 경우이다. 이러한 집단은 대개 암호와 비밀 모임 장소를 정해 두며 여아는 여아끼리, 남아는 남아끼리 구성된다. 그러나 만약 따돌림을 당하는 아동이 별다른 반응을 보이지 않으면 그 모임은 목표물을 잃어버렸기 때문에 해체되기도 한다.

확인문제

3. 학령기의 발달과업은?

05 / 인지 발달

학령기 아동의 인지발달은 5~7세의 전조작적 사고로부터 조작적 사고로 전환되는 시기(concrete operatconal stage)이며 이 시기는 실제로 눈에 비춰지는 문제들에 대한 이유를 찾을 수 있는 능력을 갖추는 단계이다[그림 9-7].

아동은 구체적인 조작적 사고를 하게 되고 다음과 같은 새로운 개념을 배우게 된다.

1) 관대함

다른 사람의 상황으로 입장을 바꾸어 생각하며 세상을 그들이 보는 것에만 초점을 맞추는 것이 아니라 상대편의 관점에서 바라보려고 한다.

2) 순응

다른 사람의 행동에 대해 더 많은 것을 이해할 수 있다. 학령전기 아동은 아침에 본 간호사를 저녁에도 볼 수 있기를 기대하지만 다른 근무시간에는 다른 간호사가 일한다는 것을 알게된다.

3) 보존

모양의 변화가 크기의 변화를 의미하지 않는다는 것을 인지하는 능력으로, 만일 30mL의 감기약을 하나는 좁은 컵에 넣고, 또 하나는 넓은 컵에 넣을 경우 학령전기 아동은 두 개의 컵의 양이 각기 다르다고 이해하지만 학령기 아동은 양쪽 모두 같은 양이 들어 있다고 말할 수 있다.

4) 분류

어떤 대상물을 하나 이상으로 분류할 수 있다는 사실을 이해하는 능력으로 학령전기 아동은 물건을 하나의 범주로만 분류(ex 돌과 조개를 해변에서 발견했다)하지만 학령기 아동은 여러가지 방법으로 분류할 수 있다(돌과 조개는 모양, 크기 그리고 재질이 서로 다르다).

이러한 인지 능력의 발달은 학령기의 특징적인 변화를 가져온다. 관용은 이전 연령에서는 불가능했던 다른 사람에 대한 동정심을 느끼게 해 준다. 학령기 아동은 보존 유지의 개념을 이해하기 때문에 학령전기와 같이 모양과 크기의 변화에 따른 혼동을 하지 않게 된다. 또한 분류할 수 있는 능력은 학령기 아동에게 수집 활동을 발달시키며 숫자나 단어들을 같은 범주 안에 넣도록 구성되어 있는 내용을 배우는 데도 필요하다.

그림 9-7 **탐구학습**

모형조립은 학령기 아동의 조작적 사고를 확립하거나 집중하는 것을 학습한다.

06 / 도덕성과 영적 발달

학령기 아동은 전인습적 추론의 시기로 도덕적 발달 면에서 성숙해지기 시작한다. 초기 학령기의 아동은 남의 물건을 훔치는 행위가 나쁜 행동임을 알지만 나쁜 이유에 대해서는 잘 알지 못한다. 다만 나쁜 행동이 처벌로 이어지므로 하지 말아야 한다고 인식하므로, 불쾌한 경험을 자신의 나쁜 행동에 따른 처벌로 간주하기 쉽다.

또한 인지 발달 수준이 높아지면서 행동에 따른 결과나 판단보다는 그 의도를 분석하여 생각할 수 있다. 즉 실제적인 면 뿐만이 아니라 추상적인 추론을 통해서 도덕성을 판단할 수 있는 것이다. 이 시기에 아동들은 도덕적 사고가 최고 수준에 있기 때문에 공정성을 확립하고 훔치는 행위로 남을 괴롭히려 하지는 않는다.

학령기 아동은 종교행위의 의미와 예배 의식을 배우기 시작함으로써 이전 시기와 다르게 옳고 그름을 구별하고 이들 사이에 거리를 두는 것을 중요하게 생각한다. 일반적으로 또래집단에 의해 영향을 받는 학령기이지만 종교적 신념에서는 의미 있는 종교적 인물이나 가족이 더 큰 영향을 미친다.

학령기 아동은 규칙을 중요시하고 현상들을 논리적으로 보려는 경향이 있어, 기도할 때 정해진 규칙에 따라 진행 될 것을 기대하고 자신이 합당하다고 생각되면 기도의 응답을 당연하게 기대하게 된다. 아직 남의 생각을 이해하는데 제한적이고 어떠한 일이 자신에게 좋으면 그것이 옳다고 해석하므로, 기도의 응답을 즉시 받지 못하면 혼란스러워 한다.

사회성 발달의 과정에서 양심의 형성도 이루어진다. 아동기 초기에는 어린이의 양심은 부모의 제재나 부모의 행동, 태도 또는 가치관의 단순한 내면화에 불과하지만 학령전기에는 자신의 사고를 통하여 옳고 그름을 결정하게 된다. 학교에 입학한 후에는 허용되거나 또는 금지된 행동을 많이 경험하게 되는데 가정에서 배운 것 외에 친구나 교사로부터 새로운 가치관을 배우기도 한다.

Ⅲ 활동과 휴식

학령기 아동은 학교 활동과 또래 중심의 생활을 하기 때문에 부모로부터 일상활동에 대한 지도와 관리를 받아야 한다. 왜냐하면 이 시기에 형성되는 습관과 생활방식은 성인의 행동 양식의 기본이 되기 때문이다. 영양학적 요구뿐만 아니라 학령기 아동과 부모가 관심을 두어야 할 부분으로는 수면에 대한 요구, 복장, 운동, 위생, 구강관리 등이다.

01 / 복장

학령기 아동은 스스로 옷을 잘 챙겨 입도록 요구되지만, 학령기 후기까지도 옷을 스스로 잘 챙겨 입을 능력을 갖추지 못한다.

학령기 아동은 옷에 대해 자신의 의사를 표현하는데, 부모가 권유하는 옷보다는 친구들이 좋아하는 옷을 선호한다. 학급 친구들과 옷을 다르게 입는 것을 못마땅하게 여기기도 하며, 친구들과 다른 옷을 입는 아동은 학교나 집단에서 따돌림의 대상이 되기도 한다. 결국 Gang 문화를 가지고 있는 학교에서 같은 색깔이나 같은 형태의 옷을 입게 되거나, 그렇지 않을 경우 Gang 구성원들로부터 분리된다고 생각한다. 이 문제를 예방하기 위하여 많은 학교에서는 교복을 입도록 한다.

02 / 수면

아동 개개인의 수면에 대한 요구는 다양하다. 일반적으로 어린 학령기 아동은 10~12시간 정도는 자야 하고, 좀 더 큰 아동은 8~10시간 정도는 자야 한다. 대부분의 6세 아동은 반드시 낮잠을 자야 할 필요는 없지만 방과 후에는 남은 시간을 조용히 보내는 것이 좋다. 야경증은 학령기 초기 동안 지속될 수 있으며 첫 1학년 때는 학교생활 스트레스로 인해 실제로 더 증가할 수도 있다.

03 / 운동

학령기 아동에게 매일의 운동은 필수적이다. 운동은 반드시 조직화된 스포츠만을 의미하는 것은 아니다.

친구들과 게임을 하거나 부모와 함께 걷기, 그리고 자전거 타기를 할 수도 있다. 비만을 예방하기 위해 매일 운동할 것을 권장한다.

04 / 개인위생

6~7세 아동에게는 목욕물 온도를 맞추거나 귀를 깨끗이 하고, 손톱을 깎는데 도움이 필요하다.

10대가 되면 샤워하기를 좋아하는데 이는 사춘기의 피지선의 활동에 따른 발한을 촉진시킨다. 여아가 월경을 시작하면서 개인위생의 중요성과 안전함에 대한 정보가 필요하다. 따라서 목욕보다는 샤워를 권장하는 것이 좋다. 포경수술을 하지 않은 남아는 규칙적으로 씻지 않으면 분비물의 증가로 인해 음경귀두에 염증이 생길 수도 있음을 교육시킨다.

Ⅳ 영양과 식습관

음식섭취는 그날의 활동량에 영향을 받으며, 대부분의 학령기 아동은 식욕이 좋다. 하루 종일 많은 활동을 했던 아동은 무엇이든지 먹을 준비를 하고 식탁에 앉을 것이다. 그러나 만일 친구와 심하게 싸웠거나 수준 높은 게임을 하는 등 스트레스가 많았던 아동은 충분한 식사를 하지 못한다.

1) 건강한 식습관 형성

학령기 아동은 학교에서 활기찬 아침을 시작할 수 있도록 충분한 에너지를 공급받을 수 있는 아침식사가 필요하다. 이는 부모가 아동과 함께 아침을 준비하고 함께 먹도록 해야 하고, 아동은 부모가 지시하는 말보다는 행위를 보고 본받는다.

많은 학생들이 학교에서 점심 급식을 제공받고 있으며 아동이 먹는 학교 급식의 질은 엄격한 관리가 이루어지기

그림 9-8 **학교 급식**

학령기 아동에게는 매일의 영양권장량에 알맞은 학교급식이 제공되어야 한다.

때문에 안전한 식사를 할 수 있다. 학교 점심 급식은 하루 영양 권장량의 1/3을 공급해야 한다[그림 9-8].

어떤 유형의 식사든지 영양소가 골고루 함유된 균형 잡힌 식사를 할 수 있도록 영양에 대한 기본적인 지식을 가지고 있어야 한다. 학교 교사로부터의 영양관리 지도를 받는 것뿐 아니라 지역사회 건강관리 요원들로부터 영양 교육이 실시되어야 한다.

대부분의 아동은 방과 후 배가 고프기 때문에 간식을 즐겨 먹게 된다. 그러나 단 음식은 저녁식사 시 식욕을 저하시키므로 우유, 과일, 주스, 치즈 등 영양가 높은 간식을 섭취하도록 한다.

2) 근면성 증진

근면성 측면에서, 학령기 아동은 식사 준비 시 돕는 일을 좋아한다. 간단한 샐러드, 샌드위치 같은 음식을 준비할 수 있으며, 만들어져 있는 음식보다 자신이 스스로 계획하고 준비한 식사를 먹고자 한다.

10대가 되면 예절을 갖추게 된다. 더구나 아동은 자신의 집보다는 다른 사람의 집에서 더 나은 식탁 예절을 보이려고 노력한다.

3) 일일식단의 제안

영양은 학령기 아동의 건강 증진에 있어 가장 중요한 부분으로써 이 시기의 에너지 요구량의 증가는 매일 영양가 높은 음식섭취의 중요성을 의미한다. 이 시기의 남아와 여아는 7~10세에 비해 더 많은 철분이 필요하며, 적당한 칼슘과 불소의 섭취는 치아 건강을 위해 여전히 중요하다.

학령기 후기 식단은 남아가 여아에 비해 더 많은 에너지와 영양분이 필요하다.

학령기 아동은 특징적으로 채소를 싫어하므로 섬유질 섭취가 부족할 수 있는데, 이 시기에 필요한 양은 자신들의 연령에 5g을 더한 양이다.

4) 채식주의자들의 영양 증진

채식주의 가정에서 자란 학령기 아동이 학교급식을 원할 경우 채식주의 식단에 대해 미리 얘기해 주어야 한다. 채식주의의 아동의 잠재적인 문제로는 신체적 급성장 시기인 사춘기에 대비하여 충분한 양의 단백질과 칼슘의 적정량 섭취이다. 고칼슘 식품으로는 녹색 잎 채소(시금치나 녹색 순무 등), 자두, 견과류, 영양이 강화된 빵, 시리얼 등이며, 노란 콩, 껍질째 먹는 콩, 견과류, 곡물, 어린 열매(녹색 콩, 아욱 콩, 옥수수 등)들은 많은 단백질이 함유되어 있다. 채식주의 아동은 비타민 B_{12}의 공급이 필요하며, 비타민 D를 증가시키기 위해서는 햇빛에 노출되는 야외 활동을 격려해야 한다. 또한 철분공급도 필요한데, 특히 월경량이 많은 여아에게는 필수적이다.

확인문제

4. 학교 점심 급식은 아동 일일 권장량의 어느 정도를 차지 하는가?

V 성교육

학령기 아동을 대상으로 성교육과 사춘기의 변화에 대한 교육은 중요하다. 10대 이전의 아동은 성에 관한 질문을 받았을 때 부모에게 물어보곤 한다. 이러한 성에 관한 내용은 부모들이 설명해 주는 것이 가장 바람직하지만 성에 관한 주제는 정서적으로 부담스러운 것이므로 어떤 부모는 아동과 성에 관해 토론하는 것을 꺼려한다. 그러므로 간호사는 성교육을 위한 좋은 자원이 될 수 있다.

아동의 연령과 발달에 적합한 방법으로 학교에 다니는 동안 성교육을 포함하여 교육하는 것이 필요하다. 청소년전기 아동을 대상으로 한 성교육과정에서 토의하고 가르칠 주제는 다음과 같다.

- 생식기의 기능
- 2차 성징의 변화
- 생식과 관련하여 월경이 무엇이고, 월경을 하는 이유를 이해
- 밤에 몽정을 유도하는 정액의 분비 증가가 생기는 이유를 포함한 남성의 성기능
- 임신의 생리를 설명하고, 성적 성숙으로 인한 계획되지 않은 임신의 가능성
- 출산 조절 방법과 좀 더 안전한 성에 대한 지식
- 성적 성숙의 사회적, 도덕적 영향

성적학대(sexual abuse)는 우리 사회에서 발생하는 매우 불행한 일이다. 아동에게 성적 학대를 피할 수 있도록 돕는 교육지침이 [표 9-3]에 요약되어 있다.

Ⅵ 안전사고 예방과 대처 교육

학령기 아동은 성인의 감독 없이 독립적인 시간을 갖고 싶어하기 때문에 8~9세 아동의 대부분은 집에서는 혼자 있기를 원한다. 이와 같은 독립심은 사고의 원인이 될 수 있는데, 이는 아동이 항상 상식적인 생각을 하지는 않기 때문이다. 그러므로 아동은 일상적인 학습과정 중에 특별한 대처 행동 요령을 배워야 하며 따라서 안전을 강조하는 학교 프로그램은 매우 중요하다. 부모는 스케이트나 자전거, 스케이트보드를 탈 때 반드시 안전모를 쓰게 하고 가정에서의 안전에 대한 강조, 사고 예방에 많은 도움을 줄 수 있다.

표 9-3 아동들이 성적학대를 피하도록 돕는 교육지침

1. 낯선 사람과 낯선 곳에 가지 않도록 한다(낯선 사람은 아동이 모르는 사람을 말하는 것이며 이상한 사람을 말하는 것이 아니다). 엄마가 아프거나 다쳤다면서 집 방향을 묻거나 함께 가자고 할 경우 속지 않도록 한다.
2. 네가 좋아하지 않는 어떤 방법으로든지 너를 만지는 것을 허용하지 말고 네가 원치 않는 방법으로 너를 만지는 경우 그 사람과 단 둘이 남지 않도록 한다.
3. 네 몸은 너의 것이기 때문에 다른 사람이 너의 몸을 보거나 만지는 것을 네가 결정할 수 있다.
4. 비밀을 지키는 것은 좋은 일이지만 다른 사람이 네가 원하지 않는 일을 너에게 하고서 그것을 말하지 말라고 한다면 그것은 비밀이 아니다. 그것에 대해 다른 사람에게 말해야 한다.
5. 네 몸에서 옷이 가려 주는 부분은 너만의 개인적인 부분이다. 만일 누군가 너의 개인적인 부분을 만지거나 보여 달라고 하면, 절대 안 된다고 말하고, 다른 사람에게 말해야 한다. 만일 네가 말한 그 사실을 다른 사람이 믿지 않으면 누군가 믿어 줄 때까지 계속 말하도록 한다.

학령기의 흔한 건강문제

저학년 아동은 다른 연령층에 비해 중증 질환의 이환율이나 사망률이 비교적 낮은 편으로, 주요 사망 원인은 사고와 암이다. 그 외 질환들은 주로 감염에 의한 호흡기 질환이나 위장 장애, 충치 등이다.

[표 9-4]는 아동의 건강 유지를 위한 계획표이며, [표 9-5]는 학령기 아동을 위해 부모들이 관찰해야 하는 건강문제들이다.

01 / 충치

충치는 치아의 상아질과 에나멜질의 석회 성분을 없애 버리며, 점진적이고 파괴적인 질병이다. 치아의 에나멜질과 상아질의 산도가 5.6 이하로 떨어지면 치아 프라그(plaque) 속에 있는 산성 미생물(acidogenic lactobacilli, aciduric streptococci)들은 치아의 시멘트질 중수조직을 공격하여 파괴시킨다. 프라그는 치아 사이의 접촉면이나 치아의 깊은 홈에 축적되는 경향이 있고 이런 부위는 치아가 부식되는 곳이다.

유치의 에나멜질은 영구치보다 더 얇아서 쉽게 부식된

표 9-4 학령기 건강유지 계획표

영역	방법	빈도
사정		
발달	건강력, 관찰	매 방문 시
성장	표준 성장 기준표에 표시된 신장, 체중 : 신체 검진	매 방문 시
고혈압	혈압	매 방문 시
영양	건강력, 관찰-신장, 체중	매 방문 시
부모-자녀관계	건강력, 관찰	매 방문 시
시각, 청각 장애	건강력, 관찰	매 방문 시
습관, 학교문제	건강력, 관찰	매 방문 시
치아건강	Formal Snellen이나 Titmus 검사	7~8세와 10~12세
빈혈	청력계 검사	6세와 10~12세
척추측만	건강력, 신체검진	매 방문 시 마다
결핵	신체검진	8세 이후에 매년마다
갑상선	건강력, 신체검진	10세 이후 매 방문 시 마다
세균뇨	Tine test	지역사회의 결핵 유병률에 따라
	깨끗한 소변	6~7세와 10~12세
	Hematocrit	11~12세
예방접종	과거기록과 발달력 조사	
B형 간염	위험이나 부작용에 대한 보호자의 정보: 건강관리	12세
풍진, 볼거리	정책에 따른 예방접종	11~12세 또는 영아기에 접종하지 않았거나 3번의 접종이 완결되지 않은 경우 청소년기에 접종
수두		
Td		마지막 DTP, DTaP, DT 이후 최소한 5년이 경과된 11~12세에 접종
		만약 이전에 접종하지 않은 경우는 1세 이후 어떤 연령이든지 접종가능, 혹은 수두에 감염되지 않은 경우는 11~12세에 접종
예측적인 지침		
학령기 간호	적극적인 경청, 건강교육	매 방문 시
다음 방문 시의 기대되는 성장과 발달	적극적인 경청, 건강교육	매 방문 시
사고예방	도로와 개인 안전에 대한 상담	매 방문 시
문제해결		
방문 시 보호자가 표현한 문제	마약, 흡연, 학교적응문제 : 적극적인 경청과 건강교육	매 방문 시 마다

다. 에나멜과 치수와의 간격도 좁아서 치신경의 손상이 빨리 올 수 있다. 관리를 잘하지 못해서 생기는 충치로 인해 씹기가 힘들게 되고 소화불량과 농양, 통증, 때로는 골조직의 감염인 골수염을 일으키게 된다.

최근에는 적절한 구강관리로 인해 충치발생률이 감소되고 있으며 학령기 아동의 경우 최소한 1년에 2회 이상 치과를 방문하여 정기검진 및 치아세척, 불소치료를 받아야 한다[그림 9-9]. 규칙적인 치과방문이 이루어진다면 충치의 조기발견으로 큰 고통 없이 치료를 받을 수 있다. 만일 적절한 치료가 이루어지지 않을 경우 충치는 악화되고 이에 따른 치료의 신체적, 심리적 고통은 아동으로 하여금 치과에 대한 거부감의 원인으로 작용하게 될 것이다. 그러므로 만일 충치가 진행 중이라면 아동의 치아뿐만 아니라 발달과정까지도 잘 이해하고 있는 소아치과 전문의를 통해 치료하도록 권유하는 것이 좋다.

학령기 아동에게는 매일 이를 닦도록 주지시켜야만 한다. 효과적인 칫솔질은 부드러운 칫솔을 사용하며 불소가 함유된 치약의 사용과 매 칫솔질마다 치아 사이에 있는 프라그를 제거하기 위하여 치실을 사용하기도 한다.

치아건강에 좋은 간식은 사탕류보다는 닭과 치즈 같은 고단백 식품으로 권장하는 것이 좋다. 무기질과 비타민을 강화한 시리얼과 과일, 야채 등은 이 연령의 아동에게 방과

표 9-5 부모 관찰내용

내용	부모에게 도움이 되는 제안
질병의 심각성에 대한 평가	학령기 아동은 자신이 좋아하지 않은 활동을 피하려는 방법으로 아프다고 하는 경우가 많음. 아동의 질병과 꾀병을 구분하기 위해서는 아동의 증상여부를 평가해 보아야 함(배가 아파 시금치는 못 먹겠다고 하면서도 아이스크림은 괜찮다고 하거나 아파서 학교는 못 가는데 스케이트는 타러 갈 수 있다고 한다). 만일 아동이 어떤 상황을 회피하는 방법으로 질병의 증상을 이용할 경우 아이가 피하려고 하는 것이 무엇인지 또 어떤 변화를 원하는지를 살펴야 함
영양섭취에 대한 평가	학령기 아동 점심은 학교에서 먹고 주말은 집에서 멀리 떠나 시간을 보내거나 몇 주 동안 캠프를 갈 수 있으므로 어느 하루의 음식 섭취량만으로 그 아동의 성장과 활동에 적합한지를 생각하는 것은 옳지 않음
사춘기 변화에 대한 평가	이차 성징이 나타나는 시기는 개인마다 차이가 많음. (여아는 9~17세, 남아는 10~18세 사이). 만일 아이나 혹은 부모가 사춘기가 지연되었을 경우라면 검사해 보아야 함
연령별 특정 질환에 대한 주의	학령기는 시력을 평가해야 하는 시기로써 안구의 성숙에 따라 시력이 발달한다. 사시나 눈 비비는 것, 낮은 성적은 약한 시력의 증상임. ① 학령초기 아동은 연쇄상구균에 의한 인후염의 발생 빈도가 높기 때문에 사구체신염이나 류마티스열과 같은 합병증을 예방하기 위하여 건강검진이 필요함. ② 부분적으로 여아는 척추측만증 검사를 해 보아야 하는데 부모들은 아동의 한쪽 브래지어 어깨끈이 흘러내리거나 치마 끝의 한쪽이 올라가는 경우 주의해서 살펴보아야 함. ③ 부모는 아동이 아침 등교시간 경에 보이는 구토나 두통을 잘 살펴보아야 하는데 이는 학교 공포증의 증상일 수 있지만 비슷한 형태를 보이는 질환들도 있으므로 검사해 보아야 함. ④ 학령기 동안에는 발작없는 신경학적 질환이 특징적으로 나타날 수 있는데 자세히 관찰하지 않으면 습관적 행위와 혼동할 수 있음. 주의력 결핍 장애는 습관이나 부주의 장애를 가져올 수 있음

후 간식으로 좋다. 만일 사탕을 먹게 될 경우 치아에 오래 남아 있는 젤리나 엿보다는 빨리 녹고 빨리 먹을 수 있는 납작한 초콜릿 형태가 좋다.

02 / 부정교합

아동의 윗턱은 두개골의 성장에 따라 아동기 초기에 급성장한다. 반면 아랫턱은 치아가 성인기의 치열 상태로 될 때까지 연속적인 오랜 변화를 거쳐야 하므로 천천히 자란다. 좋은 치열교합은 윗니가 아랫니를 약간 덮고 잘 정렬되어 있으며, 간격이 고르고 치아가 잘 형성되고 잇몸이 건강하며, 언어 발달이 잘되는 것으로써 무엇보다 중요한 것은 외견상 예쁘게 보여서 자존감 형성에 도움을 주는 것이다. 부정교합(malocclusion)은 구개열, 작은 아래턱, 부정교합을 일으키는 가족적 성향과 관련되어 있다.

부정교합(malocclusion)은 전면이나 후면, 혹은 측면으로 이가 엇갈려서 다물게 된다. 아동의 부정교합은 치열 교정기나 다른 치과 교정 작업이 필요할 경우 교정전문의에게 치료를 받아야 한다. 교정을 시작해야 하는 시기는 부정교합의 확장과 턱의 크기에 달려 있다. 치열 교정기는 비용이 비쌀뿐만 아니라 치열이 바르게 될 수 있도록 하기 위해 압박하여 조이게 되면 이를 처음 끼울 때나 다른 치과 치료 시 통증을 느끼게 할 수 있다. 어떤 아동에게는 금속 장치의 마찰에 의한 가벼운 구강내막 궤양이 생길 수 있는데, 치과용 왁스와 고무로 싸여진 장치는 표면을 무디게 함으로써 경감시킬 수 있다. 치열 교정기를 사용하고 있는 아동은 장치 주위의 프라그를 제거하기 위해 치실을 사용해야 하고, 치열

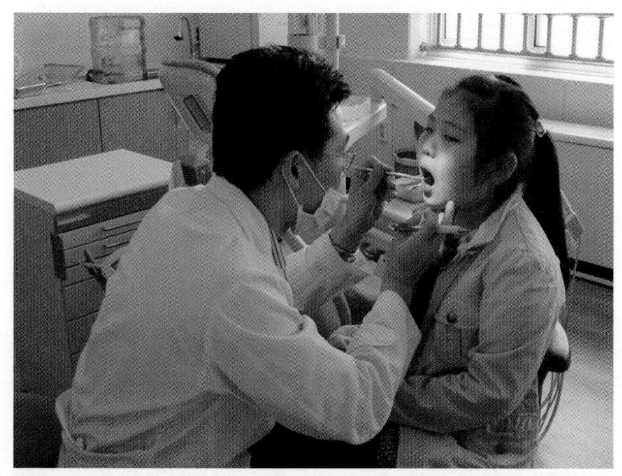

그림 9-9 치아 관리

충치는 학령기 아동에게 가장 많이 발생하는 건강 문제이다

교정기 주변의 양치(때로는 구강 세척제를 쓰도록 권함)를 잘하고 있는지 점검해야 한다.

치열 교정기를 제거하고 난 후 치열 교정기를 사용하였던 부위의 교정을 유지하기 위하여 보정기(retainer)를 사용해야 한다. 치열 교정기나 보정기를 착용한 것으로 인하여 놀림을 당할 경우 아동의 문제 해결에 적절한 도움을 주어야 한다. 만일 친구들이 보는 앞에서 보정기를 제거해야 한다면 아동이 매우 난처해하므로 학교 식당에 가기 전에 친구들이 보지 않는 곳에서 보정기를 제거할 수 있도록 말해주어야 한다. 치열 교정기와 보정기는 학령기 아동이 생활하는데 있어 치아문제로 인해 친구들과 이질감을 느끼는 점을 세심하게 살피어 심리적 지지를 해주어야 한다.

03 / 학령기 정신 사회적 행동문제

1) 주의력 결핍 과잉행동 장애

주의력 결핍 과잉행동 장애(attention deficit hyperactirity disorder, ADHD)는 한가지 일에 주의력을 집중하지 못하고 충동적인 과잉 행동을 보이며 많이 움직이는 특징을 가진 장애를 말한다. 주로 7세 이전에 문제행동이 나타나면서 가정, 학교, 지역사회 내에 여러 영역에서 어려움을 겪게 된다. 다양한 진단기준으로 인해 유병률에 대한 정확한 통계는 어려우나 여아보다 남아에서 4~6배 정도 많이 발생된다. 침착하지 못하고 부주의하며 주의 산만한 행동이 나타나기 때문에 행동장애와 구분이 어려울 때가 있으며 문제행동이 주로 학교생활에서 두드러지면서 학습 수행에 어려움을 겪으므로 학습장애와도 구분이 어렵다.

(1) 원인

아직 정확한 원인은 밝혀지지 않았으나 최근에 중추신경계, 특히 대뇌의 catecholamine(norepinephrine과 depamine) 대사이상과 관련이 있다고 보고되고 있다. 그 밖에도 여러 가지 환경적 요인과 유전적 요인이 관련되어 있다.

(2) 증상 및 진단

주의력이 부족하고 산만한 행동은 정상적인 발달단계에서 나타날 수 있는 아동의 정상적인 행동이므로 주의력 결핍, 과잉 행동 장애 진단에 신중을 기해야 한다. 정상과 비정상 행동을 구분하기 위해서는 아동의 행동이 상황에 맞는지를 우선적으로 검토해야 한다. 이 아동들은 영유아 시기에는 까다롭거나 활발하다는 말을 자주 듣게 되다가 유치원이나 초등학교와 같이 단체생활을 시작하면서 문제성 아동으로 평가된다. 수업 중에 가만히 앉아 있어야 하고 질서나 규칙을 지켜야 하며, 비교적 긴 시간을 집중해서 과제를 수행해야 하는 등의 통제가 가해지면서 주의산만하거나 스스로 통제하지 못함으로써 과잉행동으로 이어지게 된다. DSM-IV-TR의 기준에 따르면, 임상 기준은 주의산만 증상 9개 중 6개 이상에 해당되거나 과잉행동/충동성 증상 9개 중 6개 이상이 7세 이전에 나타나 6개월간 지속된 경우이며, 적어도 이러한 증상이 학교와 가정 두 군데 이상의 장소에서 동시에 문제로 나타나야 주의력 결핍 과잉행동 장애로 진단할 수 있다. 진단 기준이 되는 주요 3가지 증상은 다음과 같다[표 9-6].

첫 번째 주요 증상인 과잉행동(hyperactivity)은 학령전기에는 문제성 행동으로 두드러지지만 대근육 활동이 발달하는 학령기와 청소년기를 지나면서는 크게 두드러지지 않는다. 과잉행동은 낮과 밤, 집과 학교를 구분하지 않고 일관되게 나타나는 특징을 보인다. 부모들은 자녀의 과잉행동에 대해 학령전기에는 '항상 가만히 있지 않는다.', '제자리에 앉아있지 못한다.', '학교에서 막 돌아다닌다.', '팔다리를 가만히 두지 않고 흔들어댄다.' 등으로 호소하다가 학교에 들어가면서는 '다른 아이들에게 지나치게 자주 장난을 건다.', '쓸데없는 소리를 많이 한다.', '자리에서 뒤돌아본다.', '다른 아이에게 집적거린다.' 등을 호소한다.

두 번째 주요 증상인 주의산만(inattention)은 특히 재미가 없고 지루하고 반복적인 과제 수행을 할 경우 두드러지게 나타난다. 과잉행동과는 달리 주의산만은 학령전기에는 두드러지지 않다가 집중력을 필요로 하는 과제 또는 활동을 하는 학령기나 청소년기에 두드러지게 나타난다. 부모들은 '남의 말을 귀 기울여 듣지 않는다.', '끝맺음을 잘 못한다.', '잔소리를 하지 않으면 스스로 하지 않는다.', '어떤 일에 집중을 하지 않는다.' 등을 호소한다.

세 번째 주요 증상인 충동성(impulsivity)은 과잉행동과 잘 구분되지는 않지만 부주의한 실수를 동반하거나 위험한 결과로 이어지는 행동으로 구분하여 따로 정의한다. 나이가 들수록 충동성은 폭력, 학교범죄와 같이 사회적으로 문제가 되는 행동으로 이어질 수 있다. '물건을 잘 망가뜨린다.', '차례를 기다리지 못하고 말썽을 일으킨다.', '불필요한 위험한 행동을 해서 자주 다친다.' 등으로 문제를 일으킨다[그림 9-10].

그러나 주의력 결핍 과잉행동 장애는 진단이 매우 어렵다. 아동의 문제행동이 6개월간 지속되었는지에 대한 정확한 판단이 어렵고, 진단기준 역시 객관화할 수 있는 지표가 없기 때문이다.

또한 아동의 발달수준을 고려해야 하므로 실제로는 발달학적 관점에서 간접적이거나 임상적인 판단에 의존하는 경우가 많다.

따라서 정확한 진단을 내리기 위해서는 아동의 생물학적, 사회 심리적, 환경적 요소에 대한 평가도 함께 이루어져야 한다. 종합적 평가를 위해 고려하여야 할 주의력 결핍 과잉행동 장애 위험요인은 다음과 같다.

그림 9-10 주의력 결핍 과잉행동 장애(ADHD)

주의력 결핍 행동장애 아동은 주증상인 주의산만, 충동성, 과잉행동장애를 나타낸다.

표 9-6 주의력 결핍 과잉행동 장애 진단기준(DSM-IV-TR)

A. 다음과 같은 증상이 발달수준에 맞지 않고, 부적응하게 6개월 이상 지속될 때 (1) 항목 9개 중 6개 이상 혹은 (2) 항목 9개 중 6개 이상
(1) 주의산만 증상들(6개 이상) ① 학업, 일, 기타 활동 중 세심한 주의를 기울이지 못하거나 실수를 자주 한다. ② 과제 수행이나 놀이 중 지속적인 주의집중에 어려움을 자주 갖는다. ③ 대놓고 이야기하는 대로 듣지 않는 것처럼 보일 경우가 자주 있다. ④ 지시를 따라오지 않고, 학업이나 심부름을 끝내지 못하는 수가 자주 있다. ⑤ 과제나 활동을 체계적으로 조직하는 것에 곤란을 자주 겪는다. ⑥ 지속적으로 정신을 쏟아야 하는 일을 자주 피하거나, 싫어하 거나, 혹은 거부한다. ⑦ 과제나 활동에 필요한 것을 자주 잃어버린다(예, 숙제, 연필, 책 등) ⑧ 외부에서 자극이 오면 쉽게 주의가 산만해진다. ⑨ 일상적인 일을 자주 잊어버린다. (2) 과잉행동(1~6)과 충동성(7~9) 증상들(6개 이상) ① 손발을 가만히 두지 않거나 자리에서 꼬무락거린다. ② 가만히 앉아있어야 하는 교실이나 기타 상황에서 돌아다닌다. ③ 적절하지 않은 상황에서 지나치게 달리거나 혹은 기어오른다. ④ 조용하게 놀거나 레저 활동을 하지 못하는 수가 많다. ⑤ 쉴 사이 없이 활동하거나 혹은 마치 모터가 달린 것 같이 행동 한다. ⑥ 자주 지나치게 말을 많이 한다. ⑦ 질문이 끝나기도 전에 대답해 버리는 수가 많다. ⑧ 차례를 기다리는 것이 어렵다. ⑨ 다른 사람에게 무턱대로 끼어든다.
B. 단서조항 : 7세 이전에 증상이 나타나야 한다. C. 적어도 2군데 이상(예, 학교와 가정)에서 이 증상 때문에 문제를 가져야 한다. D. 사회활동, 학업, 직업수행에서 임상적으로 중대한 결함의 증거가 있어야 한다. E. 배제조항 : 전반적 발달장애(자폐증), 정신분열증의 경과 중이거나 혹은 기분장애, 불안장애, 해리장애, 인격 장애의 기준에 부합하지 않을 것

- 신체적 질환 및 손상(내분비계 질환, 약물 부작용 등)
- 유전적 질환
- 아동의 기질
- 중독성 질환(납중독)
- 대뇌 손상
- 산만한 물리적 환경(학습 공간 부재, 소음, 학생-교사 간 부적절한 비율 등)
- 사회적 상호작용(부모, 교사, 또래, 형제자매) 결여
- 우울증, 알코올중독과 같은 가족력
- 부모의 낮은 교육수준 및 사회경제적 수준
- 아동학대
- 부적절한 양육 및 훈육
- 기타 발달장애

(3) 치료적 관리 및 간호 중재

간호사 특히 학교 보건교사는 ADHD아동 관리의 모든 측면에서 적극적인 중재자이다. 지역사회간호사는 장기적으로 가정에서 가족과 함께 치료계획을 세우고 치료 수행을 돕고 치료의 효과를 평가하는데 참여한다. 또한 서비스를 조정하고 아동의 치료 프로그램에 참여한 건강과 교육 전문가 사이에서 연결자의 역할을 담당한다. 보건교사는 아동의 특별한 욕구를 이해하고 교사와 협력해야 한다. 어느 환경(지역사회, 학교, 병원, 전문가 진료실)이든지 간호사는 질병을 안고 성장하는 어려운 시기의 아동과 가족에게 지지와 지침을 제공해야 한다.

ADHD아동의 관리는 부모와 아동에게 질환의 특성, 질환에 근거한 중추신경계에 대한 전문가의 견해를 포함해서, 진단에 대해 설명하는 것으로 시작된다. 대부분의 부모는 혼란스러워하고 어느 정도의 죄책감을 느낀다.

부모는 예후에 관한 정보과 치료계획에 대한 이해가 필요하다. 질병과 그 영향에 대해 부모가 잘 이해할수록 치료 프로그램이 더욱 잘 수행되는 경향이 있다. 부모들은 치료가 장기화될 것이라는 것을 이해하고 장기적인 안목에서 접근해야 한다.

주의력 결핍 과잉행동 장애를 치료 및 관리하기 위해서는 다각적 노력이 요구된다. 정확한 원인이 규명되지 않았고 다양한 위험요소가 문제행동 발생과 관련이 있기 때문에 치료적 관리 역시 주요 증상에 초점을 둔 종합적 관리가 필요하다. 산만하고 부주의한 아동의 행동을 조절하기 위하여 아동의 주의환경은 되도록 단순하고 조직화하여 아동으로 하여금 계획된 생활패턴을 가질 수 있도록 도와준다. 또한 매일 일정한 계획에 따라 생활하도록 하고 과잉행동을 유발할 수 있는 지나친 자극은 피하도록 한다. 필요에 따라서는 전문가에 의한 약물치료나 특수교육(인지치료, 언어치료, 심리치료, 행동수정요법 등)이 요구되기도 한다.

① 환경수정

주의력 결핍 과잉행동 장애를 가진 아동은 문제행동의 심각성에 따라서 가정에서 관리를 받거나 혹은 전문가에 의한 치료를 받을 수 있다. 가정에서 관리를 받든 특수치료를 받든 치료적 원칙에서 가장 중요한 것은 아동이 생활하는 공간의 환경수정이다. 환경적 요소 중 아동이 불안해하거나 주의가 산만해질 수 있는 요소가 있는지에 대한 평가가 우선적으로 이루어져야 할 것이다. 안정감이 있는 환경은 아동의 생활습관에 맞는 환경을 의미한다. 놀이방이나 공부방의 경우에는 불필요한 자극을 줄이고 동선을 최소화하여 단순하게 만들어야 하며, 학습과제를 하는 동안에도 청각적, 시각적 자극을 차단하여 집중력을 높여 주는 것이 중요하다. 집중력이 부족하므로 과제는 되도록 단순화하여 제공하여야 하고 쉬는 시간을 자주 갖도록 하여 흥미가 저하되지 않도록 한다. 지루한 과제보다는 아동이 관심을 가지고 흥미를 가질 수 있는 과제 형태로 변환하여 제공하고, 계획된 생활을 하기 위해 일정표 및 계획표를 활용하도록 한다. 반드시 해야할 일은 메모지를 활용하여 기억할 수 있도록 하고 정해진 시간에 정해진 활동을 할 수 있도록 도와주어야 한다.

아동의 주의를 환기시켜 집중할 수 있도록 돕기 위해서 부모의 노력이 반드시 필요하다. 훈육의 원칙대로 아동을 교육하거나 관리하는 것이 필요하다. 이를테면 허용할 수 있는 행동과 그렇지 않은 행동의 한계를 확실하게 설정하고 일관적인 훈육태도를 갖는 것이 중요하다. 질문을 할 때도 "우유 마실래? 아니면 주스 마실래?"라고 아동에게 선택권을 주기보다는 "우유 마시는 것이 좋겠다"고 말하는 것이 좋다. 무언가를 선택할 때 어려움을 갖게 되면 주의산만한

행동이 더 자주 나타나므로 아동에게 선택권을 많이 제공하지 않는 것이 좋다. 대화를 할 때도 아동이 상대방에게 집중을 하고 있는지 확인하고 시도하여야 하고, 눈을 맞춰 집중할 수 있도록 한다. 또한 대화 시 '왜', '언제', '어디서', '누구'와 같은 질문을 던져 대화의 핵심을 놓치지 않도록 도와주어야 한다.

② 약물요법

주의력 결핍 과잉행동 장애를 가진 아동을 위해서 약물치료도 실시할 수 있다. 약물치료는 특히 과잉행동 조절에 상당한 효과가 있으며, 그 외에도 집중력 향상, 충동성 및 반항적 행동 감소에 도움이 된다. 대부분 초등학교 저학년을 지나면서 많이 좋아져서 약물 복용을 중단해도 되는 경우가 많다. 단, 학습량이 많아지는 고학년의 경우 과잉행동은 문제가 되지 않으나 주의력 결핍과 충동적 성향을 조절하는데 또 다른 어려움을 겪으므로 지속적인 약물치료가 필요하다. 약물치료는 반드시 전문가에 의한 정확한 진단 후에 시행하여야 하며 이러한 경우 아이의 80% 이상이 호전될 수 있다. 약물치료로 사용되는 약은 중추신경자극제로 효능과 안정성이 입증되어 주의력 결핍 과잉행동 장애의 일차 치료제로 쓰인다. 가장 많이 쓰이는 약은 메칠페니데이트(methylphenidate), 암페타민(d-amphetamine), 페몰린(pemolin)이 포함된다[표 9-7]. 이 중 부작용이 적고 많이 사용되는 약물은 메칠페니데이트이다. 이러한 중추신경계 약물은 아동의 신체상태에 따라서 의사와 상의하여 부작용을 최소화하는 것이 중요하다. 중추신경계 약물의 부작용은 불면증, 반동효과, 식욕저하, 불쾌감, 어지러움, 예민함, 불안 등이다. 대부분의 부작용은 크게 문제되지 않으며 만약 부작용이 나타날 경우 약물 용량을 조절하면 수일 이내에 좋아진다고 부모에게 설명한다.

③ 식이요법

음식은 신체의 세포와 조직을 만드는데 중요하며 특히 뇌의 기능에 없어서는 안되는 신경전달물질을 만드는데 필요하다.

주의력 결핍 과잉행동 장애는 신경전달물질인 카테콜라민이 부족하거나 이상이 있는 경우와 관련이 있으므로 중추신경계에 영향을 주는 단백질 섭취가 증상 호전에 도움이 될 수 있다. 또한 마그네슘, 철분, 아연과 같은 무기질은 집중력을 키워주며, 필수 지방산 역시 뇌 활성화와 집중력 향상에 도움이 된다. 이렇게 중추신경계에 도움을 주는 영양소를 제공하는 것도 중요하지만 연령에 맞는 필수 영양소를 골고루 섭취하는 것 역시 중요하다.

식이요법 계획과 평가를 위해 아동의 키와 몸무게에 의한 성장곡선을 꾸준히 체크해야 하고 영양사와의 상담을 통해 권장영양소를 효과적으로 섭취할 수 있도록 해야 한다. 식단을 아동과 함께 작성하는 것이 좋고, 식사 준비 과정에도 아동을 참여시켜 식사시간에 집중하도록 한다. 여러 무기질과 아미노산을 공급해 줄 수 있는 음식 목록 중 아동이 먹고 싶어 하는 것을 직접 고르게 하거나 식사규칙을 정해 가족이 함께 지킬 수 있도록 한다.

간혹 음식 알레르기로 인해 증상이 발생되거나 악화되기도 하므로 아동이 어떤 음식에 알레르기 반응이 나타나는지 부모와 간호사는 정확하게 사정해야 한다.

④ 인지-행동수정요법

사람이 살아가면서 해야 할 일과 해선 안 되는 일을 가장 먼저 가르치는 사람은 바로 부모이다. 의사소통이 가능해지고 판단능력이 생기는 유아기가 되면 사회규범과 가정 내 규칙 및 원칙을 설명하고 올바른 행동을 하도록 해야 한다. 주의력 결핍 과잉행동 장애를 가진 아동이 과잉행동 및

표 9-7 ADHD 대표 치료제

약물	약물 작용
메칠페니데이트(methylphenidate)	일차 치료제로 위장관을 통해 신속히 흡수되어 약물 복용 후 30분 이내에 효과가 나타남. 가장 안전하고 개선 효과가 좋으며 내성 발생은 낮음
암페타민(d-amphetamine)	메칠페니데이트에 비해 보다 어린 아이(만 3~4세 정도)에게 투여할 수 있음
페몰린(pemolin)	다른 치료제와 달리 심혈관계 부작용이 적으나 효능은 비교적 낮음. 사전에 간 기능검사를 하고, 약물을 복용하면서 정기적으로 간 기능 검사 실시

충동적 행동을 보이면 부모는 아동의 기질과 상황에 맞는 적절한 훈육을 적용하도록 한다. 아동에게 변화시키고자 하는 아동의 행동을 정확하게 알려주고 긍정적인 강화와 처벌을 효과적으로 사용하여 아동의 행동을 수정하도록 한다. 즉 인지-행동수정 요법을 통해 아동은 자신의 문제행동을 정확하게 인식하고 부모 또는 전문가의 도움을 받아 스스로 수정해나가는 것이 중요하다. 부모는 아동의 문제행동 중 변화시키고자 하는 행동의 우선 순위를 정하고 순위에 따라 목표를 정하도록 한다. 이때 완벽하기 보다는 실현 가능한 목표를 단계적으로 정하도록 한다.

주의력 결핍 과잉행동 장애 아동을 위한 인지-행동수정 요법은 증상이 심하지 않은 아동에게 적용하거나 단독 혹은 약물치료와 병행하여 실시한다. 인지-행동수정요법은 약물치료에 대한 아동의 순응도를 높여주므로 약물치료와 병행했을 때 치료효과를 최대화시킬 수 있다. 특히, 문제행동으로 인해 자존감이 떨어져있거나 학습문제가 동반된 경우에는 약물치료로 효과를 기대할 수 없으므로 인지-행동수정요법은 주의력 결핍 과잉행동 장애 아동에게는 반드시 필요한 치료요법이다.

인지-행동수정 요법에 사용되는 전략은 문제행동에 초점을 둔 전략과 학교생활 적응에 초점을 둔 전략으로 구분할 수 있다[표 9-8].

인지-행동수정요법 전략을 충분히 숙지를 못하거나 스스로 감정조절이 안 되어 자녀 통제가 어려운 부모에게는 전문가의 도움이 필요하다. 부모가 아동의 문제에 효과적으로 대처하기 위해서 부모가 강해져야 한다. 간호사는 지쳐있는 부모를 위해 다양한 지지그룹에 참여하도록 권하거나 전문가에 의한 부모훈련프로그램에 참여하도록 도움을 줄 수 있다.

확인문제

5. 주의력 결핍 과잉행동 장애의 주요 3가지 증상은 무엇인가?

2) 틱

대다수의 1학년 아동이 학교에서는 성숙한 행동을 할 수 있는 능력이 있지만, 집으로 돌아오게 되면 성숙하지 못한 행동을 보이게 된다. 즉 손톱을 깨물거나 손가락을 빨고, 어린 아이 같은 말투로 얘기한다. 어떤 아동은 다음과 같은 틱(tic) 행동을 보이게 된다.

- 앞이마를 주름지게 올림
- 어깨를 들썩임
- 입을 삐뚤어지게 비틈
- 기침
- 가래 뱉음
- 눈을 자주 깜박거리거나 눈동자를 굴림

이런 행동은 발작 때의 움직임과 혼동하기 쉽다. 그러나 틱은 잠자는 동안에는 사라지고 아동이 주로 스트레스나 불안과 직면했을 때 나타난다. 꾸짖거나 놀리거나 벌주거나 야단치면 오히려 문제를 더욱 악화시킬 수 있다. 문제행동을 멈추게 하기 위해서는 심리적으로 내재된 스트레스를 발견하여 경감시켜 주어야 한다. 부모는 방과 후나 저녁에 아동과 함께 시간을 보내도록 하고 집에서도 보호받고 있으며

표 9-8 ADHD 아동을 위한 인지-행동수정 전략

문제행동 감소
• 한 번에 한 가지씩 간단명료하게 지시한다. • 눈을 마주치고 시선이 분산되지 않도록 한다. • 부정적 지시보다는 긍정적 지시를 한다(ex '~하지마라' 보다는 '~해라') • 이완요법을 적용하여 행동수정을 최대화한다. • 비파괴적인 놀이요법을 적용한다(ex 찰흙놀이, 블록놀이, 음악듣기 등) • 정서적, 신체적 흥분을 유발하는 원인을 찾는다. • 치료과정에 아동을 참여시킨다(ex 직접 계획세우기, 스스로 평가 하기 등) • 효과적인 의사소통 기법을 설명한다(ex 요구 표현하기, 효과적으 로 거절하기 등)
학교생활 적응
• 개별 지도 및 개별 과제 제공 • 학습 진도 난이도 변경 • 학급 재배치(대집단보다는 소집단) • 조용하고 차분한 친구형성 • 야단보다는 격려, 칭찬 제공 • 부모와 일관된 규칙과 원칙 적용 • 몸을 이용하는 과제 제공(ex 선생님 심부름, 화단 가꾸기 등)

학교를 가는 것은 집에서 쫓겨나는 것이 아니라는 것을 느끼게 해 주어야 한다. 만일 이런 습관적 행동의 원인을 제거했음에도 계속된다면 전문가에게 상담을 의뢰해야 할 필요가 있다.

간호진단 및 목표

간호진단 : 학령기 아동의 문제 행동과 관련된 불안
간호목표 : 아동의 문제 행동에 대한 조기진단 및 치료방법을 함께 의논하여 덜 불안하다고 말할 것이다.
예상되는 결과 : 문제행동 횟수가 줄어들어 부모는 아동의 장래에 대하여 덜 불안을 느낀것이다.

3) 훔치기

7세 아동이 돈을 훔치는 이유 중의 하나는 그들이 돈을 얻게 되는 것을 배우면서 가게에 가져가면 물건들을 살수 있다는 것으로 돈의 가치를 이해하지만 아직은 강한 도덕적 원칙과 균형이 형성되지 못하였다.

훔치는 이유에 대하여는 다음의 사항을 조사해 보아야 한다.

- 다른 아동이 물건을 사기 위해 길거리에서 용돈을 받는 것을 보았는지?
- 돈내는 게임을 했는지?
- 껌이나 캔디를 사달라고 협박하는 친구가 있는지?
- 돈을 가지고 있어야 불안하지 않다고 인식하는지?

이는 정서적인 문제없이 해결되는 것이 가장 큰 관건이다. 돈을 잃어버린 아동은 그것을 이야기해야 한다. 부모님의 돈은 부모님의 것이고 아동의 돈은 아동의 것이라는 소유권의 중요성에 대해 재차 인식시켜 주어야 한다. 9살 이후에도 훔치는 버릇이 계속되는 아동은 그 연령의 정상적인 발달 단계의 정도를 벗어난 것이기 때문에 상담을 의뢰해야 한다.

간혹 또래 집단의 압력에 의해 발생하며, 집단의 의례적인 동기에서 시작될 수 있다.

아동들은 훔치기(stealing)는 장난이 아니라 처벌받을 수 있는 범죄라는 사실을 알아야 한다. 학교에서 지갑을 잃어버릴 경우 그냥 무시하고 지나쳐서는 안 되며 훔치기에 한번 성공하게 되면 다음에는 더 큰 것을 훔치려 할 수 있으므로 즉시 시정되어야 한다. 아동은 물건을 어떻게 소유할 수 있는지 그리고 그것을 마음대로 사용하도록 허용되지 않는다는 것을 알아야 한다. 그러면 아동은 돈을 지불하기 전에는 가게에서 물건을 함부로 가져오지 않을 것이다. 한번 이상 훔치기를 한 아동은 소유권에 대한 단순한 문제가 아닌 심각한 문제이므로 상담을 받아야 한다.

4) 반복성 복통

반복성 복통(recurrent abdominal pain)은 일반적으로 3개월에 3회 이상 반복적으로 발생하며 일상생활에 지장을 초래하는 복통을 말한다. 복통이 지속되는 시간이나 강도는 다양하나 통증은 배꼽 주위에서부터 시작되고, 설사, 변비, 두통, 현기증 등을 동반하기도 한다. 발생빈도는 아동의 약 10%에서 발생하며 원인은 대부분 우울, 불안,학교 공포증과 같은 심인성이나 염증성 장질환 ,복막염 등과 같은 질병에 의해서도 발생한다. 대부분 아동은 기질적으로 예민한 편이고 자아상이 약하여 부모나 교사로부터 꾸중을 듣거나 친구들과의 언쟁이나 싸움을 하고 난 후에 더 자주 복통을 호소한다.

또한 본인의 능력보다 부모들의 기대가 크거나 다른 사람들을 자신이 어떻게 보는지에 지나치게 관심이 큰 아동에게 흔히 발생한다.

간호 중재는 원인을 파악하여 반복 상황을 최소화 하는 것이지만 일단 아동에게 통증이 나타나면 편안하게 휴식을 취하도록 한다. 복통이 심한 경우에는 마사지나 열요법을 제공하며, 규칙적인 배변 습관과 고섬유식이를 제공한다. 이러한 중재에도 증상이 계속되면 병원을 방문하여 치료하도록 한다. 그러나 대부분의 복통은 일시적이고 좋아진다는 것을 확신시켜준다.

04 / 학교 공포증

학교 공포증(school phobia)은 학교에 출석하는 것에 대한 공포이다. 이것은 광장 공포증(집 밖으로 나가는 것에 대한 공포)과 유사한 사회 공포증의 한 종류이다. 특히 이제 막 입학을 한 초등학교 1학년의 경우 가족의 품을 떠나 학교라는 새로운 환경에 적응하지 못하여 분리불안 장애의

한 유형으로 학교에서 돌아왔을 때 부모가 없을까봐 두려워하는 심리가 내면화되어 있다. 초등학교 취학 아동의 약 3~5%가 학교 공포증으로 부모와의 갈등을 겪는다. 특징적 증상으로는 다음과 같다.

- 학교를 가기 싫으면서 이를 분명하게 말하거나 표현하지 않는다.
- 학교에 가야 할 시간이 되면 복통, 두통, 발열, 구토와 같은 신체증상을 호소하지만 학교에 가지 않을 경우 즉시 증상은 사라지고 휴일 같은 날에는 거의 나타나지 않는다.

학교 출석에 대해 저항하는 아동은 학교 가는 날에 구토, 설사, 두통, 복통과 같은 신체적 증상을 보인다. 이것은 학교 버스가 떠나 버리거나 학교를 쉬고 집에 머물도록 허락할 때까지 남아 있다. 치료하기 전 학교에 대한 저항의 원인을 확실히 알아내야 하는데 때로는 부모와 분리되는 것에 대한 공포인 경우도 있다. 이는 아동이 부모에게 지나치게 의존적이거나 자신이 학교에 가 있는 동안 집에 있는 어린 동생이 부모의 사랑을 더 많이 받는다고 느껴 집을 떠나기가 싫은 경우일 것이다. 분리불안은 부모의 과잉보호에서 비롯되기도 한다.

아이는 어떤 특별한 선생님이나 시험과 같은 특수한 상황에 민감한 반응을 보이기도 한다. 만일 그렇다면, 부모는 그 문제의 원인을 알아내기 위해 상담이 필요할 수 있다[표 9-9]. 상담은 아동이 그 상황을 잘 받아들이도록 도와줄 수 있다. 혹 그렇지 못할 경우 아동을 다른 반으로 옮겨주거나, 아동이 좋아하지 않는 상황을 감소시키기 위해 노력해야 할 것이다. 대개 학교 공포증은 아동의 여러 가지 문제 중의 일부분이기 때문에 가족은 이 문제를 해결하기 위한 상담을 해야한다. 미리 예방해야 할 어떤 질환과 관련된 학교 공포증이 아니라는 사실이 확실해지면 아동은 학교에 계속 출석해야 하는 것이 원칙이다. 그러나 만약 반복되는 신체증상(복통, 두통, 발열, 구토 등)이 나타날 경우에는 다른 기능적 질환과의 감별진단을 위해 반드시 신체검진을 받도록 한다. 부모의 확실한 판단으로 학교를 거부하는 아동의 행동이 유급이나 따돌림, 어려움을 회피하는 수단으로 발전되는 것을 예방해야 한다. 아동의 불안을 경감시키기 위한 citalopram 같은 약물이나 학교는 가지 않더라도 학교방향을 향해 걷게 하게 한다든지 약 1시간 또는 학교시간의 절반정도만 학교수업을 받도록 해주는 등 학교가 개입된 점진적 프로그램은 이러한 아동에게 도움을 줄 수 있다. 부모는 정상적으로 등교할 수 있도록 도와야 한다.

표 9-9 학교 공포증 단서행동 관찰

- 학교 가기 전에 이유 없이 복통, 두통을 자주 호소하는가?
- 자주 지각하거나 장기간 무단결석을 하는가?
- 학교생활에 방해가 되는 행동을 하는가?
- 학교에 대해 지나치게 과민한 불안이나 공포를 보이는가?
- 집에서는 정상적으로 생활하지만 유난히 학교 가기를 싫어하는가?

학교 공포증은 그 문제를 진단한 건강 관리자와 보건교사, 학교 사이의 상호 협조가 필요하다. 보건교사는 이를 조정하고 아동이 학교에 갈 수 있도록 부모를 지지하는 것과 다른 활동에서도 아동의 독립성을 허용할 수 있도록 도와주는 데 가장 적합한 사람이다. 상담을 통하여 학교공포증은 그 아동의 부분적인 문제이며 아동에게 독립성을 기르도록 허용해 줄 필요가 있다고 부모를 교육해야 한다. 소수의 아동만이 학교에서의 어려움을 해결하기 위해 정신과적 치료가 필요하다.

확인문제

6. 학교 공포증을 가진 아동을 학교에 출석하도록 하기 위한 방법은?

05 / 성장통

성장통은 성장기 아동 들이 하퇴부나 대퇴부의 심부근육층 또는 슬관절이나 고관절 등 하지관절에 뚜렷한 이유 없이 간헐적으로 근육이 당긴 다거나, 관절이 아프다고 호소하는 질환으로 주변에서 흔히 볼 수 있다.

성장통의 특징은 주로 양쪽으로 오고 간헐적이다. 즉 아팠다가 안 아팠다가 하는 것이 반복되며, 특히 수개월간 증상이 없다가 재발될 수도 있다. 또한 주로 저녁에 통증을 호소하고 , 심지어 이런 심한 통증으로 잠에서 깨기도 한다.

성장통은 대게 특별한 치료를 하지 않아도 자연히 소멸

되는 것이 일반적이지만 통증완화와 치료기간의 단축을 위하여 찜질이나 마사지, 근육의 신장운동이나 진통제 등의 대중적인 요법을 적용하기도 한다.

그러나 아동의 통증을 성장통으로 쉽게 생각하면 안 되는데, 그 이유는 아동이 호소한 통증이 성장기 아동에 있어 나중에 장애를 일으킬 수도 있는 다른 심각한 질환들(염좌, 좌상, 골절, 관절염, 골수염 등)도 성장통과 유사한 형태의 통증을 일으킬 수 있어 이러한 질환들을 감별 진단하는 것이 매우 중요하다.

요 점

※ 학령기의 성장 특징은 신체발육은 학령전기보다 서서히 이루어지며 완만한 신체성장을 보이나, 인지발달에서는 빠른 진보를 보인다.
※ 학령기의 발달과업은 근면성과 성취감이며, 만약 발달과 업이 제대로 이루어지지 않으면 열등감이 생긴다.
※ 학령기의 인지적 발달 특징은 5~7세의 전조작적 사고로부터 조작적 사고로 전환되는 시기이며 이 시기는 실제로 눈에 비춰지는 문제들에 대한 이유를 찾을 수 있는 능력을 갖추는 단계이다.
※ 학령기의 영양은 학령기 아동의 건강 증진에 있어 가장 중요한 부분으로써 이 시기의 에너지 요구량의 증가는 매일 영양가 높은 음식섭취의 중요성을 의미한다. 남아와 여아는 7~10세에 비해 더 많은 철분이 필요하며, 적당한 칼슘과 불소의 섭취는 치아 건강을 위해 중요하다.
※ 학령기의 구강관리는 충치는 불소도포나 불소액을 사용하며, 적절한 칫솔질로 예방될 수 있다. 가장 중요한 것은 적절한 교육으로 아동이 스스로 치아관리를 하도록 교육한다.
※ 아동의 부정교합(malocclusion)은 전면이나 후면, 혹은 측면으로 이가 엇갈려서 다물게 된다. 아동의 부정교합은 치열 교정기나 다른 치과 교정 작업이 필요할 경우 교정전문의에게 치료를 받아야 한다. 교정시기는 부정교합의 확장과 턱의 크기에 달려 있다.
※ 주의력 결핍 과잉행동 장애는 주의집중을 하지 못하고 비정상적으로 활달하며, 충동성향이 심하게 계속되어 학교와 가정 등에서 일상생활에 많은 문제를 일으키는 질환이다.
※ 학교 공포증은 학교에 출석하는 것에 대한 공포로 구토, 설사, 두통, 복통과 같은 신체적 증상을 보인다. 학교 버스가 떠나 버리거나 학교를 쉬고 집에 머물도록 허락할 때까지 남아 있다. 치료하기 전 학교에 대한 저항의 원인을 확실히 알아내는 것이 중요하다
※ 반복성 복통은 일반적으로 3개월에 3회 이상 반복적으로 발생하며 일상생활에 지장을 초래하는 복통을 말한다. 대부분 아동은 기질적으로 예민한 편이고 자아상이 약하여 부모나 교사로부터 꾸중을 듣거나 친구들과의 언쟁이 나 싸움을 하고 난후에 더 자주 복통을 호소한다. 일단 아동에게 통증이 나타나면 편안하게 휴식을 취하도록 한다. 대부분의 복통은 일시적이고 좋아진다는 것을 확신시켜주는 것이 중요하다.

확인문제 정답

1. 협응능력이 향상되어 집단놀이의 형태를 띤다.
2. 효율적으로 말을 잘 할수있으며, 많은 언어발달을 성취하게 된다.
3. 근면성 ↔ 열등감
4. 학교 점심 급식은 아동 일일 권장량의 1/3을 공급한다.
5. 주의산만(inattention), 과잉행동(hyperactivity), 충동성(impulsivity)
6. 아동불안을 경감시키기 위해서는 약물요법(Citalopram)과 학교는 가지 않더라도 학교방향으로 걷게하거나 학교수업시간의 절반만 참여하게 하는 방법을 사용한다.

CHAPTER

10 청소년

주요용어

사춘기(puberty)
시상하부-뇌하수체-성선축
(hypothalamus-pituitary-gonadal axis)
신체상(body image)
신경성 식욕부진(anorexia nervosa)
신경성 폭식증(bulimia nervosa)
이차성징(secondary characteristics)

학습목표

01 성장의 특성을 설명한다.
02 발달의 특성을 설명한다.
03 활동과 휴식의 특성을 설명한다.
04 영양과 식습관 교육을 수행한다.
05 성교육을 수행한다.
06 안전사고의 예방과 대처 교육을 수행한다.
07 이차성징을 설명한다.
08 청소년기의 위험행동(중독, 자살, 학교폭력, 섭식장애)을 설명한다.

I 성장 특성

청소년기는 아동기에서 성인기로 전환되는 만 13세~18세까지의 시기를 말한다. 정신 사회적 변화에 따라 중학생 시기인 10~13세는 초기, 고등학교 시기인 14~17세는 중기, 대학생 또는 고교 졸업 후 4년인 17~21세는 말기로 분류하기도 한다.

청소년기 동안에는 키의 급성장과 이차성징으로 특징지어지는 급격한 신체적 변화와 더불어 추상적인 사고가 가능한 인지 발달의 성숙과 또래관계, 이성관계, 사회생활 준비 등 의존적인 아동에서 독립적인 성인으로 변화하는 여러 상황에서 겪는 사회심리적 변화로 인하여 심각한 스트레스 반응 및 건강문제가 발생하기 쉽다.

신체적 변화에는 이차성징과 급속한 신체적 성장이 포함된다. 청소년은 이차성징으로 인하여 다양한 신체변화를 맞게 되고, 발달 단계 중 신생아기 다음으로 빠른 성장속도를 보여 키와 몸무게를 비롯하여 급변하는 성장모습을 갖게 된다.

부모와 청소년 모두 청소년기 변화에 대한 충분한 이해가 필요하며 청소년의 건강문제를 해결하기 위해 간호사는 건강증진 및 질병 예방, 효과적인 의사소통, 정상 성장과 발달에 대한 교육제공, 예방적 지침 제공, 문제의 조기발견 등에 관심을 가져야 한다.

01 / 신체적 성장

성장발달에 있어서 청소년기의 주요 변화는 사춘기(puberty)의 시작과 신체의 급격한 성장이다. 신체적 성장(physical growth)은 대개 체중과 키의 변화에서 두드러진다.

사춘기는 아동에서 성인으로 이행하는 과도기로 성적 성숙 및 수정 능력 향상을 의미하는 것으로 시상하부-뇌하수체-성선축(hypothalamus pituitary gonadal axis, HPGA)의 기능이 활성화되는 시기이다. 사춘기 동안 이차성징이 발현되고 신체의 급성장이 이루어지며, 생식기관의 발달과 더불어 수정이 가능해진다.

신체적 성장의 급증기간은 보통 남아는 12.5세~15세(평균 14세), 여아는 10세~13세(평균 12세)로 여아가 남아보다 신체적 성장속도가 빠르다[그림 10-1]. 대부분의 여아는 남아보다 2.5㎝~5㎝ 정도 큰 상태에서 청소년기를 시작하지만 초경 시작 후에는 키의 성장속도는 느려지므로 청소년기 동안 여아의 경우 5~20㎝ 정도 키가 크고 체중은 7~25㎏ 정도 증가한다. 반면 남아의 경우 10~30㎝ 정도 키가 크고 체중은 7~30㎏ 정도 증가한다[그림 10-2].

신체적 성장에 따른 신체변화는 기관별로 다른 속도로 나타난다. 골격은 근육보다 빨리 자라고 근육은 심장보다 빨리 성장한다. 이러한 성장률의 차이로 자세가 나빠지거나 근육운동의 조절이 부족하여 걸음걸이가 부자연스럽거나 물건을 손쉽게 잡지 못하는 현상이 나타난다. 신체기관의 성장패

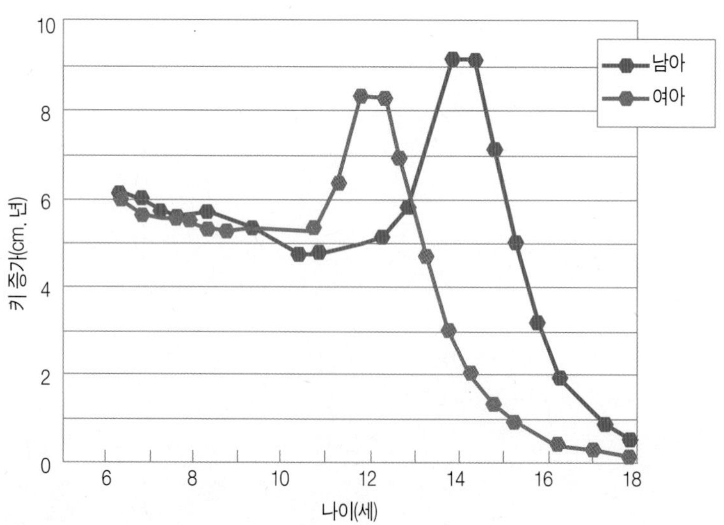

그림 10-1 **청소년의 신장변화**

키의 변화에서는 여아가 남아보다 2~3년 정도 빠르다

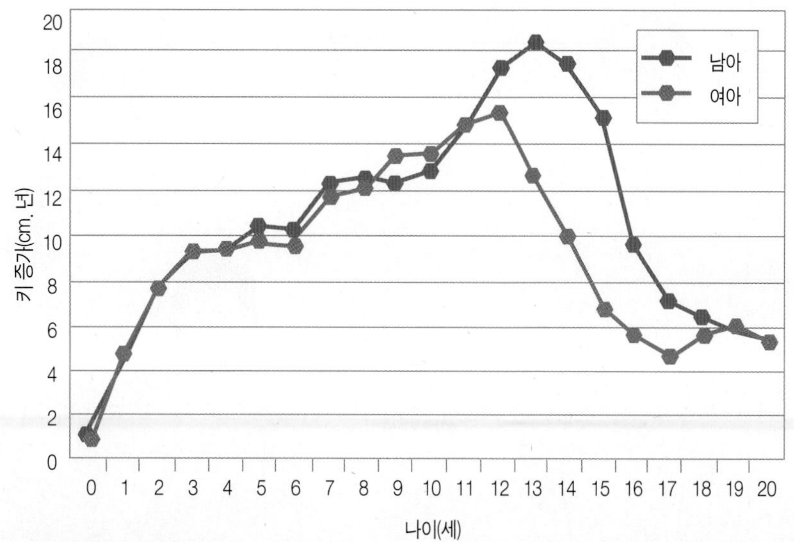

그림 10-2 **성별에 따른 신체적 급증기간**

신체적 성장의 급증기간은 성별 차이가 있다. 남아의 급증기간은 12.5세~15세인 반면, 여아의 급증기간은 10~13세로 남아보다 빠르게 나타난다.

턴은 성별에서도 차이가 나타나 남아는 전체적으로 근육량이 많아지고 여아는 지방 축적이 늘어난다.

02 / 이차성징

성적 발달(sexual development)은 태아기부터 시작하여 시상하부가 성선자극호르몬 분비호르몬(gonadotropin-releasing hormone, GnRH)을 합성하고 방출하는 사춘기에 이르러 완성된다. 시상하부에서 분비된 성선자극호르몬 분비호르몬은 뇌하수체 전엽으로부터 난포자극호르몬(Follicle stimulating hormone, FSH)과 황체화호르몬(Luteinizing hormone, LH)을 분비하게 되고 FSH와 LH는 안드로겐과 에스트로겐을 분비하여 이차성징과 생식기관의 성숙을 가져오게 된다.

이차성징은 청소년 시기의 가장 중요한 변화이다[표 10-1][그림 10-3].

그러나 모든 청소년에게서 이차성징의 내용과 발현시기가 동일한 것은 아니다. 이차성징 발현에 의한 사춘기의 시작과 완료시기, 속도, 정도의 범위는 시상하부, 뇌하수체, 성선, 부신의 기능에 따라서 많은 차이가 난다.

성 성숙도(sexual maturity ratings, SMR)는 Tanner가 개발한 측정도구로 청소년기 여아에서 유방과 음모, 남아에서 음모와 생식기에 기초를 둔 5단계가 이용되고 있다[그림 10-4].

여아의 경우 사춘기 동안 난소, 자궁, 질, 대음순, 음핵의 크기가 커지고 사춘기의 기간은 약 4년이다. 사춘기 여아의 성장 급증은 유방의 발달이 시작한 지 1년 후에서 시작하며 그 후 약 1년 뒤에 초경을 하게 된다[표 10-2]. 남아의 경우 사춘기 동안 고환, 음경, 부고환, 전립선의 크기가 커지고 사정은 Tanner 단계 중 3단계 정도에 이르렀을 때 나타난다[표 10-3].

남녀의 생식기관 발달은 성호르몬인 안드로겐과 에스트로겐의 작용으로 이루어진다. 안드로겐은 근육발달과 신체적 성장에 관여하고, 피지 분비 증가로 여드름을 발생시킨다. 남아의 이차성징 발생에 주된 작용을 하는 테스토스테론은 안드로겐의 한 형태로 부신피질과 고환에서 분비된다. 여아 역시 테스토스테론의 영향을 받아 체모 발생과 음순 및 음핵 크기 성장이 이루어진다. 에스트로겐은 여아의 난포에서 생산된다. 이 호르몬은 estrogen(E1), estradiol(E2),

표 10-1 **이차성징에 따른 발생순서별 주요변화**

남아	여아
체중의 증가	유방의 발달
고환의 성장	골반의 횡지름 증가
음모의 발달 시작	음모의 발달
급성장(키·체중)	급성장(키·체중)
음성의 변화	월경의 발생
음경의 성장	겨드랑이 털의 발생
수염, 겨드랑이 털 발생	질분비물 발생
정자의 생성	

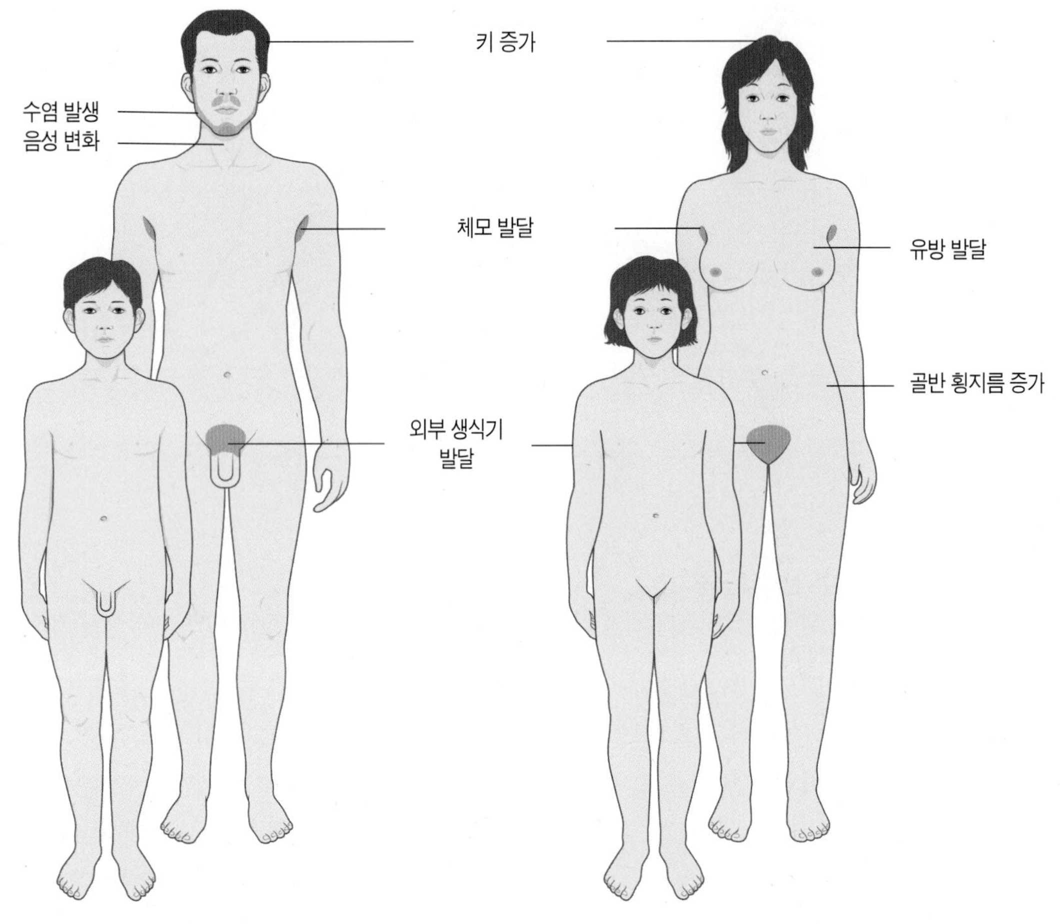

그림 10-3 이차성징에 따른 신체변화
남아에서는 키 증가, 체모 발생, 음성변화, 음경발달, 고환발달 등 신체변화가 나타나고, 여아에서는 키 증가, 유방발달, 골반 횡지름 증가, 체모 발생, 생식기 변화가 나타난다.

estriol(E3)의 3가지 합성 물질로 구성되어 있다. 에스트로겐은 여아 생식기관의 발달에 영향을 준다.

확인문제

1. 성선자극호르몬 분비호르몬(GnRH)의 영향으로 분비되는 호르몬은 무엇인가?
2. 성 성숙도를 분류하는 Tanner 단계는 총 몇 단계인가?

Ⅱ 발달 특성

정신적 변화에는 정체성(identity) 확립이라는 발달과제로 인하여 새로운 시도와 경험에 대한 두려움을 갖게 된다. 청소년은 자신의 현재와 미래에 관한 고민을 통해 인생계획을 세우게 되고 서서히 가족으로부터 벗어나 독립을 준비하게 된다.

사회심리적 변화에는 성에 대한 관심 증가와 성 정체성(sexual identity) 및 성적 지향(sexual orientation)으로 인해 인간관계에 변화가 생긴다. 동성친구 관계의 경우 친밀하고 오래 지속되는 관계로 변화하게 되고, 이성친구 관계의 경우에는 단순한 성에 관한 호기심을 넘어서 성과 관련된 행동이 많아지고 자신만의 이성관, 결혼관 등이 형성하게 된다.

표 10-2 Tanner stage에 따른 여아의 성 성숙도 분류

단계	유방의 발달	음모의 발달
1	사춘기 전 단계	사춘기 전 단계로 음모가 없음
2	유방과 유두가 작은 산처럼 융기되어 있고 유륜의 직경이 증가함	주로 기저부 또는 음순을 따라 곧거나 약간 구부러진 약간 착색된 음모가 드물게 보임
3	유방과 유륜이 더 커지고 융기되나 윤곽이 구분되지 않음	더 검고 거칠어지면서 보다 구부러진 음모가 퍼져 치골 결합부까지 드물게 보임
4	유륜과 유두가 돌출되어 유방 이외의 두 번째 산을 이룸	음모의 형태는 성인과 동일하나 음모의 양이 성인보다 적고 대퇴 안쪽에는 음모가 없음
5	돌출된 유륜은 전체적으로 유방 윤곽으로 합쳐지고 유두만 돌출됨	음모가 퍼지면서 성인 여성의 역삼각형 모양으로 분포하며 대퇴 안쪽까지 음모가 퍼짐

표 10-3 Tanner stage에 따른 남아의 성 성숙도 분류

단계	생식기의 발달	음모의 발달
1	사춘기 전 단계로 고환, 음낭 및 음경이 학령기 초기와 비슷한 크기와 비율을 보임	사춘기 전 단계로 음모가 없음
2	음낭과 고환이 증대되며 음낭의 피부가 붉어지고 결의 변화가 일어나지만 음경의 증대는 거의 없음	약간 착색된 음모가 드물게 보임
3	처음으로 음경의 길이가 길어지고 고환과 음낭의 크기가 더욱 증가함	음모가 검어지고 구부러지며 음모의 양이 적음
4	음경의 넓이와 크기가 증가하고 귀두가 발달함. 고환과 음낭이 보다 커지고 음낭의 피부가 검게 변함	음모가 거칠어지고 구부러지며 성인과 유사한 형태이나 음모의 양이 성인보다 적음
5	생식기의 크기와 모양이 성인과 같아짐	음모가 퍼지면서 성인과 같이 분포하고 대퇴 안쪽까지 음모가 퍼짐

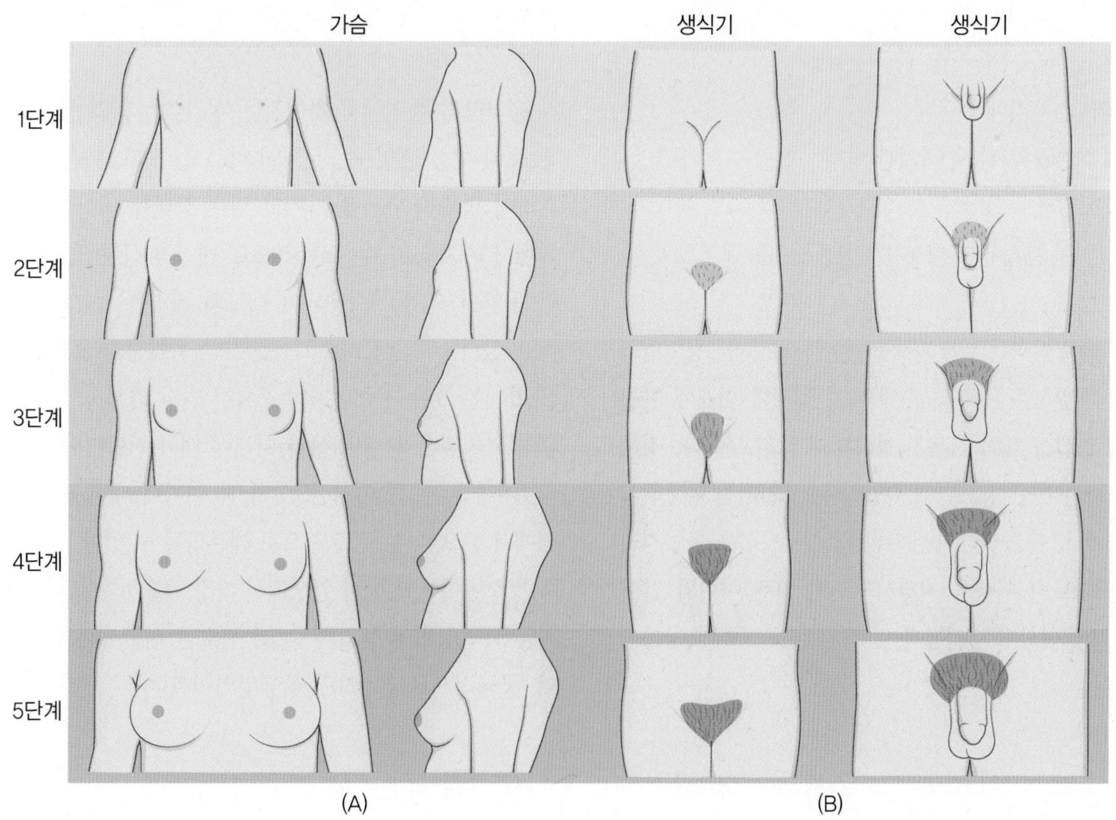

그림 10-4 Tanner stage

(A) 여아의 유방 및 음모변화 단계 (B) 남아의 음모 및 생식기 변화 단계

01 / 운동 발달

청소년기는 운동 발달(motor development)에서 급격한 변화가 일어난다. 남아의 운동 발달은 여아보다 상당히 급하고, 남녀 간 성장의 차이가 크게 벌어진다. 운동발달 영역에서 남아의 경우 약 16~17세 가장 큰 변화를 맞게 되고 이후에는 정체 혹은 감속하는 개인의 차이를 보인다. 여아의 경우 12세 이후에 완만한 변화를 보이고 민첩성이나 인내력과 같은 영역에서는 12세 이후에 대부분 감퇴하는 변화를 보인다

02 / 심리사회적 발달

에릭슨(Erikson, 1902~1994)의 심리사회적 발달(psychosocial development)에 의하면, 청소년기의 발달과제는 정체감(identity) 확립이며 정체성이란 자신이 누구이고, 어떤 사람이 될 것인가를 결정하는 것이다. 다음의 4가지 주요 영역은 청소년이 자아정체감을 형성하기 위해 갖춰야 할 내용이다[표 10-4].

- 변화된 신체상에 적응
- 삶에 대한 가치관 및 직업관 형성
- 부모로부터 독립
- 의미 있는 애착관계 형성

정체성 확립이라는 발달과제를 성취하지 못한 청소년의 경우 역할 혼란(role confusion)에 빠져 현재와 미래에 자신이 어떠한 역할을 해야 하는지 정확하게 알지 못한다. 정체성을 확립하지 못한 청소년은 책임 있는 성인처럼 행동하기를 거부하거나, 불완전하게 계획된 행동에 자신을 몰입시키거나, 성인기로의 이행을 지연시키면서 어린 아이와 같이 행동하는 퇴행현상이 나타난다.

1) 신체상

학령기 동안 강한 근면성을 발달시켜 왔던 청소년은 이차성징과 함께 나타나는 새로운 신체상(body image)에 적응하기 위해 노력해야 한다. 신체상은 자기 자신의 신체에 대한 느낌을 말한다. 신체상은 한 번 결정되어 고정되는 것이 아니라 일생 동안 변화하므로 왜곡된 신체상에 대해선 적절한 중재를 통해 변화시킬 수 있다. 청소년의 신체상에 대한 긍정적인 혹은 부정적인 평가는 정체성 확립에는 물론 신체적, 정신적 건강에도 영향을 미친다. 최근 신문, 방송 등 보도 매체를 통해 날씬한 여성을 문화적으로 선호하면서 대부분의 여성들이 체중 감량에 강박증을 가지게 되고, 일부 여성들은 극단적으로 부정적인 신체상을 가짐으로써 성형중독, 대인기피증, 우울, 자살과 같은 부정적인 행동을 선택하기도 한다. 적절한 체형임에도 불구하고 뚱뚱하다고 생각하는 왜곡된 신체상이 신경성 식욕부진과 관련이 있는 것도 이러한 현상을 잘 설명하고 있다. 흔히 여아가 남아에 비해 자신의 신체에 대해 좀 더 부정적인 평가를 하는 편이고, 신체상에 대한 왜곡도 남아에 비해 더 심하다.

청소년의 신체상은 자아개념, 자존감, 대인관계, 자신감 등에 영향을 미쳐 심리상태나 행동을 결정하는 지표로 작용하므로 청소년기 건강증진을 위해 적절한 신체상을 갖도록 하는 것이 중요하다.

2) 가치관

윤리학적 측면에서 가치관은 선과 악, 의와 불의, 미와 추 등에 대한 관념 즉, 무엇이 바르고, 옳고, 아름다운지에 대하여 명확한 관념을 가지고 있는 상태를 의미한다. 심리학에서 가치(value)는 일반적으로 개인의 신념 및 의식구조와 동일한 의미로 사용되며 태도와 가치를 구분하여 설명하고 있다. 무엇이 바르고, 옳고, 아름다운지에 대한 관념을 가지는 것은 청소년기의 중요한 발달 과제 중 하나이다. 흔히 가치관은 현재의 삶과 미래에 대한 전망(만족감, 행복감, 주관적 건강, 미래전망), 일과 여가에 대한 만족감, 인생에서 중요한 것, 종교관으로 세분화될 수 있다.

청소년기에 있어서 인생에서 가장 중요하게 생각하는 가치는 학업성취의 동기가 되고, 진로를 위한 결정요인이 되며, 궁극적으로 건강요구 핵심영역이 된다.

3) 직업 결정

청소년기는 성인기로의 진입을 위한 마지막 관문이다. 자신이 누구인지에 대한 끊임없는 고민은 미래에 자신이 무

표 10-4 청소년의 세부 연령별 심리사회적 발달

영역	초기 청소년기 (12-14세)	중기 청소년기 (15-17세)	후기 청소년기 (18-20세)
신체상	신체변화에 관심을 가지나 자신감은 낮음	• 신체변화를 이해하고 받아들임 • 외모에 관심 증가	• 신체변화를 완전히 수용하면서 신체상에 대한 긍정적/부정적 인식형성
가치관 및 직업관	• 추상적인 사고의 시작으로 현실과 미래에 대한 고민 시작 • 이상적인 가치관/직업관	• 여러 가지 시행착오를 경험함 • 현실과 이상간의 괴리에 대해 고민/갈등	• 도덕적, 영적 가치관 재정립에 따른 정체성 형성 • 현실적인 가치관/직업관
독립	• 부모의 충고와 가치관 거부 • 부모와 함께하는 활동에 무관심함	부모와의 갈등 고조	부모의 충고와 가치관 재수용
애착 관계		• 또래관계 강함 • 동성친구와의 긴밀한 관계 유지 • 이성친구와의 실험적 성 관련 행동 시작	• 또래관계 덜 중요해짐 • 상호이해를 기반으로 하는 한 두사람과의 제한적인 인간관계 유지

엇을 할 것인지에 대한 갈등으로 이어진다. 삶에 대한 가치관을 형성하는데 있어서 어떤 직업을 갖느냐는 매우 중요한 고민거리가 된다. 자신이 어떤 사람인지 깨닫는 것은 자신이 무엇을 할 수 있는 사람인지를 아는 것이므로 정체성이 형성된 청소년의 경우 직업을 결정하기도 비교적 쉽다.

진로발달단계(career development stage)의 관점에 따르면, 유치원과 초등학교는 진로를 인식하는 단계(career awareness), 중 · 고등학교는 진로를 탐색, 선택, 준비하는 단계(career exploration and preparation), 대학교 시기는 진로 전문화 단계(career specialization)라고 한다. 중 · 고등학교 시기인 청소년기에는 직업을 결정하기 위해 자신에게 맞는 적성을 찾고 해당되는 진로를 탐색하고, 선택하고, 준비해야 한다. 이를 위해서는 여러 가지 방법을 통해 직접 또는 간접적으로 직업세계를 경험해야 하고, 체험한 직업세계와 자신의 적성 및 흥미가 잘 부합하는지를 고민해야 하며, 구체적인 직업을 위해 진로영역을 좁히는 의사결정 훈련을 해야 한다. 청소년기 이전에는 적성 및 능력과 무관한 환상적 직업관을 가지게 되나 청소년기 이후에는 자신의 적성과 능력을 실제의 직업세계로 전환시켜서 적절한 계획을 세우는 현실적 직업관을 가지게 된다. 따라서 부모, 교사, 학교 보건교사는 청소년들이 자신의 진로에 맞는 직업을 결정할 수 있도록 적절한 교육을 제공하여야 한다. 가장 기본적으로는 상담을 통해 자신의 적성과 능력을 정확하게 분석하는 것이 중요하고 이후에는 자신이 원하는 진로와 관련된 교육, 견학, 실습을 경험할 수 있도록 하며, 무엇보다도 취업에 대한 성취동기를 갖도록 자신감을 키워주는 것이 중요하다.

4) 부모로부터 독립

청소년은 나이가 들면서 자신과 성인들, 특히 부모와의 관계가 수직적이라는 것을 깨닫게 된다. 부모는 자녀와의 관계에서 일종의 권력을 가지고 있으며 자녀들은 부모의 지시에 따라야 하는 의무감을 가진다. 그러나 또래와 함께 있을 때는 상대적으로 평등하며 수평적 관계를 경험하게 된다. 청소년기는 부모의 영향으로부터 벗어나 또래관계에 참여하는 비율이 증가하고 부모에게 덜 의존하게 된다. 따라서 청소년은 부모의 간섭보다는 스스로 판단하고 결정할 수 있는 자유를 원한다. 자신이 원하는 옷을 입거나, 동아리 활동을 하거나, 방과 후 학습을 선택하거나, 친구를 선택할 때 자유로운 결정을 하기 원하므로 이런 부분에 있어서 독립을 갈망하기도 한다.

에릭슨에 의하면 청소년은 정체성을 확립하기 위해 많은 실험적 경험을 많이 하는 것이 좋다. 이를테면, 직업적 흥미가 있는지 알아보기 위해 다양한 직종의 아르바이트를 해보거나, 데이트나 교제를 통해 이성 관계를 경험해보거나, 자신에게 맞는 종교적 · 도덕적 신념을 발견하기 위해 여러 동아리에 가입 또는 탈퇴를 해보거나, 때로는 술과 담배를 실험적으로 경험해보기도 한다. 이러한 모든 경험은 정체감을 확립하는데 필수적 과정이며 부모들은 이러한 경험을 할 수 있도록 일정 범위 내에서 허용할 필요가 있다. 에릭슨 이론에서는 최종의 정체감을 성취하기 이전에 일정 기간 동안 이루어지는 자유 실험기간을 '심리사회적 유예'라고 하였다. 이렇듯 청소년기에 이루어지는 부모로부터의 독립은 생활공간을 분리하는 물리적 또는 경제적 독립을 의미하기보다는 청소년들에게 가치, 믿음, 역할 등을 실험해 볼 자유를 허락하는 것을 의미한다. 즉, 정체감이란 일련의 실험단계를 거쳐야만 성취할 수 있는 청소년기 최종 발달과제이다. 따라서 부모는 정체성을 얻으려는 추구와 실험을 허용하고 이를 위한 적절한 지지를 제공하며, 실험과정에서 발생하는 문제 발생 시 청소년 스스로가 문제를 스스로 해결하도록 조언자 및 상담자 역할을 해주는 것이 바람직하다.

일부 청소년은 교육이나 직업훈련을 하기 위해 부모의 집에서 분가하여 따로 생활공간을 가지는 경우도 있다. 청소년이 혼자 사는 삶에 단계적으로 적응하도록 부모들의 지속적인 관심이 필요하다.

5) 애착관계

청소년기에는 부모와의 애착관계에서 벗어나 동성친구 또는 이성친구와 좀 더 긴밀한 애착관계를 형성하게 된다[그림 10-5].

아동기까지는 부모로부터 일방적인 사랑과 관심을 받지만 청소년기에는 동성 또래관계에서 친밀성과 사회성을 배우게 되고 이후에는 이성 친구와의 성적 관계로 발전하면서 대인관계의 형태가 변화하게 된다. 청소년 초기에는 동성에 대하여 강한 애착을 보이지만 지속되지 않는 경우가 많고, 중기로 넘어가면서 비슷한 연령의 이성에게 관심을 가지지만 애인과 친구와의 분화가 완전히 이루어지지 않은 상태에서 사랑을 경험하게 된다. 후기에 이르러야 애인과 친구의 분화가 완전히 이루어져서 오직 애인에게만 사랑과 관심을 가지며 외모를 포함하여 성격, 인간성과 같은 요인을 고려하여 이성친구를 선택하게 된다.

그림 10-5 청소년기의 애착관계

청소년은 동성 혹은 이성 친구와의 강한 애착관계를 유지한다.

애착이론에 따르면 태어나면서 맨 처음 가지는 애착은 부모를 대상으로 이루어지며, 아동기에 이르러서는 그 대상이 동성친구가 되며, 사춘기가 되면서 특정한 이성을 대상으로 강한 애착이 나타난다. 청소년기에는 이렇듯 동성과의 또래관계는 물론 이성 관계에서도 친밀감과 상호작용이 나타날 수 있도록 다양한 인간관계를 경험하는 것이 중요하다. 청소년기의 이성과의 애착경험은 성인이 되어서 배우자를 선택하고 부부관계를 유지하는데 중요한 영향을 미친다. 하지만 요즈음 청소년은 컴퓨터, 인터넷, 각종 영상자료, 스마트폰을 통하여 성인 중심의 왜곡된 성문화를 그대로 받아들이기 때문에 건전한 이성교제에 대한 올바른 지식을 갖는다는 것이 쉽지 않다. 청소년들의 이성 관계를 무조건 금지하는 것도 바람직하지 않다. 남녀 간에 자연스러운 교제는 이성에 대하여 많은 것을 깨닫게 하고, 미래에 배우자를 선택하는 이성관을 형성할 수 있는 계기가 된다. 그러므로 부모는 청소년기에 사랑과 성에 대한 올바른 지식을 가질 수 있도록 지도해야 한다.

03 / 인지 발달

피아제(Piaget, 1896~1980)의 이론에 의하면, 인지 발달(cognitive devolopment)의 마지막 단계는 형식적 조작기이며 12~13세에 시작하여 청소년기 동안 발달한다. 형식적 조작기에 해당되는 청소년기에는 새롭고 보다 강력한 인지적 기술이 발달된다. 청소년은 사물뿐만 아니라 관념적인 것에 대해서도 사고하는 구조를 지니게 된다. 가설적인 상황까지 고려할 수 있어 더 높은 수준의 사고가 가능해진다. 그러므로 이 단계의 청소년은 단어를 추상적으로 생각할 수 있는 능력과 어떤 결론을 내릴 수 있는 과학적 방법을 사용할 수 있다. 예를 들어, 울고 있는 아이를 보고 왜 우는지 물었을 때, 구체적 조작기에 해당되는 아동은 우는 아이의 상황과는 상관없이 자신의 경험에 비추어 '넘어져 다쳐서 우는 것'이라고 1가지로 대답한다. 반면 형식적 조작기의 아동은 '배를 잡고 우는 것으로 봐서 배가 아파서 운다', '큰 아이가 들고 있는 장난감을 쳐다보면서 우는 것을 보면 장난감을 빼앗겨서 우는 것이다', '화난 엄마가 옆에 계신 것으로 봐서 엄마에게 혼나서 우는 것 같다' 등으로 주어진 정보를 자료로 이용하여 다양한 가설을 도출할 수 있다.

청소년의 이러한 인지능력을 토대로 그들은 경험하지 않은 미래를 계획할 수 있다. 그들은 미래에 대한 여러 가지 상황을 가정해 볼 수 있고, 예상되는 결과를 통하여 계획을 수정하기도 한다.

04 / 도덕 및 영적 발달

콜버그(Kohlberg, 1927~1987)는 피아제의 인지발달 이론에 영향을 받아 아동의 도덕성 발달에 대한 이론을 제시하였다. 아동의 도덕성은 발달과정 속 일련의 경험을 토대로 발달한다. 청소년기는 제2수준인 인습적 수준(conventional level) 중 4단계와 제3수준인 후인습적 수준(postconventional level) 중 5단계에 걸쳐 있다. 청소년기와 성인 초기에는 법과 질서를 준수하고 사회체제의 유지를 지향하며(4단계), 좀더 나아가 옳고 그름에 대한 도덕성, 계약, 다수의견, 실용, 최대다수의 최대이익을 고려하여 판단하게 된다(5단계). 이러한 도덕성의 발달은 인지능력의 발달로 가능해진다. 청소년이 되어 구체적 사고에서 벗어나 분석적 사고가 가능해지면서 도덕적 개념도 분화된 형태로 나타나게 된다. 청소년은 '이웃집에서 물건을 훔치는 것이 왜 잘못된 것인가'라는 질문에 '경찰이 나를 처벌하기 때문에'라는 학령기 때의 미숙한 대답 대신에 '내가 낭비한 돈을 채우기 위해 돈을 훔치는 것은 이웃을 괴롭히는 것이다'라고 대답할 만큼 합리적 근거를 포함하는 사고를 하게 된다.

청소년기가 된 후에도 구체적 사고에서 탈피하지 못하게 되면 도덕성 발달도 4단계 이전 단계에 머무르게 된다. 즉, 처벌을 피하고 타인을 기쁘게 하기 위해 도덕적 판단을 하게 되는 전인습적 수준의 도덕성을 가지거나 또래집단이 원하는 행동을 하면 곧 옳은 행동이라고 판단하게 되는 인습적 수준(preconventional level)에서도 3단계(타인의 기대에 상응하기 위한 행동) 수준의 도덕성을 가지게 된다. 청소년은 친구, 가족, 다른 모범적인 성인과의 관계에서 도덕적 판단을 하게 되고 이러한 일련의 경험을 통해서 도덕적 가치관을 가지게 된다. 청소년기에 자신만의 도덕적 가치관이 확립되면 이후에는 도덕적 가치관이 유사한 사람들과 주로 대인관계를 형성하게 된다.

영적 발달에 있어서 초기 청소년은 종교의 가르침을 수용하고 문제가 발생했을 때 종교에 의지하는 경향을 보이나, 중기 청소년은 분석적 사고가 가능해지면서 종교에 대해서 많은 질문을 하게 되며, 후기 청소년은 자신에게 맞는 종교를 받아들이고 본격적으로 종교 활동을 하기도 한다. 영적으로 발달이 이루어진 청소년은 현재 자신이 처해 있는 환경에서 삶의 의미와 목적을 찾을 수 있고 자신의 생에 대해 긍정적인 태도를 보이면서 주관적 건강수준을 높일 수 있다. 즉, 영적으로 안녕한 청소년은 자신의 가치관을 형성하고 나아가 정체성을 가질 수 있으므로 영적 발달을 위해 신의 존재와 종교적 개념에 대해 반복적으로 질문하고 고민하는 일련의 과정이 반드시 필요하다.

Ⅲ 활동과 휴식

청소년은 대체로 신체적으로 건강한 편이지만 성장과 발달이 급격하게 이루어지는 시기이므로 부모와 전문가에 의한 건강관리는 물론 국가차원에서도 청소년의 건강증진을 위한 지속적인 건강감시(health surveillance)가 필요한 시기이다. 청소년은 성인으로 독립하는 준비과정으로 생활영역이 가정을 벗어나 학교, 친구, 사회로 확대됨에 따라 여러 가지 실험적 행동과 경험을 하게 되면서 때로는 위험에 처하기도 한다.

청소년은 근육량을 유지하고 긴장을 해소하는 방법으로 매일 규칙적인 운동 또는 신체활동을 하는 것이 좋다[표 10-5]. 장시간의 학교생활과 활동량이 적은 방과 후 활동으로 인해 청소년의 신체활동량은 그다지 많지 않은 편이다. 규칙적인 신체활동은 청소년의 건강증진에 필수요소이다. 청소년의 신체활동 및 운동은 심폐기능 향상, 골밀도 증가, 심장혈관 기능 향상, 신진대사 증진, 적절한 신체구성(비만

표 10-5 청소년을 위한 신체활동 권장지침(세계보건기구)

1. 매일 1시간 이상의 신체활동을 해야 한다.
2. 유산소운동 : 중등도 강도와 격렬한 강도의 운동을 병행하여야 하고, 적어도 일주일에 3번 이상은 격렬한 강도의 신체활동을 포함해야 한다.
3. 근력강화운동 : 매일 1시간 이상의 신체활동 중에 근력강화운동을 포함시키고 적어도 일주일에 3회 이상 해야 한다.
4. 뼈 강화운동 : 매일 1시간 이상의 신체활동 동안에 뼈 강화운동을 포함시키고 적어도 일주일에 3회 이상 해야 한다.

감소 및 적절한 근육량 유지), 우울증 감소의 효과가 있다.

건강증진을 위한 신체활동은 일상생활에서 이루어지는 비구조화된 활동도 포함한다. 청소년의 경우 학교에서 대부분의 시간을 보내기 때문에 체육관을 가거나 정기적으로 운동을 하기가 어렵다. 신체활동은 운동의 종류나 강도보다는 규칙적으로 하는 것이 중요하므로 운동이 어려운 청소년의 경우 일상활동으로 대체할 수 있다. 가정, 학교, 지역사회에서 최소한 10분간 실시하는 중등도 강도 이상의 모든 신체활동은 운동의 효과를 가져올 수 있다. 청소년의 신체활동량을 증가시킬 수 있는 일상생활 활동은 다음과 같다.

- 등하교 시 걷거나 자전거 타기
- 체육이나 댄스 같은 학교 수업 중 신체활동
- 점심 시간 중 게임과 스포츠
- 스포츠 동아리 및 동호회 활동
- 애완견 산책시키기
- TV나 비디오 보면서 신체활동 하기(ex 아령 들기, 제자리 뛰기, 스트레칭, 실내 운동자전거 타기 등)
- 친구나 가족과 게임하기(ex 야구, 원반 던지기, 하키, 축구 등)
- 가정에서 활발하게 가사일 하기(ex 방 청소, 창문 닦기, 눈 치우기 등)
- 운동학원 다니기(ex 수영, 스케이팅, 테니스, 댄스, 검도 등)

단백질 합성은 거의 대부분 수면 중에 이루어진다. 이런 이유로 청소년은 급성장을 위해 새로운 세포를 만드는 것이 요구되는 시기이므로 학령기 아동보다 더 많은 수면을 취하는 것이 필요하다.

가정에서는 청소년들이 충분한 수면과 휴식을 취할 수 있도록 침실 공간 마련, 낮잠 시간 제공, 숙면 방해요인 제거, 스트레스 관리 등에 신경써야 한다.

Ⅳ 영양과 식습관

청소년기의 급격한 신체성장 및 성적 성숙은 단백질, 칼로리, 아연, 칼슘, 철 등의 영양요구량을 증가시킨다. 영양요구량을 충분하게 보충시키는 것도 중요하지만 청소년의 경우 집 밖에서 식사 및 간식을 해결하는 경우가 많기 때문에 바람직한 식습관을 통해 균형잡힌 영양소를 섭취하는 것이 중요하다.

만일 식습관 관리가 잘 되어 있지 않을 경우 식사를 거르

표 10-6 청소년을 위한 일일 식단 제안

1. 청소년기에는 남아가 여아보다 더 많은 열량을 필요로 한다.
2. 탄수화물, 비타민, 단백질, 무기질 위주의 균형 잡힌 식단을 제공한다.
3. 체중감량으로 부족해지기 쉬운 철분, 칼슘, 아연을 특별히 더 보충해준다.
4. 여아의 경우 월경으로 손실되는 양을 보충하기 위해 더 많은 양의 철분이 필요하다. 월경량이 많은 여아의 경우 철결핍성 빈혈을 예방하기 위해 철분제가 추가로 보충되어야한다.
5. 골격성장을 위해 칼슘은 충분하게 제공한다.
6. 성적 성숙과 신체적 성장의 완성을 위해 아연을 공급한다.
7. 철분의 좋은 공급원은 육류와 푸른 채소이며, 칼슘은 우유와 우유가공품에 풍부하게 함유되어 있으며 아연 역시 우유와 육류에 풍부하게 들어있다.

거나 간식이나 패스트푸드로 식사를 대체하는 경우가 많으므로 성장에 필요한 영양공급에 차질이 생기게 된다. 영양이 거의 없는 단 음식이나 청량음료, 저열량 간식 등을 주로 섭취하게 되면 5대 영양소 부족에 의한 성장장애 혹은 대사장애가 발생하기 쉽다. 그러므로 부모는 자녀가 먹어야 할 우유나 주스, 과일이나 야채 같은 건강식품을 즉시 먹을 수 있도록 준비해 두거나, 영양이 풍부한 음식을 마련해 두어야 한다. 청소년에게 직접 식단을 짜게 하거나 음식을 준비하도록 책임을 맡기는 것은 바람직한 식습관을 갖는데 도움이 된다.

청소년기에 영양소 공급에 문제가 생기면 이차성징의 발현이 늦어지거나 성장에 문제가 생길 수 있다. 또한 청소년기는 심혈관계 질환, 암, 골다공증 등과 같은 성인병 예방과 관련된 식습관을 형성하는 중요한 시기이기도 하다. 불균형 식사와 열량과다는 비만, 제2당뇨병, 대사증후군 등과 같은 질환과 관련이 크다.

또한 여아의 경우 이차성징에 의한 신체변화, 이를테면 비만에 대한 고민으로 체중 감량을 위해 저열량 식사를 하거나 금식을 할 수도 있다. 일부 청소년이 신경성 식욕부진, 신경성 폭식증과 같은 섭식장애로 발전되지 않도록 신체상에 대해 어떻게 인식하는지에 대해 함께 논의해 볼 필요도 있다. 과체중 및 비만의 경우 적절한 체중 감량은 필요하겠지만 대부분의 청소년들이 성장에 필요한 열량과 영양을 잘 섭취할 수 있도록 부모와 간호사는 특별히 신경을 써야 할 것이다[표 10-6].

 성교육

청소년의 성교육은 건강한 성 정체감 확립을 목표로 자아존중감, 자신과 타인에 대한 책임감, 타인의 성에 대한 존중, 자신에 대한 통제, 효과적인 의사소통의 내용을 다루어야 한다. 성 정체감 확립을 위하여 자신의 감정을 표현하는 것과 갈등을 해소하는 방법을 배우는 것이 반드시 필요하다. 또한 성 행위에 대한 가치를 승화하여 성적 행동에 대하여 책임을 지는 것이 중요하다는 것을 강조해야 한다. 개인의 가족적 · 종교적 · 문화적 · 사회적 상황은 청소년의 성적 가치에 영향을 미친다.

청소년의 성행위는 점차 증가하고 있으나 올바른 피임 지식이 부족하여 피임법을 사용하지 못하고 있다. 이상적인 피임법은 안전해야 하고, 100% 효과적이어야 하며 부작용이 없고 소지 및 사용이 쉬워야 한다. 그리고 사용자와 상대자가 수용할 수 있는 방법이며 만일 피임이 안 된 경우, 임신에 대한 후유증이 없어야 한다. 다양한 피임방법 중 콘돔은 비교적 저렴하고 올바른 방법으로 사용하면 효과가 탁월한 방법이다. 또 다른 방법으로 경구피임제 복용이 있다. 경구피임제는 시상하부의 성선자극호르몬의 분비를 방해하여 배란을 억제하고, 뇌하수체의 성선자극 호르몬 방출을 방해하는 피임방법이다. 금기증은 심혈관 질환, 편두통, 간질환, 악성종양, 임신 중이고, 부작용은 월경주기 중간의 출혈, 월경불순, 체중 증가, 여드름, 두통, 흥분, 우울이다. 불가피한 성행위나 기존 피임 방법의 실패로 임신의 위험이 있는 경우 응급피임약을 사용할 수 있다. 응급피임약은 배란 · 수정 · 착상을 방해하는 방법으로 의사의 처방이 필요하다. 성관계 후 복용시간이 지연될수록 피임의 실패율이 높아진다. 부작용은 구토, 어지러움, 피로, 유방 압통이 있다. 피임방법 중 자궁내장치는 골반 감염과 유산율을 증가시켜 청소년의 피임방법으로 적절하지 않다.

피임방법 외에 임신과 출산에 대한 정보, 이성관계에서 사랑의 의미에 대하여 교육하여야 한다. 또한 신체기관에 대한 지식, 성 행동에 대한 정확한 표현, 성적 놀이의 수용 가능한 한계와 위험성에 대한 내용을 포함하여야 한다.

 안전사고 예방과 대처교육

01 / 10대 임신

성에 대해 관대한 사회적 분위기와 미디어나 인터넷상의 무분별한 성 관련 홍보 및 광고는 청소년의 무분별한 성 행동으로 이어질 수 있다. 청소년의 계획하지 않은 성관계는 결국 10대 임신이라는 결과를 가져오게 된다. 오늘날 10

대 임신은 복합된 요인에 의해 점차 증가하고 있다. 여학생의 초경 시작 연령이 빨라지고, 10대의 성적 활동이 많아지며, 피임에 대한 실제적인 지식이 부족한 점이 10대 임신을 초래하는 원인으로 작용한다. 일부 청소년은 성폭행에 의해 임신이 되기도 하고, 자기중심적 경향을 벗어나지 못하여 자신은 절대로 임신이 되지 않을 것이라는 잘못된 믿음을 가지고 성적 활동을 하기도 한다. 10대 임신으로 인한 미혼모는 여성의 집이나 쉼터와 같은 미혼모 보호시설에서 지내거나 혹은 부모의 도움으로 아이 양육을 직접 하기도 하지만 많은 경우에는 아이를 입양보내기도 한다.

10대 임신은 부적절한 산전관리, 불법 의료행위, 가족 및 친구로부터 소외감 등으로 인해 신체적, 정신적, 사회심리적으로 건강을 위협하게 된다. 계획하지 않은 임신은 산모와 태아의 건강을 해칠 수 있으며, 출산 및 양육의 문제로 인해 가족 및 주위 사람들과 많은 갈등을 갖게 된다. 그러므로 10대 임신은 임신에서부터 출산 이후 전 과정이 발달위기라 할 수 있다. 이러한 과정동안 의지하고 도움을 청할 부모 또는 성인이 없다는 것은 신체적, 정신적으로 청소년을 황폐화시킬 수 있다. 이들이 임신을 확인하고 산전관리를 위해 의료기관 또는 학교 보건실을 방문했을 때 최선의 의사결정을 하고, 스스로 자신의 건강관리방법을 결정할 수 있도록 최대한 도움을 제공해야 할 것이다. 그리고 출산 후 곧 바로 신생아를 돌봐야 하므로 양육방법에 대해서도 충분히 연습할 수 있도록 알려주어야 한다. 임신 및 출산으로 인해 청소년 스스로가 자책하거나 절망하지 않도록 부모의 격려와 지원이 필요하며, 미래의 원만한 사회적 관계와 정체감 확립을 위해 성장의 기회가 될 수 있도록 도와주어야 한다. 따라서 학업을 계속할 수 있도록 격려하고 자아존중감을 가질 수 있도록 가족을 포함한 주위 사람들의 지지가 필요하다.

10대 임신을 예방하기 위해서 청소년에게 올바른 성에 관한 지식, 책임있는 성행동, 피임법, 성병 예방에 대한 실질적인 교육을 실시해야 할 것이다.

 청소년기의 흔한 건강문제

01 / 중독

우리나라 청소년의 청소년의 음주율은 2011년 20.6%에서 2017년 16.1%로, 흡연율은 2011년 12.1%에서 2017년 6.4%로 감소하였다. 반면 인터넷 주 평균 이용 시간은 2015년 14.5시간에서 16.9시간으로 증가하였고, 스마트폰 과잉의존은 2015년 31.6%에서 2017년 30.3%로 유지하고 있다. 청소년의 약물사용이나 이상행동은 대부분 단순한 호기심, 또래 수용, 쉽게 접하게 되는 이유 등으로 한번 시도해보는 것을 시작으로 반복적으로 만성화되면 남용이나 의존상태가 된다. 이는 이른바 중독(intoxication)상태로 약물이나 행동에 의존성이 증가함에 따라 내성, 금단증상, 강박적인 사용으로 이어질 수 있다. 또한 정상적인 교제가 어렵고 잔인하거나 쉽게 화를 내는 성격으로 변하기도 한다. 이러한 변화는 청소년의 잦은 결석과 학업 성적 저하를 초래한다.

1) 니코틴

담배 제품 속에 포함된 니코틴이 순환기계나 호흡기계의 질환을 야기시킨다는 사실이 알려져 있음에도 불구하고, 많은 청소년은 담배를 피우고자 시도하거나 금연의 의지가 낮다.

청소년은 흡연이 또래집단 내에서 성숙함을 과시할 수 있다는 잘못된 믿음 때문에 실험적 행동으로 시작하게 되어 니코틴 중독에 의해 점점 습관화되어 의존하게 된다. 청소년이 흡연을 시도하게 되는 가장 중요한 이유 중 하나가 친구의 흡연 여부이기 때문에 청소년 내에서 흡연율은 점차 증가하고 있는 추세이다.

대부분의 학교에서는 흡연 예방 및 금연에 관한 교육을 실시하고 있으나 그 효과는 미비한 실정이다. 성인의 경우 다양한 금연 예방 정책의 도입으로 금연 비율이 증가하고 있으나 청소년의 경우 건강을 생각해서 스스로 금연해야 한다는 의지가 강하지 않을 경우 금연이 쉽지 않다. 보다 효과적이고 실제적인 금연 교육을 통해서 청소년 초기에 아예 흡연을 시작하지 않도록 하는데 중점을 두고 학교 보건정책이 마련되어야 할 것이다.

2) 알코올

청소년이 사용하고 있는 약물 가운데 가장 많이 사용하고 있는 것은 알코올이다. 알코올 사용은 청소년의 자살 및 교통사고와 관련이 있다. 청소년의 경우 성인 문화를 무분별하게 받아들이게 되므로 잘못된 성인의 술 문화가 오늘날 청소년의 잘못된 술 문화에 영향을 주게 된다. 우리나라는 알코올에 대해 비교적 관대하기 때문에 청소년의 알코올 사용에 대해서도 심각하게 생각하지 않는 경우가 종종 있다. 하지만 청소년의 음주는 만취나 중독, 우울, 성폭행, 음주운전 등과 같이 파괴적인 습관적 행동과 관련성이 있으므로 청소년기에 시작하는 알코올 사용을 가볍게 다루어서는 절대 안 된다.

3) 스마트폰/게임/인터넷

스마트폰, 게임, 인터넷 사용에 몰입하고, 이에 대한 통제력을 상실하여 여러가지 부정적인 상황이 나타남에도 불구하고 지속적으로 스마트폰, 게임, 인터넷을 지속하는 상태를 말한다. 청소년의 이러한 중독은 컴퓨터나 스마트폰의 사용시간을 놓고 가족과 갈등을 일으키고, 폭언과 공격적 행동을 하는 등 반항적 태도가 나타난다. 특히 갈등, 우울감이나 불안감이 높을 때 스마트폰이나 컴퓨터를 사용하면 기분이 나아지기 때문에 심리적인 문제에 대한 보상이나 자가 치료를 위해 스마트폰, 게임, 인터넷을 계속 탐닉하게 되고, 이러한 병적인 탐닉에 대한 죄의식, 자기 통제 실패로 인한 좌절감이 우울감을 가중시키고 자존감을 낮춰 더욱 스마트폰, 게임, 인터넷에 몰두하게 하는 악순환에 빠지게 된다. 특히, 청소년은 새로움 제품에 대한 호기심이 강하고 또래 집단에 소속되고자 하는 욕구가 크기 때문에 스마트폰, 게임, 인터넷 중독에 쉽게 노출될 위험이 크다.

02 / 자살

청소년기에 자살은 가장 심각한 안전 및 건강위험 행위로 전세계적으로 증가하는 추세이다. 우리나라에서도 청소년의 자살이 급증하면서 사회문제로 대두되고 있다. 청소년의 자살 시도와 관련된 위험요인은 다음과 같다.

간호진단 및 목표

간호진단 : 중독 가능성이 있는 약물의 사용과 관련된 신체손상 위험성

간호목표 : 대상자는 1개월 내에 약물사용으로부터 벗어날 것이다.

예상되는 결과 : 대상자는 약물을 사용하지 않겠다고 말하고, 약물사용의 흔적이 발견되지 않는다.

- 알코올과 약물남용
- 신체적 질환의 비관
- 자신이 불행하다고 생각하는 경우
- 자기 주위의 사람을 잃은 경우
- 낮은 학업성취도
- 복잡한 가족관계
- 신체 및 성적 학대
- 학교폭력과 같은 학교문제
- 최근 갑작스러운 사춘기 변화
- 정신질환

자살문제는 예방이 최선이다. 대개 자살은 가족 간 상호관계의 문제나 학교 · 친구 상호관계의 문제를 반영하므로 가족과 친구들이 미리 알 수 있는 단어행동은 반드시 있다[표 10-7].

자살 이전에 직접적인 단서행동 이외에 여러가지 신체증상 및 행동이 나타나기도 한다. 자살과 관련된 신체증상은 우울증상과 비슷하게 나타난다. 신체검진 동안 식욕부진, 불면증, 극심한 피로, 체중감소 등이 관찰된다. 그 밖에 가출, 무단결석, 떼쓰기, 불복종 등과 같은 문제행동이 나타나기도 한다.

자살을 시도한 청소년은 학교결석이 잦거나, 과제를 다 완성하지 않거나, 유급한 과거력을 가지는 경우가 많다. 그들은 주로 혼자이고, 자신의 느낌을 잘 표현하지 못함으로 인해 결과적으로 친구들로부터 정서적인 지지를 받지는 못하는 경향이 있다. 자살을 시도한 어떤 청소년은 지나치게 완벽한 성격 및 행동을 갖기도 한다.

청소년의 자살 예방은 어렵지만 불가능한 것은 아니다.

표 10-7 자살 단서행동

- 값진 소지품을 나누어 줌
- 갑작스럽고, 예상치 못한 기분변화
- '이게 나를 만날 수 있는 마지막 기회야'라는 식의 경고
- 언어적 의사소통의 감소
- 자살시도 경험이 있음
- 죽음을 주제로 한 음악, 미술 등을 선호함
- 죽음 뒤 세계에 대해 자주 질문함
- 전에 즐기던 활동이나 또래와의 관계 감소함

슬픔, 좌절감, 공허감, 의욕상실, 불면, 섭식장애, 사회와 학교생활에 대한 흥미 상실과 같은 전구증상이 있을 때 가족이나 친구, 또는 전문가들의 관심과 적극적인 개입이 필요하다. 구체적으로 학교 중심의 자살 예방 교육이 이루어져야 하고, 질병에 대해 정기적인 건강검진을 하는 것과 같이 자살 위험요인에 대한 정기적인 선별검사를 받도록 한다.

03 / 학교폭력

학교폭력이란 학교 안이나 밖에서 학생 사이에 발생한 상해, 폭행, 감금, 협박, 절도, 유인, 명예훼손, 성폭력, 집단 따돌림, 정보통신망을 이용한 음란 및 폭력 정보에 의하여 신체, 정신 또는 재산상의 피해를 수반하는 행위를 말한다. 반면 비행은 법률의 저촉 여부와 관계없이 공동 가치체계를 침범하는 행동으로 쉽게 말해, 사회가 합의하고 있는 도덕적, 관습적 규범으로부터 일탈된 행동을 의미한다. 학교폭력과 비행은 유사한 문제행동 영역으로 자신과 타인의 건강과 안녕을 위협하는 문제성 행동이다.

청소년 비행은 몇 가지 유형으로 분류될 수 있다.

- 실험적 유형 : 청소년들이 호기심이나 모험심 때문에 재미로 해보는 비행
- 사회적 비행 : 반사회적 행동이 허용되는 청소년 자신들만의 하위문화 속에서 특징적으로 나타나는 비행
- 성격 및 기질적 비행 : 반사회적인 성격이나 기질적인 문제가 주요원인이 되어 나타나는 비행
- 정신병리적 비행 : 현실 지각능력이 떨어지거나 자기 충동을 통제하지 못하여 나타나는 것으로 정신병리적 질환의 주요 증상으로 나타나는 비행

청소년기의 학교폭력 및 비행은 청소년기에 갑자기 나타나는 일시적 행동패턴이 아니라 일련의 발달과정을 통해 점진적으로 드러나는 연속적 행동패턴이다. 이러한 행동들은 청소년의 개인적, 환경적, 사회심리적 요인들이 복합적으로 영향을 미쳐 나타나므로 부모와 간호사는 청소년의 행동에 대한 종합적인 분석을 할 필요가 있다.

04 / 섭식장애

신경성 식욕부진(anorexia nervosa)은 음식물과 체중에 대한 지나친 집착으로 인해 극심한 체중 감량을 유발하게 되는 정도로 심각한 음식물에 대한 거부를 특징적으로 보이는 섭식장애이다.

신경성 식욕부진은 남아보다 여아, 특히 16~18세의 사춘기 여아에서 가장 많으며(여:남=10:1), 가족력이 관계가 있다.

신경성 식욕부진의 주요 원인은 밝혀지지 않았으나 대부분의 발생기전은 사춘기의 신체적 변화, 성적 및 사회적 긴장으로부터 비롯된 음식물에 대한 공포-회피 반응으로 정신역동적 관점에 초점이 맞춰져 있다. 신경성 식욕부진 진단기준은 다음과 같다[표 10-8].

신경성 식욕부진은 자신의 체중 및 체형에 대한 왜곡된 신체상을 갖는 것에서 시작하여 지나친 체중 감량으로 진행된다[그림 10-6]. 신경성 식욕부진은 체중 감량을 위한 젊은 여성의 일반적인 식이요법과 비슷하게 시작하지만 체중감소가 극심하고 영양실조와 같은 건강문제가 동반된다는 점이 다르다. 신경성 식욕부진에 동반되는 건강문제는 다음과 같다.

- 서맥
- 체위성 저혈압
- 심전도 이상
- 저체온
- 무월경
- 시상하부-뇌하수체-성선 축 이상

표 10-8 신경성 식욕부진의 진단기준

A. 연령과 신장 기준에 따른 최소 체중(기대 체중의 85% 이하)을 유지하는 것을 거부한다.
B. 체중미달임에도 불구하고 살찌는 것에 대해 지나친 두려움을 갖는다.
C. 체중 및 체형에 대해 왜곡된 생각을 갖는다.

- 전해질 이상
- 이지리움증

확인문제

3. 신경성 식욕부진에 동반되는 건강문제에는 무엇이 있는가?

4. 신경성 식욕부진으로 인한 사망의 주된 원인은 무엇인가?

신경성 식욕부진으로 인한 사망률은 10% 정도이며 직접적인 사망 원인은 전해질 불균형, 부정맥, 울혈성 심부전 등이다.

치료의 원칙은 동반된 건강문제에 따라 다르지만 영양실조 치료를 위한 영양공급과 같이 신체적 건강문제 해결이 우선적으로 이루어져야하며, 그 밖에 환자–가족의 심리요법, 행동수정요법이 병행되어야 한다. 진단 초기에는 입원이 필요하며 적절한 퇴원교육 및 지속적인 추후 관리를 통해 치료가능하다.

그림 10-6 왜곡된 신체상

최소 체중을 가졌음에도 불구하고 뚱뚱하다고 인식하는 왜곡된 신체상을 가진다.

신경성 폭식증(bulimia nervosa)은 영어 어원인 '소같이 먹는(canine or hunger)'이란 의미를 지닌 섭식장애로 신경성 식욕부진과 함께 청소년기에 주로 나타나는 건강문제이다. 신경성 식욕부진과 마찬가지로 신경성 폭식증을 가진 청소년 역시 자신의 체중에 집착하면서 음식 조절에 어려움을 겪는다. 남녀비율에 있어서는 1:15로 여성에게 많이 나타나고, 특히 젊은 여성(12세~35세)에게 많이 발병한다. 신경성 식욕부진보다 흔하게 나타나는 편이다. 신경성 식욕부진은 정상 체중을 유지하기 위해 음식 섭취를 거부하는 것이 특징인 반면에 신경성 폭식증은 반복되는 폭식과 이어지는 부적절한 보상행동(구토유도, 이뇨제 사용, 다이어트, 지나친 운동)이 특징적이다.

신경성 폭식증 환자는 짧은 시간 동안 폭식하고(binge eating) 맛보다는 기계적으로 먹으려고 한다. 복통과 구역질이 날 때까지 먹은 뒤에 체중이 증가하는 것을 막기 위해 토하거나 변비약, 설사약, 이뇨제 등의 약물을 사용하고 운동에 집착하기도 한다.

처음에 구토는 매우 어렵지만 한번 시도한 후에는 매우 쉬워지며 나중에는 구토로 인해 다시 폭식을 하게 된다. 폭식 시에는 달고 기름진 음식을 먹으며 폭식 후에는 죄책감, 자신에 대한 혐오감, 열등감, 낮은 자존감 등을 느낀다. 심리적으로는 폭식 당시에 쾌감을 느끼지만 곧 불쾌해지면서 이런 불쾌한 감정이 또 다시 구토를 유도한다. 또한 자신의 행동에 대한 수치감이 크게 느껴지기 때문에 이 사실들을 가족들에게 숨기려고 한다. 체중 조절에 지나치게 신경을 쓰기 때문에 자신이 남들보다 뚱뚱하다고 생각해 다이어트에 매우 신경을 쓰고 음식조절이 안되는 것에 대한 두려움을 가진다. 폭식증 환자의 대부분이 정상체중이고, 지나

표 10-9 신경성 폭식증의 진단기준

A. 아래의 특징을 갖는 폭식행동이 되풀이 된다.
  1. 일정 시간 동안 일반적인 사람들에 비해 뚜렷하게 많이 먹는다.
  2. 폭식 중 먹는 것을 자제할 수 없다.
B. 체중증가를 막기 위해 구토, 설사제, 이뇨제, 관장, 단식, 심한 운동 등의 보상행동을 되풀이한다.
C. A와 B의 행동 모두 3개월 중 평균 1주일에 두 번 이상 발생한다.
D. 몸매와 체중에 의한 자기 평가가 지나치다.
대개 이런 이상행동이 적어도 1주일에 2회 이상씩, 3개월 넘어 지속되면 폭식증이라는 진단을 내릴 수 있다.

치게 마르거나 약간 비만상태 정도이며 매우 비만인 상태는 거의 없기 때문에 이런 행동이 반복될 경우 건강을 크게 해칠 수 있다. 신경성 폭식증 진단기준은 다음과 같다[표 10-9].

신경성 식욕부진의 경우 폭식을 동반하기도 하지만 대부분 극심한 다이어트를 하기 때문에 영양실조나 심각한 저체중이 문제가 되는 반면, 신경성 폭식증의 경우 부적절한 보상행동에 의해 초래되는 건강문제가 좀 더 다양하기 때문에 전문가에 의한 세심한 신체검진이 필요하다. 신경성 폭식증으로 발생할 수 있는 건강문제는 다음과 같다.

- 폭식에 의한 위확장 및 위천공
- 지나친 구토에 의한 식도염 및 식도출혈
- 수분 및 전해질 불균형(탈수, 대사성 알칼리증 등)
- 저혈압
- 빈맥
- 심전도 이상

신경성 폭식증은 폭식 후 체중 증가에 대한 심리적 불안감이 매우 높다. 부적절한 보상행동 역시 이러한 심리적 불안감에 의해 발생된다. 따라서 치료는 증상별 치료, 영양상담, 인지-행동 수정요법, 정신요법(상담 및 심리치료), 약물요법 등 통합적으로 이루어져야 한다. 신경성 폭식증을 위한 치료적 접근은 다음과 같다.

- 폭식을 하지 않도록 규칙적인 식사 계획을 세운다.
- 폭식을 유발하는 선행요인이 무엇이 있는지 살펴본다.
- 체형과 체중에 대한 잘못된 생각을 바로잡는다.
- 폭식을 대체할 수 있는 방법을 찾는다.
- 식사와 관련된 모든 것을 기록하고 매번 분석한다.

확인문제

5. 신경성 폭식증과 관련된 부적절한 보상행동은 무엇인가?

6. 신경성 폭식증 대상자가 가지는 왜곡된 신체상은 어떤것인가?

요 점

※ 성장발달에 있어서 청소년기 동안에는 이차성징 발현으로 나타나는 신체의 급격한 변화와 더불어 정신적, 심리사회적 변화를 맞게 되는 사춘기에 해당된다.

※ 사춘기는 성적 성숙 및 수정 능력 발달을 의미하는 것으로 시상하부-뇌하수체-성선 축(hypothalamus-pituitary gonadal axis)의 기능이 활성화되는 시기이다.

※ 성 성숙도(sexual maturity ratings)는 여아에서는 유방과 음모, 남아에서는 음모와 생식기에 기초를 둔 Tanner의 5단계에 의해 평가된다.

※ 청소년은 에릭슨 단계에 의하면 자아정체감이 확립되는 시기로 변화된 신체상에 적응, 삶에 대한 가치관 및 직업관 형성, 부모로부터 독립, 의미있는 애착관계 형성에 관하여 충분하게 고민하고 실현해나가야 하는 단계이다.

※ 청소년은 피아제 단계에 의하면 형식적 조작기로 관념적인 사고가 가능함에 따라 폭넓은 사고를 할 수 있다.

※ 청소년은 콜버그 단계에 의하면 인습적 단계 후반과 후인습적 단계 초반에 해당되는 도덕성을 갖는 시기이다.

※ 청소년은 대체로 건강한 편이지만 성장과 발달이 급격하게 이루어지는 시기이므로 적절한 운동 및 신체활동, 충분한 수면과 휴식, 균형잡힌 영양공급, 안전 및 건강행위 유지 등에 관한 건강관리가 요구된다.

※ 청소년기의 흔한 건강문제로는 사춘기와 관련된 성장발달의 문제, 영양에 관한 문제, 중독과 관련된 문제, 정신적 발달과 사회적 환경변화에 따르는 문제 등이 포함된다.

※ 청소년 건강을 위협하는 10대 임신, 학교폭력, 자살문제 등에 대한 위험요인을 감시하고 적절한 상담 및 관리를 받을 수 있도록 해야한다.

※ 청소년에 있어서 음주와 흡연은 약물남용의 지름길과 같으므로 이상 징후 조기발견을 통해 예방하는 것이 중요하다.

※ 왜곡된 신체상과 관련이 있는 신경성 식욕부진과 신경성 폭식증은 청소년기 여아에게 주로 발병하는 섭식장애로 영양상담, 심리요법, 행동수정요법 등의 치료가 병행되어야 한다.

확인문제 정답

1. 난포자극호르몬(FSH)과 황체화호르몬(LH)
2. 남녀 각각 부위별 총 5단계
3. 서맥, 체위성 저혈압, 심전도 이상, 저체온, 무월경, 시상하부-뇌하수체-성선 축 이상, 전해질 이상
4. 전해질 불균형, 부정맥, 울혈성 심부전
5. 구토 유도, 이뇨제 사용, 다이어트, 지나친 운동
6. 정상체중 및 저체중임에도 불구하고 과체중 및 비만이라고 생각한다.